Krystyna Nepomucka

STAROŚĆ DOSKONAŁA

Krystyna Nepomucka

STAROŚĆ DOSKONAŁA

Ludowa Spółdzielnia Wydawnicza
Warszawa 1991

Opracowanie graficzne
Teresa Kawińska

ISBN 83-205-4353-3

Birgit Finnilä
z serdecznościami
i podziękowaniami

Motto

Dla mężczyzny miłość
jest jednym z zajęć,
dla kobiety jedynym

Byron

Rozdział 1

Po pięknym zamczysku i ruiny są piękne — stwierdziłby z pewnością ojciec. Miał przedziwny sposób pocieszania.

Wyglądem jednak przypominałam truchło, a do tego chyba nigdy nie byłam piękna. Oparta o wysoko ułożone poduszki wpatrywałam się z obrzydzeniem w lusterko.

Na zasadzie określonej jednostki chorobowej, a nie „pani doktor", zaczęłam drugi tydzień pobytu w pięcioosobowej szpitalnej sali. Nie chciałam korzystać z drobnych przywilejów i prawa do separatki. Brakowało miejsc, chorzy leżeli na korytarzach. Ordynator chętnie spełnił moją prośbę.

„Do tej pory ja wycinałam — pomyślałam z gorzkim humorem — teraz mnie coś wycięli".

Usunięto pęcherzyk żółciowy z okazałymi kamieniami, piaskiem i urodziwym wodniakiem wielkości męskiej pięści. Operacja była zaskoczeniem. Stanowiłam okaz zdrowia i energii. Nie odczuwałam typowych dolegliwości. Ojciec mawiał kiedyś z dumą: „Moja krew. Jej kłonicą nie dobije". Przypadek sprawił, że przy jakiejś tam innej okazji przebadano jamę brzuszną ultradźwiękami. Dzień później znalazłam się na stole operacyjnym.

— Dwie minuty przed dwunastą — orzekł chirurg. Dzieliły nie dnie, a godziny od perforacji. Niewykluczone, że od śmierci.

„Jestem skazana na życie" — myślałam z mieszanymi uczuciami, pudrując nos sterczący w wymizerowanej twarzy. Nie odczuwałam radości, a tak kiedyś kochałam życie.

Pewnego zimowego dnia w tym moim osobistym nastąpiła katastrofa. Runął na głowę świat stworzony z ostatnich okruchów wiary, złudzeń i nieśmiałych marzeń o miłości z mężczyzną mego życia. Budowany z trudem, zawalił się łatwo. Od pierwszego podmuchu. Przywalił ciężarem, stłamsił, pozostawił pustkę. Trzeba się było ratować, znaleźć wentyl bezpieczeństwa, wywalić klin klinem.

Mikołaj był wdowcem. Mnie dzieliły dwa lata od rozstania z Piotrusiem. Dwa różne dramaty, różne samotności usiłowaliśmy połączyć w jedno wspólne życie. Sądziłam, że można to uczynić na zasadzie wyrozumowanej układanki, chociaż mówiliśmy o miłości myląc ją z seksem. Widocznie jednak nie można. Nam się to nie udało. Tkwiłam dalej w pustce, od dawna już samotna, pozornie pogodzona z losem. Nie potrafiłam jednak odnaleźć w niej siebie, nic w sobie ocalić. I chociaż sprawy te od dawna nie bolały i rzadko wracałam myślą do tamtego czasu, odnosiłam wrażenie, że żyję wciąż jak w narkozie albo po znieczulającym zastrzyku. Nic nie bolało, ale też i nie cieszyło. Takiej namiastki życia nie potrafiłam jednak kochać. I to wszystko.

Z westchnieniem przeciągnęłam szminką po bezkrwistych wargach. Znużona i smutna odłożyłam lusterko, pocieszając się, że mój organizm regeneruje się szybko. Wkrótce przestanę wyglądem straszyć siebie i otoczenie.

Chore szeptały między sobą, wymieniały uwagi, coś tam wyjadały z szeleszczących papierków. Mimo woli podpatrywałam ich codzienny rytm dnia. Przysłuchiwałam się rozmowom, byle nie roztkliwiać się nad czymś tak teraz nieistotnym, jak czas przeszły dokonany.

— Chociaż kawałek impotenta na smak! — dobiegło westchnienie i szczęk odstawianego na stolik talerza z kleikiem koloru wygotowanej ścierki.

— Te impotenty to niby co takiego... — odezwał się po chwili niepewny głos operowanej na tarczycę. Dotykała palcami opatrunku na szyi takim ruchem i z takim napięciem w twarzy, jakby sprawdzała, czy ma głowę na właściwym miejscu.

Uśmiechnęłam się. Tej trudnej sztuki nauczyłam się w tamtym czasie katastrofy i klęski. Znajomi mówili o mnie: „Szczęśliwy człowiek. Zawsze pogodna, zawsze uśmiechnięta".

— Przecież o śledziu mówię! Impotent to taki bez jaj na twardo. Jedynie z tartym jabłuszkiem, śmietaną i sparzoną wrzątkiem cebulką. Ma się rozumieć z odrobiną cukru...

— Kawał żołądka wycięli, a pani nic tylko o jedzeniu. Są większe zmartwienia... — Z oczu utkwionych w cieknący przy umywalce kran wyzierało napięcie i męka. — Ciurka z niego i ciurka — jęczała. — Tyle razy prosiłam siostrę, żeby naprawili, bo jak tak dalej pójdzie, całą pościel im zaszczę.

Sięgnęła po butelkę z wodą. Tkwiła w niej plastikowa rurka.

— A pani to tylko w butle dmucha i o basenie myśli!

Przez chwilę trwała cisza. Na korytarzu ktoś trzasnął drzwiami. Chora obok otworzyła czerwony termos. Rozeszła się woń świeżo parzonej kawy. Uczyniła gest, jakby chciała wlać ją także i do mego kubeczka. Zaprzeczyłam ruchem głowy. Uśmiechnęła się przepraszająco.

Przywiozło ją pogotowie w środku nocy. Biegła w domu po ciemku do łazienki. Wpadła w oszklone drzwi, sądząc, że są jak zwykle otwarte. Szyba podcięła kolano, pokaleczyła nogę i nos. Umazaną krwią i zapłakaną wniósł ją mąż na rękach. Odwiedzał teraz kilka razy w ciągu dnia znosząc smakołyki i różne drobiazgi. Wciąż o czymś sobie przypominała, co wydawało się jej niezbędne w szpitalu. Chore mówiły o niej: „ta od szyb", tak jak mnie nazywały: „woreczkowa".

Ładna, skora do łez i do śmiechu. Na imię miała Helena. Paliła ukradkiem papierosy, częstowała słodyczami, kawą. Mąż znosił pudła czekoladek z Pewexu. Gładził czule po ręce, wypytywał, czym może jeszcze sprawić trochę radości. Zastanawiałam się wtedy, z jakim typem kobiety ją zdradza. Nie wierzyłam żadnemu mężczyźnie. Wierność była im obca.

— Taka to pożyje! — wzdychały chore z nie ukrywaną zazdrością, ilekroć zabierano Helenę do zabiegowego na opatrunki.

Odwróciłam głowę. Za przeszkloną ścianą unosiła się biała kurzawa śniegu. Drobniutkie płatki wirowały wolniutko w szarości rozpoczynającego się dnia. Opadały koliście w dół, to znów unosiły się ku niebu. Przyciągały wzrok, urzekały czymś nieuchwytnym, kojarzyły się z mglistymi obrazami dzieciństwa. Wtedy upierałam się, że to nie śnieg za oknem pada, a lecą z nieba piórka z rozdartej pierzynki mego anioła stróża. Zapewniała o tym babunia z Krakowa. Matka mojej matki była dla mnie wówczas najwyższym autorytetem, chociaż ojciec nazywał ją „bajczarą". Robił matce wyrzuty, że pozwala „ogłupiać dziecko, które i tak już jest wystarczająco kołowate".

Wirujący ruch płatków przywoływał zapomniane dawno wydarzenia i smutki związane z zimą, z pierwszym śniegiem. Wodziłam za nimi wzrokiem wchodząc powoli i bezwiednie w czas przeszły. Przymusowa bezczynność rozleniwiała. Ogarniało uczucie nieważkości i senność. Szmery w sali utrzymywały na granicy rzeczywistości i majaków, nie pozwalając jednak zasnąć. Na obrazy z przeszłości nakładały się twarze chorych. Ich głosy docierały do mojej świadomości jakby z innego wymiaru.

— Dłużej nie wytrzymam! Leci z kranu i leci — skarżyła się płaczliwie „tarczycowa" w koszuli w niebieskie kwiatki. — Doktor nie kazał wstawać. Mam zawroty głowy. Mogę upaść... — Omiatała wystraszonym wzrokiem twarze chorych, jakby szukała w nich przyzwolenia na siusianie w łóżko. — Nikt nie przychodzi na dzwonek... — skamlała, dotykając palcami to głowy, to szyi.

— Kto za te marne grosze będzie śmierdzące baseny wynosił? Każdy dziś chce dużo zarobić, a mało pracować — dotarł spod okna chrypliwy głos.

Za oknami pociemniało. Uderzyło wiatrem w szyby. Śnieg wzmógł się, wyogromniał. Przypominał rój białych motyli przeganiany podmuchami porywistego wiatru. Nisko nad dachami kłębiły się brzuchate, granatowe chmury. Wpatrywałam się w nie do bólu, do nabiegających łez, do zatracenia siebie w wirujących koliście płatkach. Szukałam gorączkowo czegoś, co umknęło mojej pamięci, kojarzyło się z zimą i z szansą na zwykłe ludzkie szczęście. Bliskie jak na wyciągnięcie ręki, a wciąż dalekie i nieosiągalne niczym galaktyki na zimowym niebie, oglądane tamtej zimy z Mikołajem.

I wtedy nieoczekiwanie przyfrunęły do mnie umarłe motyle ze starego Młyna. Zobaczyłam Mikołaja wymachującego ścierką nad głową i siebie w tamtym czasie, gdy powtarzałam w myśli bez sensu i nie na temat o tych umierających motylach, myjąc ubrudzone węglem dłonie. I tak weszłam w tamten obraz przybliżony zamiecią za szpitalnym oknem. Zapragnęłam w nim pozostać, zatrzymać siebie w jego kadrze, w samym środeczku pojawiających się zwidów i rzeczy, byle uciec, odgrodzić się od rzeczywistości realnego świata. Od brudnych basenów, nieszczęśliwych starości, chorób i siebie samej tkwiącej bezwolnie w łóżku z drenem w boku.

Łazienka o trzech oknach, wykładana różowymi kafelkami i miodowej barwy drewnem. Lustra w owalnych, czarnych ramach i te prostokątne w miedzianych pliskach, zasnute mgiełką czasu, odbijały moją zaróżowioną chłodem twarz. Ktoś zawiesił na jednym z nich sznur szaroniebieskich korali. Na wierzchu szafek tworzących długi, wąski stół połyskiwały w szklanych puzderkach klipsy z imitacji złota i perełek. Kryształowe spinki do mankietów, muszelki, drobiazgi nieużyteczne do niczego.

Wycierałam ręce szorstkim ręcznikiem, przypatrując się motylom. Przycupnięte w okiennych szparach, ze złożonymi skrzydłami brunatnej barwy, na kaflowym piecu zimnym i wrogim, na białych ścianach, przypominały zeschłe listki.

„Jestem tu, gdzie umierają motyle..." — powtarzałam w myśli ze ściśniętym sercem, przepełniona dojmującym smutkiem, chociaż czekała mnie pierwsza noc z Mikołajem. Wprawdzie nie poślubna. Z tym postanowiliśmy jeszcze zaczekać ze względu na dwa mieszkania. Będąc małżeństwem musielibyśmy z któregoś zrezygnować. Żadnemu z nas to nie dogadzało.

Dotknęłam ostrożnie złożonych skrzydełek. Chuchnęłam ciepłym oddechem. Drgnęły, rozchylając leniwie nakrapiane błękitem rdzawe wnętrze.

— A więc tylko zasnęły... — odetchnęłam z ulgą, jakby to stwierdzenie było czymś najważniejszym, dobrą wróżbą na przyszłość.

Na razie walczyliśmy z piecami. Broniły się kłębami szarego, gryzącego dymu.

— Wyziębione kominy — stwierdził beztrosko Mikołaj i zalał wodą resztki tlącego się drewna. A pieców w starym Młynie, przerobionym na wspaniałą rezydencję, było siedem.

— Zejdź na dół! — dobiegł głos Mikołaja. — Nie mogę sobie poradzić z kuchnią. Też dymi.

„Sam się teraz nad nią pomęcz" — pomyślałam udając, że nie słyszę wołania.

Broniłam się przed pobytem tutaj. Zwłaszcza od momentu, gdy przyjaciel Mikołaja, który powierzył mu klucze, nadesłał entuzjastyczny list ze Stanów, dowiedziawszy się o naszym związku. Jego słowa wracały do mnie jak refren ogranej piosenki.

„...Czujcie się właścicielami Młyna. Przez najbliższy rok nie zawitam do Polski. Otworzyłem tu, w Nowym Jorku, galerię obrazów i czekam, co z tego wyniknie. Pan Gucio będzie wam we wszystkim użyteczny i pomocny. Jest to wprawdzie troglodyta ze słabością do kieliszka, ale u niego złote serce i złote do pracy ręce. Do Młyna przywiązany jak pies. Pomagał przy odbudowie, uprawiał warzywnik, zaprowadził sad, a nawet pilnuje, żeby goście zdejmowali buty wchodząc do wnętrza. Podłogi są z modrzewia i nie chciałbym, aby je zadeptano..."

Była w nim także mowa o skandynawskich kuchennych meblach z siedemnastego wieku, na których nie należy stawiać garnków, a także prośba o szczególną uwagę na bezcenną porcelanę, której nie należy używać.

— Jedźmy do pensjonatu w górach — prosiłam Mikołaja. — Nie wiadomo, co o tej porze roku zastaniemy w Młynie.

— Jest pan Gucio — stwierdził kategorycznym tonem. — Będziesz miała wszelkie wygody, a ja ciebie tylko dla siebie — wysunął argument nie do odparcia. — Spacery po ośnieżonym lesie, wieczory przed płonącym kominkiem... — wyliczał patrząc mi gorąco w oczy.

Uległam. I teraz w czapce-uszance, w kożuszku i w botkach na futerku deptałam podłogi i schody z modrzewia, pełna poczucia winy i strachu przed mitycznym panem Guciem. Mógł się tu każdej chwili objawić pijany, chociaż wyglądało na to, że od miesięcy się nie zjawiał.

— Zejdź wreszcie, Sarenko! — niecierpliwił się Mikołaj.

Słowo „Sarenko" nie mogło być chyba niczym innym umotywowane, jak tylko tym, że jesteśmy w lesie. Gdyby nazwał mnie tak przed nocą, mogłabym sądzić, że wzbierają w nim już chucie. Mężczyzna jest wówczas skłonny nadawać kobiecie najmniej spodziewane zdrobnienia. Nawet jeśli nie kocha.

— Już idę! — odkrzyknęłam rozbawiona, przeciągając puszkiem zaczerwieniony z zimna nos.

Mikołaj stał w kłębach dymu, pośrodku ogromnej kuchni, ze szmatą w ręce. Wymachiwał nią koliście nad głową robiąc „przeciąg". Drzwi były szeroko otwarte w las.

— Co z tym robić? — szukał ratunku w moich oczach. Z jego wyzierała bezradność.

— A bo ja wiem?! — Szarpałam się z klamkami przy oknach. — Nie miałam nigdy do czynienia z piecami.

— Kobieta powinna się znać na takich rzeczach — odparował z miną urzędnika ministerialnego. Był nim w rzeczywistości.

Pomyślałam z odrobiną lęku, że za moment dowiem się, jaką genialną kobietą była jego żona. Poczułam niechęć do widma. Mogło w Młynie za chwilę straszyć. Nic się jednak takiego nie stało. Odetchnęłam z ulgą.

— Jakoś to będzie! — odpowiedziałam ojcowym porzekadłem. — I co za szczęście, że przywiozłam obiad w garnkach — dodałam po chwili, żeby jemu i sobie dodać otuchy. — Byle tylko udało się rozpalić pod płytą i włączyć wodę.

— Nie bardzo wiem, jak się do tego zabrać — mruknął. — Sądziłem, że zastaniemy tu tego pana Gucia. W zlewozmywaku odłączono kolanko.

— Mężczyzna powinien znać się na takich sprawach — stwierdziłam w rewanżu. — Nawet jeśli pracuje w resorcie kultury.

— Przeceniasz mężczyzn albo miałaś wyjątkowe szczęście... — spojrzał w moją stronę kręcąc młynki nad głową. Oczy miał szare, lekko załzawione od dymu. Wyczuwałam, że pomyślał o tym samym, o czym ja trochę wcześniej na temat jego żony.

— Przynieś wody z rzeczki — zignorowałam uwagę. — Spróbuję teraz rozpalić w kominku.

— To podaj mi wiadro, Sarenko! — przestał wymachiwać ścierką, rzucając ją na kuchenny zabytkowy stół. Był pusty. Garnki z obiadem i nasze zapasy wyciągnięte z bagażnika jego Łady ustawiłam na kamiennej podłodze.

— Sarenko? — roześmiałam się. — Dlaczego Sarenka?

— Masz coś przeciw tej nazwie? — Popatrzył na mnie podejrzliwie. — Może już cię ktoś tak nazywał?

Zaprzeczyłam ruchem głowy.

— Byłam „Wróbelkiem", „Kiciafonem", „Maciupstwem"... — wyliczałam z udaną powagą. — Ale nikt jeszcze nie mylił mnie z płową zwierzyną! — roześmiałam się cmokając go w policzek.

— Dla mnie będziesz Sarenką! — nadąsał się. — Żadnych idiotycznych zdrobnień. Co to w ogóle znaczy „Kiciafon"? A „Wróbelek" jest czymś wręcz odrażającym. Kojarzy mi się natychmiast z końskim łajnem... — starał się mówić żartobliwie, ale czułam, że jest zazdrosny o moją przeszłość. Byłam zadowolona.

— Niech ci będzie Sarenka! — okręciłam go wokół siebie całując i śmiejąc się, chociaż nie było mi aż tak wesoło. Byłam głodna, zziębnięta, znużona podróżą po oblodowaciałych drogach i wcale nie zachwycona perspektywą spędzenia dwu tygodni w ogromnym, nieprzytulnym o tej porze roku domostwie, gdzie pokoje przypominały wielkością sale konferencyjne. Ten dom przypominał także coś, o czym nie chciałam pamiętać. Usiłowałam nie powracać do przeszłości, żyć teraźniejszością, kochać to, co mi ofiarowywała, chociaż ukryte głęboko stare uczucie drążyło nieustannie jak podziemne wody, mroczne i niedostrzegalne na zewnątrz.

Nie zastanawiałam się nad tym, jak ułoży się moje dalsze życie z Mikołajem. Nie potrafiłam tego przewidzieć, tak jak kiedyś rozstania z Piotrusiem. Mikołaj był teraz przy mnie. Zaufałam mu tak, jak i on mnie. Potrzebowaliśmy siebie. Jego obecność, serdeczne ciepło łagodziło zjawiającą się niespodziewanie i bez konkretnej przyczyny tęsknotę za tym wszystkim, co kiedyś kochałam i wierzyłam, że będzie trwało ponad czasem jak powietrze i woda. Zdawałam sobie sprawę, że Piotruś nie zasługiwał na tę moją irracjonalną do niego miłość, ale kocha się przecież człowieka nie za coś i nie dlaczegoś, a po prostu kocha, bo czuje się potrzebę miłości, bo zachodzi w nas tajemnicza chemia, na którą nie mamy wpływu. Niewiele ma tu rozum i rozsądek do powiedzenia, bo jak powiedział pewien Anglik: „Mądrość pozwala trwać — miłość pozwala żyć".

— Miałaś mi podać wiadro — upomniał się Mikołaj rozglądając się bezradnie po kątach.

— Jest w łazience.

— Wrócę, to znów będę próbował rozpalić pod płytą — westchnął i wyszedł posyłając mi ustami pocałunek.

Udało się rozpalić ogień na kominku. Nie dymił. Złotawy płomień podbarwiony błękitem wydobywał się z sosnowych i buczynowych szczap. Z suchego drewna strzelały w górę jęzory ognia, rozchodziło się od nich przyjemne ciepło. Przycupnięta przed białym, w hiszpańskim stylu kominkiem, grzałam zziębnięte dłonie, wmawiając w siebie, że czuję się szczęśliwa, że moje życie weszło wreszcie na właściwy tor, że znalazłam odpowiedniego człowieka. Byłam pełna dobrej woli pragnąc, aby nasze wspólne życie z Mikołajem nie stało się jedynie przelotnym romansem. Wierzyłam, że go z czasem pokocham.

Obserwowałam ze zdumieniem, jak z osmolonego wnętrza kominka wyfruwają ospale motyle. Wirowały sennie w kręgu ciepła rozchodzącego się od płonących szczap. Przysiadały na deskach modrzewiowej podłogi, na bielonym okapie kominka, między mosiężnymi lichtarzami a ozdobnymi butelkami ze starego, dziwnie formowanego szkła.

„Nostalgicznie tutaj, chociaż pięknie..." — zdążyłam jeszcze tylko pomyśleć i zerwałam się na równe nogi.

W progu stał Mikołaj. Mokry po pachy ciepłej wiatrówki przebierał niespokojnie nogami. Wokół nich tworzyły się kałuże z cieknącej wody. W ręce trzymał kurczowo żółte wiaderko.

— Lód się pode mną załamał! — oznajmił z trochę nieprzytomnym wyrazem twarzy, jakby to, co się stało, nie dotarło całkowicie do jego świadomości. — Ale udało się przynieść trochę wody — dodał na usprawiedliwienie.

— Rozbieraj się! — krzyknęłam. — Zimno jak w psiarni. Możesz się przeziębić. Trzeba natychmiast suszyć łachy przed kominkiem! — Wyrwałam mu wiadro z ręki. Nie wiadomo dlaczego wciąż je trzymał w zaczerwienionej z zimna dłoni.

— Najpierw ściągaj buty! Woda w nich chlupie.

Uniósł nogę, nachylił się i zachwiał. Mało brakowało, a byłby się przewrócił na garnki z naszym obiadem. Podtrzymałam go w porę ramieniem.

— Masz buty na zmianę?

— W bagażniku — wymamrotał przejęty niecodzienną sytuacją i bezwolny jak dziecko. — Jeszcze mi się nie zdarzyło, abym nie wpadł do wody, jeśli znajduję się w jej pobliżu. I to zawsze w ubraniu — wyznał z fatalizmem wyzierającym z oczu.

Ogarnął mnie śmiech. Nie potrafiłam nad nim zapanować. Mikołaj zaczął się także śmiać. Utrudniało to ściąganie butów i spodni. Stał w białych gaciach na niezbyt prostych nogach, co się ujawniło dopiero w pełni w mokrym, oblegającym trykocie, o którym mówił pieszczotliwie „kalesonki". Rozglądał się niezdecydowanie, jakby szukał czegoś, za czym mógłby się skryć.

— Ściągaj z siebie wszystko! — komenderowałam zagryzając wargi, żeby znów nie parsknąć śmiechem.

— Kalesonki też? — zapytał z niedowierzaniem. Wybałuszył na mnie, spod futrzanej czapki, przestraszone oczy. Tasiemki od niej zwisały mu przy twarzy. — To się przynajmniej odwróć... — zaskamlał płaczliwie.

— Nie bądź śmieszny! — krzyknęłam, żeby go ośmielić. — Zapominasz, że jestem lekarzem i nic, co ludzkie, nie jest mi obce — dodałam tak jakoś pompatycznie cudzymi słowami.

— Ale... — zaczął niepewnie.

— Żadne ale! I tak za kilka godzin będę cię widziała nagiego.

— W takim zimnie? — zatrwożył się i spojrzał na mnie z niedowierzaniem

— Zobaczymy, jak to będzie — uśmiechnęłam się wyżymając mokre części garderoby.

Wyciągałam teraz z pamięci obrazy i słowa uwięzione w tamtych urządzonych antykami pokojach, z cennymi obrazami na białych ścianach.

„Tak się to wszystko jakoś zabawnie zaczęło..." — pomyślałam poruszając się niespokojnie na uwierających w plecy poduszkach.

Za oknami pociemniało. Uderzyło wiatrem w szyby. Śnieg wzmógł się, zgęstniał. Stanowił jakby falującą białą zasłonę. Kryła się za nią moja wyrzucona z pamięci przeszłość. Obrazy mozolnie niegdyś wymazywane z rzeczywistości. Odrealnione upływającym czasem, tragiczne i śmieszne, pojawiały się jak w złym śnie.

— Chryste, jak ten śnieg wali! — niespokojny głos wdarł się w ciszę moich majaków.

— Burza śnieżna! — westchnęła trwożliwie Helena. — Mąż pewnie w drodze do mnie. I to samochodem... — Mościła się na wysoko spiętrzonych poduszkach, patrząc to w okna, to na zegarek.

Młyn zasypał śnieg.

Zniknął Mikołaj, usnęły motyle w kominku. Byłam znów na szpitalnym łóżku i teraz dla odmiany usiłowałam zasnąć. Przespać jakieś niepotrzebne smuteczki, niepotrzebne wspomnienia. Zaciskałam powieki, wtulałam twarz w poduszkę. Prawdziwy sen nie chciał się zjawić, jakby wirująca za szybami biel sprowadzała majaki, wichura nawiewała wspomnienia.

Pomyślałam sennie i bez większej przykrości, że taki sam śnieg padał tamtej zimy. Opuszczałam na zawsze wymarzony dom z Piotrusiem. Nazywał go „Lotniskowcem". Droga od furtki do tarasu, gdy się po raz ostatni obejrzałam za siebie, była już tylko białą puszystością. Śnieg zatarł ślady mojej ostatniej w tym domu bytności. Od tamtej chwili minęło prawie dziewięć lat, a ja wciąż tak wyraźnie widzę ten dom z czerwoną dachówką, tę drogę, ten śnieg...

„Dziwne" — pomyślałam, wchodząc mimo woli w coraz dalszą i jakby snutą przez kogoś opowieść, składającą się z różnych fragmentów mego życia.

Śnieg towarzyszył i wtedy, gdy wśród salw artyleryjskich, oznajmiających wyzwolenie Warszawy, rodziła się Ewa. Trzasnęły szyby. Podmuch lodowatego wiatru wdarł się w śnieżną kurzawę na salę porodową. Wrzasnęłam dziko. Zawtórował pierwszy krzyk mego dziecka. Młody lekarz z zalepionymi śniegiem oczami darł się na całe gardło:

— Pożar w burdelu to cicha msza żałobna w porównaniu z tym, co się tu dzieje!

Śnieg zacinający deszczem bił w twarz, gdy stałam nad trumną ojca, po kostki w żółtej glinie i śnieżnej mazi. W konarach drzew krzyczały wrony, czerwona parasolka Lizy górowała bezwstydnie nad czarnymi parasolami zbitych w gromadkę przyjaciół.

Spadł pierwszy i puszysty w tamtym najtrudniejszym dniu — trzy lata przed pogrzebem ojca. Dowiedziałam się w szpitalu o śmiertelnej chorobie matki. Wynik badań trzymałam w ręce, ojciec schodził wolno z szerokich schodów. Przez chwilę staliśmy na ulicy pod nawisłym, nieprzychylnym niebem wśród wirujących śniegowych płatków i mijających nas obojętnie przechodniów.

— Jak kocham życie, tak bym je oddał w tej chwili, byle ratować Tećkę... — wymamrotał zdławionym głosem.

Ale matki już nikt i nic nie mogło uratować. Wieczorem upił się więc z Wykolejeńcem do nieprzytomności. Przywlekli się obaj nad ranem nieszczęśliwi i utytłani w śniegu jak dwa bałwany.

Poruszyłam niespokojnie głową. Odwróciłam oczy od okna. Wspomnienia jednak męczyły dalej nie chcianymi obrazami. Nawarstwiały się jak śnieg, przeobrażając rzeczywistość w zwidy i majaki. Wyłaniały się z samego dna niepamięci, znów żywe i namolne. Przesuwały się mgliste krajobrazy zapamiętane kiedyś przez swoje urzekające piękno, a może sytuacje z nimi związane. Postacie ludzi dawno już zmarłych — kiedyś drogich i bliskich.

Wyłoniła się z nicości dziewczynka w czarnym kamlotowym fartuszku szkolnym, z czerwoną kokardką w kędzierzawych włosach, z łaciatym szczeniaczkiem na rękach. Uśmiechała się do mnie poprzez wirujący za oknem śnieg. Podnosiła wysoko nad głową pieska, aby mi go pokazać, jak to czyniła kiedyś. Zapomniałam o tej pierwszej w moim życiu przyjaciółce. Pojawiła się nieoczekiwanie w pamięci z pierwszymi słowami, jakie powiedziała, siadając obok mnie na szkolnej ławce.

— Nazywam się Dziunia Maksli.

Dwa lata później zmarła na zapalenie opon mózgowych, mając zaledwie jedenaście lat. Chciałam zatrzymać jej postać w pamięci, coś jeszcze odtworzyć z tamtego czasu. Zniknęła jednak za nowym, nakładającym się obrazem.

Nieomal całe życie przesuwało się smutnym korowodem, pchało pod ociężałe sennością powieki. Dręczyło tym wszystkim, o czym nie chciałam już nigdy pamiętać.

Dworcowy budynek z czerwonej cegły w prowincjonalnym miasteczku na kresach. Trzymam się kurczowo Agnisiowego ramienia. Przyjechałam tu na święta Bożego Narodzenia, w biały krajobraz przyozdobiony niebieskimi kopułkami cerkiewek. Rodzice chcieli, żebym sobie wreszcie podjadła do syta w Agnisinym domu. U nas znów była nędza. Miałam wtedy niepełne szesnaście lat. Nogi marzły w przeciekających półbucikach, granatowy płaszczyk z niebieską tarczą na ramieniu stał się także trochę przyciasny. Bardzo się rozrosłam w piersiach przez ostatni rok. Przy głębszym oddechu rozpinały się guziki.

Janusz w stopniu porucznika dźwigał moją walizeczkę. Płaszcz uderzał głośno o cholewy lśniących oficerek. Stawiał długie kroki. Agnisia nie mogła nadążyć. Wreszcie krzyknęła, żeby zwolnił. Spociła się w swoich nowych źrebakach, a do tego ja wiszę u jej ramienia jak worek z ziemniakami.

Janusz niechętnie przystanął, rozejrzał się spod okutego daszka czapki po niebie. Chmury pełzły nisko. Stwierdził, że za chwilę spadnie śnieg. Należy się pośpieszyć. Przy wietrze zamieni się w kurzawę, a do domu spory kawałek drogi.

Przy krawężniku zatrzymało się nagle auto. Wysiadł z niego ktoś opatulony po uszy w szubę na futrze. Zaczęli się z Januszem wylewnie witać. Agnisia szepnęła:

— Przyjaciel ze szkolnej ławy. Trochę dziwak, ale z dobrej i najzamożniejszej w mieście rodziny.

Szuba zbliżyła się. Twarzy nie dostrzegłam. Zasłaniał ją futrzany kołnierz i wielka lisia czapa. Janusz oznajmił ze śmiechem:

— Przyjechała cioteczna siostra Agnisi. W sam raz narzeczona dla ciebie.

— Nu, taż pokażcie tego siusiumajtka! — śpiewny głos wydobywający się z góry futer przeszedł w głośny rechot.

Rozpłakałam się ze wstydu. Wieczorem złożył nam wizytę. Od progu zaczął mówić mi „ty". Nazwałam go tak, jak wabił się mój nieżyjący, ukochany piesek. Ten, którego podarowała mi Dziunia Maksli. Od tej chwili Busio stał się największą miłością i zmorą mojego życia.

Poruszyłam się niespokojnie na łóżku. Coś tam zabolało w szwie. Jęknęłam.

— Pani też chce lać? — zainteresowała się uprzejmie „tarczycowa". — Kręci się pani, pojękuje. Pewnie basen potrzebny.

— Na szczęście już wstaję — uśmiechnęłam się do niej, wdzięczna, że coś wreszcie przerwało tok moich wspomnień.

— Córka przyjdzie, basen poda — podtrzymywano „tarczycową" na duchu. — Nie trzeba na kran patrzeć, o czymś przyjemnym myśleć. Na ten przykład o pierogach z kapustą.

— Kiedy ja nie lubię pierogów! — jęknęła naciskając któryś raz dzwonek przy łóżku. Przestała się mną interesować. Nie znalazłyśmy wspólnego tematu.

Słowo „córka" dotknęło newralgicznego punktu. Wiedziałam, że się nieprędko od niego uwolnię. Tęsknota za Ewą od tygodni narastała do nieomal fizycznego bólu spotęgowanego niejasnym poczuciem winy i żalu. Nigdy dla niej nie byłam tkliwą i czułą matką. Nie potrafiłam w dzieciństwie przywiązać do siebie tak, jakbym teraz tego pragnęła.

Usiłowałam podciągnąć się na poduszkach. Było mi duszno i niewygodnie. Rozpięłam koszulę pod szyją, zsunęłam niżej pled.

Pacjentka po resekcji żołądka zerkała od dłuższej chwili w moją stronę.

— Pani to jakaś dziś niespokojna — zauważyła głośno, rzucając hasło do ogólnej rozmowy. — Pewnie smutno, że nikt nie odwiedza... — Wyciągnęła grzebień z szufladki. Włosy miała nijakiego koloru, zwinięte w koczek na czubku głowy.

— Na wizyty będzie czas w domu — zbagatelizowałam myśląc o tym, że mimo licznej rodziny, ta prosta kobieta musi czuć się bardzo osamotniona. Wszystkich wciąż o coś zagaduje i nie sposób, aby kogoś lub coś mogła przeoczyć.

— A pani dzieci ma? — Wychylona w moją stronę, z żółtym grzebieniem w dłoni, zniżyła głos, jakby chodziło o coś wyjątkowo wstydliwego.

— Mam.

— Dużo?

— Jedno.

— Syn?
— Nie, córka.
— Chora?
— Zdrowa.
— To czemu pani nie odwiedza?
— Od lat mieszka w Szwecji.
— To pewnie paczki przysyła?
— Czasem przysyła.
— Ludzie mają szczęście! — westchnęła przeczesując starannie rzadkie włosy. — Ale mnie to przynajmniej odwiedzają, nie jestem taka opuszczona... — pocieszała się głośno, patrząc przed siebie na białą ścianę z ciemnym, przemieszczającym się punkcikiem. Podejrzewałam, że ten punkcik to karaluch.
— Córka, zięć, sąsiadka... — wyliczała. — Tyle tylko, że wpadają jak po ogień. Ani do syta pogadać, ani się nacieszyć. Każdy gdzieś się śpieszy, jakby się podłoga pod nogami paliła. Co to za życie teraz?
— Każdy o zakupach myśli. Święta blisko — wtrąciła „tarczycowa". — Podobno nigdzie rodzynków nie można dostać. Transport się opóźnił...
— Boże, żeby mi się chociaż do świąt z tym kolanem polepszyło! — westchnęła Helena. — Jutro mają do niego wstrzyknąć krystaliczną penicylinę. Myśli pani, że to będzie bolało? — zwróciła na mnie duże, ciemne oczy.
— Nie wiem — skłamałam dyplomatycznie. — Ale z całą pewnością wypiszą panią przed świętami.
— Oby! — jęknęła. Do oczu nabiegły łzy.
Przez chwilę trwała na sali cisza przerywana przez pojękującą przez sen pacjentkę z podłączoną kroplówką. Była drugi dzień po skomplikowanym zabiegu. Kilka razy w ciągu dnia zaglądała do niej córka, przemykając się ukradkiem w białym fartuchu na salę. Obserwując, jak się krząta wokół łóżka matki, widziałam moją Ewę czuwającą dzień i noc przy umierającym dziadku. Ani jednej łzy, a sama rozpacz w udręczonych oczach.
Myśl, jak wyrzut, uparcie powracała do Ewy. Do jej pozornie prostolinijnej, a jednak skomplikowanej natury, do osobowości tak różnej od tej, jaką reprezentowała większość członków naszej rodziny. Mimo że była dorosłą kobietą, tkwiła w niej solidna porcja dziecka. Pocieszałam się tylko, że odpowiednio umieszczona.
Poprzez listy, nadsyłane rysuneczki piórkiem lub kolorowe fotografie malowanych przez nią obrazów poznawałam moją córkę na nowo. Zdumiewała i wzruszała ta jej nieomal dziecięca inność w połączeniu z dojrzałością i przejętymi w genach cechami po dziadku. W jej listach wyłaziła gdzieś nieoczekiwanie jego pazerność życia, coś z aktorstwa, z naiwnego hochsztaplerstwa, tak właściwie obcego Ewie.
Miałam teraz dla siebie długie godziny. Łączyły się w bezsenne noce i dni upływające na niczym. Dość na prowadzenie wewnętrznego monologu, analizę dawnych i bliższych wydarzeń, spraw i problemów pobieżnie kiedyś dotkniętych myślą. Wracały do mnie teraz, objawiały się w nowym świetle.

Patrzyłam na nie z dystansu, bez czynnika emocjonalnego. Nabierały innych cech, innego wymiaru i wartości. Następowała gradacja zjawisk obca kiedyś przy impulsywnej i mało dociekliwej naturze. Potrafiłam reagować równie dramatycznie na zgubioną portmonetkę, jak na wiadomość o śmierci kogoś z rodziny. Wyolbrzymiałam albo nie doceniałam. Nic nie było wyważone, przemyślane do końca, ustawione według ważności spraw i rzeczy. Tłumaczyłam to i rozgrzeszałam brakiem czasu. Dziś wiedziałam już, że zmiany w psychice, w widzeniu świata, nadchodzą z upływem lat. Są rezultatem ładunku doświadczeń i przeżyć. Zmienia się nieco widzenie świata. Zmieniają się odczucia i emocje, chociaż od środka jest się wciąż niepokojąco młodym. Rezygnacja przychodzi powoli, z oporami i w bezsilnym buncie.

Nie zawiadomiłam Ewy o mojej operacji. Chciałam napisać o tym już po wszystkim. Zbagatelizować, pomniejszyć moją operację i jednocześnie załączyć życzenia świąteczne. Nie chciałam obarczać jej niepokojami, narażać na kłopoty związane z przyjazdem. Czułaby się, prawdopodobnie, w obowiązku być w tym czasie ze mną. Tego się właśnie obawiałam. W grudniu przygotowywała wystawę swoich prac w Sztokholmie. Od dawna się na nią cieszyła.

Bryś dopisał do ostatniego jej listu:

„Ewa zupełnie oszalała. Maluje, rysuje, zawiesza, patrzy, krytykuje, wpada w zachwyt albo w rozpacz, a my z Siasiem odżywiamy się z lodówki".

Uświadomiłam sobie także, że od świąt dzielą mnie zaledwie dwa tygodnie. Przeraziłam się. Listy w tym okresie idą długo. Mój będzie znów mocno spóźniony. Ewa nie omieszka delikatnie wytknąć, że z mojej strony i teraz ten sam brak czasu dla niej, co i w dzieciństwie. Poczułam smutek i zniechęcenie.

Lękałam się tegorocznych świąt. Od czasu gdy słowo „dom" stało się dla mnie tylko pustym dźwiękiem i pustym mieszkaniem, brałam w szpitalu, w okresie Bożego Narodzenia, wszystkie nadprogramowe dyżury. Tego roku stało się to niemożliwe. Z niechęcią pomyślałam o moim rozkrojonym brzuchu.

Wiedziałam, że dwudziestego drugiego grudnia wypiszą mnie ze szpitala. Chirurg proponował skierowanie do sanatorium. Powinnam z niego skorzystać. Odmówiłam. W domu czekały jedynie pokoje pełne wspomnień i kurzu z ostatnich tygodni. Zaraz też zaczną się nie kończące telefony od znajomych. Będą zapraszali na wigilię, na świąteczne obiady i kolacje. Było to równie nie do przyjęcia, jak i pobyt w uzdrowisku.

Łaknęłam spokoju i ciszy. Nie chciałam nikogo widzieć, z nikim rozmawiać. Postanowiłam, że po powrocie natychmiast wyłączę telefon. Niech myślą, że wyjechałam, jestem u rodziny. W rzeczywistości, gdzieś przecież ta rodzina istniała. Zdekompletowana, częściowo odmłodzona nowym pokoleniem i trochę już obca. Łączyły nas jedynie pogrzeby. Rzadziej śluby. Korespondowanie nie należało do tradycji rodzinnych. Nie było o czym pisać albo zebrało się tego zbyt wiele, aby móc zamknąć na jednej lub dwu stroniczkach.

Słowo pisane — według moich krewniaków — odbierało sprawie, którą chciano przekazać, cały koloryt i pikanterię. Nie było już tym, czym być miało i powinno. Tracenie czasu i energii na coś połowicznego i tak mdłego „jak zupa owocowa na kościach" nie leżało w naszym charakterze.

Ciotka Polcia twierdziła za życia, że gdy się zaczyna myśleć o doborze słów i ortografii, wszystko natychmiast przestaje być interesujące i ważne. Pisanina nie potrafi zastąpić głosu i gestu.

Młodsze pokolenie myślało podobnie. Tak więc dramatyczne lub sensacyjne wydarzenia, gdyż o innych w ogóle nie warto było wspominać, odkładano do przypadkowego lub okazjonalnego spotkania. Wtedy starczyło tych barwnych opowieści na kilka następnych lat. O zgonach zawiadamiało się lakoniczną depeszą. O ślubach na ogół nie zawiadamiano, bo ślub jak ślub. Nie był on sprawą tak ostateczną w naszej rodzinie, jak śmierć.

Familia ze strony ojca opowiadała o najbłahszych nawet wydarzeniach barwnie i obrazowo, urozmaicając przekazy bogatą gestykulacją i teatralnymi scenami.

Pamiętam, jak kiedyś, przy poobiedniej herbacie, ciotka Katarzyna, mająca wówczas ponad siedemdziesiąt lat, opowiadała z ogromną troską, że siostra jej męża Sienieczki miewa na środku ulicy albo przed wejściem do małżeńskiego łoża napady epilepsji. I w tym samym momencie ciotka, z rozdzierającym krzykiem, rzuciła się w konwulsyjnych drgawkach na podłogę. Wywracała białkami oczu, pluła śliną, wiła się i podrygiwała, jakby każdy członek był odrębną częścią jej ciała okrytego czarnym jedwabiem w białe ciapki. Był to obraz tak sugestywny i budzący grozę, że wszyscy rzucili się ku ciotce walącej głową o podłogę. Wprawdzie ona sama poderwała się za moment, ale chora na serce i nadwrażliwa ciotka Emilka, krzyknąwszy strasznym głosem: „Chryste!", spadła z krzesła, zwichnęła rękę i długo nie można jej było przywrócić do przytomności.

Ciotka Katarzyna — nasz rodzinny grabarz i kronikarz o genialnej pamięci — zmarła w wieku dziewięćdziesięciu paru lat, i to przez własną lekkomyślność. Wkrótce po przebytym obustronnym zapaleniu płuc wyszła w deszczowy ranek na spacer. Przeziębiła się ponownie. Serce nie wytrzymało następnej dawki antybiotyków. Umierając zażądała tłustego rosołu z domowym makaronem, tak jak mój pradziadek. Nim jednak zagnieciono ciasto, przestał on już ciotkę interesować.

W rodzinie krążyło kilka wersji na temat jej śmierci, a także i wieku. Syn twierdził z całą stanowczością, że musiała mieć przynajmniej o dziesięć lat więcej, niż było podane w metryce. Oryginał przepadł w Rosji podczas rewolucji, gdzie ciotka mieszkała ze swoim prawosławnym Sienieczką. W rodzinie mówiono o nim: „ten Moskal", chociaż pochodził z Kijowa.

Po powrocie do Warszawy ciotka musiała odtwarzać dokumenty i „ujęła" trochę lat — jak się kiedyś synowi zwierzyła. Z jej odejściem przestało znaczyć coś słowo „rodzina". Była najważniejszym w niej ogniwem, łączącym uczuciowo, tradycyjnie i towarzysko kilka jej pokoleń. Z czasem słowo to przekształciło się w coś dziwacznego, co można było określić mianem „krewniaków".

Wkrótce nie potrafiłam się już połapać, kto z kim się ożenił, które dziecko do kogo należy, zwłaszcza gdy te dzieci dorastały i miały już swoje potomstwo. Myliłam imiona, nie pamiętałam dat urodzin, a często i adresów. Nie byłam nawet zorientowana, ile było „bęsiów", bo te rodziły się najchętniej i nie robiło się z tego powodu problemów.

Po kilku latach niewidzenia nie byłam w stanie nikogo rozpoznać. Od dawna zerwały się związki uczuciowe. Niewiele mnie z nimi wszystkimi łączyło poza odległymi wspomnieniami dzieciństwa. Te natomiast dotyczyły dawno nieżyjących ciotek i wujków ze strony ojca i matki. Wspomnienia o nich tkwiły jednak we mnie głęboko wrośnięte w pamięć i bliskie sercu. Miały w sobie coś z poezji i coś z horroru. Stanowiły inny, nie istniejący już świat.

Dopóki żył ojciec, trwała jakaś tam łączność z rodziną. Choćby przez częste o niej wspominki, doroczne zjazdy z okazji czyichś imienin lub zgonów, przez odwiedzanie licznych grobów na Cmentarzu Powązkowskim lub w Kobyłce, czego ojciec surowo przestrzegał.

Poruszyłam niespokojnie dłonią. Zawadziłam o książkę. Zsunęła się z pledu na podłogę. Plasnęła głośno. Któraś z chorych jęknęła wyrwana z drzemki. Spomiędzy kartek wysunęły się pocztówki od kolegów z rodzimego szpitala. Jedna przedstawiała drobniutkie fioletowe kwiatuszki ułożone w biedermeierowski bukiecik w koronkowym mankiecie. Druga reprodukcję obrazu któregoś z impresjonistów. Przez moment szukałam w pamięci jego nazwiska. Uleciało. Zirytowałam się. Treść kartek, banalnie serdeczna, nie zawierała nic godnego zapamiętania.

Helena przechyliła się przez łóżko, sięgnęła po leżącą na podłodze książkę. Wsunęła w nią pocztówki i podała z uśmiechem. Czułam, że w przeciwieństwie do mnie, ma ochotę na pogawędkę. Udałam, że tego nie dostrzegam.

Rozkleiły wspomnienia. Doskwierała tęsknota za Ewą, za bliskimi z czasów młodości. Nie było ich wśród żywych. Monika, z pomocą gazu, odeszła pierwsza. Miała dosyć życiowych zawodów i małżeństwa z Wykolejeńcem. Przed dwoma laty zmarła nagle w Szkocji Agnisia. Przeniosła się tam z Londynu po śmierci męża-pilota. Chciała być bliżej jego rodziny. Na zawsze zamilkł jej urzekająco niski głos. Czarowała nim, na równi z biustem wielkości melonów, bywalców własnej kawiarenki w dzielnicy Kensington. Śpiewała romanse i stare przedwojenne piosenki, ubrana zazwyczaj w czarną welurową suknię z gipiurowym kołnierzykiem. Wcześniej zapisała mi cały swój skromny majątek. Z dnia na dzień stałam się kobietą zamożną, ale Agnisi już nie było. Dobiegałam pięćdziesiątki. Byłam samotna. Wokół mnie wyrastały groby.

Otworzyłam książkę na byle jakiej stronie, pozorując, że jestem zajęta czytaniem.

„...Między przeżyciem a wydawaniem sądów zachodzi taka różnica, jak między oddychaniem a gryzieniem" — przeczytałam pierwszą myśl, na jakiej zatrzymałam wzrok. I zaraz pod nią następna Eliasa Canettiego: „Dzień różni się od dnia. Noc zaś nosi tylko jedno imię".

Uprzytomniłam sobie, że moje noce od dawna już nie mają imienia. Dnie niewiele różnią się od siebie i tak będzie już do końca. Zapewne autor miał inne sprawy na myśli. Mnie skojarzyły się z tym, co tkwiło we mnie, w mojej podświadomości, z czym trudno przyszło się pogodzić. Pozornie jednak pogodzona, zdawałam sobie sprawę, że odchodzę już powoli z życia i od życia, więc nie należy mieć złudzeń. Wiek metrykalny nie był ku temu sprzyjający, chociaż biologiczny bronił się rozpaczliwie przed rezygnacją.

Weszła siostra z tacą jednorazowych strzykawek. Chore poruszyły się niespokojnie. Odłożyłam książkę usiłując przekręcić się powoli na lewy bok, aby nadstawić dziś prawy pośladek. Siostry zaczynały zwykle ode mnie.

— No i jak samopoczucie? — spytała rutynowo, beznamiętnym głosem, wbijając igłę.

— Dziękuję. W normie — odpowiedziałam w tej samej tonacji. Nie byłam lubiana przez tutejsze siostry i nie potrafiłam dociec, dlaczego tak się działo.

Pani Helena była następna.

— Tylko delikatnie, siostrzyczko, ostatnio bardzo bolało. — Głos jej drżał, przybladła.

— Bolało? — zdziwiła się unosząc podczernione ołówkiem brwi. Była młoda i ładna. — Kaprysicie, moje panie! — dorzuciła cierpko, dobierając się do kształtnego pośladka.

— Zlałam się w łóżko! — oznajmiła nieoczekiwanie „tarczycowa" z ulgą w głosie.

— Za pół godziny przyjdzie salowa — bąknęła siostra zamykając za sobą drzwi.

— No i co teraz? — Helena syknęła z bólu siadając zbyt gwałtownie i chwyciła za obłożone kompresami kolano.

— Poczekam — padło pogodne stwierdzenie. — Lepsze to, niż miałby pęcherz trzasnąć.

— Niech pani podłoży chociaż ligninę — zaproponowała. — Mam jej duży zapas.

— Mogę podłożyć — zgodziła się, biorąc z rąk Heleny pokaźną ilość.

— Nie daj Bóg leżeć w szpitalu! — westchnęła któraś bliżej okna. — Żyć tu ciężko i umrzeć niełatwo.

Zrezygnowałam z dalszego czytania. Jazgot chorych nie sprzyjał temu. Za oknami pojaśniało. Śnieg przestał sypać.

Helena zerknęła na mały złoty zegareczek. Spodziewała się odwiedzin męża. Musiał mieć dobre układy z szatniarzem pilnującym wejściowych drzwi.

Przez zmrużone rzęsy obserwowałam, jak starannie szczotkuje gęste, krótko przycięte włosy. Urodę miała interesującą. Wyglądała najwyżej na czterdzieści lat. Odnajdywałam w jej twarzy coś znajomego. Szukałam w pamięci, kogo mogła przypominać. Może którąś z dawnych pacjentek, a może aktorkę? Zastanawiałam się śledząc uważnie każdy jej ruch.

Głęboko wycięta koszula, rozszywana wstawkami z białej koronki, obnażała długą, kształtną szyję. Helena energicznie potrząsnęła głową, podwijając zgrabnym ruchem puszyste włosy nad czołem. I w tym momencie zobaczyłam przed sobą Lizę. Przeraziłam się. Wspomnienia jednak tkwiły mocno w podświadomości, jeśli nieomal w każdej kobiecie, nawet do niej niepodobnej, doszukiwałam się czegoś znajomego w rysach twarzy, w kolorycie włosów, w ruchach. Uświadomiłam to sobie dopiero teraz w całej pełni. Wcześniej nie miałam na to czasu. Nie pozwalałam sobie na rozgrzebywanie przebrzmiałych, nieistotnych już właściwie spraw. Odległa historia Lizy i Piotra była widocznie wciąż bliska, jeśli nawet tu, w szpitalu, pojawiła się nieoczekiwanie, dotknęła drugiego newralgicznego punktu, o którym sądziłam, że przestał istnieć.

Odwróciłam niechętny wzrok od Heleny. Utkwiłam go w odrapanej ścianie. Wyłonił się z niej obraz Piotrusia. Takiego, jakiego przed laty witałam na lotnisku po powrocie z Anglii.

Poruszyłam raptownie głową przeciągając dłonią po oczach.

— Coś pani dolega? — zatrwożyła się Helena wrzucając szczotkę do szufladki. — Może zadzwonić po siostrę?

— Akurat przyjdzie! — bąknęła „tarczycowa". Chore roześmiały się jak z dobrego dowcipu.

— Chyba się zdrzemnęłam — usiłowałam ziewnąć.

— Mnie też czasem dręczą koszmary — zwierzyła się szeptem. — Całą noc błądziłam we śnie po cmentarzu, zbierałam zielone żabki do koszyka, a później znalazłam się w ogromnej wiejskiej kuchni i w kociołku gotowałam własną nogę...

— No, to pobiła mnie pani na głowę — usiłowałam żartować. — Mnie się śniło tylko coś związanego z lotniskiem i katastrofą.

— Jeśli widziała pani ogień, to trzeba uważać, żeby nie okradli — wtrąciła się chora po resekcji żołądka. — Mnie się dwa razy w życiu śnił pożar i dwa razy mnie okradziono. Raz na ulicy odcięto od paska torebkę, a drugi raz było włamanie do mieszkania.

Do opowieści przyłączyły się natychmiast inne chore. Każda miała własną teorię dotyczącą majaków sennych i bogate doświadczenie w dziedzinie proroczych snów. Psycholog miałby sporo do powiedzenia.

W sali zapalono światła. Zbliżała się godzina odwiedzin. Dla mnie najtrudniejsza z całego dnia. Przez niewielką salę przetaczały się tabuny ludzi. Najczęściej w wierzchnim okryciu, aby przemknąć się chyłkiem na oddział o te piętnaście minut wcześniej.

Helenę odwiedzało przeciętnie osiem osób. Zdarzało się, że więcej. I to jednocześnie. Obstawiali sobą ciasno łóżko niby katafalk. Zapełniali stolik i parapety okienne słoikami, owocami w torbach, garnkami.

Ordynator podczas obchodu złościł się, kazał wszystko to usuwać. Siostry dostawały naganę i przez parę godzin panował względny porządek.

Do innych przychodzono zazwyczaj czwórkami. Tłum się kłębił, chore głośno i dokładnie relacjonowały dolegliwości z odpowiednim komentarzem, często żenującej treści. Rodzina i znajomi opowiadali, co dzieje się w domu, co które z dzieci powiedziało, kto z kim się pokłócił albo rozwodził. Zerkali przy tym ciekawie po innych łóżkach. Interesowali się, kto na oddziale zmarł i na co, kto na sali najciężej chory, kto przed, a kto po operacji. Rozpytywali, gdzie mieści się trupiarnia i czy zwłoki wozi się tą samą windą, co żywych. Byli jednak po ludzku życzliwi, chętni do pomocy. Przynosili gorącą wodę z kuchenki oddziałowej, rozmieniali pieniądze na drobne potrzebne do automatu telefonicznego. Wynosili samorzutnie stojące pod łóżkiem baseny, dowcipkując przy tym w rodzaju: „basen pełen szczęścia", „kto pryka, ten bryka".

Po trzydziestu minutach robiło się duszno i przeraźliwie gwarno w przegrzanej sali. Doznawałam wtedy uczucia, że leżę w letargu, że nad moją głową, wśród obojętnego tłumu, zamyka się powoli wieko trumny. Miałam ochotę krzyczeć. Przysięgałam w myśli, że gdy wrócę do pracy, będę rygorystycznie pilnowała, aby na moim oddziale liczba odwiedzających nie przekraczała liczby chorych na sali. Wprawdzie jest taki przepis, tylko nikt się do niego nie stosuje. Personel patrzy przez palce, mając dość codziennej walki z wiatrakami. Powiedziała mi kiedyś siostra oddziałowa, że aby ukrócić najazdy odwiedzających, należałoby postawić przy drzwiach każdej sali rosłego chłopa z kijem w ręce.

Wodziłam szeroko otwartymi oczami po ludziach obsiadujących ciasno wolne miejsca, aby pozbyć się uczucia, że za chwilę zamknie się nade mną wieko trumny i zacznę się powoli dusić.

Mąż Heleny, ogromnego wzrostu mężczyzna, z którego można by wykroić dwu mniejszych, wypchnięty przez rozświergotane przyjaciółki żony, przysiadł dyskretnie na krawędzi mego łóżka.

— Może kompociku? Może wody z cytryną? — proponował. Czuł się w obowiązku nawiązać ze mną rozmowę, być w czymś pomocny.

Miałam ochotę poprosić, aby nie przygniatał mojej stopy swoim tyłkiem. Jednak uśmiechnęłam się tylko, dziękując za wszystko, a jeśli już chce dla mnie coś zrobić, to proszę o uchylenie okna.

— Bardzo chętnie! — wykrzyknął nie opuszczając miejsca, jakie udało mu się zdobyć. — Tylko że na parapecie rozsiadła się cała rodzina i karmi babcię...

— No właśnie... — westchnęłam z rezygnacją. Obserwowałam jej najstarszą córkę wyjmującą z garnka pieczoną kaczkę. Wiedziałam już, że w nocy, gdy zaczną rozpierać ją gazy, babcia postawi na nogi cały personel, krzycząc, że umiera.

„Lekarze robią, co w ich mocy, aby ratować człowieka, a przyjdzie kochająca rodzinka i dobija czymś, czego mu jeść nie wolno" — irytowałam się w myśli. Miałam podobne problemy ze swoimi pacjentami.

Od dłuższej chwili czułam konieczność pójścia do toalety. Świadomość, że moja stopa jest uwięziona pod rozłożystym siedzeniem zagnieżdżonego na łóżku mężczyzny i że właśnie teraz nie mogę tego uczynić, aby nie wzbudzić ogólnego zainteresowania, potęgowała tę moją potrzebę.

Uniosłam głowę zerkając w stronę „tarczycowej". Ona jedna potrafiłaby mnie zrozumieć, gdybym zesiusiała się w łóżko. Siedziała przy niej córka w zaawansowanej ciąży. Przykrótka z przodu sukienka marszczyła się na wydatnym brzuchu. Wyliczała półgłosem, łyskając złotymi kolczykami, jakie mieli z mężem ostatnio wydatki i że są do kupienia okazyjnie zagraniczne botki na niskim obcasie. Takie właśnie, jakie powinna nosić przy swoim stanie. Jednak nie stać ich na taki dodatkowy wydatek... Zawiesiła głos, wpatrując się z napięciem w wymizerowaną twarz matki. Wąsaty zięć w dżinsach, ze znudzonym wyrazem twarzy, przytakiwał głową, wyjadając z torebki galaretki w czekoladzie przyniesione dla chorej.

Mimo woli westchnęłam. Za radą „żołądkowej" usiłowałam myśleć o rzeczach przyjemnych. Nic jednak takiego nie przychodziło do głowy. Wszelkie myśli przesłaniała wizja monstrualnej wielkości malowanego w kwiaty nocnika. Oglądałam podobny w pałacu łańcuckim. Jeszcze wtedy, gdy Ewa była na drugim roku studiów, urządziłyśmy w tamte strony trzydniową wycieczkę. Ewa zabrała szkicownik, a ja torebkę orzechów w czekoladzie, bo takie najbardziej lubiła.

Usiłowałam poruszyć nogą. Stopa całkowicie zdrętwiała. Nim zdecydowałam się prosić, aby mężczyzna zechciał ją uwolnić, dwie przyjaciółki Heleny wśród „ochów" i „achów" opuściły salę. Mąż natychmiast wcisnął się w tę lukę i siedząc na brzegu żoninego łóżka włączył się do ożywionej rozmowy z pozostałymi sześcioma osobami.

Przed końcem odwiedzin zjawiła się nieoczekiwanie Irma. Zatrzymała się w drzwiach z takim wyrazem twarzy, jakby pomyliła sale. Chciała się cofnąć. Machnęłam do niej dłonią. Leżałam z brzegu, po prawej stronie od drzwi. Falujący tłum nie zdołał mnie jeszcze całkowicie sobą przysłonić.

— Myślałam, że tylko u nas taki bałagan. — Przysiadła na łóżku. Taboret był już dawno zajęty. — Prosiłaś, żeby cię nie odwiedzano. Wpadłam jednak na chwilę. Mam list dla ciebie. Przyniosła do szpitala ta twoja sąsiadka, której zostawiłaś kluczyk od skrzynki. Poza tym masz serdeczności od wszystkich. Szczególnie od profesora. Wybierał się do ciebie z wizytą. Złapał grypę i nic z tego. Wspominał coś, że prześle kwiaty, ale już do domu, gdy cię wypiszą. Siostra oddziałowa przysyła słoik morelowego przecieru własnej roboty. Ja przyniosłam sucharki. Domowe. Jak się ogólnie czujesz? — Sięgnęła po kartę choroby: — No, pięknie! — uśmiechnęła się. — Rozmawiałam przedwczoraj telefonicznie z twoim operatorem. Uważają cię za fenomen. Goi się na tobie jak na psie. Pozazdrościć! — poklepała mnie po ręce.

— Z każdą godziną czuję się lepiej — skwitowałam. — A co w szpitalu? Co na oddziale? Jak skończyła się sprawa tej pacjentki z przetoką?

— Ziębiński powtórnie ją operował. Stan ciężki. Może się jednak z tego wyliże. Badania histopatologiczne niczego złego nie wykazały. Nie wiem, jak czuła się wczoraj. Miałam wolny dzień. Za półtorej godziny zaczynam dyżur za Walczakową. Znów dostała krwotoku. Błagała, żeby ją zastąpić. Cholernie ciężko przechodzi klimakterium.

— Odkąd pamiętam, migała się od dyżurów. Sama brałam za nią kilka. Rzekomo jakieś kobiece dolegliwości. Okazało się później, że Zakrzewski widział ją na dansingu w „Grandzie". Szalała na parkiecie z urodziwym samcem. Ale niech jej będzie! — machnęłam ręką. — Niech korzysta z życia, nim będzie za późno... — Pomyślałam o własnych zaprzepaszczonych okazjach.

— Natrzeć plecy spirytusem? — Rozglądała się po stoliku.

— Poproś w dyżurce, to dadzą. O wszystko trzeba żebrać. Wciąż tu czegoś albo kogoś brakuje.

— Myślisz, że u nas z tym lepiej?

— Lepiej. W każdym razie pacjentki nie muszą siusiać w łóżko. Zawsze ktoś dyżuruje. Jak była konieczność, to i sama basen podałam.

— Popatrz, zapomniałam o liście! — wyciągnęła z torebki grubą białą kopertę.

— Cieszę się, że przyszłaś — powiedziałam szczerze. Marzyłam jednak, żeby poszła, żeby wyszli wszyscy, aby móc ruszyć wreszcie do toalety.

W drzwiach zjawiła się siostra. Roznosiła termometry. Odetchnęłam z ulgą. Wiedziałam, że w delikatny, ale stanowczy sposób pogoni odwiedzających. W sali nie było już czym oddychać.

— Proszę państwa, od dziesięciu minut nie powinno tu już być nikogo! — spojrzała wymownie na zegarek.

Zaczęto się pośpiesznie żegnać. Irma wyszła do dyżurki po spirytus.

— Niech ktoś otworzy na chwilę okno — prosiłam. Mój głos, słaby jeszcze, ugrzązł w pożegnalnych cmokaniach i zleceniach, co przynieść, co załatwić. O tym wszystkim przypominano sobie w ostatniej chwili.

Irma wróciła ze słoikiem błękitnego płynu. Otworzyła szeroko jedną połowę okna.

— Niech pani zamknie! Przeziębimy się! — krzyknięto zgodnym chórem. — Mnie zaraz boli głowa od mroźnego powietrza — dodała „tarczycowa".

— To proszę na tę chwilę nakryć pledem głowę. Od świeżego powietrza nikt nie umarł — oznajmiła twardo Irma. — Smród taki, że słabo się robi.

Natarła mi plecy, pomogła zmienić nocną koszulę i przerzuciwszy torbę przez ramię opuściła pokój, życząc wszystkim dobrej nocy.

Powlokłam się wreszcie do toalety. W korytarzyku, między umywalkami a wejściem do funkcjonującego na kilkanaście sal jedynego oczka, stało coś, co wprawiło mnie w przerażenie, że ulegam halucynacjom. Przede mną, w damskim wydaniu, stał Bzyk z serialu telewizyjnego dla dzieci i palił ukradkiem papierosa.

Twarz okrągła i biała, jakby wyjęta z wapna. Wokół oczu granatowe sińce niczym gigantyczne okulary. Łeb czarny, skudlony, ze sterczącymi we włosach kawałkami gazy opatrunkowej. Bzyk był odziany w czerwoną nocną koszulę do kostek, z szerokimi rękawami przyozdobionymi czarną koronką.

Zaciągając się nerwowo papierosem wlepiła we mnie te swoje równiutko podbite oczy.

— Zajęte? — spytałam z obawą, że i on, ten Bzyk od „Pszczółki Mai" czeka także w kolejce. Tego bym już chyba nie wytrzymała.

— Sracz wolny! — wskazała uprzejmym gestem.

W drodze powrotnej zajrzałam do dyżurki. Siostra z bloku operacyjnego w zielonym fartuchu przygotowywała plazmę do kroplówki.

— Co to za stwór w czerwonej koszuli?

— Milicja w nocy przywiozła. Kochanek dał wycisk — informowała. — Do nas wciąż kogoś z wypadku albo z pobicia przywożą. Teraz operują kobietę ze zmiażdżoną miednicą. Wpadła „maluchem" pod rozpędzony tramwaj. Nic z niej pewnie nie będzie... — relacjonowała beznamiętnie, uwijając się zgrabnie i szybko przy kroplówkach.

Z końca korytarza sunął hałaśliwie rozklekotany wózek. Rozwożono spóźnioną kolację. Pacjentki uchylały drzwi, spozierały niecierpliwie w tamtym kierunku.

W mojej sali pod „trójką" upychano w szafkach przyniesione przez odwiedzających zapasy. Wymieniano uwagi o zawartości słoików. Ktoś narzekał, że nie znalazł w nich tego, o co prosił.

— Chciałam pyzów ze skwarkami, to przynieśli marchewkę przetartą na papkę — grymasiła staruszka spod okna.

Helena, znużona i blada, wodziła osowiałym wzrokiem po rozłożonych na pledzie pomarańczach, pudełkach z czekoladkami.

— Nie mam gdzie tego wszystkiego chować — skarżyła się głośno. — Mój mąż, jak coś kupuje, to hurtem. Nie rozumie, że nie mam możliwości przejeść wszystkiego. Nie wychodzę sama do toalety, a z basenami, to pani najlepiej wie, jak to jest — monologowała spozierając w moją stronę.

— No, właśnie — przytaknęłam sięgając po list zaadresowany równym, wyraźnym pismem.

Nasza przyjaźń z Anką zaczęła się podczas okupacji na tajnych kompletach medycznych. Była jedną z najzdolniejszych słuchaczek na naszym roku. Pracowita, dokładna. Marzyła jej się w przyszłości praca naukowa w dziedzinie biologii. Pomagała mi w przedmiotach, z którymi nie zawsze potrafiłam dać sobie radę. Przepytywała z wzorów, wyjaśniała reakcje i zależności w tak prosty i obrazowy sposób, że wszystko wydawało się łatwe i oczywiste. Umysł analityczny, usposobienie pogodne. Nie pamiętam, aby kiedykolwiek się na coś skarżyła. Nie miała w domu łatwego życia. Siedziała także po uszy w robocie konspiracyjnej. O tym dowiedziałam się nie od niej, ale od Andrzeja. Podejrzewałam, że należeli do tej samej komórki. Nie dowiedziałam się nigdy, jak było naprawdę.

Andrzeja zabrało gestapo z sali operacyjnej. W białym kitlu i gumowych rękawiczkach. Zginął w obozie koncentracyjnym. SS-mani, lejąc na niego wodę przy trzaskającym mrozie, zamienili go w „lodowy posąg", a ja urodziłam „bęsia". Ślub z nim odkładałam „na po wojnie". Bardzo chciał i tego dziecka, i małżeństwa ze mną.

Anka przestała z dnia na dzień przychodzić na wykłady. Nie zjawiła się także u nas w umówionym terminie. Miała przynieść podręcznik anatomii dra Bochenka i zabrać sweter. Moja matka spruła starą wiśniową sukienkę z włóczki i zrobiła go dla niej na drutach. Naszej grupie powiedziano, że mieszkanie Anki „spalone". Ojca aresztowano, ją poszukuje gestapo. Podobno udało się jej wraz z matką uciec z Warszawy.

Spotkałyśmy się po wojnie. Przypadkiem. 1-go sierpnia na cmentarzu w kwaterze „Zośki". Padłyśmy sobie w objęcia. Sądziłam, że nie przeżyła okupacji. Przytyła, wyładniała. Przedstawiła męża i troje małych dzieci.

Od tego spotkania nawiązałyśmy korespondencję. Mąż, znacznie od niej starszy, był w tym czasie nauczycielem w jakimś miasteczku na Ziemiach Odzyskanych. Później przenieśli się do Rzeszowa. Anka studiów nie skończyła. Wszystkie jej marzenia i projekty zniszczyła wojna. Skończyło się na rodzeniu dzieci. Łagodna, pogodzona z losem, tęskniła jednak za Warszawą. Dwa razy w roku „urywała" się do niej. Czas ten spędzałyśmy wtedy razem. Trzy szczęśliwe dni ukradzione dzieciom i mężowi były zazwyczaj zmącone troską, co dzieje się w domu, jak bez niej sobie radzą, czy któreś z dzieci nie zrobiło sobie jakiejś krzywdy. Chłopcy wciąż rozbijali sobie głowy i kolana.

Żal mi było Anki. Jednocześnie irytowało, że taka zdolna, utalentowana dziewczyna, jaką kiedyś była, siedzi na głuchej prowincji, rodzi dzieci i przygotowuje przetwory na zimę.

Listy od niej przychodziły często. Korespondencja ze mną, jak twierdziła, była dla niej łącznością z wielkim światem, z ukochaną Warszawą. Listy pisała wyczerpujące. Każdy temat omawiała do dna, ze skrupulatnością pracy naukowej. Beznamiętnym stylem pisała o codziennym życiu, zwykłych kłopotach i drobnych radościach, które, według mnie, w ogóle nie były radościami.

W stosunku do Anki miałam niejasne poczucie winy, że jej życie potoczyło się tak różnie od mego. Była z pewnością zdolniejsza i bardziej sumienna ode mnie. Mimo to właśnie ja ukończyłam studia, zostałam lekarką i nie najgorszym chirurgiem.

Mieszkałam w Warszawie i jak kiedyś napisała: „wiodłam cudowne, atrakcyjne życie w stolicy, bez kłopotów i materialnych trudności". Nie było tak w rzeczywistości, jak sobie wyobrażała. Usiłowałam ją kiedyś o tym przekonać. Bardzo szybko zorientowałam się, że jest to bezcelowe. Sam fakt, że mieszkam w Warszawie i stać mnie na kupno książek, a także biletów do teatru, był już dla niej dostatecznie wielkim szczęściem.

Anka była jedyną osobą, którą zawiadomiłam karteczką, że jestem po operacji, że szybko przychodzę do zdrowia. Przez chwilę obracałam kopertę w palcach. Przyglądając się barwnym znaczkom z ptakami zastanawiałam się, czy nie odłożyć lektury do jutra. Byłam znużona. List z pewnością nie był listem optymistycznym. Miałyśmy różne spojrzenia i poglądy na te same sprawy. I chociaż w jej pojęciu życie, jakie prowadziła, było naturalnym, udanym, chociaż nie zawsze łatwym, to ja nie potrafiłam jej w tym względzie przyznać racji. Napawał mnie grozą i smutkiem już sam fakt, że potrafi się nim cieszyć, widzieć jego dobre strony, bronić ich.

Otworzyłam go jednak. Zaczynał się starannie wypisaną datą z nazwą dnia, tygodnia, godziną i serdecznym wstępem. Dalej już leciało „samo życie".

„...Cieszę się, że jest już po wszystkim, to znaczy po operacji, i mam nadzieję, że po trzech miesiącach będziesz już zupełnie zdrowa. A co do diety, to różnie bywa. Mój mąż jest pięć lat po operacji i je wszystko: mięso smażone, tłuszcz wieprzowy, bigos itp. i jakoś mu nie szkodzi. Ja na ogół też nie przestrzegam diety, ale nie mam takiego strusiego żołądka jak mój mąż.

A z moją synową jak do tej pory bez zmian. Jeździ co jakiś czas do Warszawy z mężem do tego lekarza z kliniki gastrologicznej po nowe recepty, a bóle, jak były, tak są. Badania nic nie wykazały. Zobaczymy, co będzie dalej. Ja, osobiście, nie bardzo wierzę w jej wyleczenie. Jest to wszystko bardzo smutne. Bo w takim stanie ona nigdy nie będzie mogła podjąć żadnej pracy, tym bardziej że nie ma ani szkoły (siedem klas ukończone ponad dwadzieścia lat temu, a więc omalże wtórny analfabetyzm), ani zawodu, ani ambicji, żeby się jakoś dokształcić, czegoś nauczyć. Dopóki żyje jej matka i pomaga materialnie, to jakoś można egzystować, ale to się przecież skończy i trzeba będzie wyżyć z jednej pensji Maćka, a on dużo jako inżynier nie zarabia. Czekają na mieszkanie w Przemyślu, bo na wsi mają straszne warunki (bez wygód). Po wodę trzeba chodzić ponad sto metrów. Do przystanku PKS-u sześć kilometrów wiejską drogą. Dziecko musi chodzić do szkoły ponad trzy kilometry. Trzeba ją odprowadzać i przyprowadzać. Teraz chodzi do zerówki. W dodatku jest chora na nerki. Aktualnie leczy się w Rzeszowie u lekarza specjalisty — przyjeżdża tu do nas co miesiąc. A podróż stamtąd do nas trwa pół dnia — trzy autobusy — więc na wsi mieszkać to dla nich jest tragiczne. Maciek też już traci zdrowie. Codzienne noszenie po dwadzieścia i więcej wiader wody, węgiel i wędrowanie co dzień, bez względu na pogodę, do autobusu i z powrotem. A z drugiej strony po przeprowadzce do Przemyśla skończy się pomoc matki (krowa, jakaś świnka raz w roku, kury, warzywa itp.), bo ona sama nie zostanie w chałupie, tylko pójdzie z nimi. I wtedy będzie bieda. Całe szczęście, że siostra z Chicago przysyła czasem jakieś paczki ze starymi ciuchami, ale nic poza tym. A już odkąd wyszła za mąż za pastora-ideowca, który często nic nie zarabia, to narzeka w listach, że jest jej ciężko, bo i życie we dwoje więcej kosztuje, i trzeba myśleć o przyszłości, na dziecko ich nie stać. Więc Mirka z matką piszą, żeby nic nie przysyłała.

A ile kosztuje Mirki leczenie! Za te siedem lat ich małżeństwa — leczy się bez przerwy i przeważnie prywatnie — wydała już majątek. Myślę, że można by kupić za to mieszkanie własnościowe. A od roku doszło jeszcze leczenie Edytki. Maciek też nie jest zdrowy, ma jakieś ataki duszności, które nie dają mu spać w nocy, a także hemoroidy, które powinny być operowane już od paru lat, bo może się to tragicznie skończyć (przy hemoroidach nie wolno dźwigać). Ale nie ma siły, żeby go zapędzić do lekarza.

Często, a właściwie co dzień, o nich myślę i ogarnia mnie czarna rozpacz. Człowiek urodzi dzieci, męczy się tyle lat, żeby je wychować na ludzi, chciałby widzieć je szczęśliwymi, a potem trzeba być świadkiem ich męki. Bo cóż to za życie?

Właściwie, to żadne z moich dzieci nie jest szczęśliwe, wszystkim się jakoś źle układa. Żal mi też i Marty, choć ona dla mnie taka podła i sama sobie winna, że nie szanowała się będąc dziewczyną i złapała takie «cudo». To jego chamstwo jest tak potworne, bo połączone z wysokim mniemaniem o sobie, uważaniem się za coś lepszego, pogarda i lekceważenie wszystkich dookoła siebie, okazywanie na każdym kroku swojej «ważności» i «wyższości», hałaśliwe zachowywanie się w domu, trzaskanie drzwiami, gwizdanie (za grosz słuchu). Jednym słowem demonstracja chamstwa. Chyba nie muszę Ci tłumaczyć, jak to wygląda, gdyż zapewne spotkałaś się w życiu z czymś takim, tyle że nie tak blisko. A ja muszę tyle lat znosić to wszystko we własnym domu.

Wiem, co teraz powiesz: że wcale nie muszę, że powinnam ich wyrzucić na zbity łeb. Tylko co ja poradzę na to, że mam taki charakter, że już chyba nigdy nie zmienię się. Przecież są małe dzieci, które nie są winne, że urodziły się u takich rodziców. Dzieci, które są dla mnie wszystkim. Dzięki nim czuję się młodsza. Dopóki są jeszcze małe i nie zepsute, okazują mi miłość i zaufanie, przyjaźń — jednym słowem wszystko to, czego nie zaznaję od swoich dorosłych dzieci z wyjątkiem Maćka, tylko że on jest daleko i rzadko go widzę. A przecież człowiek, a szczególnie w starszym wieku, potrzebuje czyjegoś uznania, sympatii i czuć się, że jest akceptowanym i komuś potrzebnym. Ja wprowadzam je w życie, uczę poznawać wszystko, co nas otacza, co dobre, co złe, odbieram ich wrażenia, cieszę się ich nowymi wiadomościami i przeżyciami. I to mi jest potrzebne, wynagradza mi wszystkie doznane krzywdy. Pewnie, że i one nie są ideałami, czasem są nieznośne, czasem się denerwuję, czy nawet pasem przyłożę. Zdaję sobie sprawę, że jak będą starsze, to staną się coraz bardziej obce i ważniejsi będą dla nich koledzy — to zwykła kolej rzeczy. Ale na razie są moi, uznają mnie i jestem im potrzebna, jesteśmy potrzebni sobie nawzajem. I myślę, że to jest chyba ważne. A co będzie dalej, nie chcę o tym myśleć. Może rozczarowanie? Ale nauczona doświadczeniem z własnymi dziećmi zdaję sobie sprawę, że na żadną wdzięczność nie można liczyć, więc może nie będzie to takie bolesne.

Mój mąż — myślę, że tak długo trzyma się jakoś też dzięki dzieciom. Cóż on by robił, gdybyśmy byli sami? Jest zatwardziałym domatorem. Trudno go gdziekolwiek ruszyć z domu. Gdyby nie te dzieci, mógłby tak cały dzień przesiedzieć owinięty w koc przy stole przed telewizorem i w przerwach między drzemaniem na siedząco rozwiązywać krzyżówki. Do czego by to doprowadziło, nie muszę ci chyba mówić. W tej chwili byłby już tak niedołężny, że trzeba by go było obsługiwać. A tak, widząc, że mam dużo roboty, pomaga mi we wszystkich domowych robotach: sprząta, czyści dywan, zmywa, obiera kartofle, kroi, sieka, miele, chodzi po mleko i pieczywo — czasem postoi w kolejce po mięso. Przy dzieciach też mi pomaga. Mam przecież jeszcze trzyletnią dziewczynkę sąsiadów pod opieką. Zawsze trochę grosza wpadnie za pilnowanie, a mąż ma tak niewielką emeryturę, że ledwo wiążemy koniec z końcem. Więc bawi się z nimi, czyta im, małą nakarmi, starszym przyszykuje śniadanie. A ja w tym czasie mogę prać, sprzątać, zrobić coś koło siebie, szyć, łatać, czy też wyskoczyć do sklepu po zakupy, no i gotować oczywiście, bo przy tej czynności on mi tylko pomaga. Idzie wiosna, mam duży balkon, więc już zaczynam myśleć o kwiatach. Gdy tylko minie Boże Narodzenie, to miesiące szybko polecą. Część sadzonek przygotowuję sama, część kupuję. Trzeba starać się o świeżą ziemię, zrobić po zimie porządek na balkonie, poprzesadzać rośliny doniczkowe, których mam sporo. Nie kończąca się robota na drutach wieczorami, prucie starych swetrów, przeróbki. Jak minie grudzień, to nim się obejrzysz, wiosna przyjdzie. A od czerwca zaczną się przetwory. Teraz też uprawiam na oknie wszelką zieleninę: pietruszkę, szczypiorek, cebulkę, rzeżuchę.

I nigdy nie mogę sobie powiedzieć, że mam wszystko w porządku, wszystko zrobione. Zajmę się jedną robotą, to zaniedbam drugą. Trzeba by 24 godziny na dobę. A wieczorem jestem już taka skonana, że momentalnie usypiam, czasem nawet filmu do końca nie obejrzę. Wstaję o 6-tej, ale przeważnie budzę się wcześniej. Małą przyprowadzają mi o 6.30. Krzyś dwa razy w tygodniu wychodzi do szkoły o 7.30. W dodatku wodę nam wyłączają dwa razy dziennie, od 9—11 i od 17—20, więc trzeba się dostosować z praniem i innymi czynnościami. Wszystkie roboty kuchenne i łazienkowe muszę «zrobić» do godz. 14.30, bo potem przychodzi «II zmiana». Czasem jedziemy do Andrzeja do Łańcuta — w sobotę, wracamy w niedzielę. Czasem oni do nas przyjeżdżają.

Zdrowie jako tako dopisuje. To znaczy poważnie nie choruję, ale takie różne dolegliwości to mam stale: bóle kręgosłupa (zwyrodnienie), bóle serca, bóle newralgiczne szczęki (po powrocie z zimna do domu), jak zwykle kłopoty z pęcherzem, czasem nawala wątroba — chyba też czeka mnie operacja, chroniczny katar. To są choroby, na które się nie leży i nie dają gorączki. A zresztą po dniu leżenia jeszcze gorzej mnie wszystko boli, więc lepiej nie leżeć. Do lekarza chodzę rzadko, bo u nas, żeby się leczyć, trzeba mieć końskie zdrowie i można się jeszcze gorzej rozchorować..."

List miał jeszcze dwie bite strony zapisane równym, wyraźnym pismem. Nie byłam już ich w stanie tego wieczora przeczytać.

— O Boże! — jęknęłam głośno, wsuwając kartki do koperty. Zapomniałam na moment, gdzie się znajduję.

— Co się stało? — Helena uniosła się na poduszkach.

— Uświadomiłam sobie, jak bardzo jestem szczęśliwa. Nawet tu, w mojej obecnej sytuacji... — odpowiedziałam po chwili namysłu i usiłowałam się do niej uśmiechnąć.

Rozdział 2

Z niechęcią obmierzałam przed lustrem swoją talię.

Po operacji straciłam wprawdzie dziewięć kilogramów, ale za to przybyło mi w pasie blisko sześć centymetrów. Spódnice nosiłam nie dopięte, o włożeniu spodni nie było mowy. Wiedziałam, że to sprawa przejściowa. Po czterech, pięciu miesiącach wszystko powróci do normy, a kosmetyczny szew stanie się mało widoczny. Operując rozwarstwiano, a nie przecinano mięśnie. Nie miałam więc uczucia „za krótkiej skóry". Chodziłam wyprostowana nie odczuwając żadnych bolesnych dolegliwości. Wstając następnego dnia po operacji i dużo spacerując po korytarzu uniknęłam także zrostów. Zalecałam taką terapię moim pacjentom. Znałam ją jednak tylko z fachowej literatury i obserwacji. Teraz wypróbowałam na sobie. Zdała znakomicie egzamin.

Zaczęła się druga połowa stycznia.

Zima tego roku była mroźna, prawie bezśnieżna. Za oknem rozciągała się szarość ulicy i szarość nieba. Chodziłam osowiała po pustym mieszkaniu. Coś tam przesuwałam na półkach z książkami, przekładałam z miejsca na miejsce korespondencję na sekretarzyku, nie mając ochoty odpisywać na listy czekające odpowiedzi. Było ich kilkanaście.

Zerkałam do owalnego lustra, aby się jeszcze raz przekonać, że moja ściągnięta zmęczeniem twarz miała coś obcego w wyrazie, a oczy jakby trochę wyblakły, straciły blask. Odchodziłam od niego z westchnieniem, gapiąc się dla odmiany w okna. Nic się za nimi godnego uwagi nie działo. Nieliczni przechodnie mijali się pod czarną kreską drzew. Przypominały chiński rysunek tuszem. Uruchamiane z trudem silniki samochodowe charczały ciężko, namolnie.

Święta miałam już za sobą. Przeszły na wylegiwaniu się w łóżku, na czytaniu książek, słuchaniu muzyki z kaset. W telewizorze „wysiadł" kineskop.

Rozkoszowałam się ciszą i spokojem domu. Pachniała lasem malutka choinka połyskując wyciągniętymi z rupieci świecidełkami. Znalazłam je w dawnym pokoju ojca. Odkąd pamiętam, ubierał wszystkie nasze choinki. Biedniutkie z ulicy Dobrej i te bogate w ostatnich latach. Nikogo już nie cieszyły, odkąd zabrakło matki.

Popijając zamiast ulubionej herbaty gorącą wodę z miodem, spoglądałam na rozłożysty świerczek, wspominając inne święta, inny czas. I było mi gorzko. Przy zepsutym telewizorze, wyłączonym telefonie i na surowej diecie minęły na niczym święta, których się tak bardzo obawiałam.

Sylwestra i Nowy Rok przespałam. Ze względu na dietę nie mogłam tych dni „zajeść", jak to w naszej rodzinie czyniono z wszelkimi smutkami. Apetyt nigdy nas nie opuszczał w trudnych dniach.

Snując się niezdecydowanie po pokojach, jakby pomniejszonych przez czas, zastanawiałam się, czy nie byłoby jednak dobrze wyjechać w lutym lub marcu do sanatorium. Myślałam o Cieplicach na Dolnym Śląsku. Pracowali tam znajomi lekarze, lubiłam górzyste okolice. Nie kojarzyłam z niczym przykrym tego uzdrowiska.

Zajrzałam do dawnego pokoju Ewy. Wcześniej zajmowali go rodzice. Niewiele w jego wnętrzu zmieniłam. Pozostały skromne meble z palonej sosny, kilka płócien opartych pod ścianami, parę innych obrazów na białych ścianach, malowanych przez Ewę. Gliniaki z pędzlami, jakieś poczerniałe świątki, resztki wyschniętych farb w pudełkach po czekoladkach.

Zapatrzyłam się w jeden z tych jej najwcześniejszych, w drewnianej, malowanej na granatowo ramie. Można się było w nim domyślać siedzącej tyłem na krześle kobiety, w ogromnym, pomarańczowej barwy kapeluszu podbarwionym żółcią. Rozmazane kontury różowego ciała wtapiały się w tło ciemnozielonej kotary. Włosy stanowiły jakby przedłużenie nakrycia głowy. Wszystko to razem tworzyło nierealny trochę, widmowy nastrój. Nie umiałabym powiedzieć, czy jest to dobre malarstwo. Przyciągało jednak wzrok, intrygowało ciekawą kolorystycznie plamą, czymś nie dopowiedzianym do końca. Jak malowała teraz?

Zatęskniłam za Ewą. Za jej uśmiechem, za niskim, ciepłym brzmieniem głosu, odziedziczonym po Andrzeju. Przez pierwsze lata nieobecności czekałam, że wróci do kraju. Zamieszka tutaj, w domu, gdzie żyli kiedyś jej ukochani dziadkowie. Liczyłam się z tym, że wówczas poszukam dla siebie mieszkania. Może nawet w innej dzielnicy. Z tą łączyło się wiele bolesnych wspomnień. Narzucały się tu same, mąciły spokój. Niechętnie i z lękiem do nich wracałam. Uświadamiały o przemijaniu, postarzały.

Powoli traciłam nadzieję, że w najbliższych latach powrócą. A jeżeli nawet, to z pewnością nie do tego ciasnego mieszkania. Potrzebowali dużego domu z pracownią. Przynajmniej takiego, jaki kupili w willowej dzielnicy Sztokholmu. Powodziło im się teraz dobrze. Ona i Bryś zarabiali nie najgorzej w swoim zawodzie. Tak przynajmniej wynikało z listów i kolorowych fotografii, przedstawiających przestronne, gustownie urządzone wnętrza nowego domu zakupionego na raty. Własny dom kalkulował się taniej od wynajmowanych mieszkań. Tak przynajmniej zapewniała Ewa w entuzjastycznych listach nie pozbawionych jednak tęsknoty za takim właśnie domem, ale w Polsce.

„...Ach, Maa... — pisała ubiegłej wiosny — gdy już staniemy się naprawdę zamożnymi ludźmi, sprzedamy cały ten majdan i powrócimy z naszym Stasiem do Polski. Dziecko powinno wrócić do swoich korzeni, do tego, co dziaduś nazywał «gniazdem». Myślę, że taka byłaby jego wola..."

Pierwsze ich wynajęte mieszkanie składało się zaledwie z sypialni i pracowni bardzo skromniutko zagospodarowanej. Wkrótce po urodzeniu dziecka, spędziłam u nich trzy tygodnie z mego urlopu. Na sam poród nie zdążyłam. Nie wydano mi na czas paszportu. Jak mnie poinformowano, zaistniał „poślizg" opóźniający wyjazdy o blisko trzy tygodnie. Urzędniczka w Biurze Paszportowym zwróciła mi grzecznie uwagę, że: „córka wybrała sobie nie najlepszy miesiąc do rodzenia". Przyznałam jej całkowitą rację.

Kto wybiera pełnię sezonu turystycznego do sprawy tak nie mającej nic wspólnego z urlopem, jak właśnie rodzenie dzieci?

Gdy tylko zjawiłam się u nich w domu i ściągnęłam nieprzemakalny płaszcz, bo akurat w Szwecji lało od samego świtu, Ewa podała mi z powagą i dumą pierwszego wnuka.

— Patrz, Maa, jaki ten nasz Stasio piękny — i zaraz dodała: — Nie powinien sprawić ci kłopotu, gdy będziesz się nim musiała trochę zająć. Mam do wykończenia pilną pracę. Dawno wzięłam na nią zaliczkę.

Nic wtedy jeszcze nie wskazywało na to, że w niedalekiej przyszłości dojdą do własnego, choćby nawet na raty zakupionego domu. I jeszcze teraz zastanawiałam się, w jaki sposób udało im się w tak krótkim czasie zdobyć pieniądze i pozycję. Wiedziałam, że Ewa jest uparta i ambitna. Nie przypuszczałam jednak, że tak konsekwentna w realizowaniu życiowych planów, o których właściwie niewiele wiedziałam. Listy jej mówiły o wszystkim, tylko nie o tym, co mnie najbardziej interesowało.

„...Przyjedziemy w odwiedziny, to ci o wszystkim dokładnie opowiem — pisała na moje liczne pytania, nie dając żadnej konkretnej odpowiedzi na ważne w moim pojęciu sprawy. — W każdym razie wszystko, do czego doszliśmy, zawdzięczamy przede wszystkim dziadkowi..." — informowała krótko.

Było to niepojęte i tajemnicze zdanie. Stanowiło zagadkę, której w żaden sposób nie umiałam rozwiązać. Czekałam więc na ten ich przyjazd z niecierpliwą tęsknotą. Jednak wciąż coś stawało na przeszkodzie. Przekładali więc terminy z roku na rok.

W ich pierwszym mieszkanku, gdy przewijała ze skupieniem i czułością małego, powiedziała coś, co przyjęłam jako delikatny i może nawet bezwiedny wyrzut.

— Zacznie poznawać i coś już rozumieć, nie pozwolę nikomu do niego się dotknąć. Dlatego chcę jak najszybciej osiągnąć to, do czego chcę dojść, aby być przy nim zawsze wtedy, gdy będzie potrzebował mnie i mojej czułości. Dla niego muszę mieć czas. — To „muszę" powiedziała ze szczególnym naciskiem i wiedziałam, o czym myśli. Ja go dla niej nie miałam.

— Jest jeszcze Brysio — wtrąciłam. — On może zarabiać... — Podtrzymywałam rozmowę, żeby nie zauważyła, jak boleśnie dotknęły mnie jej słowa. Nie miało jednak sensu czegokolwiek wyjaśniać, tłumaczyć. To i tak nie było już dla niej teraz ważne.

— Zarabia i będzie zarabiał, ale ja muszę być niezależna. Przede wszystkim finansowo. Chcę zawsze traktować go jak równorzędnego partnera. Tak się umówiliśmy, gdy zdecydowałam się wyjść za niego, chociaż myślałam jeszcze o... — Urwała i znad różowej pupki dziecka, którą smarowała oliwką, podniosła na mnie spłoszone oczy. Miały w słońcu kolor ciemnego miodu. — Wiesz, Maa, ja naprawdę kocham Brysia. On nie potrafi kłamać, nigdy mnie nie oszukał, nie zawiódł.

— No i macie wspaniałego syna — dopowiedziałam z uśmiechem, chociaż nie wiedziałam, kto w rzeczywistości jest jego ojcem.

— Tak — odpowiedziała krótko, bez komentarzy.

Początki mieli w Szwecji trudne. Ewa była w ciąży, gdy wyjeżdżali z Polski. Jej nagła decyzja wydawała mi się nie tyle czynem odważnym, co desperackim. Okazało się jednak, że przemyślanym w każdym szczególe. Może właśnie dlatego moje prośby i namowy nie odniosły żadnego skutku, poza dziwnymi słowami w dniu odjazdu. Tuż przed odejściem pociągu, gdy raz jeszcze przytuliłam ją do siebie, wyszeptała przez łzy, usiłując się do mnie uśmiechnąć:

— Każdy niesie krzyż na swoją miarę. Albo, jak wolisz, Maa, każdy ma takie życie, na jakie sobie zasłużył.

Brysio był chłopakiem spokojnym, praktycznym. Może dlatego, że wcześnie stracił ojca i od tamtej pory pomagał we wszystkim matce. Nawet dorabiając do jej skromnej pensji korepetycjami. W sposobie bycia miał coś ujmującego, wzbudzającego zaufanie, co zjednywało mu ludzką sympatię. W wielu sprawach bezkompromisowy, nie ujawniający na zewnątrz swoich uczuć. Udało mu się jednak przywiązać do siebie Ewę. Poradzić sobie z jej lekkomyślnym i wybuchowym charakterem. Z prawdomównością, bolesną czasem, z łatwym poddawaniem się nastrojowi chwili, z uporem tak nie pasującym do jej delikatnej powierzchowności. Wbrew pozorom Ewa była twarda i okrutna nawet w stosunku do samej siebie, a jednocześnie łagodna i delikatna, gdy zetknęła się z nieszczęściem drugiego człowieka.

Wydawała się szczęśliwa w małżeństwie. Uczuciowa, łaknąca od dzieciństwa miłości i ciepła. Nie potrafiłam dać go dostatecznie dużo. Tę lukę uzupełniali wprawdzie dziadkowie. Wychowywali Ewę nieomal od niemowlęctwa. Czułam się jednak wobec niej zawsze winna, chociaż starałam się, aby nie zbywało jej przynajmniej na niczym z rzeczy materialnych. Nie zdawałam sobie wówczas sprawy, że nie to było dla niej wtedy najważniejsze. Moja czułość i obecność była tym, czego najbardziej potrzebowała, a czego przez nadmiar zawodowej pracy dać jej nie mogłam. Przeszkodę stanowiło coś jeszcze innego. Moja tęsknota za ułożeniem osobistego życia, za miłością mężczyzny, za malutkim szczęściem we dwoje, którego los mi poskąpił. Nie zawsze potrafiłam zrezygnować z atrakcyjnego dla mnie spotkania z kimś, kim byłam aktualnie zainteresowana, i pozostać w domu z dzieckiem.

Ojciec wtedy mamrotał pod nosem, jednak na tyle głośno, żebym słyszała, co myśli.

— Znów tego latawca nosi! Wsadzić taką do wanny, to i grzałki nie trzeba. Zaraz się woda zagotuje...

Brysio miał w sobie opiekuńcze ciepło i miłość graniczącą z uwielbieniem. Dawał Ewie poczucie bezpieczeństwa, imponował uczciwością, rozumiał jej nastroje, ustępował w drobiazgach. Tak odbierałam ich wzajemny stosunek w pierwszym okresie małżeństwa, ale jak wyglądało ono dzisiaj, po latach?

Z listów Ewy wynikało, że nic się w tym względzie nie zmieniło. Zapomniała dawno o Płodziaku. Brysio z synem wypełniali całkowicie jej uczuciowe życie. Zawodowe także układało się szczęśliwie. Pisała o tym nieraz, podkreślając, że: „największym szczęściem jest kochać to, co się robi, i że jest wdzięczna, że pozwoliłam na takie studia, jakie sama sobie obrała".

Nie wspominała natomiast nigdy, że dziadek był im przeciwny i walczył do ostatka, twierdząc, że „każdy artysta umiera z głodu albo na suchoty, co na jedno wychodzi. A on chce widzieć wnuczkę bogatą i na stanowisku. Najchętniej jednak u boku męża ministra, przeciw premierowi także by nic nie miał".

Ewa wypracowała sobie pozycję w Szwecji. Organizowano jej wernisaże i wystawy. Brysio wyżywał się w plakacie. „Był w tym doskonały" — jak pisała Ewa — chociaż ona bardzo lubiła jego gwasze i oleje. Żałuje, że trochę zaniedbał tę technikę malowania.

Po otrzymaniu spadku po Agnisi coraz częściej myślałam o sprzedaży mieszkania i kupnie domu. Nie tyle z myślą o sobie. Moje życie miałam już częściowo za sobą. Przestałam nawet liczyć, że je sobie z kimś na stare lata ułożę. Pragnęłam teraz, aby Ewa i Bryś powrócili do kraju, byli bliżej mnie. Tęskniłam za nimi, za małym Stasiem, za dużym rodzinnym domem w ogrodzie ze starymi jabłoniami. Najchętniej gdzieś na prowincji i w pięknie położonej miejscowości w pobliżu lasów i jezior.

W moim obecnym mieszkaniu od dłuższego już czasu nie czułam się najlepiej. Żyłam w nim trochę jak w rodzinnej kaplicy. I żal się było z nim rozstać, i miało się go dosyć. Każdy mebel, każdy drobiazg coś sobą przypominał. Z kątów wyłaziły wspomnienia. Widok z okien był samym smutkiem. Kojarzył się z tamtymi, najtrudniejszymi dniami po rozstaniu z Piotrusiem. Budziłam się nocami pełna lęku, że ktoś chodzi po pokojach, skrada się pod drzwiami. Zapalałam światło, wstawałam, aby sprawdzić, czy dobrze je zamknęłam, nachodziły głupie tęsknoty za czymś nieuchwytnym, a nieuchronnie straconym. Opadały wspomnienia i smutki, chociaż nie było do nich konkretnego powodu. Ranek rozwiewał nocne koszmary, uspokajał. Decyzja zamiany lub sprzedania mieszkania odsuwała się znów na plan dalszy. Nie miałam zbyt wiele czasu i cierpliwości, aby zająć się tymi skomplikowanymi dla mnie sprawami. Obawiałam się, że nie dam sobie z tym wszystkim rady i kiedyś pożałuję swojej decyzji. Kochałam przecież ten nasz dawny, rodzinny dom. Tyle razy przeklinany, co i błogosławiony. Wyjść z niego dobrowolnie, zerwać z przeszłością, było jednak trudno. To tak, jakby zaczynać życie od nowa. Nie miałam już tej dawnej energii i zapału.

Chodząc teraz od okna do okna, od pokoju do pokoju, w których już od dawna nie słyszało się nawet kociego pomiaukiwania, pomyślałam, że jednak należałoby coś ze swoim samotnym życiem uczynić. Czymś go zapełnić poza pracą zawodową. Czymś angażującym, bardzo osobistym, dającym satysfakcję i radość, jeśli już nie mogło być w nim mężczyzny. Ale dlaczego nie mogło? — nasunęła się przekorna myśl. Odtrąciłam ją natychmiast. I nie dlatego, że w obecnej chwili czas był ku temu nie sprzyjający. Od dawna już zaczęłam obawiać się mężczyzn. Nie ufałam im. Stałam się podejrzliwa i krytyczna. Nie chciałam żadnych więcej zawodów i niespodzianek. Przestawałam powoli wierzyć w możliwość spotkania odpowiedniego dla siebie partnera, chociaż osobiste życie, jałowe i puste, zaczynało od dłuższego czasu ciążyć. Niechętnie się do tego nawet sama przed sobą przyznawałam.

Od dawna już moja praca lekarza stała się pierwszą i najistotniejszą sprawą w moim życiu. Zaczęłam rozumieć to, czego wcześniej nie potrafiłam sobie wyraźnie uświadomić, że to właśnie ona, a nie tamta kobieta, stała się powodem samotności, rezygnacji z tego, co wówczas wydawało się sensem życia. Ani Liza, ani nie narodzone dziecko, nie było istotnym powodem naszych nieporozumień z Piotrusiem i tego czegoś nieuchwytnego, co narastało między nami, dzieliło, zaczęło nieuchronnie oddalać od siebie i wreszcie zdecydowało o rozstaniu. Wszystko inne stało się jedynie impulsem, podświadomym pretekstem do mojej ucieczki.

Piotruś żądał wyłączności. Nie godził się na dzielenie uczucia z nikim. Nawet z czymś tak z innego wymiaru, jak szpital. W jego wyobraźni rozrastał się do gigantycznej hydry, która wciągała, wysysała ze mnie wszystkie żywotne soki i nic dla niego nie pozostawało poza fartuchem śmierdzącym środkami dezynfekcyjnymi. Był zazdrosny o moje w nim uczuciowe zaangażowanie. O chorych, którym poświęcałam często nadprogramowy czas. Według Piotrusia powinien należeć wyłącznie do niego.

Robiłam specjalizację. Był jej przeciwny. Brałam dyżury, zapominałam o wolnych dniach. Denerwował się, gdy zostawałam w szpitalu dłużej, niż to było konieczne.

W domu po pracy nie miałam obowiązku przyjmować telefonów. Na miejscu był lekarz dyżurny. Miałam całkowite prawo nie podejmować słuchawki. Nie czyniłam tego nigdy. Nawet wtedy, gdy prosił o to Piotruś. A prosił często. Nie rozumiał, nie usiłował nawet zrozumieć, gdy tłumaczyłam, dlaczego tak postępuję. Bolałam nad tym, szłam na drobne ustępstwa i kompromisy. Niczego to jednak nie rozwiązywało. Piotruś uparcie dążył do tego, żebym zerwała z zawodem. Zajęła się prowadzeniem naszego pięknego domu i nim. Przede wszystkim nim, co sprowadzało się w zasadzie do żołądka, a ten wymagał wyszukanych domowych potraw. Był zazdrosny o moje drobne sukcesy, o niezależność finansową, o pozycję, jaką potrafiłam sobie wypracować w trudnym lekarskim środowisku.

Twierdził, że kochająca żona powinna żyć w cieniu męża, a nie odwrotnie. Nie wierzył w partnerstwo i przyjaźń. Według jego słów: „dobre łóżko, dobra kuchnia i żadnych kłopotów" — stanowiło podstawę szczęśliwego, trwałego małżeństwa.

Byłam zakochana w Piotrusiu i chyba po raz pierwszy w życiu szczęśliwa, więc przymykałam oczy na jego słabostki, starałam się je bagatelizować. Wierzyłam, że z czasem wszystko się jakoś ułoży. Nasze, tak różne, charaktery dotrą się, znajdą płaszczyznę, aby przylgnąć do siebie, dopasować jakimś bokiem w bryle, tak jak dopasowały się nasze ciała. Przy drobnych sprzeczkach wywołanych zazwyczaj moją nadprogramową obecnością w szpitalu, zmęczeniem po dyżurze albo nie przygotowanym na czas posiłkiem usiłował mnie przekonać o bezsensie mojej pracy przy luksusie, jaki mi ofiarował.

— Obowiązek wobec ojczyzny spełniłem. Każdej godziny narażałem życie latając na bombowcach. W domu, przed wojną, zaznałem wszelkich niedostatków. W Anglii też nie było łatwo. Żonę miałem skąpą i oziębłą. Wymagała jedynie pieniędzy. Wykształciłem troje dzieci. Moje życie było wieczną pogonią za funtem i nic z tego dla siebie nie miałem. W weekendy strzygłem przed domem trawniki i robiłem drobne naprawy albo majstrowałem coś przy samochodach. Teraz chcę żyć wygodnie, podróżować, korzystać z tego, co dzięki mojej pracy zaoszczędziła Judy. Chcę dzielić nie troski, ale przyjemności z dziewczyną, którą kocham. Ty także nie miałaś łatwego życia. Zostaw więc teraz ten cały szpital z wszystkimi jego obrzydliwościami i dziel ze mną każdy dzień i każdą noc. Życie z dużym kontem dewizowym daje radość, przedłuża młodość. Ile nam jeszcze tych szczęśliwych, beztroskich lat pozostało? — wysuwał swoje racje. Może i słuszne nawet, ale do mnie wtedy nie trafiały. Były nie do przyjęcia.

Zapatrzyłam się w szarość dnia za oknem, w samą siebie, w przeszłość. Gdzieś jednak popełniłam błąd. Musiałam popełnić, jeśli jestem teraz samotna, pozbawiona miłości i rodzinnego domu.

A gdybym wtedy zrezygnowała z zawodowych ambicji, wyrzekła się innych wartości na rzecz Piotrusia, czy wtedy ocaliłabym naszą miłość, nasz dom? Które z nas miało rację? Co mi w ogólnym rachunku pozostało z dotychczasowego życia poza miłością tłamszoną latami? — zastanawiałam się oparta czołem o chłodną szybę okna. Po niebie ciągnęły nisko brzuchate, granatowe chmury. Wyglądało na to, że za chwilę spadnie śnieg.

Pozostał jedynie zawód, który kochałam, i samodzielność. Walczyłam o nią wytrwale jeszcze wtedy, gdy ojciec usiłował ją we mnie stłamsić, abym nie wyzwoliła się spod jego władzy, spod domowej opieki. Zdobyłam tę niezależność. Opłaciłam ją drogo. Zrezygnowałam z macierzyńskich obowiązków, prowadziłam życie w wynajętych pokojach, w szpitalnych stołówkach, na licznych dyżurach, żeby coś dorobić do skromnej pensji. Utrzymywałam z niej częściowo rodziców i dziecko. Moja samodzielność oznaczała jednak wolność. Wygrałam ją nawet z ojcem. Dla tych wartości zrezygnowałam z osobistego, szczęśliwego życia z kochanym mężczyzną. I co z tego? Czy jestem przez to dziś szczęśliwsza? Czym właściwie tak naprawdę jest szczęście?

Nie zdążyłam sobie odpowiedzieć na dręczące pytania. Przy drzwiach odezwał się dzwonek. W aksamitnej podomce powlokłam się bez pośpiechu do przedpokoju, spodziewając się jedynie listonosza. Telefonów wciąż nie przyjmowałam — znajomi sądzili, że nie ma mnie w Warszawie.

Za drzwiami stał Wykolejeniec. W obszernym kożuchu, lisiej czapie. W ręce trzymał nieodzowną teczkę. Chyba nawet tę samą, w jakiej przemycał dla ojca alkohol, przychodząc do nas w odwiedziny. Była z solidnej, mocno już wytartej na bokach, skóry. Matka w takich razach patrzyła mu podejrzliwie na ręce. Czasem, dla zmylenia jej, wyciągał z tej czarnej, solidnej teczki nadwiędłą prymulkę.

— To ty? — spytałam głupio zdławionym głosem, pełna najgorszych przeczuć.

Wykolejeniec, którego nie widziałam od przeszło trzech lat, był — jak twierdziła matka — złym duchem naszego domu. Sprowadzał wszelkie nieszczęścia związane z pijaństwem.

Ojciec kochał go jednak, i to miłością odwzajemnioną. Rozpacz Wykolejeńca na pogrzebie miała w sobie coś z niekłamanej przyjaźni i przywiązania. Polewanie wódką trumny i stoczenie się do grobu po rozmokłej glinie jakoś go zrehabilitowało w moich oczach.

— Jezusie! — jęknął i wlepił we mnie przekrwione oczy. — Jakbym nieboszczkę Teciuchnę zobaczył! Tyle tylko, że trochę mizerniejsza i, można powiedzieć, jakby już nawet po śmierci...

Stałam bez ruchu wpatrzona w Zygmunta jak w widmo. Nie bardzo nawet docierała do mnie treść słów. Zrozumiałam ją dopiero wtedy, gdy pchając się bez zaproszenia do przedpokoju stwierdził, że wyglądam, jakbym już tydzień leżała w piaseczku.

— Po coś przyszedł? — zapytałam niegrzecznie.

Milczał ściągając szybko kożuch. Położył czapkę pod lustrem i wkroczył bez słowa do kuchni. Przesiadywało się w niej najczęściej za życia rodziców. Teczkę ustawił obok taboretu, jak to zazwyczaj czynił. Zdawać się mogło, że czas się cofnął i za chwilę wejdzie ojciec z mrugającym nerwowo lewym okiem. Tyle tylko, że Wykolejeniec nie był dziwacznie i — jak mawiał kiedyś — „artystycznie" — odziany. Miał na sobie w brązowych barwach kraciasty pulower i sztruksowe spodnie w beżowym kolorze. Bez zaproszenia zajął to samo, co dawniej, miejsce przy stole. Zapatrzył się w krzesło, na którym zazwyczaj siadał ojciec.

— Stasieniek mi się ostatnimi czasy śni. Nad rzeczką siedzi, nogi moczy i uśmiecha się beztrosko. To ja podchodzę i mówię: Stasieńku, ty żyjesz? A on bez słowa wyciąga kubek z kieszeni. Napełnia go wodą z rzeczki i podaje. Próbuję ja tej wody, a to czysty, najprzedniejszy bimber. Taki sam, jaki kiedyś pędziliśmy... — Roztkliwił się, przesunął dłonią po oczach i spojrzał na mnie łzawo.

— Chuchnij!

Chuchnął. Nie poczułam alkoholu. Przyglądał mi się z zainteresowaniem.

— Skończ z tymi bredniami! — żachnęłam się stawiając bezwiednie czajnik na gazie. — Na żadne sentymenty mnie nie nabierzesz!

— Co ty taka mizerna, a do tego rozeźlona niczym moja świętej pamięci Modliszka? — zignorował moje słowa.

— Przestań przy mnie nazywać Monikę Modliszką! — krzyknęłam. — A wyglądam źle, bo jestem po ciężkiej operacji.

— Nosił wilk razy kilka, ponieśli i wilka! — Roześmiał się zadowolony z własnego dowcipu. — Ty ludziom brzuchy rżnęłaś, to i na ciebie kolej przyszła!

— Do reszty zidiociałeś — wzruszyłam ramionami.

— Nigdy nie byłem idiotą. — Zdumienie zabrzmiało w głosie.

— Napijesz się kawy? — zmieniłam temat. Chciałam się wreszcie dowiedzieć, co go do mnie sprowadziło. Nie miałam złudzeń, że czegoś ode mnie potrzebuje.

— Wreszcie ludzki odruch! — westchnął spazmatycznie. — Nie wdałaś się w Stasieńka, o nie! Ani w Teciuchnę! Ona nawet w złości nie chciała człowieka urazić. Żalu jednak do ciebie nie mam. Po operacji jesteś, na księżą oborę patrzysz, to co ja będę z tobą dyskutował? Mogę ci tylko jedno zaręczyć. Jak umrzesz, masz u mnie zagwarantowane na grobie co miesiąc świeże kwiaty. Tak jak dbam o mogiłę Stasieńka i Teciuchny, tak i o twoją zadbam, chociaż jesteś wyrodkiem.

— Chyba jednak piłeś! — uśmiechnęłam się kwaśno.

— Co ci wycięli? — Patrzył na mnie z ciekawością. — Jajniki?

Wzruszyłam ramionami stukając się palcem w czoło.

— Pęcherzyk żółciowy. Były kamienie.

— To co mówisz o poważnej operacji? Usunięcie woreczka to nie operacja, a zabieg kosmetyczny. Inna sprawa z jajnikami... — Lustrował moją twarz przez okulary w grubej, rogowej oprawie. — Zgryźliwa się na starość robisz! — uśmiechnął się promiennie, szperając w teczce.

Przyjęłam obronną pozycję. Postanowiłam natychmiast przegnać go z domu, jeśli wyciągnie butelkę.

Wykolejeniec szarmanckim gestem wręczył mi bukiecik fioletowych frezji. Roześmiałam się. Nie opuściło mnie jeszcze poczucie humoru.

— Co ci tak wesoło? Nie boli w szwie, jak się śmiejesz?

— Byłam przekonana, że wyciągniesz prymulkę.

— Prymulka to był ulubiony kwiat Teciuchny! — Powaga zabrzmiała w głosie.

— Mama nie cierpiała prymulek. Wiesz o tym dobrze!

— Teraz jej świerkowe wianki z nieśmiertelnikami noszę.

— Kwiaciarnię otworzyłeś?

— Coś koło tego. Tylko że nie ja i nie kwiaciarnię. Moja żona robi w ziemi.

— Znów się ożeniłeś? — jęknęłam. — Który to już raz?

— Nie bardzo pamiętam, ale to na pewno ostatnia miłość mego życia. Bez dzieci, bez rodziny, za to z ogromnym interesem ogrodniczym w pobliżu Powązek. Jestem, jak wiesz, estetą. Zbrzydły mi już betony. Ostatnią, czy też przedostatnią, żonę z kamieniarskiego fachu miałem i te wszystkie nagrobki, jakimi handlowała, zbyt mi bunkry i wojnę przypominały... — Westchnął spazmatycznie, sięgając odruchowo pod marynarkę.

Przez całą okupację nie rozstawał się z „naganem" i tam go właśnie na piersi trzymał. Przez roztargnienie zostawiał w różnych melinach, gdzie zaopatrywał się w bimber. Zawsze jednak do niego powracał. Matka z pretensją w głosie twierdziła, że Pan Bóg opiekuje się pijusami osobiście, a wszystko, co najgorsze, zdarza się tylko przyzwoitym ludziom. Ojciec wtedy krzyczał: „nie bluźnij!" i matka milkła spłoszona.

— Nie przeszkadza żonie, że pijesz?

— Ja piję? — zdumiał się, jak kiedyś czynił to ojciec, gdy matka zarzucała mu pijaństwo. — Czasem łyknie się coś przy specjalnej okazji, a ty zaraz, że piję! Jeżeli nawet, to tylko przy grobie Stasieńka — zastrzegł się przykładając dłoń do serca i wznosząc oczy ku górze. — Między Bogiem a prawdą, przez Stasieńka się ożeniłem. Zainteresowanie moją obecną żoną — zaczął z powagą — zaczęło się od chwili, gdy stwierdziłem, że mieszka tuż przy cmentarzu i tam też ogród kwiatowy posiada. Dosłownie rączkę podać, żeby się bliżej kochanego Stasieńka znaleźć...

— Ty chyba jednak piłeś! — przerwałam jego bredzenie. — Przyznaj się, co zjadłeś, żeby alkohol od ciebie nie jechał?

— Sprytna jesteś! — pokręcił głową. — Ale o ziarenkach kawy i naci od pietruszki z imbirem to pewnie nie słyszałaś? A widzisz! Przechytrzyłem cię! — Celował we mnie wskazującym palcem. — Owszem, piłem. Za życie i szczęście pozagrobowe mego Stasieńka, a twego ojca. Bo śni mi się po nocach, bo tęsknię za moim ukochanym przyjacielem... — Łzy zakręciły się w przekrwionych, wodnistych oczach, okulary zaszły mgiełką.

Postawiłam przed nim filiżankę kawy.

— Wypij, odparujesz trochę.

— Piję, żeby nie pamiętać, a ty chcesz mnie zrobić trzeźwym jak świnia — obruszył się sięgając jednak po filiżankę. Ręka mu trochę drżała.

— Jak dasz kielicha koniaku, powiem, z czym przyszedłem — oznajmił nieoczekiwanie.

Poszperałam w szafce. Na dnie butelki pozostało trochę złotawego trunku. Starczyło na połowę pękatego kieliszka.

Chwycił go drapieżnie, chrząknął z namaszczeniem, podniósł oczy na sufit i przywarł namiętnie wargami do jego brzegu, jak do ust kochanki.

— Jakieś ludzkie odruchy w tobie kołaczą, chociaż jesteś lekarzem i rudzielcem. Stasieniek twierdził, że co rude, to fałszywe.

— Powiedz wreszcie, o co ci chodzi, i skończmy z tematem. Czuję się nie najlepiej.

— Mam dla ciebie propozycję nie do odrzucenia. — Zrobił wymowną pauzę. — Znalazłem dobrego kupca na twoje mieszkanie. Może zapłacić w dolcach, może w markach zachodnich. Złotówki też dorzuci, jak trzeba będzie końcówkę zaokrąglić. Ma nawet coś atrakcyjnego na zamianę albo na sprzedaż.

Zatrwożyłam się. Serce zaczęło walić nieprzytomnie, najgorsze przeczucia obsiadły mnie jak mszyce. Tego właśnie mogłam się spodziewać. Wykolejeniec już niejedno nasze mieszkanie przehandlował jak swoje, a my dowiadywaliśmy się o tym w momencie, gdy zjeżdżał z gratami nowy właściciel. Po czym obaj z ojcem przepijali pieniądze co do grosza.

— Nie mam zamiaru sprzedawać mieszkania! — wykrzyknęłam histerycznie. — Co ci przyszło do tej zapijaczonej głowy!?

Przeraziłam się. Może już je komuś naraił? Wziął zaliczkę i któregoś dnia sprowadzi potencjalnego kupca? Poczułam się osaczona, bezbronna. Nieomal bliska płaczu.

— Nie musisz sprzedawać... — wpatrywał się we mnie przez okulary. Czoło miał niepomiernie wysokie. Przerzedzone włosy jakby mu się cofnęły do tyłu. — Możesz zamienić. Na przykład na zabytkowy dworek czy też niedzisiejszą willę na prowincji. Znam coś takiego do zamieszkania od zaraz. Ząb czasu lekko naruszył, ale jak wsadzi się w niego parę groszy, będziesz mieszkała jak pani na włościach. Kawał ogrodu też jest. Nawet ze starymi drzewami. Dęby, a może lipy? — monologował kusicielsko, układając wydatne usta w niewielki ryjek.

Wpatrywałam się w niego jak urzeczona, doznając różnorakich odczuć. Dominował lęk i zagrożenie. Jednocześnie ta jego propozycja umocniła pragnienie posiadania takiego domu, nie tyle dla siebie, co dla Ewy, chociaż i ja coraz bardziej tęskniłam za tym, o czym przez całe swoje życie marzył ojciec. Wierzył, że kiedyś wygra milion i uszczęśliwi nas wszystkich domkiem pod lasem. A domek miał być drewniany, z dużą werandą ocienioną dzikim winem i obrosłą malwami.

Nigdy nie wygrał miliona. Nie znalazł skarbu, którego szukało się i w domach, które zamieszkiwaliśmy na Ziemiach Odzyskanych, i na letniskach w piachach nad Pilicą, i w przeróżnych dąbrowach, którymi szły rzekomo kiedyś wojska rosyjskie i gdzie białogwardziści w czasie rewolucji zakopywali wywiezione klejnoty. Nic nie spełniło się z tych ojcowych rojeń. Moja matka określała je „mrzonkami zapijaczonego mózgu", złoszcząc się na niego, że gdyby nie przepijał każdego grosza z Wykolejeńcem, to nim się ten domek wybuduje, można by było przynajmniej opłacić zaległe komorne.

Ona zapewne także w skrytości ducha marzyła, że chociaż na stare lata wydarzy się jakiś cud i będzie można zamieszkać w czymś takim, co chociaż troszeczkę będzie przypominało jej najwcześniejsze dzieciństwo w dworku z białymi kolumienkami.

Rodzice nie doczekali cudu. Ja natomiast miałam teraz pieniądze. Dużo pieniędzy, dzięki spadkowi po Agnisi i koronom szwedzkim, które Ewa wpłacała regularnie na moje konto dewizowe. Mogłam budować, mogłam kupić gotowy dom.

— Przestań gadać brednie! I wracaj wreszcie do tej, nie wiem już której, kolejnej żony. Nie chcę sprzedawać mieszkania ani go zamienić na pałac. — Chciałam zakrzyczeć w sobie chęć rozmowy na ten temat. — W każdym razie nie z tobą będę takie transakcje prowadziła! — podnosiłam coraz bardziej głos, aby zagłuszyć narastającą ciekawość, gdzie i jak wygląda ten dom na sprzedaż. Bałam się wszelkich interesów z Wykolejeńcem, a nawet rozmów na ten temat. Każdego wykołował, oszukał nie oszczędzając nawet swego najukochańszego Stasieńka.

— Nerwy to ty masz poszarpane, niczym uszy kota w czasie marcowych godów — zaopiniował. — I dlatego będę cię gorąco namawiał na pięknościową posiadłość na prowincji. Dom przestronny, wielopokojowy, z fikuśnymi zakamarkami. Tuż przed wojną budował to gniazdko dla siebie młody architekt. Tyle tylko, że jak wykończył, to wybuchła wojna. Poszedł chłop w sołdaty. Odłamek granatu rozpruł mu brzuch od szyi do przyrodzenia. Biegnąc pogubił w drodze wszystkie flaki. A droga była błotnista, bo jak wiesz, nie mieliśmy najlepszych...

— Idź wreszcie do domu! — Poderwałam się z krzesła zbyt raptownie. Coś zakłuło w operowanym miejscu. Skrzywiłam się.

— Szkoda twego czasu. Nie namówisz mnie na tego rodzaju interesy. I proszę, idź już sobie — dodałam ciszej. — Muszę się położyć, nie czuję się najlepiej.

Wykolejeniec podniósł się z ociąganiem. Przy pożegnaniu obiecał jednak wkrótce wrócić, gdyż inaczej kochany Stasieczek będzie się w zaświatach na niego gniewał, że nie pomógł jego jedynemu dziecku. Dalej będzie w snach prześladował.

Ględził jeszcze coś w tym rodzaju i wreszcie udało się go wypchnąć za drzwi. Dowlokłam się do tapczanu. Spocona, zdenerwowana, zastanawiając się, po co w ogóle wdawałam się w rozmowy z Wykolejeńcem. Należało go po paru minutach pod byle jakim pretekstem wyprowadzić z domu. Uświadomiłam sobie nagle, że trzeba podnieść się z tapczanu i sprawdzić, czy mu się coś do rąk nie przykleiło. Na wieszaku znajdowało się moje futro z norek po Agnisi i jeszcze parę cennych rzeczy, które mógł z łatwością wymienić na skrzynki z alkoholem.

Wykolejeniec kradł od dzieciństwa wszystko. Ojciec nazywał to delikatnie „kleptomanią". Twierdził, że jeżeli nawet coś nam kiedyś zginęło, to tylko i wyłącznie z naszej winy. Okazja bowiem — jak mówił — stwarza złodzieja, a my wszystko zostawiałyśmy na wierzchu, nie licząc się z ludzkimi pokusami i chorobą nieszczęśliwego człowieka.

Uśmiechnęłam się cierpko, układając się ponownie na tapczanie i rozglądając się za książką. Zawsze coś tam leżało do czytania w zasięgu ręki. Należało jak najszybciej zapomnieć o wizycie Wykolejeńca, o projektach związanych z zamianą mieszkania czy z czymś tak nierealnym, jak kupowanie dużego domu. Westchnęłam z ubolewaniem nad własną głupotą. Wchodziłam w wiek, w którym nie należy brać sobie na głowę obowiązków i pracy, jakiej wymaga duża posiadłość z ogrodem. I to jeszcze taka, która nadaje się do generalnego remontu. Do takiej imprezy konieczny jest własny mężczyzna. Nie należało także angażować się bez uprzedniego porozumienia z Ewą i Brysiem. Należało mieć pewność, że wrócą.

Z westchnieniem sięgnęłam po „Przekrój". Leżał od dawna jeszcze nawet nie rozcięty. Przerzucając stronice zajrzałam przede wszystkim na ostatnią stronę. Lubiłam humor ze szkolnych zeszytów.

„Jak strażacy zobaczą ogień, to sikają — przeczytałam. — Faraonowi do piramidy wkładano różne dziwne rzeczy, jak konie, koty i kobiety".

Ta rubryka przypomniała nieoczekiwanie Piotrusia. To on przecież zabawiał mnie nią najczęściej przy kolacji, cytując z pamięci co zabawniejsze powiedzonka. Niewiele mogłam z mego czasu poświęcić na czytanie. A jeśli już, to uzupełniałam zaległości w literaturze fachowej i w dobrej światowej beletrystyce. W tamtym czasie rozczytywałam się w Styronie.

Odkładając „Przekrój" zamyśliłam się.
Może należało jednak z czegoś zrezygnować na korzyść Piotrusia i wspólnego domu? Pójść na ustępstwa, urodzić dziecko, którego tak pragnęłam i którego on także chciał do chwili, gdy nie stanęła między nami Liza. Może należało ją przepędzić, podyktować Piotrusiowi warunki, samej pokierować naszym życiem, jeżeli on okazał się bezwolny i uległy? Przecież mogłam częściowo zrezygnować ze swojej pracy. Chociażby z nadprogramowych dyżurów. W krytycznym dla nas momencie powinnam wziąć urlop, wyjechać gdziekolwiek z Piotrusiem, trochę mu schlebiać, trochę dogadzać. Może zbyt pochopnie i niepotrzebnie ujęłam się ambicją, skazując siebie na samotność, na cierpienie.
Kręciłam się niespokojnie na tapczanie, nie mogąc znaleźć dostatecznie wygodnej pozycji do leżenia. Gdy usiłowałam obrócić się na lewy bok, bolało w środku po prawej stronie. Układałam się na wznak albo przechylałam lekko w prawo podtrzymując dłonią całkowicie już wygojone miejsce po drenie.
Muszę jednak coś zmienić w moim życiu! — postanowiłam nagle. Nie powinnam myśleć tak często o zbliżającej się starości, o tym, że jestem już jakby poza nawiasem spraw związanych z mężczyzną. Coś się zaczęło we mnie buntować, wyzwalać.
Jeśli sądzone mi życie, powinnam zadbać, aby nie stało się ono uczuciową wegetacją. Wyjść raz jeszcze za mąż, spróbować przejść najtrudniejszy odcinek życia z bliskim człowiekiem z mego rocznika. Nie unikać mężczyzn, nie doszukiwać się w nich najgorszych cech, nie zakładać, że każdy jest oszustem matrymonialnym.
Mimo woli uśmiechnęłam się. Byłam jednak wciąż niepoprawną marzycielką i optymistką, sądząc, że mam jakieś szanse w tym względzie. Równolatek będzie szukał młodziutkiej przyjaciółki, a jeśli już z konieczności żony, to przynajmniej o piętnaście lat młodszej. I szybko znajdzie! — stwierdziłam z westchnieniem, ale też zaraz pocieszyłam się, sięgając pamięcią do niepisanych kronik naszej rodziny.
Moich kilkanaście ciotek trzymało się kurczowo życia i jego uciech. Słowo „rezygnacja" było im całkowicie obce. Marły zazwyczaj około setki, zachowując do końca jasność umysłu i niespożytą energię. Nie pamiętam, aby skarżyły się na jakiekolwiek dolegliwości.
Ciotka Polcia — specjalistka od zboczonych mężów, których zachcianki, według jej słów, należało uszanować, mawiała zazwyczaj:
— Do łóżka, proszę cię, to ja się kładę z chłopem, a nie z chorobą.
Ciotka Natala, niezbyt szczęśliwa w trzech pierwszych małżeństwach, twierdziła, że najpiękniejszy rozkwit jej kobiecości i szczęścia przypadł na czas, gdy skończyła pięćdziesiąt cztery lata. Spotkała wtedy hrabiego Olesia, młodszego od siebie o blisko osiem lat. Gdyby nie popełnił samobójstwa, żyliby dalej szczęśliwie przez następne dziesięciolecia.
Ciotka Helena — rudowłosa piękność ze strony matki — w wieku lat

sześćdziesięciu paru zdradzała jeszcze męża „dla higieny psychicznej” — jak to górnolotnie określała — robiąc w tym celu wypady do stolicy, gdzie miała sporo przyjaciół z dawnych lat.

Jedynie chyba tylko ciotka Katarzyna przez całe swoje życie trzymała przy sobie jednego męża — wąsatego wujka Sienieczkę. Czuł przed nią taki respekt i lęk, że gdy w pociągu ukradziono mu całą pensję, zrobił w spodnie i bał się wrócić do domu. Ale i ona, zapytana kiedyś, ilu miała kochanków, odpowiedziała skromnie, że nie pamięta.

— Może nawet i ktoś tam był po drodze, ale czy można wiedzieć o każdym zjedzonym jabłku?

Rotacja mężów i kochanków była w naszej rodzinie zatrważająca. Najbardziej jednak zadziwiający był fakt, że nie zmniejszała się z upływem lat. Ciotki bowiem uważały, że jeśli się już żyje, to należy robić to w pełnym wymiarze i do końca. Jeść i kochać, ale niekoniecznie z tym samym mężem czy kochankiem. Nic bowiem, według ich słów, nie niszczy tak kobiety, jak nuda i pustka w łóżku.

Słowo „samotność” było im tak samo obce, jak i słowo „moralność”. Myliły je często z głupotą, bo tak naprawdę nie znały jego definicji, jeśli w ogóle o nim kiedykolwiek słyszały.

W ogólnym rachunku nie było więc ze mną jeszcze tak źle. Dobiegałam dopiero pięćdziesiątki i chyba niepotrzebnie usiłowałam wmówić w siebie, że wszystko z tych rzeczy należy do czasu przeszłego.

Zerwałam się z tapczanu, jakbym chciała gdzieś biec i urządzać sobie życie. Należało je teraz ułożyć na innych już zasadach. Kupić i urządzić prawdziwy dom. Przede wszystkim z myślą o sobie, a nie tylko o młodych, którzy, jeśli wrócą, i tak go kiedyś odziedziczą. Nie siedzieć wśród starych gratów i wspomnień, bo, jak mówiła moja matka:

— Żyć wspomnieniami, to tak, jakby być już całkiem umarłym.

Rozejrzeć się za mężczyzną, poszukać odpowiedniego partnera. I żadnych więcej romansów! — nakazywałam sobie w myśli, wiedząc, jak one się zazwyczaj kończą. Postanowiłam wyjść za mąż. Z rozsądku, z potrzeby obecności drugiego człowieka, z przeświadczenia, że należy skończyć z mrzonkami o wielkiej miłości. Szukać partnera nie pod kątem atrakcyjności i seksu, ale wartości trwałych, nieprzemijających. Miałam wprawdzie obiekcje, czy takiego znajdę, ale wolałam o tym teraz nie myśleć, nie zapeszać. Postanowiłam zacząć nowe, spokojne życie z mężem u boku.

Na razie jednak kręciłam się nerwowo po pokoju w aksamitnej zgniłozielonej podomce po Agnisi, trzymając się za obrzmiały jeszcze po operacji brzuch. Ojciec mógłby teraz powiedzieć z zadowoleniem i satysfakcją: „moja krew”. Przypominałam bowiem glistę, która, przecięta na dwoje, odradza się i, chociaż trochę krótsza, żyje i rozmnaża się dalej. Ja rozmnażać się nie chciałam, ale jeszcze mogłam.

Powędrowałam przed lustro. Nie byłam zachwycona swoim odbiciem, chociaż usiłowałam się na różne sposoby uśmiechać, trzymać wysoko głowę, żeby wyeksponować długą szyję. Wierzyłam jednak, że gdy tylko coś się odmieni w moim osobistym życiu, wewnętrzna radość rozjaśni twarz, odmłodzi, doda blasku oczom, tak jakby się od środka zapaliły latarenki.

Z natury byłam pogodna i optymistycznie nastawiona do świata i życia. Należało do tej postawy powrócić. Otrząsnąć się z marazmu i zobojętnienia, w jakie popadłam po nieudanej historii z Mikołajem.

Chwyciłam za grzebień. Przeczesywałam z namysłem gęste, bez śladu siwizny włosy, próbując, w jakiej fryzurze będzie mi najbardziej do twarzy i typu urody. Zdecydowałam się na puszystą grzywkę nad brwiami, taką, jaką nosiła Agnisia, i luźny duży kok nad karkiem. Uczesanie stylowe, zawsze modne, odpowiednie dla każdego wieku i nietuzinkowe.

Ruda barwa stonowała się z latami. Można było o mnie powiedzieć: „ta kasztanowa", a nie „ta ruda", jak dawniej. Należało zająć się także garderobą. W ostatnich latach niezbyt wielką wagę do niej przywiązywałam. Większą część życia spędzałam w białym fartuchu. Poza pracą ubierałam się sportowo. Kilka w dobrym gatunku spódnic, swetrów i bluzek w zupełności wystarczało i był to odpowiedni strój na każdą nieomal okazję.

Teraz należało częściowo z tym stylem zerwać, byle tylko mieć doping. Pieniądze miałam. Mogłam ubierać się u najlepszej krawcowej, dbać o elegancję i zewnętrzny wygląd.

Uśmiechnęłam się do własnych myśli i własnego odbicia. Zobaczyłam je w dziesiątkach najmodniejszych kreacji. Nie potrafiłam tylko wyczarować obok siebie postaci przyszłego męża, ale wolałam sobie nie stwarzać urojonego obrazu, żeby nie mieć później rozczarowań. Życie wydało mi się znów piękne i pociągające.

— Nawet bez Piotrusia — prowokowałam własne odczucia.

Coś tam jeszcze dźgnęło, ale nie na tyle, żeby zmącić dobry, pogodny nastrój, stłamsić narastającą chęć istnienia i wolę działania.

Dochodziłam do zdrowia.

*

Nad ranem obudził mnie podejrzany dźwięk.

W pokoju było ciemno. W pierwszym momencie nie wiedziałam, gdzie się znajduję. Przez chwilę sądziłam, że leżę w szpitalnej sali, że któraś z sióstr zawadziła o klamkę tacką z zastrzykami.

Poruszyłam się na tapczanie szukając dłonią nocnej lampki na stoliku. Nie znalazłam jej. W domu bowiem tkwiła gdzieś nad moją głową, ocieniona jedwabnym abażurkiem.

— Jestem więc u siebie — skonstatowałam sennie — i coś mi się przyśniło.

Wtuliłam policzek w poduszkę usiłując ponownie zasnąć. Wtedy znów powtórzył się ten dźwięk. Skrobanie do drzwi, a może poruszenie klamką lub ciche pukanie urastające w ciemności do czegoś dziwnego, nie dającego ująć się w konkret. Mogłam się przesłyszeć. Mieszkanie było akustyczne. Odgłosy mogły równie dobrze pochodzić od sąsiadów zza ściany. Zaczęłam nasłuchiwać. Po krótkiej chwili dźwięk się powtórzył. Wyraźny i konkretny. Z całą pewnością ktoś był na korytarzu pod moimi drzwiami. Serce waliło niespokojnie. Przełknęłam ślinę. W gardle mi zaschło. Mógł to być złodziej. Każdy inny skorzystałby z dzwonka.

Zapaliłam światło, spojrzałam na zegarek. Wskazówki zatrzymały się na godzinie za dwadzieścia piąta. Znów zapomniałam go nakręcić przed pójściem spać. Nie mogłam się przyzwyczaić, że po ostatniej naprawie miał znacznie krótszą sprężynę i należało go dwa razy w ciągu dnia nakręcać.

Powinnam wreszcie kupić nowy zegarek — przebiegło przez myśl, ale wiedziałam, że jeszcze nieprędko zdecyduję się z nim rozstać. Stanowił pamiątkę po ojcu i bardzo — tak jak i on — byłam przywiązana do tego niklowanego drobiazgu z czerwoną strzałką sekundnika.

Wsunęłam stopy w miękkie pantofle, narzuciłam szlafrok. Bezszelestnie, na palcach przemknęłam do przedpokoju i wstrzymując oddech nasłuchiwałam pod drzwiami, co się za nimi dzieje. Przyszło mi do głowy, że może za nimi stać Busio. On to zazwyczaj skrobał jak pies pazurem. Nie widziałam go od kilku lat. Prawie zapomniałam o jego istnieniu. Przeraziłam się, że z tej wizyty mogą wyniknąć nowe dla mnie kłopoty, a w najlepszym razie stres. Miałam ich w ostatnich czasach wystarczająco dużo.

— Kto tam? — zapytałam szorstko.

— Otwórz, to ja — usłyszałam przyjemny w brzmieniu głos Wykolejeńca. — Zapomniałem zabrać teczkę — tłumaczył się ściszonym głosem.

— Jeszcze śpię — rozzłościłam się. — Przyjdź o jakiejś przyzwoitej godzinie.

— A co widzisz nieprzyzwoitego w czasie? Przecież jest rodzaju męskiego, a więc nie może być nieprzyzwoity, bo to domena kobiet... — dobiegło zza drzwi określenie, którego u Wykolejeńca dotychczas nie słyszałam. Coś mnie w tym powiedzeniu zaniepokoiło. — Nie rozumiem, dlaczego siódma godzina rano ma być nieprzyzwoita, a na przykład dziesiąta przyzwoita? — rozwodził się dalej, jakby korytarz był najodpowiedniejszym miejscem do tego rodzaju dywagacji.

— Jeśli już musisz przyjść, to po jedenastej. W tej chwili nie jest pora na składanie wizyt.

— Ja nie z wizytą, a jedynie po teczkę. Zapomniałem wczoraj zabrać. Są w niej cenne dla mnie rzeczy — odpowiedział stanowczym, trochę podniesionym głosem. I już wiedziałam, że się od niego nie odczepię. Przestraszyłam się także tej cennej zawartości. Mógł być w niej jedynie alkohol, ale mogły znajdować się także i kradzione przedmioty. Może będzie usiłował wmówić we mnie, że się także w niej znajdowały i zażąda pieniędzy.

— Dobrze — zgodziłam się po krótkim wahaniu. — Zaraz przyniosę twoją teczkę, jeżeli rzeczywiście ją zostawiłeś w kuchni.

Przeczesałam palcami włosy, zapięłam szlafrok. W kieszonce znalazłam szminkę z czasu pobytu w szpitalu. Bez lusterka, na pamięć, jak to często robiłam w pośpiechu, przeciągnęłam nią po wargach, żeby nie przypominały wygotowanych pieluch.

Teczka stała rzeczywiście tam, gdzie ją postawił Wykolejeniec. Zapaliłam w przedpokoju światło, odsunęłam z niemałym trudem zasuwkę. Przez moment stałam oddychając głęboko, żeby wyrównać oddech. Wreszcie uchyliłam drzwi i przez szparę usiłowałam podać teczkę.

Wykolejeniec jednak wsunął między drzwi swoją wielką stopę w mokasynach na futrze i pchał się do mieszkania, torując drogę teczką jak taranem. Za nim wsunął się mężczyzna w długim kożuchu ściągniętym pasem z gwiazdą szeryfa błyszczącą na podłużnej klamrze. Ściągnął z głowy papachę z białej jagnięcej skóry, kładąc ją ostrożnie na półce wieszaka. Błysnął w uśmiechu dwoma bocznymi zębami ze złota i wyciągnął krótką, szeroką dłoń jak saperska łopatka.

— Węchacz jestem! — oznajmił głośno i wyraźnie, jakby przedstawiał się: hrabia Potocki jestem. — A dla przyjaciół po prostu Gienio! — Znów błysnął złotymi zębami, mrużąc głęboko i blisko siebie osadzone oczka.

Stałam jak wrośnięta w podłogę. Spoglądałam na Wykolejeńca, który zdążył zdjąć kożuszek, to na pana Węchacza zsuwającego pośpiesznie buty. Poruszał bezradnie palcami w grubych żółtych skarpetach.

— Sam lubię w domu czystość i szanuję pracę kobiety — oznajmił widząc mój wzrok wlepiony w jego stopy.

— Gienio to jest ktoś! Wie, jak się w każdej sytuacji znaleźć — zacierał dłonie Wykolejeniec, kręcąc się i składając wokół niego jak scyzoryk. — Możesz śmiało prosić do pokoju. Niczego nie kolekcjonuje, poza pieniędzmi, ma się rozumieć — roześmiał się głośno. — Żadnego drobiazgu ukradkiem nie wyniesie, jak to czynią różni zbieracze.

Uśmiechnięty pan Węchacz wpatrywał się we mnie z uwielbieniem, tuląc w ramionach pokaźną torbę ze świńskiej skóry.

— Tym razem Zygmunt nic nie przesadził! Szanowna pani to prawdziwa piękność. Tyle że buźka mizerna i aż się prosi świeżego powietrza. — Wdzięczył się wpychając za Wykolejeńcem do pokoju. Rozbiegane oczka lustrowały wnętrze, szacowały każdy mebel, każdy obraz na ścianie.

— Z metrażem to Zygmunt ciutek przesadził — zmrużył filuternie oko. — Zgodzi się pani ze mną, nieprawdaż?

Zrobiło mi się słabo. Zwłaszcza że od żółtych skarpet ciągnął nie najlepszy zapach. Opadłam ciężko na krzesło. Obaj mężczyźni usadowili się zgodnie obok siebie na wąskiej kanapce, która wciąż jeszcze stała w dawnym pokoju rodziców. Był to stary grat i dawno powinien przestać zajmować miejsce. Patrzyłam teraz na jego wytarty plusz z niechęcią. Pomyślałam, że trzeba wreszcie skończyć z tego rodzaju rodzinnymi sentymentami, jeśli chce się zacząć nowe życie. Na razie jednak należało jak najszybciej pozbyć się nieproszonych gości.

— Która jest właściwie godzina? — spytałam cierpko, zwracając się bezpośrednio do pana Węchacza. Poruszał niespokojnie palcami u nóg. Dłonie wciąż tuliły do siebie torbę. Okrągłym ruchem wysunął lewą rękę i poruszając bezgłośnie ustami wpatrywał się w ciemny elektroniczny zegarek.

— Żeby być najbliżej prawdy — powiedział po chwili z namysłem, marszcząc w dziesiątki fałdek czoło — to właśnie dochodzi szósta. Za dwie minuty i trzy sekundy.

— A na mojej tradycyjnej cebuli jest siedem minut po siódmej — wtrącił bez przekonania Wykolejeniec. — Najlepsza pora, żeby przepłukać gardło, bo jak się zajmiemy interesami, to nie będzie na to czasu.

— A mnie się wydaje, że jest najwyższa pora, aby panowie wreszcie sobie poszli.

Z niejakim trudem podniosłam się z krzesła.

— Im prędzej załatwimy interes, tym prędzej wyjdziemy! — roześmiał się Wykolejeniec. — Najpierw podaj kieliszki. Pan Gienio ma w torbie przednie trunki. Pije tylko francuskie koniaki. Czasem „Jasia Wędrowniczka", ale tylko w męskim towarzystwie.

Oparłam się mocno dłońmi o krawędź krzesła.

— Nie mam z panami żadnych interesów do załatwienia.

— Jak to? — zdziwił się pan Węchacz mrugając oblazłymi z rzęs powiekami. — Czyżby Zygmunt nie nadmienił, że jestem chętnym nabywcą mieszkanka szanownej pani? Mam także pięknościową willę do zaoferowania. Co ja mówię!? Pałacyk, nie willę! Okolica jak landszaft, cena przystępna, szpital wojewódzki niedaleko. Nawet samochód niepotrzebny, żeby do pracy dojeżdżać, bo jak „zapodał" Zygmunt, szanowna pani w doktorskim fachu pracuje... — Lustrował bacznie moją twarz, jakby liczył na niej zmarszczki albo chciał wyczytać, czy Wykolejeniec mówił prawdę. — Już mu nawet coś odpaliłem à conto naszego interesu, bo głęboko wierzę, iż dojdziemy do porozumienia. Podobnież wyraża pani zgodę sprzedaży, a także chęć obejrzenia przyszłej rezydencji... — zawiesił głos. — Rezydencji godnej pani urody. — Schylił głowę z przylizanymi włosami koloru musztardy. Przeświecała między nimi różowa skóra.

Z przerażeniem spojrzałam w stronę Zygmunta. Nie ulegało wątpliwości, że coś tu nie jest w porządku. Mógł nawet już przepić moje mieszkanie, a ja będę użerać się z panem Węchaczem, ciągać po sądach i różnych instytucjach, aby udowodnić, że nie tylko z tą sprawą, ale i z tymi ludźmi nie miałam do czynienia. I kto mi uwierzy, jeśli Wykolejeniec udowodni, że od dziesiątków lat bywał w naszym domu, mój ojciec darzył go przyjaźnią, a mnie zna prawie od dziecka. Kropelki potu wystąpiły mi na czoło. Przesunęłam po nim palcami.

Wykolejeniec uśmiechał się nijako, poprawiał okulary, chrząkał, jakby mu ość w gardle stanęła.

— Wynosić się z mego domu! — wrzasnęłam. Wypadło to nie jak krzyk, ale skomlenie. Cicho i nieprzekonywająco. W chwilach wielkiego zdenerwowania mój głos załamywał się i chrypiał.

— Znów ma te swoje ataki! — dobiegł współczujący szept Wykolejeńca.

Pan Węchacz przyglądał się z zainteresowaniem mojej twarzy. Czułam odpływającą z niej powoli krew.

— To po tym usunięciu jajników i macicy pomieszało jej się w głowie.

Nie należy, Gieniuś, przejmować się krzykami. Baby zawsze krzyczą. Czy trzeba, czy nie. Przejdzie atak i załatwi się sprawę — szeptał ugodowo w różowe ucho pana Węchacza.

— Wynoście się natychmiast! Inaczej zatelefonuję po milicję. — Starałam się mówić spokojnie, opanowanym głosem, tak jakbym niczego nie słyszała. Nie patrzyłam na żadnego z nich. Serce waliło niespokojnie, zabolało w szwie. Ukradkiem dotknęłam brzucha.

— Możesz dzwonić! — machnął lekceważąco dłonią Zygmunt, wyciągając rękę po torbę pana Węchacza. Tulił ją wciąż w ramionach i nie wyglądało na to, że chce się z nią tak łatwo rozstać. W małych oczkach błysnął niepokój.

— Chorobę należy uszanować! — bąknął na przydechu i zerwał się z kanapki. — Przyjdziemy do szanownej pani za kilka dni i przedstawimy propozycję. — Uśmiechnął się do mnie krzywo, z przymusem.

Dla pana Węchacza tym magicznym słowem okazała się „milicja". Po rozbieganych oczach, po niespokojnych ruchach palców u rąk i nóg domyśliłam się, że woli się z władzą nie spotykać. Musiał mieć coś na sumieniu. Poczułam się pewniej. Zrobiłam dwa głębokie wdechy, wyprostowałam się, uniosłam lekko podbródek.

Za chwilę nie było po nich śladu. Wycofali się tak szybko i sprawnie, jak wcześniej wtargnęli do mieszkania. Z westchnieniem ulgi przekręciłam klucz w zamku. Spojrzałam na zegarek. Dochodziła godzina ósma. Dzień zaczął się burzliwie.

Nie bardzo wiedziałam, co z nim dalej robić. Wizyta wytrąciła z równowagi, zmąciła spokój. Kłaść się z powrotem do łóżka nie miało sensu. Nie potrafiłabym już zasnąć. Bałam się niepotrzebnych rozmyślań. W trudnych chwilach mego życia rzucałam się z całą pazernością do fizycznej pracy w domu. Przynosiła ulgę, odprężenie. Teraz mogła mi jedynie zaszkodzić. Należało jednak czymś się zająć, coś z sobą zrobić. Gapiłam się w szarość okna, wściekałam się w myślach na Wykolejeńca, to znów ogarniał mnie śmiech, gdy przypominałam sobie o tych wyciętych przydatkach.

Piłam już trzecią filiżankę gorącej wody z miodem i cytryną, gdy powróciła do mnie wizja ;„rezydencji" tak żarliwie zachwalanej przez pana Węchacza. Postanowiłam, że wiosną rozejrzę się za czymś takim. Zainteresuję sprawą znajomych, przestudiuję ogłoszenia w prasie i może znajdę coś odpowiedniego dla siebie.

Byle tylko nie przez Wykolejeńca! — pomyślałam sięgając po teczkę z papeterią. Chciałam natychmiast podzielić się z Ewą moimi projektami. Zasięgnąć nie tyle rady, co wyrażenia zgody na sprzedanie mieszkania po dziadkach. Przynaglona, może napisze, że wracają wkrótce, że trzeba je utrzymać chociażby tylko jako pracownię dla niej i Brysia.

Zdawałam sobie sprawę, że chodziło mi jedynie o formalność i o to, żeby Ewa czuła, że uczestniczy we wszystkich moich poczynaniach, że liczę się przede wszystkim z jej zdaniem i wolą.

Od dawna byli oboje przyzwyczajeni do innego standardu i wiedziałam, że dom jej dzieciństwa wydałby się po powrocie ciasną klateczką. Nie potrafiłaby się już w nim swobodnie poruszać.

Zasiadłam przy ulubionym sekretarzyku.

„Kochanie moje"... zaczęłam i z długopisem zawieszonym nad kartką papieru zastanawiałam się przez moment, od czego zacząć. Opisać humorystycznie wizytę Wykolejeńca z panem Węchaczem, czy też zacząć od sprawy zasadniczej — kupna domu — a tę historię przemilczeć, ewentualnie dać na zakończenie listu. Pan Węchacz był, bądź co bądź, postacią barwną, nie mówiąc już o Wykolejeńcu, którego znała.

Ewa miała rozwinięte poczucie humoru, ciekawość ludzi i spraw, które się wokół mnie dzieją. Czyniła niejednokrotnie wymówki, że zbyt rzadko ma ode mnie wiadomości, a listy nie są tak obszerne i o wszystkim, jakby tego pragnęła. Kiedyś napisała:

„...Mając twoje listy, Maa, jestem bliżej ciebie i mniej tęsknię za tym, co pozostawiłam. A chociaż jestem szczęśliwa, to jednocześnie jestem nieszczęśliwa przez to oddalenie od starych kątów i bliskich ludzi, a także i grobów..."

Zamyśliłam się. Umknęło wcześniej mojej uwadze coś z tych słów. Teraz zrozumiałam, że w miłości liczy się najmniejszy drobiazg. Wszystko jest ważne, niczego się nie zapomina. Jeżeli mówi się, czy też pisze: „chcę wiedzieć wszystko", chodzi istotnie o wszystko.

Odezwał się telefon. Niechętnie, z ociąganiem, podniosłam słuchawkę.

— Jak humorek? — pytał Wykolejeniec i nie czekając odpowiedzi, mówił szybko dalej: — Zamiast się złościć, jak nieodżałowanej pamięci Teciuchna, zawierz staremu przyjacielowi. Opyl chałupę i kupuj rezydencję od Węchacza. Dobrze na tym wyjdziesz. Córki mego Stasieńka nie oszukam i nie dam skrzywdzić — zapewniał żarliwie.

Język mu się plątał i wyglądało na to, że obaj z panem Gieniem solidnie popili.

Rozdział 3

Na ulicy przed szpitalem baby sprzedawały pierwsze bazie.

Wiatr przeganiał po niebie białe, pierzaste obłoki. Z jezdni unosił się wirujący tuman kurzu pomieszany ze smrodem spalin.

Była wiosna. Zbliżała się wczesna tego roku Wielkanoc. W moim życiu wszystko powoli wracało do stanu sprzed operacji, bo tak jakoś teraz dzieliłam czas. Przed operacją i po operacji, jak inni, na czas przed wojną i po wojnie. Pracowałam w szpitalu w pełnym już wymiarze godzin. Spotykałam się z przyjaciółmi, bywałam w teatrze, sumiennie odpowiadałam na listy. Było to u mnie czymś zupełnie nowym. Zazwyczaj czułam, jak cała nasza rodzina, niechęć do pióra.

Powróciła dawna energia i chęć życia. Znajomi twierdzili, że: „jakoś tak rozkwitłam i odmłodniałam". Jeżeli nawet mijało się to z prawdą, chciałam im wierzyć. Słowa podbudowywała świadomość, że fizycznie nie czułam się tak dobrze od lat, jak właśnie teraz.

Wyjazd do sanatorium opóźniał się z mojej winy. Pierwszy termin mi nie odpowiadał. Musiałabym dzielić pokój z nieznajomą kuracjuszką. W drugim nie były to Cieplice. Zrezygnowałam. Wreszcie udało się załatwić wszystko po mojej myśli. Tuż po świętach, w końcu kwietnia, miałam wreszcie wyjechać na odpoczynek. Irmina orzekła, że decydując się na pobyt w sanatorium, zrobiłam wreszcie coś rozsądnego. Nie dość, że szybciej zregeneruje się mój organizm, to z obecnym wyglądem mam duże szanse poderwania kogoś atrakcyjnego. I właśnie to byłoby dla mnie najwłaściwszą kuracją.

— Emeryta z zaawansowaną sklerozą, przerostem gruczołu krokowego i zazdrosną żoną w domu — skwitowałam z gorzkim uśmiechem.

Stwierdziła, że stałam się pesymistką, a taka postawa nie pasuje do mnie ani mego temperamentu.

Pesymistką jednak nie byłam. Tyle tylko, że na pewne sprawy zaczęłam patrzeć wreszcie realnie, a przynajmniej usiłowałam. Odbierało to życiu troszkę uroku, nie narażało jednak na niepotrzebne rozczarowania. Czułam się jednak tak, jakbym tkwiła pośrodku stojącej wody. Nie oczekiwałam nawet, że ktoś w ten staw rzuci kamyk, aby choć na moment przerwać monotonię krajobrazu z nenufarami i rzęsą.

Przed kilkoma dniami wpisałam do notatnika kilka interesujących adresów na prowincji. Po powrocie z sanatorium miałam zamiar tam się wybrać, zobaczyć, jak wyglądają zachwalane w ogłoszeniach obiekty na sprzedaż. Jeden z kolegów ofiarował się podwieźć mnie swoim wozem. Miałam wprawdzie pewne obiekcje na ten temat. Nie ze względu na kolegę, ale na wóz. Był to sześcioletni maluch z tendencją do całkowitego rozsypania się na czynniki pierwsze. Nazwał go „majtki", jako że był w kolorze seledynowym, co nasuwało myśl o damskiej bieliźnie, ale Adasiowi wszystko się z tym kojarzyło, a zwłaszcza z zawartością tej części bielizny. W szpitalu miał opinię takiego, co „kosi wszystko na prawo i lewo, co wyszło z pieluch". Ja nie wchodziłam w rachubę. Byłam za stara i za chuda. Lubił młodziutkie tłuścioszki z ustami przypominającymi pęknięty owoc dojrzałej brzoskwini. Zwierzył się kiedyś z tego Irmie na jakimś brydżyku. Była trzykrotną rozwódką. Rozglądała się za kandydatem na czwartego, ale tym razem jedynie do zielonego stolika.

Jeden z adresów wydawał się szczególnie interesujący. Ktoś mi gorąco polecał obejrzenie willi. Zapewniał, że okolica lesista, sucha, a sam dom drewniany w doskonałym stanie, nadaje się od razu do zamieszkania bez większego remontu. Jest także i ogród.

Ewa odniosła się z entuzjazmem do projektu sprzedaży mieszkania i zakupienia „jakiejś sensownej posiadłości". Uważała za rzecz rozsądną, a nawet konieczną, bo, jak pisała, w sześciostronicowym liście: „... Dziaduś byłby szczęśliwy, że chociaż ty, Maa, możesz fundnąć to, o czym mógł zaledwie marzyć. Wrócimy przecież na stałe z Brysiem do Polski. Nim sobie jednak coś upatrzymy, zamieszkamy z tobą. Oczywiście, jeżeli będziesz tego chciała, bo twój zapał, Maa, do urządzania domu, daje dużo do myślenia. W dalszym ciągu polecam się z projektem ślubnej sukni. Stasio będzie podawał obrączki..."

Rozbawił mnie ten ojcowy węch u Ewy. Była jego nieodrodną wnuczką. Budziła się jednak powoli wiara, że moja starość niekoniecznie musi być samotna, chociaż bałam się na takich mrzonkach coś budować. Trudno kobiecie w moich latach znaleźć odpowiedniego partnera. Zwłaszcza mając wymagania, a ja wciąż je miałam i to nieproporcjonalne do wieku. Byłam maksymalistką. Wszystko albo nic. Liczyłam się więc z tym, że to „nic" jest bardziej realne niż „wszystko". Najwięcej samobójstw w Stanach popełniają kobiety samotne między czterdziestym, a pięćdziesiątym rokiem życia. W najlepszym razie popadają w alkoholizm. Bardziej zamożne kupują sobie młodych utrzymanków. Nic z tych rzeczy mi nie groziło. Na wszelki jednak wypadek, zdecydowałam się definitywnie kupić dom z ogrodem i czekać w nim na coś lub kogoś, kto powinien do niego przyjść. Może to być Ewa z rodziną, a może przyszły mąż. Żadne „kocie łapy", żadne „małżeństwo na próbę", ani też „koleżeńskie" nie wchodziły więcej w rachubę. Urząd Stanu Cywilnego, a później wszystko inne. Mimo woli westchnęłam, bo który to już raz w życiu zarzekałam się „kociej łapy"?

Szłam ulicą w porywach wiosennego wiatru sypiącego pyłem w oczy. Uśmiechałam się do własnych myśli, do sprzecznych odczuć, do przeróżnych wariantów ułożenia sobie życia. Chociażby nawet z Piotrusiem, bo i taka koncepcja przebiegła przez głowę. Mógł się do tej pory rozwieść z Lizą. Mógł zrozumieć, że tylko ja byłam i jestem „kobietą jego życia".

Roześmiałam się głośno z nierealnych mrzonek, bo tak naprawdę wcale bym tego pewnie już nie chciała. Ktoś się za mną obejrzał. Pomyślał pewnie, że jestem niespełna rozumu albo pijana, śmiejąc się głośno na ulicy.

Niosłam pierwsze gałązki baziek. Pachniały cierpko i przypomniały pewien poranek. Przyniosłam do domu ogromny ich pęk, z jakiejś pierwszej wiosennej wyprawy za miasto z Michałem, a może z Pawłem. Duże, puchate niczym kocie futerko. Sypał się z nich złoty pył. Ewa wybiegła na moje spotkanie do przedpokoju, tupiąc tłustymi nóżkami w kapciuszkach z różowej włóczki. Przykucnęłam podając jej wiotkie gałązki.

W szeroko rozwartych oczach zaszkliły się łzy i dziecko wybuchnęło niepohamowanym płaczem. Chwyciłam je w ramiona.

— Co się stało dziecku? — szeptałam czule gładząc rudy łebek. Przestraszyłam się jej nieoczekiwanej reakcji.

— To moja wina — powiedziała ze skruchą matka trzepocząc bezradnie brązowymi rzęsami. — Kto mógł przypuszczać, że to małe takie wrażliwe...

— Maa... — wyszeptała drżącym od łez głosikiem. — Mnie tak żal tej koteczki, co jej źli ludzie potopili kocięta, a ona biegła brzegiem rzeczki i płakała i Pan Jezus się nad nią ulitował, i obiecał, że wierzbowe gałązki każdej wiosny zakwitną kotkami... — Westchnęła spazmatycznie. — I teraz zobaczyłam te kotki...

Jak to już dawno było! — pomyślałam z bolesnym ukłuciem w sercu.

Ulica wydała się mniej barwna, niż była w rzeczywistości. Z twarzy mijanych kobiet patrzyły zalęknione oczy mojej matki. W podmuchach wiatru słyszałam płacz małej dziewczynki.

Wrzuciłam bazie do najbliższego kosza na śmieci i wskoczyłam do nadjeżdżającego autobusu.

Żadnych więcej wspomnień! Żadnego roztkliwiania się! — postanowiłam w myśli, szukając w torebce biletu do przecięcia. Takie grzebanie się w przeszłości znamionuje starość.

Dziewczyna w workowatym swetrze w ukośne paski i z jednym złotym kolczykiem w uchu w kształcie listka ustąpiła mi miejsca. Uśmiechnęłam się do niej widzięcznie, dziękując skinieniem głowy, chociaż ten jej gest uświadomił po raz tam któryś, że młodość mam definitywnie za sobą.

Zapatrzyłam się w ulicę za szybą. Obserwowałam ludzi, mijane budynki ze sklepowymi wystawami, domy mieszkalne. Te nowe i tamte ocalałe po wojnie. Staroświeckie i bliskie sercu. Mignął nieoczekiwanie szary gmach Muzeum Wojska Polskiego ze sterczącymi przed nim działkami z kampanii wrześniowej.

Coś mi się nie zgadzało w topografii. Zmęczona po całonocnym ostrym dyżurze w szpitalu i paru operacjami, zajęta innymi myślami, wsiadłam nie do tego autobusu, do którego wsiąść powinnam. Jechał w kierunku Pragi. Słońce złotawym dreszczem przebiegało po mijanych, obłazłych z tynku starych kamienicach. Poranny wiatr przegonił obłoki i wyglądało na to, że dzień będzie pogodny i ciepły.

Wysiadłam w pobliżu kościoła Świętego Floriana, zastanawiając się przez chwilę, czy wsiąść do tramwaju, który podwiezie mnie pod dom, czy zrobić przy okazji zakupy i z nimi dopiero wrócić. Przystanęłam szukając w torebce siatki i wtedy spostrzegłam Busia.

Szedł wolnym kroczkiem ślepą uliczką w kierunku Wisły. Przeraziłam się, że mnie dojrzał z daleka, że podejdzie się przywitać. Zabierze resztę spokoju, zirytuje urojeniami w postaci Asmodeusza, zacznie wpraszać się z wizytą.

Nie widziałam go od lat. Wychudł i jakby zmalał, chociaż wciąż trzymał się prosto. Zmrużonymi oczami patrzył przed siebie, poruszając bezdźwięcznie ustami, jakby z kimś rozmawiał. Ubrany dziwacznie i trochę jakby z innej epoki. Wąskie, czarne i przykrótkie spodenki, koszula biała z falbankami przypominała damską bluzkę. Pod szyją kolorowy szalik, na ramionach narzutka z czarnego weluru. Coś pośredniego między żakietem a ciążowym wdziankiem.

W perspektywie zacienionej klonami uliczki, wypuszczającymi pierwsze seledynowe listki, wyglądał w tym dziwacznym stroju niecodziennie i malowniczo. W ręce trzymał laskę owiniętą w szary papier. Domyślałam się pod nim łomu. Niechętnie się z nim rozstawał, twierdząc, że jest to najlepsza obrona przed chuliganami, a przede wszystkim złym duchem, który boi się żelaza na równi ze święconą wodą.

Westchnęłam, chowając się za zielono malowaną budkę z jarzynami. Wyglądał nędznie i żałośnie. Poczułam wyrzuty sumienia, że się przed nim kryję, że może potrzebuje mojej pomocy. Chociażby materialnej.

Nie patrzył w moją stronę. Nie zauważył mnie, pogrążony w dziwnym świecie urojeń i malarskich wizji. Nie uczyniłam żadnego gestu, żeby wyjść mu naprzeciw, zainteresować się jego losem. Było mi trochę wstyd tego wygodnictwa i tchórzostwa. Szybko się jednak rozgrzeszyłam. Przed wielu laty on także krył się przede mną. Uciekał. Szukałam go, chodziłam jego tropami porzucona i głodna. Nieszczęśliwa i samotna, z irracjonalną do niego miłością. Byłam jego żoną i miałam zaledwie osiemnaście lat. Poczułam zapiekły żal o te moje zmarnowane, przepłakane lata najwcześniejszej młodości. Za upokorzenia, za pana posła Zająca, za stracone złudzenia.

Jeszcze przez chwilę obserwowałam sylwetkę z torsem wypiętym do przodu, dźwiganym na rachitycznych nóżkach z pewnością siebie i lekceważeniem dla całego świata. Szedł nie jak nędzarz, ale człowiek przekonany o swojej wyższości. Taki, co ma w pogardzie wszystko i wszystkich.

Wiatr przyczajony w półnagich jeszcze koronach klonów unosił momentami dziwaczne wdzianko, upodabniając go na ułamek sekundy do wielkiego, stąpającego po ziemi nietoperza. Niebo opalowej barwy zasnuwało się płynącymi obłokami, to niespodzianie wybłyskiwał z nich promień słońca, a Busio szedł brukowaną kocimi łbami uliczką nie wiadomo dokąd, bo była to uliczka ślepa. Kończyła się kamiennym murkiem, widokiem na Wisłę i kolorowe kamieniczki Starego Miasta na drugim brzegu.

Pomyślałam ze smutkiem, że oto przeszło obok mnie i poszło sobie dalej jeszcze jedno widmo mojej młodości, a ja nie potrafię wykrzesać z siebie nic z dawnych odczuć i tęsknot.

Stałam się już innym człowiekiem.

*

Przed drzwiami mieszkania, na nowej, kupionej przed paroma dniami słomiance ze sznurka, stał pan Węchacz i wycierał starannie buty. Chciałam się cofnąć, uciec. Było jednak za późno. Zauważył mnie. Twarz pojaśniała w szerokim uśmiechu.

— Do trzech razy sztuka! — zawyrokował, rzucając się do mojej ręki. Ucałował ją cmokliwie. — W ciągu tylko jednego tygodnia jestem u szanownej pani po raz trzeci. No i szczęście dopisało!

Ale nie mnie — pomyślałam omiatając wzrokiem klatkę schodową. Nie dostrzegłam nigdzie Wykolejeńca.

— Przyszedłem pani coś zaproponować... — Przyodziany w srebrzystobłękitną wiatrówkę przebierał w miejscu nogami w dżinsowych spodniach opiętych na masywnych udach. W oczach miałam jeszcze rachityczne nóżki Busia.

— Niczego nie kupuję, nie zamieniam i nie sprzedaję! — wpadłam mu w słowa, wpatrując się wrogo w oczka nieokreślonej barwy. Ogarnęło zniechęcenie do jakiegokolwiek działania. Bardziej niż zazwyczaj odczułam moją bezradną samotność i osaczenie.

— Niech szanowna pani nie „kikuje" na mnie jak na wroga. — Dreptał wciąż w miejscu unikając mego wzroku. — Chciałem zaproponować przejażdżkę. Maszyną. Wiosenny dzionek w sam raz nadaje się do bryknięcia za miasto. Przy okazji można będzie oczkiem rzucić na coś pięknościowego, co może mieć pani za małe pieniądze. — Zrobił wymowną pauzę unosząc teatralnym gestem krótkie ramiona ku górze.

— Nie mam czasu na przejażdżkę — kłamałam, udając, że wciąż szukam klucza w torebce.

— Nie dziś to może jutro? Będę codziennie teraz warował na pani słomiance, jak nie przymierzając mój cwajnos przy suczce sąsiadów. Też taka ryżawa... Wreszcie musi pani znaleźć chwilę dla mnie ze swego cennego czasu. — To „cennego" wypowiedział z ironicznym naciskiem. Wyglądało na to, że się od niego tak łatwo nie uwolnię. Wyciągnęłam wreszcie klucze. Pan Węchacz patrzył na nie łakomie, oblizując wąskie różowe wargi. Miał w sobie coś z jaszczurki. Czułam wstręt do gadów.

— Wypiję u pani szybkościowo kawusię, pokażę fotografie rezydencji i się bliżej poznakomimy... — pchał się pod drzwi.

Nie odpowiadała mi koncepcja z „kawusią" i „poznakomieniem". Postanowiłam pojechać. Był to jedyny sposób pozbycia się natręta na już i na potem.

— Daleko ta rezydencja, jak ją pan nazywa? — Celowo z przekąsem położyłam nacisk na słowie „rezydencja" i dalej bawiłam się kluczami.

— Trochę ponad stówę! — roześmiał się rozradowany i już ujmował moje ramię, popychał delikatnie ku schodom, zionął gorącym oddechem na mój kark.

Krygował się, wyrzucał potok nic nie znaczących słów, jak wyuczoną na taką okoliczność mowę. Wspomniał nawet o Zygmuncie, jak to będzie mu wdzięczny, że udało się namówić mnie na przejażdżkę. Zobowiązał go bowiem do opieki nad moją osobą, jako córki ukochanego przyjaciela przebywającego chwilowo w zaświatach. Pan Węchacz tak dalece się zagalopował, że nie wiedział już, o czym mówi.

— Chwilowo? — spojrzałam z naganą na pana Węchacza zatrzymując się w połowie schodów.

— No, tak, chwilowo... — speszył się, ale brnął dalej: — To znaczy do Sądu Ostatecznego. Podobnież, jak uświadomił mnie Zygmunt, wszyscy zmartwychwstaniemy. Będziemy wtedy witać się z bliskimi i tak dalej... — Zabrakło mu widocznie dalszej koncepcji. Zwekslował więc błyskawicznie na moją samotność i że on wraz z Zygmuntem muszą mną pokierować, abym nie padła ofiarą jakiegoś oszusta, gdyż o takich dziś najłatwiej, a każdy żeruje na samotnej kobiecie jak mucha na padlinie — „finansowo i erotycznie" — jak się wyraził.

Lały się podobne brednie z jego ust nieomal przez całą drogę do Kuczebina, bo tak podobno nazywała się miejscowość, do której jechaliśmy.

W zagranicznym wozie pana Węchacza było wygodnie i ciepło. Za szybami ciągnął się płaski, mazowiecki krajobraz ze smugami dalekich lasów w tle, podbarwionych smugą błękitnej mgiełki. Przyjemnie było odpoczywać i patrzeć, jak krajobraz zmienia się w barwie i nastroju, im dalej mknęliśmy szosą na zachód. Jedynym mankamentem w tej wyprawie był sam pan Węchacz, ale było to zło konieczne. Wyjazd traktowałam jak przymusową rozrywkę. Jednocześnie byłam ciekawa tej „rezydencji", nie bardzo wierząc zapewnieniom pana Węchacza, iż jest to „cudo dla znawców". Obawiałam się, że zobaczę na wpół zrujnowaną, pretensjonalną willę z płaskim dachem i dziwnymi przybudówkami, jakie czasem widywało się w prowincjonalnych miasteczkach. Do niczego jednak ta wycieczka nie zobowiązywała. Najwyżej pan Węchacz poprosi o zwrot pieniędzy za benzynę. Mogłam sobie na to pozwolić.

Rozparty nonszalancko za kierownicą srebrzystego mitsubishi uruchomił z wprawą kasetę z młodzieżową muzyką i dalej jazgotał, jakby tego wrzasku było mu za mało. Wyraźnie usiłował przekrzyczeć namolny hałas bez żadnej melodii.

Patrzyłam przed siebie w szarą perspektywę szosy, na mijane domostwa, na białe brzozy i przydrożne krzewy w seledynowej mgiełce delikatnego listowia.

— Jeżeli chciałaby pani szanowna wózeczek zagraniczny nabyć, choćby skromniutki „dieselek", to tylko z tym do mnie. — Odwrócił w moim kierunku głowę, błysnął w uśmiechu złotymi zębami. — Mam dojścia do różnych ambasad. Ma się rozumieć zachodnich! — Konspiracyjnie zmrużył oko.

Z przeszłości wyłonił się nagle pan Zając o białej, jakby z wapna wyjętej twarzy. W czarnym meloniku nad wysokim czołem — oszust podający się za posła. Koszmar mojej młodości, któremu za nigdy nie załatwioną posadę trzeba było zapłacić sobą.

Poruszyłam się niespokojnie. Zrobiło się nagle gorąco i duszno. Rozpięłam dyskretnie bluzkę pod szyją, zsunęłam z dłoni rękawiczki.

— Nie mam zamiaru niczego kupować — odpowiedziałam zimno, prosząc, aby wyłączył kasetę. Bitowa muzyka wibrowała pod czaszką wraz z koszmarną wizją pana Zająca, który zamiast być posłem, okazał się kryminalistą po dłuższej odsiadce.

— Może coś z poważniejszego repertuaru? — dopytywał się troskliwie. — Mam tu nawet Tutinas. — Stuknął palcem w pudełko z kasetami.

Sądziłam, że żartuje, że kpi sobie ze mnie. Spojrzałam w jego stronę. Minę miał poważną, skupioną nawet i, wyłączywszy taśmę, zaśpiewał nieoczekiwanie pełnym głosem:

Na weselu naszym były tłumy,
w życie z tobą jak do tańca szłam...

Głos miał nie najgorszy. Fałszował jednak melodię jeszcze bardziej, niż ja bym to mogła zrobić. Urwał ją tak nagle, jak zaczął.

— Między nami mówiąc, to ja też taki samotny jak pani. Gdyby się trafiła kobitka, co jeszcze kwitnie, ale już nie owocuje, to jak słowo daję, chwili bym się nie namyślał... — Zerknął zalotnie w moją stronę. Dłonie o krótkich palcach zacisnęły się zaborczo na kierownicy. — Młoda dobra czasem do łóżka. Na żonę nadaje się lepiej starsza. Domu się będzie trzymała, o męża zadba, obiadek dobry ugotuje... — wyliczał rozparty w siedzisku krytym futrzakiem w kolorze popielatym. — Taka będzie ciułała do kupki, a nie z kupki zabierała, jak te siksy, co potrafią mężczyzn oskubać do ostatniego piórka — monologował głośno. — Jestem człowiekiem poważnym, lubię czystość, wspólną sypialnię małżeńską z łóżkiem jak się patrzy, a i w korzeniu jestem brzytwa — dorzucił skromnie, monologując z powagą. Od czasu do czasu odwracał głowę w moją stronę, jakby czekał jakiejś zachęty.

Jeszcze mi tego brakowało! — jęknęłam w myśli. Wygląda to na oświadczyny. Ogarnął mnie śmiech i złość jednocześnie. Z nieprzeniknionym wyrazem twarzy patrzyłam przed siebie, wściekła, że zgodziłam się na ten wyjazd z kumplem Zygmunta. Mogłam się przecież spodziewać wszystkiego najgorszego. Kto wie, czy mnie już nie przehandlował.

— Wykształcona, niebrzydka kobitka z kamieniczką i bez rodziny, toby mi się nadała. Nie miałaby źle. Wiem, czego taka potrzebuje...

— Czy jeszcze daleko do tego Kuczebina? — przerwałam bezceremonialnie potok słów. — Na liczniku już prawie dwieście kilometrów. — Zaniepokoiłam się.

Wjeżdżaliśmy w rejon lasów. Po obu stronach szosy ciągnęła się puszcza obrzeżona brzozowym młodniakiem. Słońce rozjaśniło rude, zeszłoroczne liście, spod których wyzierały nieliczne jeszcze niebieskie przylaszczki.

Pan Węchacz delikatnie przyhamował, zmienił bieg i zaczął się uważnie rozglądać po okolicy.

Zaciągnie do lasu, da w łeb, odbierze torebkę — przebiegło błyskawicznie przez głowę. Na gwałt nie liczyłam, ale miałam w torebce kilkanaście tysięcy złotych. Od kilku dni nie miałam czasu pójść na pocztę i złożyć na książeczkę tego, co pozostanie po opłaceniu bieżących rachunków.

Pan Węchacz zatrzymał ostrożnie wóz na poboczu z żółtego piasku.

— Panie na prawo, panowie na lewo! — oznajmił z dowcipną miną i zadowoleniem w głosie.

Histeryczka! — pomyślałam o sobie i ogarnął mnie śmiech. Przygryzłam usta.

— Nie muszę wysiadać! Poczekam w wozie — burknęłam.

— Mocne zamki — zaopiniował pan Węchacz i pośpieszył na przykrótkich nogach w głąb lasu. Przez uchyloną szybę nawiewało rześkie, wiosenne powietrze. Pachniało leśnym poszyciem, butwiejącymi liśćmi i czymś nieuchwytnym. Może jest to zapach słońca, tak jak zimą, ciepły, pogodny dzień pachnie śniegiem?

Jeszcze jedna samotna wiosna — stwierdziłam bez smutku, z rezygnacją. W „Lotniskowcu" zakwitną wkrótce konwalie. Dużo białych, pachnących konwalii. W tej samej prawie chwili uprzytomniłam sobie, że kwitły tam one przed iluś laty. Od dawna zapewne posadzono w ich miejsce inne rośliny, inne kwiaty. Tulipany, a może irysy? — przemknęło przez myśl. Niewiele mnie już to właściwie interesowało.

Ten rozdział mego życia był od dawna całkowicie zamknięty.

*

Była to miłość od pierwszego wejrzenia.

Stałam oczarowana, z bijącym sercem. Drżałam z emocji i lęku, że przyjechałam za późno. Dom mógł być sprzedany. Trudno było uwierzyć, że tak piękny, atrakcyjny obiekt był do tej pory nie zamieszkany. Mogła być także wyznaczona na niego cena przekraczająca moje finansowe możliwości. Ktoś inny obejmie w posiadanie, chociaż właśnie ja obdarzyłam go irracjonalnym uczuciem przywiązania, przynależności do tych białych murów otulonych mgiełką wczesnej zieleni jak najdelikatniejszym welonem.

Doznałam bolesnego uczucia zazdrości, jakby chodziło o żywą istotę. Niechęci do tych nieznanych ludzi, którzy mogą nim zawładnąć, wejść pod dach ze starej pięknej dachówki jakby zdjętej z katedry sztrasburskiej.

Dom patrzył oknami zamazanymi wapnem. Przypominały oczy ślepca zasnute bielmem. Zdawał się mówić: „patrz, co ze mną uczyniono. Oślepłem od wiernego czekania na ciebie, ale przyszłaś wreszcie".

W jakimś ułamku sekundy zrozumiałam, że całe moje życie było oczekiwaniem na moment, aby się tu znaleźć, otworzyć własnym kluczem dębowe, poczerniałe drzwi. Odnalazłam wreszcie prawdziwy dom — moją Itakę. Dotarłam do niej, idąc przez te wszystkie nieszczęśliwe i szczęśliwe lata, wciąż wierząc, że kiedyś z pewnością ją odnajdę. Odnalazłam w momencie zwątpienia i rezygnacji. Jeśli ją odnalazłam, znajdzie się i Odys — pomyślałam prawie bezwiednie.

Z dłonią osłaniającą oczy przed blaskiem słońca wpatrywałam się ze wzruszeniem w mury z obłażącym tynkiem, w pochlapane wapnem szyby, jak w najwspanialszy obraz. Widziałam go takim, jakim był w dniach swojej świetności. W jego bryle odnalazłam coś z kresowego dworku i coś z renesansowego pałacyku.

Biały, z poobtłukiwanymi stiukami, szlachetny w rysunku, wysmakowany w każdym szczególe przez architekta artystę, wymagał jednak poważnego remontu. Byłam zdecydowana ponieść wszelkie koszty i trudy, byle mieć go dla siebie, bo tylko tu mogłam być szczęśliwa. Tęsknota za nim tkwiła we mnie od zawsze.

Tak jak ojciec budował w marzeniach latami dom pod lasem, tak ja, od najwcześniejszego dzieciństwa, układałam go z patyczków i kawałków kory. Była to przez wiele lat ulubiona i jedyna zabawa, która nigdy się nie znudziła. W mojej dziecięcej wyobraźni urastał do prawdziwego domu, do własnej posiadłości. Takiej, o której matka czasem opowiadała, wspominając dzieciństwo, czy też ojciec szkicował na skrawku papieru, wzbogacając rysuneczek opowieściami, jak wspaniale będzie wyglądał w niedalekiej przyszłości, gdy tylko wygra milion na loterii i zacznie budowę.

Wcześniej jeszcze te moje domki, stawiane latem z kory, a zimą z klocków służących do nudnych układanek, stawały się baśniowym pałacem z książki o „Śpiącej królewnie".

Obchodziłam dom wolniutko dookoła. Odnajdywałam w nim nowe, urokliwe fragmenty. Na kamiennych schodkach bocznego wejścia, prowadzącego zapewne do kuchennych pomieszczeń, wygrzewała się w ciepłym słońcu jaszczurka. We wnęce okiennej na piętrze zagnieździły się jaskółki. Spłoszone obecnością człowieka krążyły koliście wokół mnie, nawołując się cmokliwie. Pomyślałam, że to dobry znak.

Jaskółki przynoszą domowi szczęście — mawiała moja matka.

Dom nie był martwy. Prowadził własne, utajone życie.

W naszej rodzinie wszystko zaczynało się i kończyło na marzeniach, a dom, przed którym stałam, ucieleśniał tęsknoty nas wszystkich, chociaż każde z nas miało inną jego wizję.

Patrząc na to moje marzenie przyobleczone w rzeczywisty kształt i osiągalne, uświadomiłam sobie, że tak naprawdę nie mam właściwie już nic i nikogo do kochania. Wciąż jednak czułam niedosyt uczucia. Potrzebę darzenia miłością, choćby przedmiotu, jeżeli wszystko inne zawiodło. I właśnie ten dom...

W tym stwierdzeniu znalazłam nieoczekiwanie odpowiedź na moją dawną irracjonalną i dla nikogo niezrozumiałą miłość do Busia. Po prostu musiałam kogoś kochać. Byłam wtedy prawie dzieckiem. Spragnionym miłości, ciepła. Zabrakło go w rodzinnym domu. Zagubiło się w nędzy naszego bytowania, w pijackich awanturach ojca, w braku instynktu macierzyńskiego. Byłam niczym przeganiany psiak. Ktoś wreszcie go przygarnął, stał się jego panem. I chociaż pan częściej kopał, niż głaskał, pies kochał, bo nic mu innego nie pozostawało, bo taki a nie inny pan go znalazł, przygarnął.

Dom nie miał dla mnie tajemnic. Znałam jego wnętrze. Pokoje i zakamarki. Nie było ważne, że widziałam go po raz pierwszy. Znać przecież musiałam. Był domem rodzinnych tęsknot i marzeń.

Na piętrze urządzałam sypialnię. Na dole coś w rodzaju salonu połączonego z jadalnią. Widziałam przy sztalugach Ewę w pokoju ze wschodnim oświetleniem, który z pewnością obierze sobie kiedyś za pracownię. Słyszałam nieomal śmiech biegnącego po wewnętrznych schodach Stasia. A tyle jeszcze było innych pomieszczeń do zagospodarowania, uczynienia ich „ujutnymi" — jak mawiała matka.

— Twarzowa sztuka, nieprawdaż? — przywołał do rzeczywistości głos pana Węchacza.

Zapomniałam o jego istnieniu. Zapomniałam o wszystkim innym, poruszając się w świecie wyobraźni i dalekich wspomnień. Patrzyłam teraz z przestrachem, jak na zjawę, która się nieoczekiwanie objawiła, aby spłatać złośliwego figla. Pokazać dom, oczarować nim i powiedzieć, że właśnie wczoraj został sprzedany.

Chęć posiadania jego właśnie, a nie innego, obudziła czujność, podszepnęła strategię działania.

— Dla mnie za duży — wzruszyłam ramionami odwracając się plecami do mojej miłości i niemal przepraszając w myśli dom za ten gest, za wyparcie się go. — Wymaga także ogromnego remontu. Nie jestem milionerką! Niepotrzebnie pan mnie tu przywoził. — Opuściłam wzrok, patrząc uważnie pod nogi, żeby pan Węchacz nie mógł dostrzec wyrazu moich oczu.

Spod młodziutkich listków i traw wychylały się pierwsze fiołki. Patrzyłam na nie z mieszanymi uczuciami wzruszenia i smutku. Przynosił mi je Piotruś jeszcze wtedy, gdy nosiliśmy mundurki. Z malutkim bukiecikiem w teczce czatował pod szkołą.

— Co też pani mówi!? — zdziwił się pan Gienio. — Jaki znów wielki remont? Chałupa cała, dach nie przecieka, a w środku istne cudo i perwersja!

— Nie chcę nawet zaglądać do środka! — wykrzyknęłam podnosząc oczy znad fiołkowego poletka. — To nie dla mnie. Co ja bym tutaj, w takiej dziurze robiła? Daleko do wiochy, bo przecież to, co mijaliśmy, trudno nazwać miastem! — Zdumiałam się własnymi słowami i modulacją głosu, która nawet pana Węchacza wyprowadziła w pole. Nie domyślał się, jak bardzo mi na tym domu zależy.

— Pani szanowna! — zaskamlał żałośnie rozkładając ręce. — W konia mnie pani robi! Przecież to duże miasto z hotelami, szpitalem „chromadnym”, z trzema kinami i teatrem. Nawet bufet kolejowy ma takie dania w karcie, że i w Warszawie nie zawsze coś takiego się znachodzi, nie mówiąc już o paru restauracjach tip-top i kilkunastu pomniejszych z pełnym asortymentem wódek.

— Wracamy! Nie ma o czym mówić! — zdecydowałam ruszając nagle w kierunku samochodu ustawionego na malutkim podjeździe ocienionym starą, rozłożystą lipą. Zobaczyłam ją w pełni kwitnienia i zapachu, chociaż zaledwie miała pączki.

— Niech pani przynajmniej zajrzy do środka. Chociaż na minutkę. Mam klucze przy sobie — namawiał żarliwie marszcząc czoło nad zatroskanymi oczkami. — Taki kawał drogi zrobić tylko po to, żeby okiem na fasadę rzucić?

Zmęczyła mnie ta komedia. Czułam, że za chwilę głos odmówi posłuszeństwa. Odchrząknęłam.

— No, dobrze — zgodziłam się zwalniając kroku. Słońce przygrzewało, ogród pachniał świeżością. — Mogę zajrzeć, ale jakoś nie widzę siebie w tym domu — dodałam ciszej. Musiało zabrzmieć fałszywie. Pan Węchacz zmienił nieco ton. Poczuł się pewniejszy siebie. Wzruszył nieznacznie ramionami unosząc oczy ku niebu, jak człowiek tracący cierpliwość.

— Pani szanowna chyba nie mówi prawdy. Taki dom, co ja mówię, dom! Taki pałac musi się każdemu podobać.

— Ja nie jestem każdy — zaczęłam głupio.

Czułam się zmęczona sytuacją, napięta od środka, pełna rozterki. Miałam dość udawania. Powrócił brak wiary w możliwość kupna. Byłam pewna, że zostanę przez pana Węchacza oszukana. Nie orientowałam się w realnej wartości posesji, nie znałam jeszcze nawet jej prawdziwej ceny.

— Kto jest właścicielem? — Starałam się, aby mój głos brzmiał rzeczowo i bez emocji.

— Nieważne. Jak się pani zdecyduje, to i właściciel się znajdzie — zaczął kręcić unikając mego wzroku.

— Pytam z czystej ciekawości — westchnęłam.

Rozglądałam się dyskretnie dookoła, odkrywając wciąż coś nowego, co wprawiało w zachwyt i jeszcze bardziej zachęcało do kupna. Od wschodniej strony domu zaglądały do okien akacje. Za nimi w głębi lipy i dwa platany wraz ze starym, rozłożystym wiązem stanowiły malowniczą kompozycję. Był i czerwony buk, i modrzewie, i grabowy szpaler. Ptaki w drzewach nawoływały się szczebiotliwie. W powietrzu, prześwietlonym złociście słońcem, trwał spokój wczesnego popołudnia. Słodki, pełen wiosennych, niepokojących zapachów.

Uległam nastrojowi chwili. Coś załaskotało w gardle, oczy zwilgotniały. Obudziła się tęsknota za czymś minionym, nieuchwytnym, za rodzicami, których w takiej chwili zabrakło i nigdy się tu nie pojawią. Smutek przemijania zmącił na moment radość patrzenia na dziki, zaniedbany ogród z krzewami jaśminów, bzu i zwiewnego tamaryszka, jak z dziwnego, dawno prześnionego snu.

— Drzewa też niczego sobie! — sprowadził z obłoków pan Węchacz. — Chociaż to niewielka cząstka z tego, co tu dawniej było. Prawie cały park został wycięty, wykarczowany po wojnie. Kurniki na nim pobudowali, hodowlę jaj zaprowadzili. Ferma się spaliła, właściciel zbankrutował. Wszystko zielskiem zarosło. Na gruzach już drzewka powyrastały. A to, co z parku pozostało, poprzedni właściciel posesji dokupił. Ogrodził solidną siatką na betonowej podmurówce, jak pani widzi, żywopłot z bzów i „konfiturowych" róż posadził i uchronił od zagłady... — Popatrzył w moją stronę wyciągając pęk kluczy z kieszeni wiatrówki.

— Dlaczego więc ją sprzedał? — zdziwiłam się głośno.

— Miał jakieś tam swoje powody... — Pan Węchacz wyglądał na skonsternowanego. Oczka mu biegały, wyłamywał palce w stawach.

— Chorował na bezsenność czy też na nerwy. Jakieś miał halucynacje, czy coś takiego. Nawet dobrze już nie pamiętam. A może to żona chorowała, a nie on?... — wzruszył ramionami.

— Nieważne! — machnęłam ręką. Domyślałam się, że tak naprawdę nic na ten temat nie wie, a nie chce się do tego przyznać. Niczego w tej chwili tak nie pragnęłam, jak wejść do tego domu i w nim pozostać na zawsze.

Pan Węchacz skwapliwie przekręcał klucze w licznych zamkach. Zapewniał przy tym, jaki dobry interes zrobię nabywając tę posiadłość. Nie wymienił jednak żadnej konkretnej ceny ani nazwiska właściciela. Udawałam, że i mnie to przestało już interesować.

Bąknął coś tylko, że jest upoważniony do sprzedaży, że ma wszelkie pełnomocnictwa „od faceta, który z całą rodziną wziął pewną część ciała w troki i wyjechał na Florydę, i robi tam za milionera". Tak dosłownie powiedział, a mnie opadły wątpliwości, czy jest to zgodne z prawdą. Życzyłam sobie, żeby jednak tak było. Nie będzie nikogo na miejscu, kto w ostatniej chwili rozmyśli się i domu nie sprzeda.

Znalazłam się w obszernym, nieomal pałacowym hallu z resztkami ciemnej, dębowej boazerii. Powiało chłodem, zapachem wapna i trocin. Parkiet zadeptany, kupa gruzu pośrodku. Pod warstwą brudu wypatrzyłam misternie ułożony ornament z ciemnego drewna.

W pokojach rozrzucone na podłodze zabawki. Kolorowe blaszane foremki, szmaciana lalka bez głowy, rozdeptane świecidełka choinkowe. Na schodach poniewierał się damski zgrabny pantofelek z jedwabiu na bardzo wysokim obcasie, haftowany paciorkami. Trochę już zbutwiały, a może tylko przysypany wapiennym pyłem. Drugi leżał trochę niżej na podeście, przewrócony na bok, jakby ktoś go zgubił biegnąc po schodach w dół.

Ściany niektórych pomieszczeń, oskrobane z farby, czekały ponownego malowania. Inne częściowo pociągnięto błękitną farbą. W kątach puszki z resztkami olejnych emulsji. Pudła jakichś kolorowych szmat, różnej wielkości pędzle na okiennych parapetach, porozsypywane na podłogach gwoździe i trociny.

Wyglądało na to, że ktoś rozpoczął remont wnętrza. Zaniechał go później i w pośpiechu pozostawił dom własnemu losowi. Było w tym coś zastanawiającego. Chciałam nawet zapytać o to pana Węchacza. Gdzieś się jednak po drodze zatrzymał.

Pokoje obszerne, prawie kwadratowe przyozdabiały resztki stiukowych girlandek. Wysokie do podłogi okna patrzyły ze wszystkich stron w ogród. W różowo opalizującym świetle wydał się jeszcze bardziej urzekający i tajemniczy. W pustych pokojach rozchodziło się echo moich kroków. Chodząc po nich doznałam raz jeszcze uczucia, że znam ten dom, byłam tu w dalekiej przeszłości zatartej w pamięci odległym czasem i teraz powróciłam z tą samą do niego miłością, z jaką musiałam go kiedyś opuścić. Było w tym dziwnym uczuciu coś, co mnie przerażało. Coś z moich odczuć tamtej pamiętnej zimy w Oslo.

Moja matka dzień przed śmiercią opowiedziała swój sen.

Odjeżdżała pociągiem w nieznanym kierunku. Za oknem ciągnął się obcy dla niej krajobraz. Nieoczekiwanie znalazła się bez bagażu na pustym peronie. Jedynym człowiekiem był konduktor. Podnosząc rękę do góry wykrzyknął: „Oslo". Matka chciała wejść z powrotem do wagonu, ale pociąg już odszedł. Idąc peronami znalazła się w dworcowej hali. Okrągła w kształcie, żółtawa w kolorycie i staroświecka, z okienkami pod samą kopułą. Przestraszona, że jest w obcym kraju i że powinna go opuścić, spojrzała na wysoko umieszczony naprzeciw wejścia zegar. Wtedy obudziła się.

Będąc w Szwecji wybrałam się z Ewą i Brysiem wozem do Norwegii. Mieli jakieś sprawy do załatwienia w Oslo. Przy okazji chcieli mi pokazać wystawę obrazów Muncha. Korzystając z tego, że pojechali na jakieś urzędowe spotkanie, poszłam spacerkiem z hotelu na dworzec. Wyglądał dokładnie tak, jak mi go matka opisała. Zgadzał się nawet kolor ścian.

Pomieszczeń w willi nie było tak wiele, jak się to mogło na pierwszy rzut oka wydawać. Jednorodzinny, obszerny dom z przedwojennego budownictwa, zaprojektowany przez kogoś, kto wiedział dokładnie, czego chce i co mu będzie potrzebne do wygodnego życia z rodziną. Żadnej przypadkowości — pełna funkcjonalność.

Pomyślałam o tym człowieku z sympatią i smutkiem. Zadumałam się nad jego okrutną, niepotrzebną śmiercią i nad tym, jaka mnie jest pisana.

Trzecia wojna światowa drzemała na razie w wyrzutniach rakietowych. Nie mogłam mieć jednak żadnej pewności, czy wchodząc do tego domu nie wyparuję z nim razem. W najlepszym razie stanę się plamą na jasnym murze.

Dreszcz przebiegł chłodem po plecach. Poczułam się nieswojo. Usiłowałam szybko zmienić tok myślenia. Wyrwać się z kręgu spraw ostatecznych, zagłuszyć lęk o przyszłość Ewy i małego Stasia. Świat oszalał. Przypominał pijanego linoskoczka z płonącą pochodnią w ręce, balansującego niezdarnie nad beczką z prochem. Mówiło się i pisało o coraz wspanialszych i skuteczniejszych w zabijaniu i burzeniu rakietach z jądrowymi głowicami. Wzmagał się w świecie terroryzm, trwały walki na tle rasowym, religijnym, plemiennym i Bóg wie jeszcze jakim. A ja kupowałam dom. Pragnęłam żyć w nim spokojnie i bezpiecznie. Przekazać go z czasem Ewie i Brysiowi, aby wychowywali w nim syna, podtrzymywali ciągłość gatunku. Byłam więc wciąż niepoprawną optymistką.

Ojciec jednak twierdził, że jeśli się już w ogóle żyje, to należy żyć tak, jakby się miało przed sobą jeszcze następne sto lat. I to do ostatniej chwili, choćby już nawet śmierć stała w progu. Nie należy się także zastanawiać nad nim, a przeżyć tak, jak ono leci, z całym swoim majdanem spraw, kłopotów i radości, bo życie to nie szkoła, żeby można było jakąś klasę powtórzyć.

— A szkoda! — dodawał zawsze ze smutkiem i wzdychał ciężko, a potem upijał się zazwyczaj z Wykolejeńcem. Obaj wyznawali podobną filozofię.

Rozejrzałam się za panem Węchaczem. Gdzieś tam krążył obstukując ściany, jak czynił to dawniej ojciec. Widocznie i on szukał zamurowanego skarbu.

Stąpałam cicho, ostrożnie po zadeptanych parkietach. Zaglądałam w każdy kąt, wyglądałam przez każde okno. Zastanawiałam się, który pokój przeznaczę na razie dla siebie, gdy przyjdzie tu zamieszkać po sprzedaży mieszkania w Warszawie. Pragnęłam, a jednocześnie bałam się popełnianego szaleństwa. Byłam zdecydowana na kupno dziwnej posesji.

Za moimi plecami zjawił się nieoczekiwanie pan Węchacz.

— Nie ma co się zastanawiać! — stwierdził gromko. — W okna nie patrzeć, tylko formalności załatwiać, zaliczkę jak najszybciej wpłacić, żeby ktoś szanownej pani doktor nie ubiegł.

Popatrzyłam na niego z przestrachem. Wciąż oczekiwałam nieprzewidzianych komplikacji.

— Ostatni dzwonek, że tak powiem. Już do mnie telefonował jeden taki spod Warki. Chce dom kupić, drzewa wyciąć i szklarnie w ich miejsce postawić. Dawno by go nabył, ale żona nosem kręciła, że chałupa staromodna i trzeba by przerobić na coś eleganckiego. A do tego jeszcze poza miastem. W sąsiedztwie zaledwie parę domów i nikogo tam nigdy nie widać i po sąsiedzku przez parkan nie można pogadać. Narzekała, że wszędzie siatki i wysokie żywopłoty. Do kina też daleko i do Warszawy nie tak blisko, jak z Warki — rozgadał się pan Węchacz. — Chyba jednak kobitę przekonał. Znów się naprasza, żeby go tu przywieźć. Chce dom w środku obmierzyć, czy mu wanna z marmuru, wpuszczana w podłogę, wlizie. Podobnież żona lubi się w czymś takim kąpać. W zwykłej wannie wysypki uczuleniowej dostaje. Wszyscy teraz kota z marmurowymi wannami dostali... — mrugnął do mnie konspiracyjnie okiem nieokreślonej barwy.

Ogarnął mnie wewnętrzny popłoch, że nie uda się nabyć domu. Przerażała myśl, że piękne stare drzewa padną pod tarczą elektrycznej piły, że to wnętrze pełne nastroju i osobowości człowieka, który je z pietyzmem projektował, ulegnie przebudowie, nowobogackiemu gustowi. Widziałam już nieomal ozdobne szlaczki na murze z tłuczonych lusterek i zielonego fajansu.

Pan Węchacz obserwował moją twarz bacznie swymi małpimi oczkami. Bałam się, żeby nie wyczytał, co dzieje się we mnie i jak pragnę w tym domu zamieszkać, ocalić go przed odarciem z prostoty i piękna. Obronić przed szklarniami w miejsce ogrodu.

— Porozmawiamy o wszystkim w Warszawie — powiedziałam szybko gładząc mimo woli framugę okna z oblazłą olejną farbą. Mosiężna ozdobna klamka w kształcie liścia była naderwana. Trzymała się zaledwie na jednej chwiejącej się śrubie.

— Byle prędko! — zastrzegł się pan Węchacz unosząc w górę wskazujący, tłusty paluch. — Ja bym tu pani nawet nie przywoził, ale Zygmunt o to specjalnie prosił, żeby ten dom dla pani zachować, nie sprzedawać, dopóki go pani nie zobaczy.

Pomyślałam ze znużeniem, że obaj żerują na mojej naiwności. Wykołują, oszukają i że źle robię wdając się z nimi w handlowe transakcje.

Obawiałam się jakiejś afery i kłopotów. Nie potrafiłam jednak dobrowolnie zrezygnować z posiadłości. Postanowiłam powierzyć sprawę adwokatowi. Niech on się tym wszystkim zajmie, występując w moim imieniu.

Wykolejeniec, a z pewnością także i pan Węchacz, byli ludźmi pozbawionymi wszelkich skrupułów. Nie należeli do świetlanych postaci i należało im patrzeć na ręce.

— Jutro porozumiem się z moim adwokatem. Do soboty dam panu odpowiedź. Cena wydaje się zbyt wygórowana, a i sam dom dla mnie za duży! — usiłowałam okłamać siebie i pana Węchacza.

— Po co adwokat? — zaperzył się. — Co do ceny, to sami dojdziemy do porozumienia — irytował się dalej. — Jestem uczciwym handlowcem! Nikogo nie oszukałem, nie wpuściłem w maliny. Tym bardziej nie zrobiłbym tego kobitce, która mi się podoba... — roześmiał się sztucznie, rechotliwie. Nie pasował ten jego nieszczery śmiech do nastroju domostwa.

— Nie ma mowy o braku zaufania — starałam się ułagodzić rozsierdzonego pana Węchacza. — Po prostu nie znam się na procedurze. Nie mam nawet czasu i zdrowia, żeby się tym zajmować...

— Ale ja się na niej znam, proszę pani! — wykrzyknął z urazą w głosie. — Od dziesięciu lat zajmuję się sprzedażą nieruchomości. Znam wszystkie kruczki, żeby obejść prawo i zaoszczędzić klientowi pieniędzy na niepotrzebne formalności i podatki.

— Kiedy ja chcę załatwić wszystko formalnie! — oznajmiłam kategorycznym tonem i odwróciłam się od pana Węchacza.

Schodziłam powoli z ciemnych, dębowych schodów o delikatnej rzeźbie poręczy. Brudnych jeszcze i zadeptanych gruzem, ale już tak, jakby moich i najpiękniejszych.

Pan Gienio, zstępujący za mną ciężkim krokiem, wygrzebał z przepaścistej torby wizytówki. Dotknął palcem mego ramienia.

— Jedna dla pani, a druga dla adwokata — wręczył je oficjalnym gestem. — Będzie to drożej kosztowało, ale jeśli nie ma pani zaufania do przyjaciół... — zawiesił głos pełen źle ukrywanej obrazy. Wykonał przy tym niezdecydowany ruch dłonią i otarł spocone czoło chusteczką.

— Czy to prawda, co opowiadał Zygmunt o pierwszym właścicielu willi? — usiłowałam zmienić temat, odwrócić uwagę pana Węchacza od słów, które przed chwilą powiedział. Czułam, że zamierzał coś do nich jeszcze dorzucić.

— Taki pewny to ja nie jestem... — zaczął ostrożnie. — Z Zygmunta prawdziwy poeta. Ja sam nie bardzo wiem, kiedy mówi prawdę, a kiedy diabeł mu ogonem w głowie pisze. Tak, jak na ten przykład, z tą pani chorobą... — Zerknął w moją stronę, przygładził musztardowego koloru włosy na różowym czerepie. — Cały czas panią obserwuję i, za przeproszeniem, na wariatkę to pani nie wygląda — zaczął się sumitować.

— Jajników i macicy też mi nie wycięto — uzupełniłam ze śmiechem. W wyrazie twarzy pana Węchacza odnalazłam wreszcie coś ludzkiego, niekłamanego. Był przejęty tym, o czym mówił.

— Ja bym się i bez jajników z panią ożenił! Co to dla mnie jeden jajnik mniej, jeden więcej! — wypalił nieoczekiwanie i szybko zbiegł ze schodów otwierając z galanterią przede mną drzwi.

Na podjeździe zawalonym gruzem i śmieciami jeszcze raz obejrzałam się na białe mury willi, na rozmazaną zapadającym zmierzchem delikatną zieleń drzew i krzewów. Popatrzyłam w ślepe okna mojego przyszłego domu tak czule, jakbym żegnała się z kimś drogim i bliskim.

Jestem wciąż niepoprawną romantyczką. Tyle tylko, że starą — stwierdziłam w myśli, kładąc dłoń na ramieniu drepczącego obok pana Węchacza i powiedziałam ciepło:

— Dziękuję, że mnie pan tu przywiózł. To naprawdę piękna posiadłość.

*

Mój wyjazd do sanatorium znów przesunął się w czasie. Przestałam wierzyć, że kiedykolwiek tam dotrę. Bardzo potrzebowałam wypoczynku po stresach związanych z kupnem posiadłości w Kuczebinie. Formalności trwały znacznie dłużej, niż się tego spodziewałam, a pan Węchacz gorąco zapewniał. Wciąż jeszcze czekałam na akt prawny kupna-sprzedaży czy coś w tym rodzaju. Nie potrafiłam się w tych wszystkich zawiłych dla mnie sprawach połapać. Obawiałam się nawet, że pan Węchacz przestał być taki pewny co do stanu mego umysłu. Z pewnością zmienił zdanie wypowiedziane zbyt pochopnie w Kuczebinie. Skłaniał się zapewne teraz do diagnozy Wykolejeńca. W każdym razie, gdy uzgadnialiśmy urzędowe sprawy związane z domem, a zdarzyło się, że nie był przy tym mój adwokat, z oczu pana Gienia wyzierała groza. Pocił się i zawsze siadał blisko drzwi.

Mój adwokat twierdził, że „wykazuję znakomity i wręcz zaskakujący antytalent do zagadnień i terminów prawnych".

Dobiegały także końca denerwujące sprawy ze sprzedażą mieszkania w Warszawie. Podchodziłam do nich zbyt emocjonalnie. Nowi lokatorzy mieli się do niego wprowadzić z chwilą, gdy zostanie ukończony remont willi i będzie można przetransportować meble. Na szczęście miałam to zagwarantowane w umowie, czego dopilnował mecenas Koteński. Był człowiekiem skrupulatnym i trzeźwo patrzącym na sprawę, którą ja się entuzjazmowałam. Nie wierzył w żadne słowne zapewnienia wykonawców i w podawane terminy. Miał w tym względzie rację.

Zawarłam umowę z prywatną firmą. Polecił mi ją jako bardzo solidną mój profesor z kliniki. Korzystał z jej usług przy budowie jednorodzinnego domu nad Zalewem Zegrzyńskim. Prowadzili ją ludzie z wyższym wykształceniem. Z inżynierów i pracowników naukowych przekwalifikowali się na rzemieślników. W ogólnym rachunku bardziej się im to opłacało finansowo. Był to jeden z paradoksów naszej rzeczywistości.

Pracowali zespołowo, jako członkowie spółdzielni „Złota Przyszłość", we wszystkich dziedzinach związanych z budownictwem. Wprawdzie wywiązywali się solidnie i terminowo z podjętych zobowiązań, ale kazali za to płacić słono, co było rzeczą zrozumiałą, jeżeli odczytywało się prawidłowo godło firmy. „Złota Przyszłość" była taką jedynie dla wykonawców, a nie tych, którzy z jej usług korzystali.

Myślałam z przerażeniem, a właściwie usiłowałam nie myśleć, o przedsięwzięciu, jakiego się podjęłam, o błyskawicznie zmniejszającym się koncie bankowym, piętrzących się kłopotach i naradach z adwokatem. Były one tylko formalnością, gdyż i tak o wszystkim decydował mecenas Koteński. Skrupulatny i zasadniczy aż do obrzydliwości, chociaż jako mężczyzna atrakcyjny jeszcze mimo dawno przekroczonej pięćdziesiątki. Polubiłam jego rzeczowy sposób bycia i otwarte spojrzenie. W rozmowach patrzył w oczy. Były ciemne i wyraziste. Darzyłam go sympatią i zaufaniem.

Mimo niezliczonych kłopotów i często zaskakujących trudności w najbardziej, zdawałoby się, prostych sprawach, czułam się w dalszym ciągu szczęśliwa. Koncepcja urządzenia nowego domu i związane z tym obowiązki odmłodziły mnie. Stworzyły nowy, realny cel w moim bezkonfliktowym, jałowym ostatnio życiu. Od paru miesięcy zmieniło się ono ze stojącej wody w wartki potok. Musiałam jedynie pilnować, aby mnie nie poniósł, nie rzucił na kamienisty brzeg albo całkowicie nie zatopił. Szłam tym potokiem częściowo także i pod prąd, a woda w nim była burzliwa, rwąca naprzód. Nie mogłam narzekać na brak wrażeń i emocji.

Kilkakrotnie odwiedził mnie pan Węchacz. Z uroczystą miną i obrażonym wyrazem twarzy. Obrzydły mi te wizyty, zwłaszcza gdy nawiązywał do swoich męskich możliwości, a robił to chętnie przy każdej nieomal okazji i często napomykał o „wspólnym przejściu przez życie usłane dolarami, nie mówiąc już o różach". Nie wszystkie jeszcze interesy z nim były całkowicie zakończone i spotkania stały się koniecznością. Starałam się, aby w tym czasie był u mnie mecenas Koteński. Rozmowa wtedy była krótka i rzeczowa, a kawę wypijaliśmy już tylko we dwoje po wyjściu pana Węchacza. Nie zawsze jednak mecenas miał na nią czas, a także i pan Węchacz zjawiał się niespodziewanie, nie zapowiadając telefonicznie swojej wizyty.

Parę razy zawitał Wykolejeniec. Pełen żalu i ubolewania, że tak źle potraktowałam jego przyjaciela. Gienio bowiem, poza wszystkim innym, mógł mi dać jeszcze szczęście w małżeństwie, gdyż, jak orzekł Wykolejeniec — „łeb to on miał do interesów jak Einstein do fizyki, a forsa też się w jego rękach mnożyła jak, nie przymierzając, króliki na wiosnę".

— No i co, oszukaliśmy cię? — zapytywał niezmiennie, jakby sam się temu dziwił i nie mógł się nadziwić, że się tak nie stało. — Adwokata wzięłaś, wywiad o Gieniu przeprowadziłaś, a on czysty jak spirytus monopolowy. Chociaż przyznam ci się, że my ze Stasieńkiem w Buchniku lepszy z bimbru destylowaliśmy.

Mimo tych zapewnień i nie wykrytego oszustwa wciąż im nie dowierzałam, a Wykolejeńcowi szczególnie patrzyłam na ręce i niechętnie znosiłam te jego u mnie wizyty, chociaż na ogół był trzeźwy.

Rozpoczynał zazwyczaj rozmowę od relacji, jakie kwiaty zasadził na grobie Stasieńka, a dopiero potem zaczynał się prawdziwy bełkot na różne tematy. Ostatnio uświadomił mnie, że podjął walkę z kretami na mogile Moniki. Zapytał nawet, czy wierzę w życie pozagrobowe albo chociażby w reinkarnację, bo jemu się te krety jakoś nie wydają zwykłymi kretami. Kto wie, czy nie wcieliła się w któregoś z nich Modliszka.

— Ona zawsze w stosunku do mnie krecią robotę uprawiała! — dodał na zakończenie dłuższego przemówienia ze swoich cmentarnych obserwacji i zapytał skromnie, czy nie mam przypadkiem w lodówce odrobiny domowej nalewki, bo się bardzo tymi podejrzanymi kretami zdenerwował.

Nie miałam. Skróciło to wydatnie jego wizytę. Przy pożegnaniu, z ręką na klamce, powiedział od niechcenia:

— Z tym adwokatem to ty uważaj. Każdy z nich to cwaniak i krętacz. Nim się spostrzeżesz, zaparagrafuje cię na amen. — Chrząknął, odwrócił się na pięcie i z godnością opuścił mieszkanie.

Co on chciał przez to powiedzieć? — zastanawiałam się przez chwilę. Chyba nie przypuszcza, że mecenas uderza do mnie w konkury. Nigdy mi to nawet do głowy nie przyszło. Nic takiego z jego zachowania nie wynikało. Nasze przedłużające się czasem rozmowy kręciły się wokół spraw zawodowych. Sama koncepcja wydała mi się śmieszna. Wzruszyłam ramionami i przestałam o tym myśleć. Był stanowczo za nudny i zbyt zasadniczy.

Dwa tygodnie później przyszli obaj przyjaciele z wiązanką nagrobnych kwiatów i z butelką koniaku.

Pan Węchacz, w koszuli w zielone małpy na żółtym tle, wciągał uwydatniający się nad dżinsami krągły brzuszek niby bochen chleba. Zasypał mnie od progu komplementami, jakby jeszcze nie stracił nadziei, że nie oprę się ukrytym wdziękom, a zakupiony od niego dom stanie się wkrótce znów jego własnością. Podejrzewałam, że trzeci raz kupuje i sprzedaje tę posiadłość, żeniąc się z kolejnymi nabywczyniami. Ale co się działo z nimi dalej? Może je mordował, zakopywał w ogrodzie wśród starych klonów?

Wpadło mi to nagle do głowy, gdy przyglądałam się jego dłoniom otwierającym pękatą butelkę z koniakiem, a później ustom ciamkającym słone orzeszki. Pomyślałam, że każdy powinien widzieć siebie w czasie jedzenia. Może wtedy robiłby to trochę estetyczniej. Puszkę z nimi przyniósł Wykolejeniec przyodziany w białą koszulkę bawełnianą z wizerunkiem byka. Miał szczególnie wyeksponowane podogonie.

— Amerykańska! — oznajmił z dumą, podchwyciwszy mój zdumiony wzrok na swojej chuderlawej piersi całkowicie wypełnionej rysunkiem rudawego zwierzęcia.

— To widać! — odpowiedziałam zimno.

Zaraz też przypomniały się słowa na temat drugiego wdowieństwa pana Węchacza, o którym mi kiedyś wspomniał.

— Żony padają temu biedakowi na serce jak muchy.

Żachnęłam się na samą siebie za brednie, o których myślałam. Zerkałam jednak podejrzliwie w jego stronę, chociaż mecenas Koteński zapewniał mnie, że pan Węchacz nie ma na swoim koncie żadnej kryminalnej sprawy. Nie notowany, nie karany, chociaż z całą pewnością nie był wolny od namiętności czynienia przeróżnych figielków i machlojek Urzędowi Skarbowemu. Jednak moje interesy zostały załatwione według litery prawa, więc mogłam spać spokojnie nie obawiając się w przyszłości żadnych niespodzianek. Już on, mecenas Koteński, o to zadba i dalej nad całością sprawy czuwa. Tak przynajmniej zapewniał z pobłażliwym uśmiechem, patrząc mi prosto w oczy. Uchodził w kołach prawniczych za znakomitego i uczciwego adwokata. Nie podejmował się prowadzenia podejrzanych spraw.

Obaj przyszli się pożegnać. Pan Węchacz wybierał się na urlop do Hiszpanii. Wykolejeniec postanowił towarzyszyć przyjacielowi do granicy, a potem przesiąść się z wozu pana Gienia do autobusu i powrócić do żony, aby w środku „cmentarnego sezonu" pomóc jej „przy kwiatach" — jak się wyraził. W rzeczywistości myślał zapewne o pieniądzach, jakie będzie inkasował z ich sprzedaży.

— Może pani szanowna ruszy z nami w rajzę? — zagadnął grzecznie pan Węchacz, krzywiąc w uśmiechu opaloną twarz. Miała kolor gotowanych raków w delikatny rzucik z piegów.

— Czeka mnie na dniach wyjazd do sanatorium — skłamałam z równie grzecznym uśmiechem. — A potem wkrótce przeprowadzka do nowego domu. — Uśmiechnęłam się ponownie, żeby panu Węchaczowi zrobić tym przyjemność.

Z taką powierzchownością nie mógł jej chyba mieć wiele ze strony kobiet, chociaż jego pewność siebie temu przeczyła.

— Zrobiła pani z tą chałupą najlepszy chyba interes w swoim życiu — odparował z zadowoleniem, unosząc w palcach kieliszek, jakby chciał tym gestem dać mi do zrozumienia, że oblewa nim transakcję. — Zygmunt wspominał, że na ogół nie miała pani do niczego szczęścia. A najmniej do mężczyzn... — Zrobił krótką pauzę na łyczek koniaku. — Ale, jak mówi przysłowie: „jak sobie pościelesz, tak się wyśpisz"... — zmrużył konspiracyjnie oko. — A ja wciąż nie tracę nadziei, że zrozumie pani swój błąd i po moim powrocie z Hiszpanii naprawi. — Popatrzył mi wymownie w oczy.

— Nie mam zamiaru w ogóle wychodzić za mąż — odpowiedziałam grzecznie, żeby nie urazić pana Węchacza, przygładzającego nerwowym ruchem zlepione potem włosy.

— Z kupnem domu też się pani zarzekała — przypomniał z jadowitym uśmieszkiem. — Ja mam czas, ja poczekam...

— No to ciach, babkę w piach!. — wrzasnął nieoczekiwanie Wykolejeniec, który przez cały czas naszej rozmowy wychylał ukradkiem kieliszek za kieliszkiem. — Najpiękniejsze kwiaty na wasz ślub przywiozę. Same kalie, jak na grób dziewicy.

— Pani szanowna — zaczął uroczyście pan Węchacz, jakby nie dotarły do niego okrzyki Wykolejeńca. — Może to nieładnie z mojej strony, ale ja panią oszukałem. Tak! Teraz chcę to naprawić, wyznać pani pewną rzecz związaną z domem... — Umilkł na dłuższy moment, opuścił nisko głowę na piersi. Starał się wyglądać na skruszonego grzesznika. Nie potrafił jednak ukryć w oczach małpiej złośliwości.

Zaniepokoiłam się. Wciąż podświadomie czekałam na coś, co musi się zdarzyć ze strony pana Gienia. Byłam przygotowana więc na najgorsze. Odtrącony mężczyzna nie wybacza tak łatwo.

Sięgnęłam po filiżankę z herbatą. Dłoń mi lekko drżała.

— Sprzedałem dom razem z duchami! — wyrzucił z siebie jednym tchem, ze źle ukrywaną satysfakcją.

— Wobec tego, to ja zrobiłam dobry interes, a nie pan! — oznajmiłam z zadowoloną miną, wytrzymując wzrok pana Węchacza. Wlepił go we mnie z ciekawością i niedowierzaniem. Spodziewał się innej reakcji. Zepsułam mu humor.

— Co też pani mówi? — Zmarszczył czoło w niezliczoną ilość fałdek. Nieomal czuło się jego wysiłek myślowy. — Nie widzę żadnego interesu w duchach!

Miałam ochotę roześmiać się głośno, chociaż perspektywa zamieszkania w nawiedzonym domu nie była wcale taka zabawna. Pocieszałam się, że kłamie celowo z sobie tylko wiadomych powodów.

— Panie Gieniu — zaczęłam pobłażliwym tonem — w Anglii płaci się trzykrotnie drożej za posiadłość, w której straszy. Im więcej w niej duchów, tym chętniej Amerykanie kupują. Dom bez ducha nie ma większej wartości. To tak, jak wiosna bez kwiatów — uzupełniłam.

— Znów mnie pani robi w konia! — Zmarkotniał i zawiedzionym wzrokiem patrzył, jak spokojnie popijam herbatę.

— Pani pewnie myśli, że ja te duchy wymyśliłem? A ja mogę dać słowo, że pani w tym domu miejsca nie zagrzeje. Każdy z kolejnych lokatorów, nim się jeszcze na dobre sprowadził, to już wiał. Nawet remontu żaden do końca nie przeprowadził! — zakończył z satysfakcją.

— Jeśli są, tak jak pan twierdzi, to tylko pana strata, że nie wliczył ich pan do rachunku. Za taki rarytas nie pożałowałabym jeszcze paru tysięcy więcej — tłumaczyłam z powagą, żeby go całkowicie zgnębić. — Jeżeli jednak ich nie ma, to trudno. Jakoś to przeżyję. Może się jeszcze z czasem zjawią. Zawsze jest nadzieja, że ktoś ze znajomych umrze i zacznie odwiedzać. Zwłaszcza jeśli był w jakiś sposób z domem związany. Chociażby tylko interesami — uzupełniłam skromnie.

Pan Węchacz poruszył się niespokojnie. Łapał uchylonymi ustami powietrze, jakby chciał coś powiedzieć, ale nie bardzo wiedział, co. Rozbiegane oczka zatrzymał na butelce koniaku. Wykolejeniec gładził ją pieściwie.

— Zygmunt, idziemy! — zadecydował. — Nic tu po nas! Kłam zarzucają, śmierci życzą! — Zabobonny lęk wyzierał z oczu.

— Nie podskakuj! — pogroził mi palcem Wykolejeniec. — Jak Gienio mówi, że straszy, to straszy! On żaden oszust, a człowiek uczciwy. Żeby dom feleru nie miał, tobyśmy go już dziesięć razy opylili! Jak taki rarytas i za takie marne grosze latami stoi pusty, to co to może znaczyć?

Wybałuszył na mnie zapijaczone oczy, powiększone przez szkła okularów. Przypominał gigantycznych rozmiarów ważkę.

— Zygmunt ma rację! — przytaknął skwapliwie pan Węchacz. — Żeby taki dom w dzisiejszych czasach nie znalazł amatora, to wiadomo, że coś musi być na rzeczy, no nie?

— Przestańcie z tymi bredniami! — krzyknęłam rozeźlona.

Wykolejeniec był już całkowicie pijany. Przyszedł do mnie na niepewnych nogach, a butelka koniaku uczyniła resztę. Pan Węchacz denerwował samą swoją obecnością. Pocił się przy tym i śmierdział.

— Chciałem tylko uczciwie ostrzec, żeby nie było na mnie, jak dostanie pani zawału — tłumaczył bez przekonania.

— Należało uprzedzić przed kupnem, a nie teraz — stwierdziłam spokojnie, chociaż zasiane ziarenko niepokoju rozpoczęło już swoją wegetację.

— Jestem handlowcem, proszę pani, a nie towarzystwem dobroczynności — sumitował się przykładając dłoń do serca i potrząsając czerepem. — Nie podcinam gałęzi, na której siedzę.

— Więc skończmy z tym tematem. — Podniosłam się od stołu. — Mój dom, moje duchy! — Usiłowałam się uśmiechnąć, nie dać satysfakcji panu Węchaczowi. — Jakoś dam sobie z nimi radę — bagatelizowałam. — Z żywymi trudniej się porozumieć. — Spojrzałam wymownie w stronę Wykolejeńca wypinającego do przodu pierś z rudawym bykiem. Napełniał z namaszczeniem kieliszki resztką koniaku.

Kolistym, niepewnym ruchem uniósł swój w górę. Bursztynowy płyn prześwietliło słońce padające z okna. Zajaśniał złotawymi iskierkami.

— Piję za szczęśliwą przeprowadzkę Stasieńka do nowego domu! — oznajmił bełkotliwie. — Na cholerę obce duchy, jak mamy swego! Stasieniek zawsze pragnął pięknościowej chałupy z ogrodem. Niech mu się w niej dobrze i spokojnie mieszka! — Czknął głośno i nim podniósł kieliszek do ust, rozpłakał się głośno, histerycznie. Pobladł i zesztywniał.

— Zaczęło się! — wrzasnął pan Węchacz strasznym głosem. — Trzeba wezwać pogotowie od czubków! Zaraz obleżą go końskie glisty, a po nich zacznie się najgorsze... — Miotał się po pokoju jak szczur w klatce. — Niech pani przygotuje sznury. Zacznie nas zaraz dusić.

Na wszelki wypadek stanęłam za krzesłem trzymając się mocno oparcia. Obserwowałam z niepokojem Wykolejeńca, zastanawiając się, jaki można mu zastosować środek uspokajający. Od czasu do czasu wstrząsał nim dreszcz, jakby go podłączono do prądu. Oczy patrzyły martwo przed siebie, dłonie wykonywały nieskoordynowane ruchy.

Pan Węchacz ocierał chusteczką spocone czoło, zerkając bezradnie w moją stronę.

— Pani szanowna, trzeba działać! Trzeba działać, żeby nie było za późno! — powtarzał w kółko. Stał w miejscu i przestępował z nogi na nogę, jakby maszerował.

— Niech pan działa! — wzruszyłam ramionami. Nie wyglądało na to, żeby Wykolejeniec stał się agresywny, ale wszystko mogło się zdarzyć.

— Gdzie są sznury? — dopytywał się pan Węchacz dramatycznym szeptem.

— Nie mam żadnych sznurów! — odburknęłam.

W tej samej chwili Wykolejeniec odskoczył gwałtownie w bok, cofając się do tyłu. Wykonywał przed sobą dłońmi ruchy, jakby się przed czymś opędzał.

— Be, be, be! — powtarzał, z obrzydzeniem wykrzywiając twarz w paroksyzmie lęku.
— Końskie glisty! — wymamrotał pan Węchacz w uniesieniu. — Białe i długie!
— Pan je także widzi? — zaniepokoiłam się.
— Nie jestem delirykiem tylko handlowcem! — obruszył się wyłażąc zza fotela. — Jak pani nie chce draki w domu, to trzeba na pogotowie dzwonić! Dadzą mu szprycę i będzie spokój.
— Jest pan swoim wozem? — spytałam.
— Co to ma do rzeczy? — odburknął niechętnie.
— O tyle ma, że go pan natychmiast stąd zabierze do szpitala.
— A pani myśli, że pójdzie?
— Pójdzie — odpowiedziałam stanowczo, chociaż nie byłam o tym całkowicie przekonana.
Wykolejeniec, blady i spocony, stał w kącie pokoju zrzucając z siebie urojone glisty, depcząc je pracowicie nogami.
— Zygmunt! — krzyknęłam.
Nie dotarł do niego mój głos. Bełkocząc coś niezrozumiale kręcił się wokół siebie jak nakręcony bąk.
— Zaraz się na nas rzuci! — wyrokował pan Węchacz przemykając się w kierunku drzwi.
— Proszę się nie ruszać i nic nie mówić! — przykazałam stanowczym głosem. Usłuchał i przykucnąwszy za sekretarzykiem pocił się i dyszał ciężko jak po biegu na przełaj. Żółta koszula w zielone małpy pokryła się ciemnymi plamami potu. Zaśmierdziało starym kozłem.
Wyciągnęłam z szufladki odpowiednią ampułkę, naciągnęłam jej zawartość do jednorazowej strzykawki i podeszłam do Wykolejeńca.
— Zygmunt! — wrzasnęłam mu nad uchem. — Stasieniek przyszedł z pułapką na glisty! Usiądź na krześle i nie przeszkadzaj mu w polowaniu. — Pociągnęłam go za rękę i osłupiałego posadziłam na fotelu.
— Be, be, be! — powtarzał płaczliwie, z obrzydzeniem, rozglądając się lękliwie dookoła nieprzytomnym wzrokiem.
Szybkim ruchem wbiłam igłę w przedramię. Nie zareagował, powtarzając dalej to swoje: „be, be, be" w różnej tonacji wyrażającej stopień obrzydzenia.
Pan Węchacz wypełzł zza sekretarzyka, jak zapasiona jaszczurka, i patrzył z niedowierzaniem na uspokajającego się powoli Wykolejeńca.
— Cudotwórczyni! — wyszeptał jak w ekstazie. — Jak go to chwyciło w domu, to żonie rękę przetrącił, całą zastawę wytłukł w kredensie, oberwał żyrandol i naddusił teściową. Krzyczał przy tym przez cały czas, że zamienia się w końską glistę — relacjonował podnieconym głosem spozierając niepewnie w stronę Wykolejeńca, który mrugał oczami, jakby się przed chwilą obudził i nie zdawał sobie sprawy, gdzie się znajduje. Po twarzy ciekły strużki potu, drżał na całym ciele.

Na recepcie z moją pieczątką napisałam nazwę wstrzykniętego preparatu i kazałam panu Węchaczowi odwieźć go do szpitala na ostry dyżur.

— Odda pan Zygmunta wraz z karteczką w ręce dyżurnego lekarza — przykazałam wystraszonemu panu Węchaczowi. — Pomogę sprowadzić Zygmunta ze schodów.

Pan Gienio niechętnie przystał na moją koncepcję.

— Pani szanowna, czy nie łatwiej sprowadzić karetkę pogotowia? Facet wóz zarzyga, a może nawet w drodze znów ukażą mu się te końskie glisty? Na co mi ten cały kłopot?

— To przecież pański przyjaciel — powiedziałam zimno. — Razem piliście, razem interesy robicie, więc nie może go pan teraz tak zostawić. Ze szpitala trzeba go będzie przewieźć do żony. Wątpię, żeby go tam zatrzymano.

— Tylko nie to! — jęknął pan Węchacz. — Pani nie zna Liliany! Zamiast Zygmunta, to mnie spierze po gębie, i to w najlepszym razie... — zająknął się.

— A w najgorszym? — uśmiechnęłam się patrząc na jego przerażoną twarz.

— Kopie w krocze! — jęknął zaciskając odruchowo uda.

— Czy to jej prawdziwe imię? — zdumiałam się, bo jakoś mi nie pasowało do właścicielki straganu z kwiatami pod cmentarzem.

— Tak ją nazywa Zygmunt. — Zamrugał z namysłem oczkami. — Czasem Lilcia, a najczęściej Grzechotniczek. Na tablicy posesji z ogrodnictwem stoi: „Marianna Wypych". Ale z zakochanymi to nigdy nic nie wiadomo... — westchnął obciągając opinającą się na brzuchu koszulę. — Ja bym na ten przykład też panią nazywał pieszczotliwie... — Popatrzył zalotnie w moją stronę, łypiąc jednocześnie na siedzącego w fotelu Wykolejeńca.

— Na przykład jak? — spytałam odruchowo.

— Psotka! — wyszeptał pieszczotliwie z obleśnym uśmieszkiem.

— Koszmar... — jęknęłam wściekła na siebie za tę ciekawość.

— Idziemy! — zadecydowałam lodowatym tonem.

Wykolejeniec drzemał w fotelu, pomrukując i mlaskając wargami.

— Przecież on śpi — zatrwożył się pan Węchacz. — Jak go zbudzimy, to znów dostanie kurwicy i zacznie rozrabiać.

— Nie zacznie. Sprowadzimy go szybko ze schodów. Jest w stanie oszołomienia. Trzeba się tylko teraz pośpieszyć, a pójdzie z nami potulnie jak cielę.

Ujęliśmy Wykolejeńca pod ręce. Szedł machinalnie jak lunatyk, powłócząc lekko nogami w żółtych sandałach gigantycznych rozmiarów.

Na schodach minęła nas uśmiechnięta lokatorka z przeciwka.

— Pani doktor to i po pracy nie ma spokoju z pacjentami — zagadała byle coś powiedzieć. Leczyłam jej córkę. Nie potrafiła przejść obok mnie obojętnie. Czuła się widocznie w obowiązku jakoś na mój widok zareagować.

— Takie życie — odpowiedziałam równie zdawkowo i głupio.

Mieliśmy trudności z umieszczeniem Wykolejeńca w wozie. Nieoczekiwanie zaparł się nogami w bruk i ani rusz nie chciał dobrowolnie wejść do środka.

— Będę rodził... — wybełkotał boleściwie, usiłując uwolnić się z naszych rąk. Czynił to niezdarnie, na zwolnionych obrotach patrząc po nas nieobecnym wzrokiem.

— Niech go pan wepchnie do środka! — zniecierpliwiłam się. — Nie mogę się przecież z nim szarpać.

Pan Węchacz jakby tylko czekał na zachętę z mojej strony. Wprawnym kopniakiem umieścił Zygmunta we wnętrzu wozu. Związał mu do tyłu ręce paskiem od damskiej sukienki w kwiatki, nałożył pasy bezpieczeństwa i ruszył pełnym gazem do przodu, coś tam wykrzykując do mnie przez uchyloną szybę, czego nie zdołałam już dosłyszeć.

Jeśli wkrótce nie wyjadę na urlop, to się ciężko rozchoruję na nerwy — pomyślałam stojąc w smudze gorącego słońca, przy krawężniku bocznej uliczki.

Po przeciwnej stronie wąskiej jezdni ogromny kasztan, który jeszcze tak niedawno był obsypany różowym kwiatem, gubił teraz maleńkie, kolczaste kuleczki.

Rozdział 4

Wszystko zaczęło się od psa.

Czarnobiałego, z obciętym ogonkiem i na krzywych łapach. Wabił się Magnus. Imię nie pasowało do niewielkiego wzrostu i mizernej postury. Świadczyło jednak o rozwiniętym poczuciu humoru właściciela.

Nieodpartym urokiem psa było to, że posiadał pana nie pasującego do mało urodziwego kundla. Szczupły, wysoki, o nobliwym wyglądzie, powinien prowadzić na smyczy duże rasowe zwierzę.

Natomiast do mnie pasował i pies, i jego właściciel. Lubiłam kundle, a mężczyzn o rasowym wyglądzie.

Pies stanowił jego wizytówkę. Odczytałam w niej cechy charakteru ważne dla mnie w codziennym życiu. W uzdrowisku nie było zbyt wielu atrakcji. W jedynym kinie od miesięcy ciągnął się remont i nic nie wskazywało na to, że się w tym sezonie skończy. Od paru więc dni obserwowałam tę nierozłączną parę.

Z różnych względów zrezygnowałam z pobytu w sanatorium. Korzystałam jedynie z nielicznych zabiegów i odpłatnych, dietetycznych posiłków. Któryś ze starszych kolegów zapraszał, abym jadała z nimi przy lekarskim stole. Zorientowałam się prędko, że przewagę przy nim stanowią kobiety. Młody, atrakcyjny narybek. Nie wygląda się korzystnie w takim tle. Chciałam również na czas urlopu oderwać się od środowiska, od rozmów na tematy zawodowe.

Wynajęłam w luksusowej willi pokój. Z tarasem. Miałam z niego wspaniały widok na zdrojowy park, o tej porze roku w pełni rozkwitu i świergotu ptaków. Potrzebowałam odpoczynku i spokoju po pełnych napięć i burzliwych miesiącach w Warszawie.

Moje stare mieszkanie z całym bagażem wspomnień zostało wreszcie przy pomocy Wykolejeńca sprzedane. Tym razem nie popełnił oszustwa. Zaczynał się widocznie starzeć i zrobił się sentymentalny.

Moje rzeczy z nielicznymi meblami przetransportowano do posiadłości w Kuczebinie. Była po remoncie. Obecny wygląd domu, jeśli to jeszcze było możliwe, spotęgował moją do niego miłość. Zdołałam przygotować na razie jeden mieszkalny pokój, łazienkę i kuchnię. Urządzeniem reszty wnętrza postanowiłam zająć się po urlopie. Bez pośpiechu i z rozmysłem kupować okazyjnie pasujące do niego meble. Ludzie pozbywali się chętnie antyków i staroci o dużej często wartości artystycznej. Nie mieściły się, nie pasowały do małych pokoików w blokach. Pragnęłam, aby w moim wymarzonym domu nie było ich zbyt wiele. Najkonieczniejsze, wysmakowane, pasujące stylem do charakteru domostwa. Już sama myśl o tych zakupach cieszyła. Nie było z tym pośpiechu. Zamierzałam tę radosną zabawę rozciągać na lata, w myśl porzekadła, że: „gdy dom jest całkowicie urządzony i niczego w nim nie brakuje, wtedy wchodzi do niego śmierć".

Po zabiegach najchętniej odpoczywałam na tarasie, w wygodnym leżaku, z książką na kolanach. Nie zawsze do niej zaglądałam. Park, w którego byłam nieomal środeczku, o różnej intensywności zieleni, przyciągał wzrok, nasuwał myśli o moim własnym ogrodzie jeszcze częściowo zaniedbanym, o domu, który czeka. Obmyślałam kolory zasłon, kształt lamp, wzory i fakturę materiałów obiciowych, tak jak czyniłam to kiedyś dla Piotrusia. Tylko że teraz był to mój i tylko mój dom. Nikt i nic, poza śmiercią, nie będzie mógł mnie z niego wyprowadzić. Jednak radości posiadania nie miałam z kim dzielić, a tym samym podwajać. Nie był to jednak powód do smutku. Przez ostatnie lata bezkrólewia przyzwyczaiłam się do samotności. Nawet ją polubiłam, a przynajmniej starałam się w to wierzyć. Jeśli chwyciła za kimś, lub za czymś nieokreślona tęsknota, przywoływałam na pamięć nieudane dwa lata z Mikołajem. Wtedy znów odnajdywałam zagubioną radość z samotnego życia. Było to jednak tylko pół prawdy.

Moje rozmyślania nad książką, z wzrokiem błądzącym między rozsłonecznionym niebem a ziemią w bujnej zieleni, przerywał zazwyczaj pan z pieskiem. Regularnie, w tych samych porach dnia, przechadzał się wolno z łaciatym kundlem. Pies czasem zatrzymywał się pod jakimś drzewkiem, czasem pan zwalniał kroku i od niechcenia omiatał wzrokiem taras. Zagadał do pieska, potarmosił za obwisłe uszy. Czułam, że te spacery cienistą aleją, tuż obok mego tarasu, na niskim pięterku jasnej willi, nie są przypadkowe. Pan od dawna już mnie zauważył. Sama przed sobą nie chciałam się przyznać, że czekam na ten moment pojawienia się nierozłącznej pary. Zainteresowanie moją osobą sprawiało przyjemność, podnosiło na duchu.

Wieczorami, upinając włosy przed kąpielą, dłużej niż zazwyczaj przyglądałam się sobie w lustrze. Rano dobierałam starannie sukienki, żałując, że niewiele ich miałam. Wbrew rozsądkowi, zastanawiałam się, kim może być właściciel Magnusa. Jaki ma zawód, czy jest człowiekiem wolnym, czy też tylko takiego udaje. W uzdrowiskach nie brak podrywaczy. Taki widzi kobietę tylko od pasa w dół. Nie jest ważna twarz ani intelekt.

Codzienny spacer do lasu obrzeżonego modrzewiami zaczął się nie najlepiej. Na stromej uliczce prowadzącej w pola, skąd już było niedaleko do celu, dopadła mnie jedna z kuracjuszek. Spotykałyśmy się nieomal codziennie w basenie z solanką.

Koścista, gadatliwa, z podkrążonymi oczami burej barwy, sprawiała wrażenie kobiety niewyżytej, łaknącej towarzystwa. Denerwował jej chichot w kąpieli, żenujące uwagi, pretensjonalne stroje. Przysiadła się kiedyś bezceremonialnie do mego stolika w kawiarni. Przez blisko godzinę rozwodziła się o swoim wdowieństwie i zmarłej siostrze, która „w trumience wyglądała bardzo gustownie i lepiej niż za życia". Dowiedziałam się także o „niesłychanym" powodzeniu, jakie miała u mężczyzn, a także o nawiedzających ją snach.

Zastanawiałam się, w jaki sposób uwolnić się od męczącego towarzystwa, uciec z kawiarni, gdy moja rozmówczyni trąciła mnie w łokieć.

— Niech pani popatrzy, jak te chłopy dbają o siebie. U tego ani śladu brzucha, chociaż już nie młodzik, a ta bawełniana koszula w kratkę to z pewnością komisowa albo za dolary.

Spojrzałam niechętnie w tamtym kierunku. Przy stoliku siadał właśnie właściciel Magnusa. Nie spuszczała z niego wygłodzonego wzroku. Nie usiłowała mnie nawet zatrzymać, gdy oświadczyłam, że mam zamówioną rozmowę na poczcie i muszę wyjść.

I teraz, rozglądając się po zacienionej lipami uliczce, po willach z innej epoki, usłyszałam za plecami zdyszany głos.

— Gonię za panią i gonię. Nie lubię sama spacerować.

W różowej sukience w zielone kwiaty wyglądała jak w szlafroku. Długie żylaste nogi tkwiły w białych czółenkach na wysokich obcasach.

— Daleko pani w tych pantoflach nie zajdzie — uprzedziłam cierpko.

— Przyzwyczajona jestem do francuskich obcasów. Mężczyźni to lubią — dodała z wieloznacznym uśmieszkiem. — Z mężczyznami, proszę pani, to nigdy nic nie wiadomo — zaczęła jakoś bez związku. — Dręczą nas albo kochają, co na jedno wychodzi.

Rozmowa się nie kleiła. Był to chaotyczny monolog na różne tematy. Przypominała w nim kurę dziobiącą wokół siebie wszystko, na czym spoczęło jej krągłe oko.

— Masażysta, chociaż ślepy, to też mężczyzna. Wczoraj gniótł mnie w takich miejscach, że wstyd powiedzieć — zachichotała. — A ta w czerwonym czepku, co ma piersi jak obwisłe salcesony, upiła się dzisiejszej nocy z facetem z pierwszego piętra i wylali ją z sanatorium. Wie pani, o której mówię?

Skinęłam głową. Liczyłam, że milczeniem zniechęcę ją do dalszego spaceru.

— Pani jest na dietetycznym stole, to pewnie dostała do mięsa marchewkę, a nie szparagi z puszki?

— Dostałam szparagi — mruknęłam rozglądając się po starannie utrzymanych ogródkach. Zatęskniłam za tym moim własnym w Kuczebinie. Było w nim bardzo wiele do zrobienia.

— Szparagi w tym roku tak włochato obrodziły, że przyzwoitej kobiecie wstyd wziąć do ręki! — zachichotała.

— Straszny upał. — Nie podtrzymałam tematu. — Nie dam rady iść dalej. — Dotknęłam serca, chociaż było zdrowe jak u wyścigowego konia.

— Możemy zawrócić — zgodziła się skwapliwie. — Pusto tu. Ludzi się nie widzi, chodźmy lepiej na lody do „Ksantypy". Tam zawsze pełno.

Usiadłyśmy przy oknie. Zamówiłam herbatę. Moja rozmówczyni malinowe lody. Gdy zamilkła, wsuwając łyżeczkę do ust, wtrąciłam, że czuję się źle i wracam do domu.

Szłam okrężną drogą przez park nad jeziorem, wybierając mało uczęszczane alejki w najstarszej jego części. W zielonym półmroku panował przyjemny chłód.

Przysiadłam na ławce. W bujnej trawie kwitły złociste mlecze, w konarach kasztanów nawoływały się ptaki. Przez wąski prześwit między drzewami zapatrzyłam się w daleką perspektywę gór, w ciemną szczoteczkę lasów na graniach. Pojawiły się dawno zapomniane obrazy. Spacer z małą Ewą w podobnym krajobrazie, matka dźwigająca wiklinowy koszyk z prowiantem, ojciec wciągający głośno przez wydatny nos „machoniowe powietrze". Podwieczorek na skraju lasu pachnący macierzanką tworzącą dookoła fioletowe wysepki. Przypomniały się jakieś nieważne słowa wypowiedziane przy tej okazji i nie wiadomo dlaczego przechowane w pamięci. Pojawiła się twarz matki z zakłopotanym uśmiechem, gdy Ewa zapytała ją, czy nasz Pan Bóg z żydowskim Panem Bogiem znają się osobiście.

Uśmiechnęłam się w przestrzeń wypełnioną rozedrganym upałem powietrzem i szybko zmieniłam tok myślenia. Zbyt często zdarzała się taka ucieczka w przeszłość, a to oznaczało, że się starzeję. Nie chciałam teraz o tym myśleć.

Przez chwilę zastanawiałam się, czy po obiedzie napisać odkładany z dnia na dzień list do Brysiów, czy odwiedzić wreszcie znajomych w Przesiece, gdy nieoczekiwanie podbiegł znany z widzenia kundel Magnus.

Obwąchał, pokręcił kikutem ogonka i położył ufnie łeb na moich kolanach.

Irytowało mnie zawsze to niepotrzebne zadawanie bólu zwierzęciu przez obcinanie ogona. Kundel nie stanie się przez to rasowym psem, tak jak i mężczyzna z dużym prąciem nie musi być koniecznie męski. Nie w ogonach leży siła.

— Co, piesku? — pogładziłam czarny łebek z białą łatką na pysku.

Westchnął melancholijnie i otworzył na moment zmrużone zadowoleniem ślepia. Wtulił pysk w wyciągniętą dłoń i zapatrzył się w moje oczy. Wyglądało na to, że mam większe szczęście do psów niż do mężczyzn — pomyślałam. Historia z Mikołajem także zaczęła się od psa — przypomniałam sobie i to zmąciło trochę dobry nastrój.

Tego dnia także nie napisałam do Brysiów. Nie odwiedziłam znajomych w ich modrzewiowym dworku. Natomiast z właścicielem Magnusa wypiliśmy herbatę na przeszklonym tarasie kawiarni „Orbis".

Pies tkwił między nami, patrząc sennie rozumnymi ślepiami to na jedno, to na drugie. Angielskie, różowo kwitnące pelargonie zwieszały się girlandami z hotelowych balkonów. Ciepły powiew falował w muślinowych zasłonach. Pachniało świeżo parzoną kawą i drożdżowym ciastem.

Dyskretnie karmiłam nim pod stolikiem Magnusa. Jego pan rozwodził się nad pięknem górskiego krajobrazu, nad trwającą od kilku dni niezmiennie słoneczną pogodą, nad zaletami Cieplic i urokiem koncertów w Domu Zdrojowym.

Przytakiwałam ze zrozumieniem, słuchałam uważnie banałów, nie zaniedbując kundla-łasucha. Do reszty go kupiłam porcją szarlotki z bitą śmietaną.

Weszłam w klimat i nastrój uzdrowiska z taką łatwością, jak nóż wchodzi w masło, i postanowiłam, że równie energicznie zajmę się panem. Miałam zaledwie trzy tygodnie, a bardzo chciałam wypróbować na atrakcyjnym mężczyźnie, czy mogę się jeszcze podobać, czy mam szanse na ponowne małżeństwo. Romans nie wchodził w rachubę. Nie był żadnym miernikiem, a ja postanowiłam urządzić sobie nie tylko dom, ale i resztę życia z odpowiednim partnerem. Należało się więc rozejrzeć, zainteresować sobą i nie czekać, aż sam spadnie z deszczem z nieba. Działać ostrożnie, z rozwagą, aby nie popełnić błędu, jaki popełniłam wiążąc się z Mikołajem. Uległam zbyt szybko nastrojowi chwili i pragnieniu obecności drugiego człowieka. Nie tylko w nocy, ale w każdej chwili, na wyciągnięcie ręki. Żeby bronił mnie przed sobą samą, przed tęsknotą za mężczyzną, którego dobrowolnie i tak głupio wykreśliłam ze swego życia. W Mikołaju urzekła łagodna uległość. Z czasem okazała się niezaradnością życiową i prymitywnym wygodnictwem nie pozbawionym tchórzostwa. Oczarowało także trochę po dziecinnemu imię Mikołaj. Kojarzyło się niezmiennie z dziecięcą wiarą w świętego Mikołaja, z wonią drzewka bożonarodzeniowego, z zapachem zimowych jabłek i z czymś ciepłym, nieskończenie dobrym.

W naszej rodzinie imiona odgrywały zawsze dużą rolę. Ojciec nawet twierdził, że od niepamiętnych czasów cała nasza „familia" miała fioła na tym punkcie. I chyba było w tym coś z prawdy. Nawet w tym najmłodszym pokoleniu, prawie mi nie znanym, nadawano takie, jak: Igor, Rosita, Klaudia, Robert, Skarlet.

Przez zmrużone rzęsy obserwowałam dyskretnie właściciela Magnusa. Podobał mi się jego sposób poruszania się, tembr głosu, staranny dobór koszul i wdzianek w dobrym gatunku. Znałam je z licznych spacerów pod moim tarasem z Magnusem na smyczy w obróżce nabijanej ćwieczkami.

Postanowiłam jednak być czujna. Nie patrzeć na ewentualnego partnera jak na objawienie stulecia. Nie entuzjazmować się pierwszym sukcesem, bo, jak mawiał ojciec:

„Baba się najpierw chłopem entuzjazmuje, widzi w nim to, co sama chce zobaczyć, a trochę później stwierdza, że jest łajdakiem i oszustem. A samiec jak samiec..."

— Niech pani spojrzy na tę ciemną czerwień buków w światłocieniach, na seledyn młodziutkich modrzewi — dotarły słowa pochylonego w moją stronę mężczyzny.

— Piękne! — przytaknęłam skwapliwie. Spodobała się ta wrażliwość na piękno przyrody. Widziałam go już w Kuczebinie, jak dba o mój ogród, jak razem zastanawiamy się nad doborem ozdobnych krzewów.

— Moja córka powiedziała kiedyś, że drzewa, to włosy ziemi zjeżone ze zgrozy, że ten świat jest taki podły.

Roześmiał się, a ja zobaczyłam ściągniętą bólem twarz Ewy z tamtego czasu, gdy musiała zrezygnować z Płodziaka, a jednocześnie obserwowałam bacznie, jakie na nim wywarło wrażenie słowo „córka".

Miał twarz pokerzysty. Nic nie można było z niej wyczytać. Na dobrą sprawę, powinien także coś wtrącić na temat dzieci, jeżeli takowe posiadał.

— Odkąd to małe dziewczynki operują takimi pojęciami? — wykpił się mało wyszukanym komplementem.

— Moja córka jest już dorosła — powiedziałam odważnie. — Ma dziewięcioletniego syna.

Tym stwierdzeniem posunęłam się o krok naprzód i teraz należało czekać, co z tego wyniknie. Będzie zabiegał o moje względy, czy skończy się na tej jednej herbatce.

— Nad czym się pani tak zamyśliła? — uśmiechnął się do mnie ciepło, ściszając głos. Wypadło to jakoś pieszczotliwie. — Zauważyłem to u pani i dawniej.

— Dawniej? — zdumiałam się gładząc łeb Magnusa.

— A tak! — skinął głową. — W ubiegłym roku przychodziła pani do „Zdrojowej" między jedenastą a dwunastą. Zawsze z książką, zawsze jakby trochę nieobecna i zamyślona. Nikogo pani nie zauważała... — Uśmiechnął się z umiarem. Dolne zęby miał jeszcze swoje. W górnej części była zapewne jakaś „dostawka". Wolałam o tym nie myśleć. Moje uzębienie też nie było bez skazy. Oboje jednak mieliśmy znakomitego dentystę.

— Naprawdę? — wyraziłam zdumienie opuszczając skromnie oczy na talerzyk z okruchami po ciastkach. Zastanawiałam się gorączkowo, w jaki sposób pokierować rozmową, aby dowiedzieć się o nim jak najwięcej i nie dać poznać po sobie, że mnie interesuje. Należało działać rozważnie, dać złudzenie, że to on właśnie wybrał i zdobywa. W mężczyźnie tkwi atawistyczna potrzeba polowania. Kobieta może być także zwierzyną. Nie powinien się domyślać, że chcę widzieć w nim „solidną ścianę, o którą można się oprzeć" — jak mawiał ojciec. Dawniej irytowało mnie to ojcowe określenie. Dziś przyznawałam mu rację.

— Naprawdę — stwierdził poważnie. — Jadąc tu, myślałem nawet, że może panią gdzieś spotkam. Takich twarzy się nie zapomina, a ja jestem trochę romantykiem, jak to całe nasze pokolenie „Kolumbów". — Poszukał moich oczu.

— Miło to słyszeć... — uśmiechnęłam się ciepło, zatrzepotałam bezradnie rzęsami, co zawsze w takich razach zdawało egzamin, i dyplomatycznie zmieniłam temat.

Z dalszej rozmowy wynikło, że pan ma na imię Tadeusz. Było to pierwsze niemiłe zaskoczenie i rozczarowanie. W sposób irracjonalny nie lubiłam tego imienia. Niechęć datowała się z czasów dzieciństwa i straszliwych opowieści ciotki Natalii o jej pierwszym mężu. Tak się właśnie nazywał, ale ciotka nie mówiła o nim inaczej, jak: „ta swołocz". Zginął w pojedynku zostawiając ją bez kochanka, którego także w tym pojedynku zakatrupił, bez środków do życia, ale obarczył karcianymi długami i sparaliżowaną teściową. Męczyła się z nią w jednym pokoju przez trzy lata. Od tego czasu, gdy ktoś się ciotką zainteresował, to przede wszystkim zapytywała, jakie nosi imię. Nazwisko było mniej ważne. Jeżeli zdarzyło się, że właśnie to znienawidzone, a było ono modne w czasach młodości ciotki, to wiała „gdzie pieprz rośnie", chociażby ofiarowywał nie tylko miłość, ale także futerko z kretów i dostatnie życie. Była bowiem przekonana, że znów trafiła na pieczeniarza, gwałciciela małych dziewczynek i zboczeńca pod każdym względem.

„Człowiek obarczony takim imieniem — zapewniała z ogniem w oku — jest zdolny do wszystkiego najgorszego z dzieciobójstwem włącznie".

Moja matka śmiała się z tych ciotczynych opowieści. Ojciec natomiast złościł się, twierdząc, że ciotka ma już „hyzia" i nie z powodu męża Tadeusza, a ze zwykłego łajdactwa, gdyż nawet rodzonym braciom w tym względzie nie przepuściła.

Te ciotczyne, wtedy jeszcze częściowo niezrozumiałe dla mnie opowieści, napawały grozą, w nocy budził matkę mój płacz. Chwytała mnie w ramiona, a ja wtedy, pełna lęku, tuląc się do niej, zwierzałam przez łzy:

— Tadeusz mnie gonił.

Uśmiechnęłam się do wspomnień. Pozostała jednak do tego imienia niechęć.

Pan nie nosił obrączki. O niczym to jednak nie świadczyło. Mężczyźni na wczasach zazwyczaj ich nie noszą. Na podrywacza nie wyglądał. Do tej pory nikt, poza psem, nie dotrzymywał mu towarzystwa. Cieplice są niewielkim uzdrowiskiem. Nic się w nim długo nie da ukryć i każdego spotyka się przynajmniej kilka razy dziennie. Wyglądało na to, że znalazł mnie po prostu Magnus, a pan tylko zaakceptował wybór i to nawet nie wiadomo na jak długo. Może tylko na to jedno popołudnie, ale ja już w myśli szukałam gorączkowo imienia, jakim go będę w przyszłości nazywała.

Nie miałam wprawdzie przewrócone we łbie i samokrytycyzm także mnie jeszcze nie opuścił, ale przyjemnie było pomarzyć. Od dawna tego nie czyniłam. Pan, mimo swego imienia, zdecydowanie mi się podobał. W sprzyjających warunkach mogłam się nawet w nim zakochać. Urodę miał męską, spokojną. Oczy ciemne nie pozbawione inteligencji, a włosy gęste w kolorze „pieprz-sól" — jak mawiała moja matka, gdy w delikatny sposób chciała określić zaczynającą się u kogoś siwiznę. Zastanawiałam się, kim mógł być z zawodu. Typowałam prawnika lub wyższego urzędnika ministerialnego. Mógł być także inżynierem.

— Jesteśmy bliskimi sąsiadami — stwierdził przyjemny w brzmieniu głos. — Widuję panią codziennie na mojej ulicy. Przedwczoraj nosiła pani jasny kostium z czymś kolorowym przy szyi — dodał jakby na potwierdzenie.

— Jestem dopiero czwarty dzień. — Uśmiechnęłam się wdzięcznie, uważając, aby niezbyt nisko pochylać głowę. Zmiany w owalu twarzy stają się wtedy bardziej widoczne. Nie powinien zauważyć tych drobnych defektów spowodowanych wiekiem. Najważniejsze jest pierwsze wrażenie. Z czasem, gdy się przyzwyczai do mojej twarzy, to taką już zawsze będzie widział.

Obserwując go, stwierdziłam z ulgą, że nie jest czarujący w rozmowie ani zbytnio błyskotliwy. Sposób bycia nie znamionował dziwkarza. Na ogół każdy z nich jest pełen nieodpartego uroku, błyskotliwej, ale nie użytkowej inteligencji. Epatuje nią upatrzoną ofiarę, potrafi nieomylnie stosować chwyty psychologiczne i bezbłędnie rozszyfrowuje słabą stronę emablowanej kobiety. Tak przynajmniej uświadamiała mnie kiedyś Monika. W tamtych odległych czasach rozczytywała się w powieściach o miłości z wyższych sfer, a i doświadczenie także miała nie najgorsze, chociaż do śmierci pozostała dużym, niewinnym dzieckiem.

Magnus położył łeb na moich kolanach, wpatrując się miłośnie w moje oczy.

— Ma pan uroczego pieska. — Wdzięcznym ruchem dotknęłam psiego łba w taki sposób, aby jego właściciel zauważył moją dłoń. Skóra na niej była jasna, gładka i bez śladu żółtych plamek, jakie się tworzą zazwyczaj około pięćdziesiątki. Nic już więcej na razie nie mogłam uczynić. Należało cierpliwie czekać na reakcję. Bawiłam się świetnie tą całą sytuacją i moimi zamiarami w stosunku do człowieka poznanego zaledwie przed kilkoma godzinami.

— Nieprawdopodobne, jak on do pani przylgnął.

„Pewnie! — pomyślałam. — Po trzech ciastkach!"

— Nie jest towarzyski — ciągnął dalej, a ja wciąż gładziłam psi łeb. — Nie lubi nawet, gdy go ktoś obcy dotyka.

— Zwierzęta mają nieomylny instynkt — stwierdziłam skromnie, stwarzając pozory, że bardziej interesuje mnie Magnus, niż on sam.

— Ma pani rację. Wyczuwają dobrego człowieka — przytaknął skwapliwie i zamilkł, jakby się nad czymś głęboko zastanawiał. Wybiegł wzrokiem gdzieś ponad różowe pelargonie, ku górom z ciemną szczoteczką dalekich lasów na styku nieba i ziemi.

Milczałam i ja.

Może był wdowcem jak Mikołaj i zamyślił się na temat zmarłej żony?

W słońcu ciemna barwa jego oczu okazała się bura ze złotawymi cęteczkami w środku.

Jest w moim wieku. Może o rok lub dwa młodszy... Dyskretnie obserwowałam starannie wygoloną, czerstwą twarz o pociągłych rysach. Gdzie się uchował taki fajny chłopak? — zastanawiałam się. Wygląda solidnie, wzbudza zaufanie, chociaż równie dobrze może być kobieciarzem w dobrym stylu. Świetnie ubrany, oszczędny w słowach i gestach...

Uciekłam myślami w przeszłość. Obraz Moniki prześladował mnie od chwili, gdy znaleźliśmy się przy kawiarnianym stoliku. Może dlatego, że wszystkie jej miłości zaczynały się niecodziennie. Czasem romantycznie, ale zawsze w kawiarni. Spotykała jednak na swojej drodze urokliwych kobieciarzy. Traciła dla nich głowę i nie tylko. Nic nigdy nie wynikało z tego poza kłopotami. Raz w życiu zainteresował się nią innego typu mężczyzna. Nie całował po rękach, nie przynosił zimą kwiatów, nie zachwycał się jej urodą, nie usiłował nawet wepchnąć do łóżka, gdy nadarzała się ku temu okazja. Prowadził natomiast na romantyczne spacery po cmentarzu. Wiódł długie monologi o życiu i ludziach, dając do zrozumienia, jak bardzo jest mu potrzebna w jego „transcendentalnej" samotności. Miewał chwile głębokich zamyśleń i smutków. Czasem znikał nieoczekiwanie na kilka dni. Wracając, zwierzał jej swoją tęsknotę za nie skażoną niczym przyrodą, do której uciekał. Wędrował lasami, włóczył się nad jeziorami, przemierzał pola.

— Odradzam się psychicznie! — skamlał u jej nóg. — Masz przed sobą nowego człowieka — dodawał z tajemniczą miną, gdy dopytywała się o te jego nagłe zniknięcia. Nic bliższego powiedzieć nie chciał.

Pełna tkliwej miłości wzięła z nim ślub.

— Mężczyzna mego życia i wreszcie nie dziwkarz — mówiła o nim w narzeczeńskich czasach.

Po ślubie okazał się alkoholikiem i kleptomanem. Żonę tolerował jako zło konieczne. Miała być czymś w rodzaju małej, podręcznej mennicy. Gdy zabrakło pieniędzy, sprzedawał ukradkiem z domu Moniki wszystko, co dało się sprzedać, łącznie z osobistą bielizną. Tym mężczyzną był Wykolejeniec.

Westchnęłam mimo woli, przypominając sobie tamten daleki czas i Monikę z bukiecikiem fiołków przy czarnym kostiumie „na wszystkie okazje". Ostatnią była trumna.

— Przepraszam panią — wtargnął w moje rozpamiętywania głos pana Tadeusza. — Zastanawiałem się przez chwilę, jaki mam jutro rozkład zabiegów. Chciałem zaproponować pani przed południem pieszą wycieczkę na Chojnik. Wypijemy kawę w schronisku i wrócimy autobusem na obiad. Zgoda?

— Chętnie — odpowiedziałam po chwili dłuższego namysłu, żeby wyglądało to na pewną rezerwę. — Oczywiście z Magnusem — dodałam drapiąc psa za uchem.

— Z Magnusem — przytaknął skwapliwie i popatrzył mi ciepło w oczy. Kochał swego kundla.

Przy rozstaniu wręczył wizytówkę. Było to drugie dzisiaj rozczarowanie. Nie dosyć, że miał na imię Tadeusz, to i nazwisko jakoś nie nastrajało miłośnie.

Nazywał się po prostu: Zezuj.

— Ale — jak mawiał ojciec — nie żyje się z nazwiskiem, tylko z człowiekiem. Schowałam więc wizytówkę do torebki, zrewanżowałam się panu Zezujowi swoją i tak to się zaczęło.

*

Słowo „szczęście", podobnie jak słowo „miłość", dawno się zdeprecjonowało. Niewiele wyraża w potocznym znaczeniu, nadużywane przy byle okazji. Gdyby kazano je komukolwiek zdefiniować, byłby w kłopocie. Dla każdego jest innym pojęciem, ma odrębny ciężar gatunkowy.

Stan, w jakim się od wielu dni znajdowałam, można było określić tym mianem. Trafniejszego słowa nie potrafiłabym znaleźć. Po prostu w zwyczajny, ludzki sposób byłam szczęśliwa. Nie tylko dlatego, że spotkałam mężczyznę, któremu nie byłam obojętna i z którym bym związała się chętnie ślubem. Zdawałam sobie jednak sprawę, że nie jestem zdolna do tak wielkiego uczucia, jakim darzyłam Piotrusia.

Na ten mój stan szczęśliwości złożyła się powracająca powoli, zagubiona gdzieś tam z latami, radość życia i fizyczne zdrowie. Szczęściem była świadomość posiadania wspaniałej, utalentowanej córki i dorodnego wnuka, i to, że po powrocie z uzdrowiska czeka na mnie własna posiadłość, o jakiej nawet nie śniłam. Czeka jeszcze wiele radości z nią związanych, jak choćby urządzanie wnętrza i zagospodarowanie zdziczałego ogrodu. Spędzałam dni wczesnego lata z interesującym mężczyzną. Znalazłam cel, nowy bodziec do życia, chęć darzenia mężczyzny uczuciem, a jeszcze tak niedawno, leżąc w szpitalu, czułam się jakby już poza nawiasem wszystkiego, co kojarzyło się ze szczęściem, z miłością, z życiem we dwoje.

Każdego ranka budziłam się z uśmiechem i przeświadczeniem, że rozpoczynam jeszcze jeden dzień niosący z sobą obietnicę czegoś nieuchwytnie radosnego.

Cieszył każdy drobiazg, każda gałązka kwitnącego krzewu, każde spotkanie z Magnusem i jego panem.

Na długich spacerach przez pachnące macierzanką leśne polany opowiadałam o Ewie, o małym Siasiu, o Brysiu, który był dla mnie moim drugim dzieckiem. Interesowały go moje sprawy, moje odczucia, widzenie świata, tak jak mnie jego sukcesy związane z pracą w dziedzinie maszyn liczących. Był zaproszony na jakieś naukowe jesienne sympozjum do Anglii.

Ciekawiły go sprawy związane z moim zawodem, najnowsze osiągnięcia w dziedzinie chirurgii, przebieg niektórych operacji. Był wdzięcznym, uważnym słuchaczem.

— Lubię, gdy pani opowiada — powtarzał często, ujmując na chwilę moją dłoń. — Sama radość patrzeć wtedy na panią — dodawał z uśmiechem.

Cieszył teraz, tak jak w dzieciństwie, zapach skoszonej łąki, świeża zieleń drzew, nawoływanie się ptaków. Radował widok buszującego w wysokich trawach Magnusa, usiłującego pochwycić wirujące nad łąkami motyle.

Dłoń szukająca mojej dłoni pobudzała do szczęśliwego uśmiechu. Ubyło mi lat. Czułam się znów jak młoda dziewczyna czekająca na pierwszy pocałunek.

Długie spacery, nie kończące się rozmowy w przygodnych kawiarenkach, wiązały mnie z Tadeuszem coraz bardziej. Nawet one wydawały się urocze i przytulne, chociaż w rzeczywistości takimi nie były. Znałam je przecież z ubiegłych lat.

Zbliżały nas do siebie nieomal codzienne dansingi w półmroku nastrojowych świateł. Od lat z nikim nie tańczyłam. Mikołaj nie przejawiał ochoty do tego rodzaju rozrywek. Uważał, że jest to zabawa dla młodych, którzy nie bardzo mają okazję pójść razem do łóżka. Wobec tego idą na dansingową salę i że on już się dość w życiu wytańczył, gdy bywali z żoną w różnych „kurortach".

Jak za czasów „Lotniskowca" odnajdywałam znów radość w ramionach dobrego tancerza, jakim był pan Zezuj. Przynajmniej podczas tańca starałam się nie pamiętać o jego nazwisku, a imię wkrótce mu zmieniłam.

W pierwszych dniach znajomości, przeradzającej się szybko w obopólną sympatię, lawirowałam tak, aby go nie używać. Przy jakiejś okazji poprosił, abym zwracała się do niego po imieniu. Wtedy zapytałam, czy nie sprawię mu przykrości, nazywając drugim imieniem.

— Z pierwszym mam nie najlepsze skojarzenia jeszcze z czasów dzieciństwa — wyjaśniłam z uśmiechem.

— Nie mam drugiego — zdziwił się nieco zaskoczony. — Byłoby zaznaczone na wizytówce.

— To prawda — przytaknęłam stropiona. — Wobec tego, czy mogę sama wymyślić inne? — Zatrzepotałam rzęsami, zapominając, że nie mam już szesnastu lat. Wypadło głupio i zaraz pomyślałam, że ojciec widząc mnie w tej sytuacji nazwałby z całą pewnością: „Dzidzia-piernik".

Byłam zła na siebie za infantylne, niepoważne pytanie.

— Jeśli to pani sprawi przyjemność... — uśmiechnął się nijako z przymusem. W głosie nie wyczułam entuzjazmu i nawet na moment zapomniał, że przeszliśmy na „ty". Prawdopodobnie był zadowolony ze swego imienia. Mogło mu się nawet podobać.

— Nie. Nie sprawi! — roześmiałam się obracając całą tę rozmowę w żart. — Zostanę przy Tadeuszu... Tyle tylko, że będę wymawiała je trochę inaczej. Pieszczotliwiej... — dodałam ciszej i poszukałam jego oczu, żeby mu osłodzić tę zmianę imienia.

Popatrzył na mnie pytająco, z rozbawieniem. Miał urokliwy uśmiech. O niczym to jednak nie świadczyło. Mikołaj miał podobny.

— Topsi! — wykrzyknęłam.

— Topsi? — patrzył wciąż na mnie z rozbawieniem. — To mi przypomina coś w rodzaju dropsów owocowych.

— No właśnie! Ogromnie lubię dropsy — śmiejąc się zmrużyłam zalotnie oczy.

— No, chyba że tak! Wobec tego zgadzam się z zachwytem.

Pocałował w rękę, ale ja tego zachwytu w głosie nie wyczułam. Dalej byłam z siebie niezadowolona. Od tego jednak momentu zaistniało między nami coś w rodzaju intymnego porozumienia. Coś nieuchwytnie osobistego, jakby przyzwolenie na jeden krok dalej.

Topsi szybko przyzwyczaił się do nowego imienia. Chyba je nawet polubił, a może zaczęło się mu także podobać. Przy specjalnych okazjach, zwłaszcza w tańcu, szeptałam je czule do ucha. Nie za często jednak, żeby mu się w głowie ze szczęścia nie przewróciło.

— Powtórz je raz jeszcze... — nalegał wówczas na przydechu, zmienionym głosem, tulił mocniej do siebie. Przy odwracaniu głowy, niby niechcący, muskał wargami policzek. Nie był natarczywy. Udawałam, że niczego nie zauważam. Jakakolwiek zachęta mogła doprowadzić do czegoś, czego bardzo nie chciałam i w tym samym stopniu pragnęłam.

Na razie poznawaliśmy swoje zainteresowania. Cieszyliśmy się własnym towarzystwem. Z upodobaniem wymienialiśmy poglądy na różne tematy. Począwszy od spraw kultury, służby zdrowia, komputerów, a na polityce skończywszy. I to dość szybko.

Niewiele mieliśmy czasu, a był to temat — rzeka. Mogliśmy w niej utonąć. Nie należało więc próbować, zwłaszcza że nie byliśmy najlepszymi pływakami w tej rzece. Oboje jednak doszliśmy do zgodnego wniosku, że sukcesy, o których aż do obrzydzenia trąbi prasa i telewizja, pokazując przy każdej okazji wysokiego pana ostrzyżonego na jeża, prowadzą do gospodarczego krachu. Nie można żyć wciąż na kredyt z pożyczek zaciąganych na Zachodzie. Kiedyś trzeba będzie je spłacać. I co wtedy?

Rozmawialiśmy więc o wszystkim innym. Omijaliśmy jedynie, tak jakbyśmy się zmówili, temat o naszym stanie cywilnym. Może nie było ku temu okazji, a może po prostu każde z nas wiedząc, że jest człowiekiem wolnym, nie uważało za stosowne wyważać otwartych drzwi.

Z jego strony wszystko wskazywało na to, że jest samotny, a ja przy jakiejś okazji bąknęłam mimochodem coś w rodzaju: „byłam już wtedy rozwiedziona".

Topsi wkrótce zaczął sprawiać wrażenie ogłupiałego namiętnością samca, a ja wymykałam się ukradkiem do Jeleniej Góry. Buszowałam po sklepach komisowych, kupując coraz to nowe ciuchy. Jak zwykle, zabrałam z sobą śmiesznie skromny bagaż.

Zdarzało się nawet, że zapominał wyprowadzić Magnusa na siusianie, a przy obiedzie odłożyć kosteczki dla niego. Spodziewałam się więc, że lada dzień dojdzie między nami do poważnej, decydującej rozmowy.

Zaproponuje łóżko lub małżeństwo. Trzeciej możliwości nie było. Czekałam na tę rozmowę pełna sprzecznych uczuć.

Nasze urlopy dobiegały końca. Każdy więc dzień staraliśmy się spędzać razem, rezygnując z zabiegów sanatoryjnych. Topsi, tak jak i ja, pobyt w Cieplicach traktował jako urlop wypoczynkowy i także wynajmował pokój w prywatnej willi. Przyjeżdżał do niego czwarty rok z rzędu. Odpowiadał mu standard, przywiązał się do miejsca i ludzi. Chwalił sobie klimat i nastrój spokojnego uzdrowiska. Zgadzaliśmy się i pod tym względem.

Było wczesne przedpołudnie. Letni deszcz przebiegał dreszczem przez stary park. Tkwiliśmy w cichej i pustej o tej porze kawiarni „Zdrojowej”, obserwując kręcące się ospale złote rybki wśród wodorostów i muszli, w podświetlonych akwariach.

Topsi nie był tego dnia zbyt rozmowny. Wyglądał na roztargnionego. Ja także milczałam. Odsunął filiżankę z nie dopitą kawą i pochylił się przez stolik w moją stronę.

— Wiesz... — zaczął nieswoim głosem z niejakimi oporami. — Wydaje mi się, że znam ciebie od bardzo dawna, że jednak powinienem...

— Nie mów nic! — wykrzyknęłam zbyt może głośno i przepraszającym gestem dotknęłam jego dłoni splecionych nad szklanym blatem. Odbijały się w nim nasze pochylone ku sobie twarze. — Nie trzeba... — dodałam szeptem, prosząco odwracając oczy ku oknu, przy którym siedzieliśmy. Mokły za nim w deszczu liście starego kasztana.

Chciałam ukryć narastające we mnie wzruszenie, dać mu czas na przemyślenie raz jeszcze tego, o czym chciał mi powiedzieć. Byłam zdecydowana zaryzykować, zgodzić się na małżeństwo, gdyby je zaproponował. Podświadomie, a może i celowo, usiłowałam odwlec moment zwierzeń. Nie tylko dlatego, że oczekiwanie jest czymś emocjonalnie najpiękniejszym. Nie chciałam, aby wyczuł, z jaką niecierpliwością czekam na ten moment, że tak mi na tym małżeństwie zależy.

Kiedyś byłam spontaniczna, żywiołowa w reakcjach i odczuciach. Z biegiem lat i doświadczeń zrozumiałam, że w rozpoczynającej się grze między kobietą i mężczyzną dyplomacja i powściągliwość stanowią przysłowiową szczyptę soli dodającą smaku.

— Czy stało się coś? — Zajrzał mi niespokojnie w oczy.

Zaprzeczyłam kategorycznym ruchem głowy.

— Po prostu irracjonalny lęk. Nie wiem nawet, dlaczego i na jaki temat. Może ta pogoda tak dziwnie nastraja? — Popatrzyłam na niego z wymuszonym uśmiechem.

— Bywa tak czasem — stwierdził bez przekonania.

Upił łyk kawy, która zdążyła już ostygnąć. Odniosłam wrażenie, że coś go nurtuje, z czym nie może sobie poradzić, i że ma to związek z moją osobą. Czułam rzeczywiście nieokreślony lęk i napięcie. Nie znalazłam żadnych słów, nie wiedziałam, w jaki sposób nawiązać tak głupio, histerycznie przerwaną rozmowę.

Milczenie przeciągało się niepokojąco. Słychać było za oknami szelest deszczu w liściach drzew i spadające na blachę parapetu pojedyncze krople.

Przeraziłam się, że coś „przefajnowałam” — jakby powiedziała Ewa. Może nawet przegapiłam jakiś niepowtarzalny moment, zepsułam nastrój i będę kiedyś tego żałowała.

— Topsi... — zaczęłam niepewnie. — Miałbyś ochotę po południu pojechać do Karpacza? Można by pójść na jakiś dobry film.

— Jeśli ty tego chcesz, to ja także. — Położył na mojej ręce dłoń. Była opalona i zgrabna w rysunku. — Wolałbym zaprosić cię na dansing. Co ty na to?

— W poniedziałki nie ma dansingów.

— Zapomniałem, że wczoraj była niedziela. Zatracam przy tobie poczucie czasu i rzeczywistości.

— To dobrze. — Pogłaskałam go po ręce, żeby jakoś wejść w poprzedni nastrój, tak lekkomyślnie przeze mnie zmącony.

Ojciec w takich razach twierdził, że niepotrzebnie grzebię w psychologii, jak patykiem w gównie, i to jest właśnie powodem wszelkich niepowodzeń w moim osobistym życiu.

Mimo woli musiałam się uśmiechnąć. Zobaczyłam nagle jego mrugające nerwowo lewe oko.

— Przez te zmienne nastroje nie można się przy tobie nudzić! — zawyrokował nieoczekiwanie Topsi, całując moją rękę powyżej łokcia. — Nie potrafię przewidzieć twoich reakcji.

— Dobrze to dla nas, czy źle? — zniżyłam głos do konspiracyjnego szeptu.

Wybuchnęliśmy oboje śmiechem. Przy służbowym stoliku kelnerki obróciły się w naszą stronę. Znały nas. Byliśmy tutaj stałymi gośćmi. Topsi zostawiał sute napiwki. Miał gest, nie był sknerą. W moim pokoju brakowało już wazonów do kwiatów.

— Co zrobiłeś z Magnusem? — Obserwowałam kątem oka rudego kundla biegnącego na ukos przez mokry trawnik.

— Poznałem go z uroczą suczką jamniczej rasy. Przyszła ze swoją panią do mojej gospodyni. Bóg jeden wie, co z tego wyniknie! — westchnął zabawnie.

— Nic nie wyniknie! Nie są dla siebie stworzeni — orzekłam kategorycznie. Roześmieliśmy się beztrosko.

Deszcz powoli zacichał. Na poczerniały wilgocią asfalt skapywały z drzew ostatnie krople. Wiatr przeganiał po niebie obłoki ukazując skrawki błękitu. W kawiarni pojaśniało.

— Kilkakrotnie już chciałem zaprosić cię do siebie na dobrą herbatę. — Poszukał moich oczu.

— No i co? — spytałam chłodnym tonem. Skojarzenie herbaty z psią historią wypadło według mnie jakoś niezręcznie.

— I nie miałem odwagi tego ci zaproponować.

— Dlaczego? — obserwowałam uważnie jego twarz. Wydała mi się starsza niż zazwyczaj. Bruzdy biegnące od nosa w dół ku ładnie, po męsku wykrojonym ustom, jakby się pogłębiły. Mimo woli przybrałam uśmiechnięty wyraz, aby nie zauważył moich. Stwierdziłam w myśli, że coraz trudniej jest być młodym.

— Nie wiem... — przyglądał mi się także z uwagą. — Może w obawie, że nie przyjmiesz zaproszenia, zobaczysz w tym coś niewłaściwego...

— Herbatę zazwyczaj pijemy tutaj. Wcale nie jest najgorsza. — Zamrugałam naiwnie rzęsami, jak to czasem czyniła bezwiednie moja matka.

— No widzisz! — westchnął zabawnie. — Z tobą to tak zawsze! Nie wiadomo, kiedy kpisz, a kiedy mówisz poważnie. Co ty naprawdę myślisz?
— Na jaki temat?
— Chociażby na nasz.
— Staram się nie myśleć. Jestem na urlopie. Od myślenia jest niejaki Topsi...
— Kpij sobie ze mnie, kpij!
— Nie kpię. Po prostu dobrze się czuję w twoim towarzystwie. Może nawet kiedyś przyjmę zaproszenie na dobrą herbatę z ciastem wypieku twojej gospodyni. Chwaliłeś bardzo jej bezy z bitą śmietaną.
— Nie jem bitej śmietany. Nie lubię — dodałam pośpiesznie, żeby nie spytał, dlaczego. Nie chciałam mówić o przebytej operacji, o diecie i takich różnych prozaicznych sprawach. Jedynie mężczyźni lubią się rozwodzić na temat swoich dolegliwości. Bardzo zwykle przesadzonych. Chorujące i kwękające kobiety nie budzą w nich zainteresowania ani współczucia.
— A co lubisz?
— Ciebie.
— Poważnie, czy żartujesz?
— Poważnie — uniosłam oczy ku górze i prawą dłoń jak do przysięgi.
— Nie potrafię dojść z tobą do ładu — pokręcił głową.
— Nikt nie potrafi — westchnęłam niby to rozbawiona, ale była w tym stwierdzeniu kropla goryczy.
— Posmutniałaś. Dlaczego?
— Bo nie zaprosiłeś mnie na herbatę, tylko zmieniłeś temat.
— Chyba przy tobie zwariuję!
— Wolałabym, żebyś zwariował dla mnie.
— To także! — przytaknął skwapliwie.
— No i bardzo dobrze! — orzekłam sięgając po torebkę. Była z białej skórki, na długim pasku. Kosztowała majątek, ale miała tę zaletę, że podobała się Topsiemu. Natychmiast zwrócił na nią uwagę, a jak zdążyłam zauważyć, miał dużo dobrego smaku.
— Deszcz przestał padać, wyjrzało słońce i najwyższa pora na spacer. — Uśmiechnęłam się do niego promiennie, chociaż tak naprawdę nie było mi wcale wesoło, chociaż nie potrafiłam dociec przyczyny.
Topsi skinął na kelnerkę.

*

„...W Cieplicach ubyło mi kilkanaście lat, ale przybył Topsi z Magnusem, to znaczy pan ze swoim psem, i ogromnie miło spędzam z nimi czas, chociaż nie mogę się doczekać powrotu do nowego domu..."
Tak zakończyłam i zaadresowałam starannie pocztówkę do Ewy z widokiem burzliwego morza. Takie tylko tu, w górach, można było nabyć. Zaczęłam obszerny list do Irminy. Dawno powinnam do niej napisać. Załatwiała za mnie formalności związane ze zmianą miejsca pracy. Na razie

ona jedna wiedziała o moim nowym domu i przeniesieniu od jesieni do szpitala w Kuczebinie na stanowisko ordynatora. Uważała wprawdzie, że robię głupstwo wybierając prowincję, ale ona jeszcze nie widziała mojej posiadłości, więc mogła tak myśleć. Na zakończenie wspomniałam o Topsim, obiecując, że o wszystkim opowiem osobiście, bo to zbyt długa historia na list. Dodałam także, że miała rację o konieczności odpoczynku i że udało mi się jednak coś poderwać. I to nie rencistę z przerostem gruczołu krokowego, ale faceta bardzo sexy, chociaż nie wiem jeszcze, co z tego wyniknie. Zrobiłam się bowiem bardzo w tych sprawach zasadnicza. Zamiast myśleć o szaleństwach łóżkowych, marzy mi się wizyta w Urzędzie Stanu Cywilnego. Jest to zapewne nieomylnym znakiem starości. Po chwili namysłu, słowo „starości" przekreśliłam zastępując je słowem „dojrzałości". Brzmiało to mniej brutalnie.

Adresując długą białą kopertę zamyśliłam się. Utkwiłam wzrok w obrazku na ścianie. Przedstawiał bukiet polnych kwiatów w szklanym dzbanku z różowego szkła. Była to przyjemna akwarelka. Zmąciła jednak dobry nastrój, skojarzyła się z pobytem w starym Młynie. W środku upalnego lata pojechaliśmy tam z Mikołajem na kilka dni, aby ratować resztkę tego, co było już nie do uratowania.

Podobne kwiaty w podobnym dzbanku stały w naszej sypialni z białym stylowym łożem ze złoceniami. Brakowało tylko baldachimu i kochanka w koronkach.

Mikołaj, przed zaśnięciem, długo czytał książkę. Odwrócona do niego plecami, wpatrywałam się w barwny, przekwitający bukiet. Z trudem panowałam nad sobą. Nienawidziłam w tej chwili Mikołaja. Nienawidziłam także i siebie, tego naszego związku, który rozłaził się jak zleżały jedwab. Tych układnych dotychczas między nami stosunków przy stole i w łóżku. Byliśmy po gorzkiej i ostatecznej wymianie zdań i nie znaleźliśmy już słów ani gestów pojednania.

Weszłam do jadalni ze słojem kiszonych ogórków przeznaczonych do kolacji, jaką sobie zażyczył. Lubił dobrze i smacznie zjeść. Przypominał w tym Piotrusia.

Siedział przy długim stole, zadumany i nieobecny, nad rozłożonymi albumami z podobiznami zmarłej żony. Wpatrywał się w dziesiątki jej fotografii z różnych okresów szczęśliwego pożycia. Z każdej wyzierała jej postać wśród kwiatów, rasowych psów, sosen na wydmach i poduszek na hamaku. I nie czynił tego, jakby należało, w swoim tutaj gabinecie, ale wspólnej jadalni, gdzie nie powinien wprowadzać zmarłej.

Nie pierwszy raz chwytałam go na słodkim sam na sam z albumami. Ale jak długo można udawać, że się tego nie zauważa? Według jego wcześniejszych zapewnień miały zniknąć z domu wraz z kilkoma portretami, gdy ja do niego wejdę. Weszłam. Albumy pozostały, i to nie dość głęboko schowane, jeśli ostatnimi czasy tak często znajdowały się w jego rękach i przywędrowały z nami do Młyna.

— Nie potrafię żyć dłużej we troje z trupem! — krzyknęłam, stawiając słój na stole obok dużej fotografii zmarłej. Wychylała się z fal morskich w gumowym czepku, z kokieteryjnym uśmieszkiem na wydatnych ustach pod zadartym nieco noskiem.

Rozpłakałam się bezradnie wbrew woli, zdając sobie sprawę, że łzy tu nic nie pomogą, że nie doceniałam zmarłej, że jestem wobec niej bezsilna, jak w walce z cieniem. Wciskała się coraz częściej między nas, panoszyła, lepsza i piękniejsza niż za życia. Uszlachetniona śmiercią, wyidealizowana wspomnieniami, opromieniona cierpieniem. Zrozumiałam, że z nieboszczką nie wygram.

W pewnym momencie zabrakło dalszego udawania, stwarzania pozorów i wiary, że nic się nie zmieniło od czasu, gdy ujął moją rękę i powiedział:

— Zdaje się, że na stare lata zakochałem się jak sztubak.

Odpowiedziałam czymś równie banalnym i głupim. Zdawałam sobie również sprawę, że jeżeli nie skorzystam z nadarzającej się okazji i niczego nie zmienię w swoim życiu, to chyba zwariuję.

W dwa lata po odejściu od Piotra nie mogłam powrócić do równowagi. Cierpiałam niezmiennie z taką siłą, jakby ta sprawa wydarzyła się zaledwie przed kilkoma tygodniami. On sam, z tym starym pudlem, z wdowieństwem i głową rzymskiego senatora, wydał mi się kimś bliskim i ludzkim. Przygarnie do siebie w godzinie smutku, będzie wspaniałym towarzyszem na deszcz i na pogodę.

Wkrótce zaczęłam podejrzewać go o dwulicowość, fałszywą układność wynikającą z dobrego wychowania i dyplomatycznego sposobu myślenia. Przymykałam jednak oczy na sprawy, które raziły, irytowały. Były to drobiazgi pozornie bez znaczenia. Nawarstwiały się jednak, zagęszczały urastając do problemów. Nie potrafiłam sobie z nimi poradzić. Starałam się więc o nich nie myśleć, odsuwałam na plan dalszy. Czułam się jednak zraniona, oszukana.

— Ja też mam tego dość! Od dawna! — podniósł również głos spokojny zazwyczaj i ustępliwy Mikołaj. — Nic cię nie obchodzą moje zainteresowania i rozrywki. Otaczasz się starymi, brzydkimi babami! — wykrzyknął histerycznie, jakby to było sprawą najważniejszą. — Prowadziłem kawiarniane życie, bywałem w młodych atrakcyjnych towarzystwach, bywałem w kurortach, a ty uważałaś, że tylko wiocha może nas uszczęśliwić. Zawiozłaś mnie do niej w maju jak kota w koszyku. Znieść nie mogłem tej zapowietrzonej chałupy z wrzaskiem słowików po nocach. Spać nie dawały, budziły najczulsze wspomnienia! — wpatrywał się we mnie oskarżycielskim wzrokiem i dźgał palcem powietrze. — Z nieboszczką przecież poznaliśmy się w majowy wieczór na przyjęciu u pana wiceministra, w jego letniej rezydencji nad Liwcem — wyrzucił z siebie jednym tchem, jakby tę całą tyradę przepowiadał codziennie miesiącami, aż wreszcie nauczył się jej na pamięć.

I właśnie to wymówione z uwielbieniem słowo „wiceminister" stało się przysłowiową kroplą. Zrozumiałam, że od dawna nie było o co i o kogo walczyć. W tę tworzącą się wokół nas pustkę coraz śmielej wkradał się cień zmarłej.

Poza mlekiem z truskawkami, które oboje uwielbialiśmy, nic już nas tak naprawdę nie łączyło. Wcześniej może łóżko i pies, ale i ten wkrótce nas opuścił, a z łóżkiem to różnie bywało. Dość szybko straciło na atrakcyjności, bo cóż nowego można w tej dziedzinie jeszcze wymyślić, zwłaszcza gdy skończyło się uczucie, zabrakło fantazji i gdy, tak jak Mikołaj, przekroczyło się dawno pięćdziesiątkę. Dość szybko zorientowałam się, że Mikołaj ma romansowe usposobienie. Chętnym okiem zerka na kobiety, a piesek był zawsze okazją do nawiązania znajomości, do porozmawiania. I chociaż u niego ciałeńko było raczej mdłe, to oko bystre. Potrafiło wypatrzeć w tłumie młodą, atrakcyjną dziewczynę. Widząc jego łakomy wzrok spoczywający na długich nogach i wypukłościach pozbawionych stanika, czułam więcej lęku niż zazdrości. Pomna klęski z Lizą, usiłowałam odsuwać powoli z kręgu znajomych atrakcyjne kobiety. Zapraszałam na herbatki i bridżiki same szkaradzieństwa i starocie. Widziałam wprawdzie jego markotną minę, znudzony wyraz oczu, ale wtedy jeszcze mieliśmy coś, co nas jakoś łączyło, stanowiło wspólny temat. Łóżko i psa. Bardziej to drugie niż pierwsze. Jednak wciąż łudziłam się, że jakoś to się między nami ułoży i dotrze, chociaż coraz częściej odczuwałam coś w rodzaju zawodu i pustki.

— Jesteś nie tylko starym playboyem, ale i obrzydliwym snobem! — wrzasnęłam. — Już nie minister nawet, a wiceminister jest dla ciebie objawieniem! Zapamiętaj sobie, że dla mnie ktoś taki jest zwykłym osobnikiem z odbytem, nerkami, wątrobą i pęcherzem! I to przeważnie już z tymi wszystkimi narządami chorymi! A nadwiędła męskość kończy się zazwyczaj operacją prostaty i nic tu nie pomoże stanowisko, wpływy, zasługi. Fiut jest tylko fiutem. Nawet u ministra! — unosiłam się coraz bardziej, zraniona w swojej kobiecej dumie, pomniejszona, wciskana w trumnę, z której wywlekało się nieomal codziennie trupa, naklejało na moją twarz podobiznę zmarłej, wytykało się moje wady, których ona nie posiadała. Bałam się więc nieboszczki bardziej niż żywej kobiety. Z taką człowiek nigdy nie wygra.

Krzyczałam i waliłam pięścią w stół, co mi się dotychczas w całym moim życiu nie zdarzyło. Jeszcze dziś, wspominając tę scenę, doznałam uczucia przykrości i niesmaku, mimo że minęło od niej blisko pięć samotnych, pustych lat.

Pogodzona z sobą, z tym wszystkim, co przeżyłam i co jeszcze może mnie spotkać, czekałam na swoje przeznaczenie, od którego — jak mawiał ojciec — nie można uciec. Zapatrzona w przepływające po niebie obłoki rozmyślałam o moich dawnych miłościach, rozczarowaniach i uczuciowych klęskach.

Każdy mężczyzna coś ze mnie z sobą zabierał. Pozostawiał uboższą o jakąś cząsteczkę, odmienioną cierpieniem, dojrzalszą, ale wcale przez to nie mądrzejszą. Zawsze znalazł się ktoś, komu zawierzyłam. W rezultacie zawodził, okazywał się inny, niż oczekiwałam. Był to jednak mój błąd, moja wina. Usiłowałam dopasować każdego mężczyznę do miary, jaką sama dla niego stworzyłam, a przecież każdy z nich miał swoją własną, dopasowaną do jego możliwości psychicznych i intelektualnych. Nikt sam siebie nie przeskoczy, nawet gdyby się bardzo starał.

Zarzekałam się wtedy, że nigdy więcej, i znów ulegałam, wierzyłam, że tym razem będzie inaczej. Nie potrafiłam widocznie, nie chciałam żyć bez złudzeń, bez nadziei, że spotkam wreszcie właściwego człowieka — mężczyznę swego życia.

Na dole trzasnęły drzwi. Ktoś biegł szybko po wewnętrznych schodach, jakby przeskakiwał po dwa stopnie.

— Przyszedłem porwać cię na herbatę! — zawołał już od drzwi rozradowanym głosem, pełen młodzieńczej werwy.

Zerwałam się od stolika z rozłożonymi listami, zaskoczona, że czas tak niepostrzeżenie minął. Nie zdążyłam nawet zerknąć w lustro, poprawić makijażu.

Topsi nieoczekiwanie chwycił mnie w ramiona, okręcił wokół siebie jak małą dziewczynkę i, nim się spostrzegłam, przywarł gwałtownie do moich ust. Był to nasz pierwszy pocałunek. Trwał odrobinę za długo jak na przyjacielskie, spontaniczne powitanie. Poddałam się temu z uległością. Smakował jak chłodne, dojrzałe winogrona w upalny dzień. Był dla mnie tym, czym szklanka wody dla spragnionego wędrowca.

Topsi wynajmował pokój w staroświeckiej willi skrytej między srebrnymi świerkami, oddalonej o niecałe dziesięć minut drogi od mojej. Nosiła pretensjonalną, nie pasującą do niej nazwę: „Biała Dalia".

— Może właścicielka ma w sobie coś z tego kwiatu? — dopytywałam się rozbawiona.

— Raczej z przekwitłego ostu — orzekł po chwili namysłu. — Ale jest miła, potrafi dbać o gości i ciasteczka piecze znakomite. Za chwilę sama się przekonasz.

Uśmiechnęliśmy się do siebie.

— Mam już na nie wielką ochotę — powiedziałam, byle coś powiedzieć. Ogarnął mną nagle jakiś nieokreślony, niczym nie uzasadniony niepokój. Doznałam uczucia, jakbym znajdowała się na środku jeziora i uprzytomniła sobie, że opuszczają mnie siły i nie dopłynę do brzegu. Nie mogłam zrozumieć, skąd się to wzięło. Jeszcze przed chwilą, trzymając Topsiego pod ramię, czułam się szczęśliwa, podniecona sytuacją i perspektywą oczekującej mnie rozmowy.

Jest to pewnie związane z pogodą, z nagłą zmianą ciśnienia, z moją niedawną ucieczką w przeszłość — usiłowałam sobie to jakoś wytłumaczyć, zbagatelizować.

Otuliłam się szczelnie swetrem. Ochłodziło się znacznie, szare obłoki zasnuły niebo. Topsi przez chwilę szukał klucza w kieszeni jasnej wiatrówki na podszewce w szkocką kratkę.

— Zawsze się gdzieś zapodzieje... — mamrotał półgłosem, jakby się usprawiedliwiał, że trwa to może zbyt długo.

— Kieszeń to jeszcze nie damska torebka — pocieszałam. — Tam dopiero nie można niczego znaleźć. Czasem trzeba wyjąć z niej trzydzieści innych drobiazgów, żeby znaleźć ten jeden potrzebny. Na koniec okazuje się, że pozostawiło się go w innej torebce.

— Wiem coś o tym! — roześmiał się i zamilkł, zerknąwszy w moją stronę, jakby w obawie, że powiedział za dużo.

Milczałam obserwując, jak otwiera frontowe, biało malowane drzwi płaskim kluczykiem. Ujrzałam nagle mój nowy dom, jego piękne wnętrza i Topsiego, jak się po nim krząta, zbiega ze schodów, pomaga przy ustawianiu mebli. Nie wiedział, nie domyślał się nawet, jak wygodnie mógłby urządzić własny gabinet, wybrać sam dla siebie pokój z takim widokiem z okien, jaki mu się będzie najbardziej podobał.

I nagle zatrwożyłam się, czy będzie chciał przenieść się na prowincję, zrezygnować z pracy w instytucie, czy...

— Proszę, wejdź... — usłyszałam tuż przy twarzy jego lekko schrypnięty głos. Nie zawsze miewał taki. — Nad czym się tak zamyśliła pani mego serca?

Pomyślałam, że ten pretensjonalny zwrot pasuje do jego nazwiska, a nie do niego. Przestała mnie nagle cieszyć ta wizyta. Najchętniej bym z niej zrezygnowała, sama nawet nie wiedząc dlaczego.

Pokój na pięterku, do którego prowadziły schody z jasnego drewna, był obszerny i jasny. Proste meble z palonej sosny dobrane do boazerii o miodowej, ciepłej barwie. Z okien widziało się w dalekiej perspektywie góry przesłonięte szarą mgiełką deszczu, a tuż, na wyciągnięcie ręki, iglaste czubki srebrnych świerków.

— Milutko tutaj — rozglądałam się po białych, czystych ścianach. Jeden, jedyny obraz olejny przedstawiał coś, co mogło być barwną plamą w różnych odcieniach zieleni, a także szachownicą pól na wiosnę.

— Też lubię ten pokój — omiótł go w zamyśleniu wzrokiem. — Rano przylatują na parapet okienny sikorki, wieczorem widać z niego wygwieżdżone niebo.

— Ładne masz w Krakowie mieszkanie? — zaryzykowałam pierwsze bardziej osobiste pytanie.

— Ładne — odpowiedział szybko, bez chwili namysłu. Objął mnie ramieniem i podprowadził do stolika z przygotowaną zastawą do herbaty i bukietem kolorowych ostróżek.

— Kwiaty są dla ciebie — przysunął bliżej mnie wazon z zielonego szkła.

— Przepięknie dobrane odcienie różu i fioletu, no i ta o kilka tonów ciemniejsza wstążka... — pochwaliłam. — Rozpieszczasz mnie...

— Nie tak, jakbym sobie tego życzył — uśmiechnął się do mnie.

Poczułam do siebie niechęć za te wcześniejsze krytyczne odczucia. Odwzajemniłam mu czuły uśmiech.

— Herbata parzy się w dzbanku, a ciasteczka czekają, żebyś je spróbowała.

— Zaczekam na herbatę. — Obserwowałam z przyjemnością, jak sprawnie rozlewa ją do białych filiżanek z zielonym paseczkiem, podsuwa talerzyk do kruchych babeczek z poziomkowymi konfiturami i odrobinką kremu. Pachniały wspaniale.

— A gdzie Magnus? — zerknęłam na puste posłanie ułożone z grubego pledu w kącie między szafą a podwójnym tapczanem przykrytym ciemnym futrzakiem. Był lekko wytarty na środku.

— Poszedł z dziećmi sąsiadów na spacer. Stał się towarzyski.

Oboje byliśmy trochę sztywni, skrępowani. Gdzieś się zapodziała poprzednia swoboda. Rozmowa się nie kleiła. Topsi wydawał się napięty, jakby nieobecny myślami. Usiłował to ukryć wykonując wiele niepotrzebnych gestów. Milczeliśmy przez chwilę. Wrzucił do filiżanki trzy kostki cukru. Mieszając je uważnie, przypatrywał się, jak powoli się rozpuszczają.

Ja piłam gorzką herbatę, przegryzając ciasteczkami. Smak poziomek, ich goryczkowaty zapach, przypomniał ojca. Były to jego ulubione konfitury. Przed samą śmiercią prosił Ewę, żeby mu przyniosła z domu słoik, ale już nie zdążył poczuć ich smaku.

— Chciałbym z tobą porozmawiać o kilku sprawach — odezwał się Topsi upijając łyk gorącej herbaty. — Od dawna chciałem to zrobić, ale nie pozwoliłaś... — przyglądał mi się uważnie, z zastanowieniem.

Poczułam się nieswojo. Początek nie wskazywał na to, że chce mi zaproponować małżeństwo albo chociażby partnerstwo.

— Czy to coś bardzo pilnego? — usiłowałam żartować pełna złych przeczuć.

— Pilne i chyba ważne. Przynajmniej dla mnie. — Ujął przez stolik moją rękę, pogładził. — Chyba orientujesz się, że nie jesteś mi obojętna, że coś się między nami zaczęło, zawiązało, co nie jest tylko wakacyjnym flirtem.

Skinęłam w milczeniu głową.

A jednak moja intuicja zawiodła — pomyślałam z ulgą, zaciskając palce na jego dłoni, jakbym chciała przytrzymać ją na zawsze. Dotknął ich ustami i w tym momencie zapukano delikatnie do drzwi. Topsi odruchowo wyprostował się w krześle, wysunął dłoń z mojej dłoni.

— Proszę — powiedział spokojnym, beznamiętnym głosem.

W uchylonych drzwiach stała wysoka, szczupła kobieta w nieokreślonym wieku. Uczesana gładko, mocno opalona, o rysach ostrych i ptasim profilu. Domyśliłam się w niej właścicielki willi. Rzeczywiście można ją było przyrównać do ostu. Nawet sukienkę miała popielatej barwy w lilaróż ciapki.

— Przepraszam, że państwu przeszkadzam... — powiedziała ze zdawkowym, nic nie wyrażającym uśmiechem. Głos miała przyjemny, miękki w brzmieniu.

— Proszę, wcale nam pani nie przeszkadza — Topsi poderwał się z krzesła, poprosił do pokoju. Wypadało się przywitać i przedstawić.

— Miło będzie, jeśli zechce pani wypić z nami herbatę. Świeżo zaparzona.

Pani obrzuciła mnie krótkim, badawczym spojrzeniem nie pozbawionym ciekawości. Pomyślałam, że widocznie nie jestem pierwsza, którą Topsi tutaj przez te swoje lata kuracyjnych pobytów przyjmuje.

— Przepraszam... — zaczęła raz jeszcze po ceremonii powitania. Topsi zwracał się do niej: „droga pani Gosiu". — Chciałam tylko coś panu przekazać... — zawahała się na moment, rzucając z ukosa spojrzenie w moją stronę.

Sięgnęłam po program telewizyjny. Leżał na podłodze, tuż obok mego fotela, i udawałam, że go z zainteresowaniem przeglądam.

— Telefonowała pańska żona. Dwa razy. Prosiła, żeby był pan koniecznie w domu około dziewiątej wieczorem. Jakaś bardzo pilna i ważna dla pana sprawa.

— Dziękuję pani — powiedział spokojnie, z uśmiechem, raz jeszcze ponawiając zaproszenie na herbatę.

Pani Gosia odmówiła grzecznie, zerknęła w moją stronę, skinęła z uśmiechem głową i wyszła z pokoju zamykając cicho, ostrożnie drzwi. Była to osoba kulturalna.

Myślałam tylko o jednym. Zachować spokój, nie dać poznać po sobie, jakie ta wiadomość zrobiła na mnie wrażenie.

Zostaliśmy sami. Cisza dźwięczała w uszach. Żadne z nas nie odezwało się słowem. Starałam się usilnie, aby uśmiech, na jaki się z trudem zdobyłam, nie schodził mi z twarzy. Czułam, że pobladłam.

Topsi sięgnął po papierosa. Nie zauważyłam wcześniej, żeby kiedykolwiek palił.

— Przykro, że nie zdążyłem sam ci o tym powiedzieć — mówił nie patrząc na mnie. — Nie pozwoliłaś mówić, a ja nie nalegałem. Nie byłaby to dla mnie przyjemna rozmowa...

Przypomniałam sobie deszczowe przedpołudnie w kawiarni. Byłam wtedy przekonana, że chce wyznać swoje uczucia, zaproponować małżeństwo, a miała to być jedynie wiadomość, że jest człowiekiem żonatym. Moja naiwność i zarozumialstwo, że mężczyzna w tym wieku i po tak krótkiej znajomości zechce się żenić, została ukarana. Stwierdzenie kary było także głupotą nie mniejszą od poprzedniej. Prawo przyrody nie zna kary ani nagrody. Jedynie konsekwencję. I konsekwencją mego zarozumialstwa i głupoty była obecna sytuacja.

— No tak... To jasne... — wymamrotałam do własnych myśli, nie zdając sobie sprawy, że mówię głośno.

— Nie jest proste ani jasne — podchwycił Topsi. — Jestem wprawdzie żonaty, ale od lat nic już nas z sobą nie łączy. Poza przyjaźnią — zastrzegł się.

Tym gorzej — pomyślałam, a głośno dodałam unikając jego wzroku: — Zawsze się tak mówi. Nigdy nie jest to jednak całkowita prawda. Człowiek żonaty nie jest tak naprawdę nigdy wolny... — Uśmiechałam się w dalszym ciągu grzecznie i powściągliwie. Popijałam herbatę i nie wiedziałam, co dalej robić.

— Chciałbym pewne sprawy wyjaśnić, coś ci zaproponować. Nie chcę, żeby ta historia zaważyła na dalszej naszej znajomości. — Przykucnął przy moim fotelu, objął ramieniem.

Siedziałam sztywna, zobojętniała i tylko serce waliło głośno, niespokojnie, jakby tylko ono zachowało pamięć moich nadziei i dni spędzonych z Topsim.

— Jestem pewny, że telefon ma jedynie związek z moim zagranicznym wyjazdem. Może wreszcie nadeszło zaproszenie z Uniwersytetu w Hall — zapewniał gorąco. — Daj mi trochę czasu. Po moim powrocie wszystko się ułoży. Porozmawiam z żoną. Od lat żyjemy obok siebie — powtórzył z naciskiem.

— Bądźmy realistami, Topsi — powiedziałam powoli, z namysłem, zapatrzona w okno. Uderzały o nie kropelki deszczu, ścierały się wzajemnie, spływając długimi strużkami po szybach. — Niczego nie zmienisz, nic się nie ułoży. Ani ty nie chcesz, tak naprawdę, rozwodu, ani twoja żona go nie da. Jesteście zaprzyjaźnieni, a więc dobrze wam z sobą. To więcej znaczy niż wszystko inne. Nie chcę z nikim dzielić się przyjaźnią... — Zamilkłam. I tak powiedziałam za dużo. Nie chciałam, żeby wyczuł jakie rozczarowanie i przykrość sprawił telefon.

— Posłuchaj mnie... — ujął obie moje dłonie. — Ani ty mnie, ani ja tobie nie jestem obojętny. Łączy nas coś więcej niż sympatia — zaczął z rozmysłem. — Chcę ci coś zaproponować... — Dobierał starannie słowa, poszukał moich oczu. Uciekałam nimi uparcie w rozmazany deszczem, zamglony krajobraz.

— Cóż mi możesz zaproponować? — wpadłam mu w słowa, nie pozwoliłam dokończyć zaczętej myśli. Chciałam go ubiec, nie dać żadnej satysfakcji, zbagatelizować sytuację, bo tak naprawdę, nic się przecież takiego nie stało. Nie pierwszy zawód, nie pierwsze rozczarowanie. Miałam już niejaką wprawę w otrzymywaniu od życia kopniaków. — Zejść ze mną w podziemie? Dzielić czas między żoną a mną? Patrzeć dyskretnie na zegarek, żeby nie spóźnić się do domu na kolację? — starałam się mówić lekkim, trochę kpiącym tonem i tak jak do nierozsądnego chłopca, żeby zrozumiał swoje niewłaściwe zachowanie. — Topsi, polubiłam cię bardzo, może nawet za bardzo, ale na kochankę się nie nadaję. Przygody przestały mnie interesować. Jeżeli już zdecyduję się na związek z mężczyzną, to chcę go mieć dla siebie. Na dobre i na złe. Na każdą okazję. Nie tylko od święta lub kiedy znajdziesz w swoim domowym, małżeńskim rozkładzie jakieś wolne okienko na relaks. Miłość za miłość. Wierność za wierność...

Topsi podniósł się, zajął miejsce w fotelu naprzeciw mnie.

Usiłowałam się uśmiechnąć i chyba mi się to udało. Chciałam jeszcze coś dodać, ale w tym momencie drzwi się otworzyły i wpadł mokry od deszczu Magnus. Radośnie zaskamlał, rzucił się w moją stronę i położył mokry pysk na kolanach. Pogłaskałam wilgotne kudły i żałość ścisnęła serce. Przywiązałam się do tego kundla, tak jak kiedyś do starego pudla Bulika. Rozstanie ze zwierzęciem boli, podobnie jak i rozstanie z człowiekiem.

— Magnus, na posłanie! — krzyknął Topsi.

Pies spojrzał na mnie, zamerdał kikutem ogonka, spuścił nisko łeb i powlókł się niechętnie do swego kąta.

— Nie krzycz na Magnusa! Co on w tym wszystkim zawinił?!

— Daj mi trochę czasu — powtórzył markotnie, bez entuzjazmu. — Źle mnie osądzasz, nie myślałem o nas tylko jak o parze kochanków — zastrzegł się, ale czułam, że chce jedynie wyjść ładnie z niezręcznej sytuacji. — Myślałem nawet o rozwodzie... Niech tylko wrócę z Anglii.

— A teraz co? — zapytałam z odrobiną kokieterii. — Zostało nam jeszcze parę dni... — zawiesiłam głos i popatrzyłam na niego spod rzęs.

Poruszył się niespokojnie w fotelu. Magnus w kącie podniósł czujnie łeb znad posłania.

— Orientujesz się chyba doskonale, że zakochałem się w tobie, jakbym miał dwadzieścia lat i tak się właśnie przy tobie czuję — zapewniał żarliwie schrypniętym z podniecenia głosem. Pochylił się wyczekująco w moją stronę. — Możemy razem przeżyć coś bardzo pięknego... Nie broń się przed uczuciem. Potrzebuję ciebie, twojej miłości — pochwycił moje dłonie, wtulił w nie twarz całując z wyrafinowaniem. — Nie zostawiaj mnie teraz...

— Owszem, zostawię — powiedziałam zimno.

Narastała we mnie powoli złość na męski egoizm, na zakłamanie, na swoją głupotę i jego niecierpliwość, aby jak najprędzej znaleźć się ze mną na tym tapczanie z wytartym, wysłużonym futrzakiem.

— Dopiję herbatę i odprowadzisz mnie — spojrzałam na zegarek. — Zdążysz jeszcze wrócić, żeby przyjąć telefon od żony.

Tęsknota za małżeństwem była czymś u mnie nowym. Dotychczas szukałam jedynie miłości. Było mi obojętne, czy skończy się ślubem, czy też będzie to wolny związek.

Przebiegłam w myślach mężczyzn, którzy jakoś liczyli się w moim życiu. Wniosek był gorzki. Oszukiwałam wówczas samą siebie. To właśnie moi partnerzy z jakichś powodów nie mogli, a może nie chcieli, związać się ze mną ślubem. Obecnie rozum i doświadczenie brało górę nad emocjami. Zaczęłam wreszcie doceniać swoją wartość. Niewspółmiernie także do wieku urosły moje wymagania, chociaż powinno być chyba odwrotnie. I w tej chwili byłam dumna z siebie, z mojej obecnej postawy, chociaż istniało w tych odczuciach coś z rezygnacji i smutku.

— Jesteś cyniczna. — Wyprostował się w fotelu, sięgnął do kieszeni po papierosy. — Nigdy bym cię o to nie posądzał, a ty przez ten cały czas udawałaś, bawiłaś się mną jak kot myszką, a ja, naiwny, sądziłem, że znalazłem wreszcie miłość... — Palce mu drżały, gdy usiłował zapalić papierosa.

— Nie udawałam, nie bawiłam się tobą — odezwałam się po chwili. — Tyle tylko, że chciałam tego, czego ty mi dać nie możesz, i źle się stało, że tak późno dowiedziałam się o tym. To wszystko, Topsi! — wzruszyłam ramionami rozglądając się bezradnie po pokoju. Nie wydawał się już taki przytulny i miły, jakim wydał mi się, gdy do niego weszłam. Czułam ogarniające znużenie i chęć ucieczki.

— Przecież to nic straconego jeszcze... — Przechadzał się teraz nerwowo po pokoju, który wydał mi się klatką na grubego zwierza. Magnus wodził za nim wzrokiem ze swego posłania. — W odpowiednim czasie przeprowadzi się rozwód. Jesteśmy dojrzałymi ludźmi, nie musimy od razu zaczynać od ślubu. Nie jesteś dziewczątkiem, które uwiodę — patrzył na mnie z przepraszającym uśmiechem. — Miej do mnie trochę więcej zaufania.

Stanął za moim fotelem i przesunął delikatnie dłonią po moich włosach. — Jakież one piękne — wymówił szeptem, jakby do siebie.

Poczułam niepokojący dreszcz biegnący od karku i przeraziłam się, że ulegnę, zostanę i wszystkie moje projekty, marzenia skończą się na wyliniałym futrzaku.

Nigdy! — pomyślałam z zajadłością, zmuszając się do nikłego uśmiechu.

— A nie możemy odwrócić sytuacji? — zapytałam, wiedząc nieomal, jaką otrzymam odpowiedź.

— Mów jaśniej! — w głosie zadźwięczała nutka nadziei.

— Po prostu rozstańmy się dzisiaj jak ludzie sobie bardzo bliscy. Wrócisz z Anglii, rozejrzysz się w swoich sprawach i jeżeli rzeczywiście będzie ci na mnie zależało, przeprowadzisz rozwód. Będę czekała — popatrzyłam mu w oczy. — Jeśli to, co zaistniało między nami, jest tym, czym nam się wydaje, to przetrwa te kilka miesięcy. Nie sądzisz? — przechyliłam głowę do tyłu. Pochylił się, dotknął wargami moich ust. Starałam się myśleć o wszystkim innym, tylko nie o tym pocałunku. Kosztowało to wiele wysiłku.

— Zgadzam się — powiedział bez chwili wahania. — Zgadzam się na wszystko, co tylko zechcesz — zapewniał. — Moje życie nabrało wreszcie sensu i kolorytu. Zrobię wszystko, co tylko w mojej mocy, żebyśmy jak najprędzej mogli być razem.

Podniósł mnie z fotela, zamknął w ramionach. Nie broniłam się przed coraz śmielszymi pocałunkami. Sprawiały przyjemność, ale nie w takim stopniu, w jakim mogły. Czułam do niego nieokreślony żal. Dopiero gdy delikatnie, ale z przemyślaną taktyką, nie wypuszczając mnie z objęć, podprowadzał krok za kroczkiem w kierunku tapczanu, wysunęłam się kategorycznym ruchem z jego ramion.

— Dosyć, Topsi — powiedziałam ostrzegawczym tonem. — Przyjąłeś moje warunki, więc stosuj się do nich.

— Naprawdę chcesz mnie teraz zostawić? — nie dawał za wygraną. — Nie zrobisz tego. Szaleję za tobą. Kocham...

— To dobrze, że szalejesz — uśmiechnęłam się smutno, bo wiedziałam, że jest to już pożegnanie. I nie tylko na kilka miesięcy. — Będę więc cierpliwie i z tęsknotą czekała na twój powrót z Anglii.

Podeszłam do okna. Deszcz wciąż zacinał o szyby, niebo zaciągnęło się granatowymi chmurami.

— A teraz pożycz od gospodyni parasol i odprowadź mnie do domu. — Podeszłam do Magnusa i pogłaskałam go po łaciatym pysku. Oblizał się, zmrużył oczy.

— Zlituj się, w taką ulewę? Zostań, proszę... — usiłował mnie objąć. — Przecież i ty tego chcesz.

— Chcę — przyznałam szczerze. — Nie teraz jednak i nie tutaj — odsunęłam go od siebie. — Jestem kobietą wolną i tylko z takim mężczyzną chcę się związać.

— I to koniecznie ślubem? — nutka rozdrażnienia zabrzmiała w głosie.

— Nie. Niekoniecznie. Natomiast koniecznie musi to być mężczyzna nie związany ślubem czy też innymi obowiązkami z inną kobietą. Rozumiesz?

— Nie. Nie mogę zrozumieć! — żachnął się. — Powiedziałem, że nie żyję z żoną. Jesteśmy razem, bo takie są układy. Do tej pory rozwód nie był żadnemu z nas potrzebny. Gdybyś rzeczywiście coś do mnie czuła, wystarczyłaby świadomość, że ciebie jedną kocham.

— Miłość, jak i szczęście, tracą w naszym wieku swoją dawną młodzieńczą wymowę. Zmieniają ciężar gatunkowy. Starzeją się razem z nami — westchnęłam mimo woli. — Nie przyszłam tutaj do ciebie, żeby się z tobą przespać — dodałam znużonym głosem. — Skończmy więc z tym tematem.

Sięgnęłam po torebkę. Bez słowa okrył mi ramiona swetrem. Magnus podbiegł do nas patrząc ciekawie to na mnie, to na Topsiego. Był przyzwyczajony do wspólnych z nami spacerów.

— Zostań, piesku... — podrapałam go między uszami. — Twój pan wkrótce wróci.

Zeszliśmy ze schodów. Na parterze uchyliły się drzwi. Wyjrzała pani Gosia.

— W taki deszcz państwo wychodzą? — zdumiała się. — Jeśli zechce pani chwilkę poczekać, to pan Sewer będzie jechał na dworzec po żonę. Poproszę, żeby panią podwiózł.

— Byłabym bardzo wdzięczna — uśmiechnęłam się do niej z wysiłkiem. — Zwłaszcza że pan Tadeusz czeka na telefon.

— No właśnie, właśnie — podchwyciła pani Gosia. — Żona bardzo się niepokoi, że wciąż go nie może zastać.

Topsi nie brał udziału w rozmowie, jakby nie dotyczyła jego osoby. Szukał na wieszaku między okryciami swojej wiatrówki.

Pani Gosia kilkakrotnie zerkała w jego stronę. Musiał wreszcie pochwycić jej spojrzenie, bo nieoczekiwanie poprosił o parasolkę dla siebie.

— Proszę, nie wychodź z domu — uśmiechnęłam się do niego ciepło. — Chętnie skorzystam z uprzejmości pana Sewera. Parasolka niewiele pomoże w taką ulewę.

— Pani ma rację — poparła skwapliwie pani Gosia. — Przemokniecie państwo oboje, a pan podwójnie, i będzie tak, jak w ubiegłym roku. Przeleży pan tydzień w łóżku i znów żona będzie musiała pielęgnować, a wybieracie się przecież państwo na wspólną wycieczkę do Słowacji. Odebrała już samochód z remontu, jak mi się pochwaliła.

Z udanym zainteresowaniem rozglądałam się po hallu, po obrazkach na ścianie, byle tylko nie spojrzeć na Topsiego. Pani Gosia przez uchylone drzwi prowadziła rozmowę z panem Sewerem.

— Już, już wychodzę. Odwiozę chętnie... — dobiegło do moich uszu i prawie jednocześnie ze słowami ukazał się w drzwiach.

Pożegnałam się z panią Gosią, która dalej rozwodziła się nad troskliwością żony Topsiego. Podałam mu rękę dziękując z uśmiechem za miłe przedpołudnie, życząc miłej wycieczki, i tak się rozstaliśmy.

W samochodzie pan Sewer narzekał na źle funkcjonujące wycieraczki „w przeklętym gracie", jak wyraził się o swoim „maluchu", a ja grzecznie przytakiwałam głową, czując w ustach niepokojącą gorycz. Stresy nie były dla mnie wskazane, a i tłuste kruche ciasteczka także.

Nie mogło to się inaczej skończyć — pomyślałam otwierając kluczem drzwi. — Wiadomo, Tadeusz! A do tego jeszcze Zezuj... Pocieszałam się, wiedząc doskonale, że ani on, ani jego imię, a tym bardziej nazwisko, nie zawiniło w tym przypadku. Winę ponosiłam wyłącznie ja i moja gigantyczna głupota, od której nie uchroniła nawet starość.

Tego jeszcze wieczora spakowałam walizkę i dodatkową torbę z zakupionymi niepotrzebnie ciuchami.

Odjechałam najbliższym pociągiem.

Rozdział 5

Znów jestem sama — stwierdziłam w myśli, gdy tak bez sensu i celu wlokłam się przez most Kierbedzia.

Teraz nazywał się Śląsko-Dąbrowski, ale ja pamiętałam go z dzieciństwa, więc takim dla mnie pozostał. W jego pobliżu, za narożnym budynkiem, w którym wówczas mieściła się knajpa „U Retmana", mieszkaliśmy w ruderze będącej niegdyś kasztelańskim pałacykiem. Gnieździła się w niej nędza i szumowiny.

Okna naszego parterowego mieszkania, przerobionego ze składu desek, wychodziły na rząd smołowanych klozetów i wartko płynący rynsztok. Matka trzymała mnie w mrocznym, wilgotnym pomieszczeniu z betonową podłogą, zwanym szumnie pokojem, i nie pozwalała wyjść na podwórze bawić się z dziećmi. Było ogromne, bez źdźbła trawy i z wielkim gołębnikiem pośrodku, własnością braci trudniących się złodziejstwem.

Porywisty wiatr niósł tumany kurzu, dzieciaki wrzeszczały co sił w gardłach, polując na szczury gnieżdżące się w rynsztoku przy ściekowej kracie, a ja płakałam i prosiłam matkę, żeby mnie do nich puściła. Chciałam biegać razem z nimi, krzyczeć, bawić się w „czarnego luda".

„Ten straszny, zdemoralizowany element" — mówiła matka i była nieczuła na moje błagania i łzy rozmazywane po twarzy.

Po wojnie długo tu jeszcze stały ruiny wypalonej rudery z przytwierdzoną do starych cegieł tabliczką: „zabytek pod nadzorem państwowym". Sądziłam, że go kiedyś odbudują. Czekałam z niecierpliwością na ten dzień, gdy ujrzę renesansowy, przyozdobiony stiukami dom mego dzieciństwa w pełnej krasie, której nie znałam. Chodziły nawet po głowie mrzonki, że jeżeli pałacyk przeznaczą na coś w rodzaju muzeum, podaruję do niego nasze „portrety rodzinne" wyszabrowane przez ojca na Ziemiach Odzyskanych. Na razie przyozdabiały wnętrze mego domu w Kuczebinie i bardzo do niego pasowały.

Dziś nie pozostało śladu po ruinach. W ich miejsce zasadzono młode drzewka. Wkrótce wyrośnie z nich mały park i nikt z siedzących na ławeczkach ludzi nie dowie się, ile w tym miejscu rozegrało się ludzkich dramatów, dziwnych zdarzeń i tragedii. Mieszkańcy rudery kochali tę swoją dzielnicę. Bronili podczas Powstania Warszawskiego, ginęli za nią.

W błyskawicznym skrócie przewinęło się w pamięci moje ubożuchne dzieciństwo, cała nędza naszego bytowania. Otrząsnęłam się z tych wspomnień jak pies po wyjściu z wody. Przyśpieszyłam bezwiednie kroku. Nie było od nich ucieczki. Zjawiały się nieomal za każdą bytnością w tej dzielnicy. Nawet wtedy, gdy Wisłostradą wiozła mnie przemykająca szybko taksówka.

Od dwu dni siedziałam służbowo w Warszawie załatwiając w Ministerstwie Zdrowia resztkę spraw związanych z moim przejściem do Kuczebina na stanowisko ordynatora oddziału chirurgicznego.

Miałam dla siebie jeszcze pół dnia czasu. Mój pociąg odchodził w nocy i nie potrzebowałam się nigdzie spieszyć.

Szłam wolno przez most, patrząc na szare, mętne wody szeroko rozlanej Wisły, na panoramę Pragi z wieżycami kościoła św. Floriana. Tam gdzieś w głębi za nim mieściły się dawne, stare zabudowania szpitalne. Podczas wojny, jako studentka medycyny, odbywałam tam staż, zdawałam egzaminy na tajnych wykładach. Tam również poznałam Andrzeja. Był już asystentem profesora. W jego pokoiku na Starówce, w pewien wiosenny ranek, poczęła się Ewa.

Pogoda od rana była nijaka. Trochę chmurna, trochę słoneczna, z chłodnymi powiewami wiatru. Czuło się w powietrzu nadchodzącą jesień, chociaż jeszcze było zielono i tylko obrzeża kasztanowych liści leciutko rudziały. Teraz się jakby ustaliła. Chmury przegnał wiatr. Słońce przygrzewało mocno.

Cieszyła myśl o powrocie do domu do Kuczebina. Zatęskniłam za nim jak za żywą istotą. Czułam się szczęśliwa i bezpieczna tylko w jego przytulnym, trochę tajemniczym wnętrzu. Wyobrażałam sobie teraz, jak to będzie, gdy wrócę do niego o świcie. Ogród przywita wilgotnym zapachem porannej mgiełki, a w skrzynce na listy może znajdę wiadomość od Topsiego. Chociażby kolorową karteczkę. Nie odezwał się słowem od naszej rozłąki i tak naprawdę przestałam łudzić się, że kiedykolwiek to zrobi. Już tam, w Cieplicach, zdawałam sobie z tego sprawę. Nie potrafiłam jednak, nie chciałam żyć bez odrobiny marzeń, bez nadziei na coś, co w rzeczywistości mogło się nigdy nie przydarzyć. Przyjemnie było snuć domysły, układać scenariusz ewentualnego spotkania, chociaż i tak, w decydującym momencie, mówi się i robi coś zupełnie przeciwnego od tego, co się zaplanowało.

W pierwszych tygodniach tęskniłam za Topsim, za jego adoracją, za naszymi spacerami, za Magnusem buszującym w wysokich trawach. Trochę żałowałam, a trochę byłam zadowolona, że nie zostaliśmy kochankami.

Nie była to tęsknota bolesna, dokuczliwa, z którą trudno sobie poradzić, jak z tą dawną, za Piotrusiem. Byłam widocznie znieczulona tamtym bólem, niejako uodporniona zawodami. Miałam teraz przecież wspaniały dom. Zaprzątał moje myśli, absorbował nieustannym urządzaniem, wyszukiwaniem odpowiednich mebli, koniecznych drobiazgów. Wchodziłam także w nowe, szpitalne środowisko. Nawiązywałam ostrożnie znajomości. Wiedziałam, że mnie obserwują, chcą wiedzieć wszystko o moim życiu. Komentują posiadanie wspaniałej willi, moją samotność.

Brakowało jednak w tym pięknym, dużym domu mężczyzny. Kogoś bliskiego, z kim mogłabym dzielić radość posiadania. Przestawałam powoli wierzyć, że wreszcie spotkam kogoś, kto będzie chciał ze mną, a ja z nim, spędzić resztę życia.

W chwilach zawodów i klęsk, jakie odnosiłam w sferze uczuciowej, zadawałam sobie często pytanie, dlaczego tak się dzieje i gdzie tkwi błąd, że nawet z najbardziej kochanym przez siebie mężczyzną nie potrafiłam ułożyć życia, zatrzymać przy sobie. Dzisiaj byłam już bliska rozwiązania dręczącej zagadki. Stawałam się po prostu zbyt wymagającą i nietolerancyjną.

„Zbyt wysoko stawiałam poprzeczkę" — jakby określiła Ewa. Przykładałam do nich tę samą miarkę, co do siebie, i to właśnie było zasadniczym błędem. Każdy człowiek jest inny, inaczej reaguje na te same zjawiska. Zwłaszcza mężczyzna. Jest zupełnie różną od nas jednostką psychofizyczną. Zbyt wiele chciałam egzekwować, a przecież wierność, czułość i prawdomówność nie leżą po prostu w granicach ich możliwości. Okres tokowania nie trwa u nich długo.

„Od wołu żąda się mięsa, a od krowy mleka i nie należy mylić kolejności" — jak mawiała kiedyś Kostyrówna po doświadczeniach ze swoim naczelnikiem z ministerstwa.

Bałam się takich pustych, niczym konkretnym nie wypełnionych godzin jak ta, w oczekiwaniu na czas odejścia pociągu. Zjawiały się natychmiast niepotrzebne myśli i tęsknoty. Postanowiłam więc odwiedzić teściową Ewy mieszkającą na Saskiej Kępie. Nie widziałyśmy się od przeszło roku. Pracowała w Wydawnictwie Muzycznym. Miła, bezpretensjonalna i chyba bardzo samotna po wyjeździe jedynaka do Szwecji. Mąż jej zmarł jeszcze wtedy, gdy Brysio chodził do przedszkola. Zdaje się, że nie była z nikim związana na stałe, chociaż wiedziałam, że jest w jej życiu jakiś mężczyzna, bo coś mi na ten temat dała kiedyś do zrozumienia.

Ostatni raz widziałam się z nią przed rokiem, gdy wróciła po miesięcznym pobycie ze Szwecji. Przywiozła wtedy fotografie i jakieś dla mnie drobiazgi od Brysiów.

W najbliższej budce kilkakrotnie wykręcałam numer jej telefonu. Nikt nie odpowiadał. Z westchnieniem odwiesiłam słuchawkę uświadomiwszy sobie, że jest jeszcze zapewne w pracy. Próbowałam ją tam odnaleźć telefonem. Powiedziano, że jest w gmachu, ale na jakiejś ważnej konferencji, która się niedawno zaczęła i nie wiadomo, jak długo potrwa. Zrezygnowałam, prosząc sekretarkę, aby zechciała przekazać jej od mnie pozdrowienia.

Jest w Warszawie pewna dzielnica. Omijam ją z uporem maniaka, udając przed samą sobą, że nic mnie ona nie obchodzi, że tamten czas przeszły i całkowicie dokonany wymazałam z pamięci. Ale nie jest to cała prawda. Czasem, gdy jestem zmuszona znaleźć się w jej pobliżu, doznaję irracjonalnego uczucia, że za moment wydarzy się coś zupełnie nieoczekiwanego. Zza rogu uliczki ocienionej klonami wyjdzie ktoś na moje spotkanie. Znajdzie słowa przekreślające tamten zły dla nas czas, wymaże nimi to, o czym chciałam nie pamiętać. I chociaż zdawałam sobie sprawę, że to nonsens, że nie umiałabym się już nawet cieszyć tym spotkaniem ani niczym z nim związanym, zatrzymuję się na moment, rozglądam uważnie dookoła, jakbym naprawdę kogoś wypatrywała.

Za tymi mrzonkami, w zależności od pory roku, kryją się niepotrzebne, sentymentalne myśli. Chociaż dotyczyły na pozór realnych, zwykłych spraw, nie pasowały do mego wieku, czasu i rzeczywistości. Wiosną przywodziły na pamięć róże w „Lotniskowcu", sadzone ukradkiem przez mego ojca. Zimą zastanawiałam się, czy śnieg pokrył już ogród i stopnie tarasu, a także czy nad drzwiami z zieloną skrzynką na listy zwieszają się sople lodu. Jesienią troszczyłam się, kto teraz grabi opadłe z brzóz liście i czy zasadzone przeze mnie „drzewko szczęścia" — miłorząb — dużo od tamtej pory podrosło. Wtedy znów, jakby to było wczoraj, widzę ten mój dawny, wymarzony dom z Piotrusiem, trochę już odrealniony czasem. Miał w nim rozbrzmiewać śmiech i tupot nóżek naszego nie narodzonego synka.

Od tego momentu nakazywałam sobie zmianę toku myślenia i zajmowałam się już tylko urzędowymi sprawami, które mnie do tej dzielnicy przywiodły.

Bałam się i dzisiejszego popołudnia. Dręczyła od świtu pokusa, żeby chociaż z daleka popatrzeć na „Lotniskowiec". Chociażby tylko dlatego, aby przekonać się, że nie jest on ani tak piękny, jakim go zachowałam w pamięci, ani nawet już nie bliski sercu. Po prostu dom, w którym mieszka obcy już dla mnie człowiek.

Nie uległam jej, chociaż z otwartego okna mego hotelu spoglądałam na plac Powstańców, na dachy starych, przedwojennych kamienic przy ulicy Górskiego i Szpitalnej, na jaśniejące w jesiennym słońcu witryny narożnego sklepu Wedla. W stylowych salonikach pijaliśmy z Piotrusiem, przed wiekami, gorącą czekoladę z bitą śmietaną. Przybiegałam na spotkania prosto ze szpitala. Parzyliśmy usta gorącą czekoladą, zwierzając jedno drugiemu, jak minął dzień, jak bardzo tęskniliśmy do siebie. Wtedy interesowała go jeszcze moja praca, przeprowadzane operacje. Wypytywał o ciekawsze przypadki, o stan zdrowia znanych mu z opowiadań pacjentów.

Czekał zazwyczaj z jedną różą o wyszukanej barwie, obładowany torbami z „Pewexu". Lubił uzupełniać i wzbogacać w barku kolekcję trunków. Przepadał za robieniem niespodzianek w postaci najdroższych perfum i bielizny. Zawsze był niezadowolony z zakupów. Twierdził, że gdybyśmy byli w Londynie, to mógłby mieć do wyboru sto par majtek. Każda byłaby inna i piękniejsza od drugiej, a tu udało mu się dostać zaledwie trzy różne pary. Jedna brzydsza od drugiej. Zbyt „użytkowe", jak na jego gust, i wcale nie sexy.

Żachnęłam się na tę nie kontrolowaną falę głupich, niepotrzebnych wspomnień. Obudziły tęsknotę za „Lotniskowcem", za tamtą dzielnicą, i należało się przed nimi bronić.

Natychmiast więc zbiegłam do hotelowej restauracji na wczesne śniadanie. Potem zajęłam się już tylko sprawami, które należało załatwić w Ministerstwie Zdrowia i w moim dawnym szpitalu.

Włócząc się teraz po starych kątach, gorączkowo szukałam w pamięci spraw, które można by jeszcze załatwić, zakupów, jakie należało poczynić, i telefonów dawno nie widzianych przyjaciół.

W rezultacie postanowiłam pojechać na Cmentarz Powązkowski. Należało odwiedzić groby bliskich, doprowadzić je do porządku, opłacić babę, aby je dalej utrzymywała w jakim takim stanie. Na ogół nie wywiązywały się z tego należycie, ale przynajmniej przez kilka pierwszych dni mogiły nie wyglądały na opuszczone.

Popielata taksówka podwiozła mnie pod bramę św. Honoraty. O tej porze dnia niewielu było odwiedzających. Tylko ptaki pokrzykiwały w zieleni starych jesionów. Przesiane przez listowie wyblakłe słońce kładło się ruchliwymi plamkami na wygracowanych alejkach.

Weszłam w ten kamienny i zielony świat umarłych jak w smutną opowieść z dalekiej przeszłości, z żalem do losu, że zabrał moich bliskich wcześniej, niż należało. Nie pozwolił doczekać wnuka, wspaniałej posiadłości, moich zawodowych sukcesów. Przeznaczył im tylko nędzę bytowania, walkę z przeciwnościami i nie spełnione marzenia. Zwykłe, ludzkie szczęście ominęło ich z precyzją gwiazd.

Grób ojca, pełen świeżo rozkwitłych bratków w kolorze rdzawej purpury, przypominał gigantycznych rozmiarów bukiet. Między nimi, po lewej stronie i niesymetrycznie, w miejscu, w którym przypuszczalnie mogło znajdować się serce, tkwił wypalony znicz. Za krzyżem, bujnie oplecionym pnącą różą, znalazłam dwie puste ćwiartki po wódce z żytnim kłosem na etykietce i jedną napoczętą. Nie było wątpliwości, że grobem ojca opiekuje się Wykolejeniec. Świeże flance pochodziły z pewnością z plantacji jego nowej małżonki „robiącej w kwiatach". Zaprowadził tutaj podręczny barek, a ławeczka, której jeszcze przed rokiem nie było, stwarzała zaciszny kącik do kontemplacji nad życiem doczesnym. O wieczne Wykolejeniec nigdy się nie martwił. Uważał, że „kochany Stasieniek" wszystko tam za niego załatwi.

— Z pewnością będzie czekał na mnie w pozaświatowej knajpce „Pod Anielskim Skrzydłem" — jak w uniesieniu oznajmił po jakiejś libacji z panem Węchaczem.

Na swój sposób wierzył w życie pozagrobowe. Przy butelce bimbru wiedli niegdyś z ojcem nie kończące się pijackie dysputy o tym, co ich czeka na tamtym świecie. Wykolejeniec upierał się, że będą tam mieli dostęp do wszystkich trunków świata, a przy tym żadnych bab, które mogłyby im zabronić wiekuistej radości popijania. Starał się przekonać sceptycznie nastawionego do tej koncepcji ojca, że każdy będzie miał takie niebo po śmierci, jakiego pragnie za życia, a więc w ich przypadku pełne przednich nalewek i uciech z nimi związanych.

Ojciec przytakiwał, godził się na to morze alkoholu, ale wtrącał nieśmiało, że chciałby w tym swoim niebie widzieć, i nie tylko widzieć, „amatorskie kobitki".

Dla Wykolejeńca jedyną obawę przed śmiercią stanowiła nie kara za grzechy, co do których, i to w ogromnych ilościach, przyznawał się szczerze i łzawo, ale możliwość spotkania „ukochanej Modliszki". W ciągu całego bowiem małżeństwa usiłowała odzwyczaić go od picia alkoholu. Nie odzwyczaiła. Natomiast sama uciekła w wieczność, żeby, jak twierdził, czatować tam na niego.

Grób Moniki, chociaż znajdował się na samym końcu cmentarza, nie był jednak zaniedbany. Przekwitały teraz na nim jakieś białe, drobne kwiatki. Pośrodku leżał ogromny wieniec z białych plastikowych lilii. Wprowadzał w lekkie zakłopotanie. Zmarła niewiele miała wspólnego z tym symbolem. Podejrzewałam Wykolejeńca o przewrotną złośliwość i pijackie poczucie humoru.

Monika przez całe życie szukała miłości. Wielkiej i prawdziwej, a że jej nie znalazła wśród tabunów mężczyzn, to przecież nie jej wina. Ja także szukałam. Tyle tylko, że nie miałam nigdy takiego powodzenia jak ona.

Moja matka spoczywała pod brzozowym krzyżem. Taka była jej wola. Podejrzewałam, że w trosce o moją kieszeń. Nigdy nie pragnęła dla siebie niczego, co mogło być kosztowne, i pewnie wyobraziła sobie, że właśnie taki krzyż będzie najtańszy.

Na starannie utrzymanym grobie pleniły się gęsto karbowane liście prymulek z różowymi, przekwitającymi koronami. Ścięłam je wszystkie. Na ich miejsce położyłam wśród liści wiązankę najpiękniejszych herbacianych róż, jakie udało się dostać w przycmentarnej kwiaciarni.

Wykolejeniec był pijakiem, oszustem, kleptomanem, ale w przyjaźni wiernym i uczuciowym. Poczułam do niego przypływ sympatii. Wybaczyłam nawet wszystkie kolejno sprzedawane za naszymi plecami mieszkania. Zarabiał na nich tysiące, a my traciliśmy nie tylko dach nad głową, ale i należną część pieniędzy. Przepijali ją wspólnie z ojcem co do złotówki.

Rehabilitował się teraz, dbając z własnej inicjatywy o groby moich bliskich. Wiedział, że jestem rzadkim gościem w Warszawie.

Przy każdym z nich zapaliłam światełko, złożyłam kwiaty, rozmyślając o przemijaniu, o samotności i tym wszystkim, co mnie jeszcze w życiu może spotkać. O tym pozagrobowym nie myślałam. Wierzyłam jednak, że istnieje coś jeszcze poza materią i że nie kończy się wszystko z chwilą rozkładu białka. Tak wychowano mnie w domu, zakodowano od pokoleń.

— Z wiarą łatwiej żyć i łatwiej umierać — tłumaczyła zawsze matka, a energię, która po śmierci ciała nie ginie, nazywała „duszą".

Opuszczając cmentarz przez inną bramę rozglądałam się, czy nie zobaczę gdzieś Wykolejeńca przemykającego drobnym kroczkiem w kierunku podręcznego barku u „kochanego Stasieńka". Na szczęście od czasu kupna posiadłości w Kuczebinie nie widziałam go więcej.

W pobliżu bramy jest pomnik z czarnego granitu. Przedstawia jedenastoletniego chłopca w uczniowskim mundurku. Siedzi na ławce zapatrzony przed siebie, z rozłożoną na kolanach książką. Zmarł w Hyrowie wiele lat przed moim urodzeniem. Pamiętałam ten pomnik z bardzo wczesnego dzieciństwa. Ilekroć szłam z ojcem odwiedzić grób dziadka Ignaca, tego, który widział kozę w popielniku i rozebrał z tego powodu piec, przechodziliśmy alejką obok niego. Wcześniej już wyrywałam rękę z ojcowej dłoni i biegłam do chłopca. Między dłonie złożone na książce wsuwałam kwiatuszek zerwany z byle czyjego grobu.

Był moją pierwszą miłością.

*

Dnie stawały się coraz krótsze.

Ogród powoli zmieniał barwy. Mgiełki poranne i zwiewne snuły się nad trawą wysrebrzoną rosą. W ciepłym jeszcze powietrzu, prześwietlonym wyblakłym słońcem, snuły się nitki babiego lata.

Śniadanie jadłam powoli, z apetytem. Uważałam jednak, aby nie wstać od stołu z uczuciem sytości. Za godzinę miałam operować skomplikowany przypadek. Chciałam być w najlepszej formie. Koledzy śledzili krytycznie każdy mój ruch. Bacznie obserwowali i zapewne komentowali między sobą moje zawodowe umiejętności i kwalifikacje. Pracowało mi się najlepiej wtedy, gdy nie czułam głodu, a jednocześnie pewien niedosyt, i miałam ochotę na jeszcze jedną grzankę z twarogiem albo na kawałek żółtego sera.

Popijając ulubioną wodę z miodem i cytryną, wybiegałam mimo woli wzrokiem w jesienny ogród. Wciąż na nowo wzruszał i cieszył pięknem, tak jak i ten pokój z mruczącym kotem na dywanie, wyciągniętym na całą swoją długość. Trudno mi było uwierzyć, jak nieprawdopodobny zrobiłam skok z rudery na ulicy Dobrej do posiadłości w Kuczebinie. Było to dla mnie wciąż czymś niepojętym, zaskakującym i cudownym, ale czy byłam przez to szczęśliwsza?

Za ogrodzeniem na podjeździe ktoś zahamował osto na asfalcie. Słyszałam głośno pracujący silnik. Nie była to z pewnością sanitarka, na którą czekałam. Znałam dobrze jej cichy warkot i punktualność kierowcy. Wyjrzałam oknem zza muślinowej firanki. Przez korony starych drzew niewiele mogłam dostrzec.

Rozległ się energiczny dzwonek. Hiob niespokojnie podniósł rudy łebek i zastrzygł uszami. Przezornie nie nacisnęłam brzęczka. Mój dom stał trochę na uboczu, odgrodzony od innych willi ogrodami i małym brzeziniakiem. Zbiegłam więc na dół sprawdzić, kto i w jakim celu przyjechał.

Z ogromnej ciężarówki przykrytej szarą plandeką gramolił się Wykolejeniec, a za nim z szoferki pan Węchacz.

— Witaj, królowo! — wrzasnął wymachując rękami. Ruchy miał nie skoordynowane. Pomyślałam, że z pewnością ma za sobą noc opilstwa. Pan Węchacz wyglądał na trzeźwego. Prowadził ciężarówkę.

— Całuję rączki kasztelance! — mizdrzył się cały w uśmiechach. — My tu z niespodzianką dla szanownej pani. Zygmuś jeszcze nie tego... — zrobił nieokreślony ruch dłonią — ale będzie wszystko w porządku. Długo nie zabawimy... — zastrzegł się, ale Wykolejeniec nie dał mu dokończyć zaczętej myśli.

— Królowo, nic się nie martw! Jajniki ci odrosną, a na pocieszenie z darem na osiedliny przybyliśmy i tak długo tu będziemy siedzieć, aż cała robota będzie wykonana. Chociażby do nocy, a jak trzeba to i do świtu. Rano też można zrobić oblewanko. Niekoniecznie musi to być wieczór — gestykulował wymownie rękami. — My ze Stasieńkiem kochaliśmy takie ranki, gdy się cała rodzina porozłaziła, a my mogliśmy spokojnie zasiąść do kielicha z żytem.

— Chłopaki! — ponownie wrzasnął w kierunku budy.

Zza plandeki wychyliły się trzy rozkudlone łby. Zapuchnięte oczka niepewnie mrugały w fioletowych, obrzmiałych od alkoholu twarzach.

— Idziem, szefie! — zachrypiał któryś. — Członki ciut zemdleli!

Nogi ugięły się pode mną. Za chwilę miał przyjechać po mnie wóz. W szpitalu czekała operacja, a ja nie mogłam tego towarzystwa pozostawić w domu. Gotowi, przy pomocy Wykolejeńca, cały dobytek wraz z meblami i wanną wywieźć. Nie była to dla niego pierwszyzna, a i reszcie towarzystwa nie należało ufać.

— Za chwilę jadę do szpitala. Nie wiem nawet, kiedy wrócę — tłumaczyłam drżącym głosem. — Przyjedźcie w jakiś dzień świąteczny! — dodałam byle coś powiedzieć, pozbyć się jak najprędzej intruzów, dać do zrozumienia, że nie są pożądanymi gośćmi.

Straszne typy z łopatami, w umazanych gliną drelichach, wyskakiwały jeden po drugim ze śmiertelnie poważnymi minami.

Grabarze! — przemknęło przez myśl i obleciał zabobonny lęk. — Do kompletu potrzebny tylko Busio i Topsi.

Jęknęłam. Pan Węchacz w różowej wiatrówce przy swoich żółtawych, przylizanych na ciemieniu włosach, wyglądał jak z koszmarnego snu.

— Nic nie szkodzi! — uśmiechał się beztrosko, ukazując złoty błyszczący ząb. — Do chałupy nie musimy wchodzić. Zna się ją jak własną kieszeń. W samochodzie znachodzimy wszystko, co do życia potrzebne, a i tak będzie się pracowało na świeżym powietrzu. Wróci nasza kasztelanka, wszystko będzie gotowe. Oblejemy razem, pospołu, nasz harcerski czyn! — plótł zagadkowo i bez sensu. Zaczęłam podejrzewać, że taki znów trzeźwy to on też nie jest.

— Wykluczone! — krzyknęłam. — Nie wpuszczę za bramę!

— Jak będzie trzeba, to wyłamiemy! — zapewniał Wykolejeniec przybierając łagodny ton perswazji. — Ludzie są, łomy także, więc gdzie tu problem? — Patrzył na mnie z politowaniem, jak na niedorozwiniętą. — A chłopy nie ułomki. Pan Misio, sam jeden, potrafi trumnę z nieboszczykiem zarzucić sobie na plecy i wrzucić do dołu.

— Przestań! — krzyknęłam. Nie miałam pojęcia, co z tym wszystkim zrobić. Pomyślałam, że gdyby tu ze mną był Topsi, nigdy by do takiej sytuacji nie doszło.

— Otwieraj, otwieraj i bój się nic! — śmiał się Wykolejeniec przyodziany w dżinsowe ciuchy i kowbojski kapelusz. Brakowało tylko koltów. — Nie skazuj ludzi na dodatkową pracę przy wyłamywaniu zamka. I tak się solidnie naharują. Pomyśl lepiej o skrzyneczce wódki, bo to, co mamy, może nie wystarczyć.

Otworzyłam bramę, pobiegłam pędem do domu. Chwyciłam torebkę, pozamykałam na klucz wszystkie pokoje i frontowe drzwi. Postanowiłam przed bramą czekać na sanitarkę.

— Co wy tu, właściwie, chcecie robić? — zapytałam roztrzęsionym głosem drepczącego w moim kierunku pana Węchacza.

— Niespodzianka, szanowna kasztelanko, niespodzianka! — śmiał się promiennie, łyskając złotym zębem i zacierając dłonie o krótkich, serdelkowatych palcach. — Godna pięknej kobiety! — oblizał wargi koniuszkiem języka.

— Niczego tu nie ruszajcie... — prosiłam bliska płaczu, ale nim pan Gienio coś odpowiedział, a Wykolejeniec wygramolił się ponownie z szoferki, ciągnąc za sobą pokaźny karton przewiązany sznurkiem, nadjechała „warszawa" z granatowym paskiem i krzyżem na drzwiczkach.

Wskoczyłam do niej szybko, bez słowa, żeby kierowca nie spostrzegł koszmarnego towarzystwa rozłażącego się po ogrodzie.

— Jakiś remoncik? — zapytał grzecznie, gdy tylko ruszyliśmy sprzed domu.

— Ogrodnicy — powiedziałam bez zastanowienia i nagle uświadomiłam sobie, że mogą to być prorocze słowa. Wykolejeniec nie miał chyba zamiaru murować tutaj cmentarnej kapliczki, chociaż można się było po nim spodziewać wszystkiego. Fantazję miał nieograniczoną. W zapijaczonej głowie mógł się zalęgnąć pomysł, że musi przeprowadzić ekshumację zwłok „kochanego Stasieńka", aby córce zrobić miłą niespodziankę.

Włos mi się zjeżył. Pot wystąpił na czoło. Sięgnęłam do torebki po chusteczkę.

Rozpoczęty burzliwie dzień obfitował w dalsze niespodzianki. Operacje przeprowadziłam dwie, a nie jedną. Około południa przywieziono na sygnale mężczyznę z wypadku samochodowego z tak rozległymi obrażeniami wewnętrznymi, że operowaliśmy go blisko przez pięć godzin. Nie miałam nawet pewności, czy uda się go utrzymać przy życiu. W tym samym czasie zmarła na oddziale pacjentka z usuniętym płatem prawego płuca, z przerzutami raka do krtani. Matka dwojga dzieci. Rodzina prosiła, aby zwolnić zwłoki od przeprowadzenia sekcji. Należało wypełnić odpowiedni formularz, wydać dyspozycje. W godzinę później wyznaczona na nocny dyżur siostra Marta, jedna z najbardziej sumiennych i pracowitych, zwichnęła nogę w kostce i nie bardzo było ją kim zastąpić na oddziale.

Wszystkie te sprawy oderwały od moich osobistych kłopotów. Kazały zapomnieć o wizycie Wykolejeńca, o tym, co mogło dziać się w posiadłości i co w niej zastanę po powrocie.

Kierowca odwoził mnie do domu późnym popołudniem. Zapadał fiołkowy zmierzch, ochłodziło się znacznie. Wracałam zmęczona, z duszą na ramieniu, pełna najgorszych przeczuć i bezradna. Przez całą drogę zastanawiałam się, co zastanę na miejscu. Lęk i wyobraźnia podsuwały obrazy godne najlepszych horrorów w stylu angielskim.

Kierowca coś do mnie mówił, o czymś przekonywał. Niewiele z tego docierało do mojej świadomości. Dopiero gdy kilkakrotnie powtórzył pytanie, kiedy kupię wóz, zdałam sobie sprawę, że przez całą nieomal drogę prowadził na ten temat monolog.

— Nie mam takiego zamiaru — skwitowałam krótko. Przez moment zastanawiałam się, dlaczego właściwie miałabym go nie kupić? Wprawdzie nie potrafiłam prowadzić wozu, nie miałam w tym kierunku żadnych ciągot i zainteresowań, ale jednak posiadanie go mogło ułatwić pobyt na prowincji, rozwiązać wiele problemów. Do szpitala, w centrum Kuczebina, nie miałam najlepszego połączenia autobusowego. W drodze powrotnej byłam często zmuszona korzystać z taksówek, co również nie było sprawą prostą. Zwłaszcza w dni deszczowe i na początku miesiąca, gdy wszyscy czuli się nagle milionerami. Postanowiłam zastanowić się nad tym, przemyśleć sprawę.

— Pani doktor powinna sobie fundnąć zagraniczną gablotę — zachęcał żarliwie. — Wszyscy doktorzy jeżdżą własnymi. Tylko pani doktor pcha się autobusem albo sanitarką. Jak ma się taki pałac, to i na fordziaka starczy — zachęcał z powątpiewającym uśmieszkiem, gdy wtrąciłam coś na temat braku pieniędzy. Prawdopodobnie uważano mnie w szpitalu za „nadzianą babkę" — jakby dawniej określił Brysio.

Zamilkłam. Nie chciałam wdawać się z kierowcą w niepotrzebne rozmowy. W świetle reflektorów sanitarki mignęły kontury stojącej na podjeździe ciężarówki. Łudziłam się, że jej już po powrocie nie zastanę. Celowo nawet przedłużałam pobyt w szpitalu, załatwiając sprawy, które z powodzeniem mogłam odłożyć do dnia następnego albo komuś je zlecić. Kilkakrotnie zaglądałam do operowanych pacjentów, obeszłam raz jeszcze cały oddział, sprawdziłam w kuchni, czy jest na noc dostateczna ilość przegotowanej wody, wyprosiłam kilku zapóźnionych gości z ogólnej sali.

Jeden z moich asystentów, znacznie młodszy kolega i, jak się zdążyłam wcześniej zorientować, zdolny chirurg z dużą intuicją, zauważył przy kawie z rozbrajającą szczerością, że jak tak dalej pójdzie, to na chirurgii zabraknie pracy nie tylko dla lekarzy. Przyjęłam tę uwagę w żartobliwej tonacji jako ostrzeżenie.

Podpisałam kontrolkę, pożegnałam kierowcę, chcąc jak najprędzej zostać sama, rozejrzeć się w sytuacji. Nie chciałam, żeby napomknął coś na temat ciężarówki. Wyglądało na to, że nie zwrócił na nią uwagi. Wspomniał jeszcze coś o moim ewentualnym kupnie samochodu i ofiarował się z usługami jako mechanik. Obiecałam, że jeśli się kiedyś zdecyduję, to z całą pewnością on będzie docierał wóz i udzielał mi dodatkowych lekcji jazdy.

Było już całkiem mroczno. Zerwał się porywisty wiatr, tarmosił konarami drzew. Opadłe liście szeleściły pod stopami. Poczułam się nieswojo w tej scenerii. Czerwone światełka sanitarki oddalały się szybko, malały do migotliwych punkcików w perspektywie bocznej szosy wysadzanej starymi lipami. Pomyślałam z żalem, że wkrótce zostaną wycięte, a szosa poszerzona. Tak przynajmniej twierdził kierowca.

Latarka przy bramie słabo oświetlała podjazd. Przemknęło mi przez myśl, że należy zainstalować dwie duże latarnie. Pies także by się przydał.

Zajrzałam do ciężarówki łudząc się, że pijane towarzystwo śpi w jej wnętrzu czekając ranka, aby ruszyć w powrotną drogę. Pod plandeką leżały jedynie łopaty, skrzynki, butelki po piwie, brudne szmaty, a może worki. Wokół domu panowała cisza. Żadnych ludzkich głosów, pijackich pokrzykiwań.

Ogród pachniał rozkopaną ziemią i chłodem wieczoru. Wyglądało na to, że na rabatach i jeszcze nie zagospodarowanych klombach zaflancowano jakieś rośliny. W ciemności nie byłam w stanie zobaczyć, co bez mojej zgody zasadzono, ale był to tylko wykręt przed samą sobą. Nie chciałam się irytować przed nocą. Byłam znużona dniem, pragnęłam jak najszybciej znaleźć się w domu, wziąć kąpiel, zjeść wreszcie kolację. Ogród postanowiłam obejrzeć rano, w pełnym świetle, przed udaniem się do szpitala. Odetchnęłam z ulgą, że nie wymurowano w nim kapliczki ani nie ustawiono nagrobnego, ukradzionego z cmentarza anioła. Przypomniała się willa w Draniewie. Przydzielono ją nam, gdy ojciec był starostą. Poprzedni właściciel był z zawodu kamieniarzem. Ogród przed domem przypominał do złudzenia cmentarz z pomnikami i płytami nagrobnymi.

Kot przywitał mnie rozpaczliwym, pełnym wyrzutu i skargi miauczeniem. Przed wyjściem z domu zapomniałam nalać mleka do miseczki, zostawić kawałeczków słoninki, za którą przepadał. Nazywał się Hiob. Chciałam zerwać z wieloletnią tradycją. Nie udało się. Bardziej reagował na słowo „Kacunia". Po przyjeździe z Cieplic znalazłam go w rowie za ogrodzeniem. Był malutki i w takim stanie, że inne imię, niż Hiob, nie pasowało do niego.

— Nie wrzeszcz! — upomniałam otwierając drzwiczki lodówki. — Widzisz przecież, że jeszcze nie zdążyłam nawet ściągnąć płaszcza. — Rozmawiałam z kotem, żeby zagłuszyć narastający niepokój i złe przeczucia. Nic dobrego nie wróżyła stojąca przed domem ciężarówka. Od dawna powinna znajdować się w drodze do Warszawy.

Obawiałam się, że Wykolejeniec ze swoją kompanią ruszył taksówką, czy inną okazją, do Kuczebina i nie wiadomo kiedy wrócą z kolacji zakrapianej alkoholem.

Co do tego nie miałam żadnych wątpliwości. Postanowiłam nie otwierać drzwi, nie wpuścić do domu, jeśli wrócą późną nocą. Niech śpią w ciężarówce. Długo jeszcze marudziłam, kręcąc się po domu, żeby nie wyrwał mnie z pierwszego snu alarmujący dzwonek przy bramie. Zasnęłam dopiero około północy z lekkim bólem głowy, z uczuciem wewnętrznej porażki, żalem do losu, że sama muszę borykać się z przeciwnościami, sytuacjami takimi jak dzisiejsza. Wielki pusty dom wydał się w tej chwili twierdzą bez dowódcy, bronioną tylko przez jednego żołnierza.

Przewracałam się niespokojnie na łóżku, nasłuchiwałam, czy nie usłyszę podjeżdżającej taksówki, pijackich śpiewów i pokrzykiwań. Dookoła panowała cisza. Tylko wiatr za oknami szumiał w drzewach, skrzypiały stare dębowe schody, jakby ktoś po nich stąpał. Wiedziałam, że to tylko rozsychające się drewno. Przypomniały się jednak różne historie i złośliwe zapewnienia pana Węchacza, że sprzedał mi dom wraz z duchami. Dotychczas o tym ani razu nie pomyślałam. Wydawało się to bzdurą wymyśloną na poczekaniu za to, że nie dałam się finansowo wykorzystać, a może poczuł się urażony w swoich męskich ambicjach. Wzdrygnęłam się z obrzydzenia, ale uczucie irracjonalnego lęku nie opuszczało.

Przypomniała się uwaga jednego z kolegów, że muszę być bardzo odważna, jeśli zdecydowałam się zamieszkać samotnie na takim odludziu i że ten dom nie cieszył się nigdy dobrą sławą w okolicy. Jakoś zbagatelizowałam jego słowa, a także koleżanki z interny. Napomknęła coś o koszmarnym mordzie w okolicy, mającym miejsce na parę miesięcy przed moim tutaj przyjazdem.

Zapaliłam na moment światło, sprawdziłam, czy założyłam na dole dodatkowy łańcuch przy drzwiach i przeniosłam kota z fotela na łóżko. Zaraz też zagnieździł się pod kołdrą przy moim boku. Jego głośne, pełne zadowolenia mruczenie podziałało uspokajająco.

Noc minęła spokojnie. Obudziłam się o szarym świcie, czujna i napięta, jakbym w ogóle nie kładła się spać. Pierwsza myśl, jaka się pojawiła, wiązała się z Wykolejeńcem i jego kumplami. Coraz bardziej niepokoiła świadomość, że się dotychczas nie zjawili, chociaż, jak twierdził ojciec:

„Pijakami Pan Bóg opiekuje się osobiście i dlatego omijają ich nieszczęścia, ale wtedy tylko, gdy są w stanie nieważkości".

Wyskoczyłam z łóżka. Kot zamiauczał z dezaprobatą, otwierając leniwie żółte ślepia. Otulona w ciepły szlafrok otworzyłam okno na całą szerokość. Rześkie powietrze pachniało schyłkiem jesieni. Błękitnawa mgiełka otulała cichy ogród w rdzawozłotawych barwach. Zapatrzyłam się w niego, jak to czyniłam każdego ranka. Ta chwila była najbardziej moja i najpiękniejsza z całego dnia. Wodziłam wzrokiem po różanych krzewach z dojrzałymi, czerwonej barwy owockami. Gdzieniegdzie wykwitał zapóźniony kwiat amarantowej barwy. Przywodził na pamięć niezrównany smak konfitury w domowych, matczynych pączkach. Patrzyłam na trawniki, na to wszystko, co jeszcze na nich kwitło i po raz pierwszy doznałam uczucia smutku i nieokreślonego lęku połączonego z przygnębieniem. Przez dłuższy moment nie zdawałam sobie sprawy, co się ze mną dzieje, skąd bierze się u mnie ten nostalgiczny nastrój. Budził się przecież ranek zwiastujący piękny, słoneczny dzień babiego lata po chłodnej nocy. Nie byłam skłonna do depresji.

Raz jeszcze powiodłam wzrokiem po trawnikach, bo coś mnie w nich zastanowiło, i wiedziałam już wszystko. Mój piękny, trochę jeszcze w dzikim stanie, ogród zamieniono w cmentarz. Brakowało jedynie kamiennych krzyży i pomników z aniołami śmierci. Rabatki uformowane w kształcie grobów i klomby, mające dotychczas krągłe kształty, obsadzono gęsto nagrobnymi flancami. Srebrzyły się obficie mrozy, fioletowy heliotrop, różowe petunie, liściaste begonie, żeniszek i białe bratki. Wszystkie te wysoko usypane prostokątne rabatki wkomponowane w trawniki z opadłymi liśćmi, ciągnące się pod drzewami, przypominały starą część Powązkowskiego Cmentarza, jaki pamiętałam z czasów dzieciństwa. W takiej właśnie jego części spoczywał dziadek Ignac i ciotka Broncia.

Stałam w oknie oniemiała, bliska płaczu i przerażona tym, co uczyniono z mego ogrodu. Narastała wściekłość na pana Węchacza. Domyślałam się, że on to właśnie był w tym wypadku złym duchem pijanego Wykolejeńca. To właśnie miała być ta niespodzianka, o której wspominał zacierając dłonie, prezent na osiedliny. Zacisnęłam zęby aż do bólu i postanowiłam dziś jeszcze postarać się o jakiegoś ogrodnika. Musi zabrać wszystko to, czym obsadzono ogród, przekopać klomby i rabaty. Obsadzić tylko tym, co chciałam widzieć w ogrodzie. Powinien być barwny, bezpretensjonalny. Żadnych symetrycznych klombów i sztampowych róż. Wymarzyłam sobie nieregularne, kolorowe plamy na strzyżonej zieleni trawników, niby kwitnące na nim przypadkowo różnorakie byliny.

Hiob łasił się, ocierał o moje nogi dopominając się o ciepłe mleko. Odkręciłam kurki nad wanną i zeszłam do kuchni podgrzać mleko, przygotować coś na śniadanie po kąpieli.

Wyjęłam z szafki tacę, ustawiłam na niej nakrycie na jedną osobę. Przemknęła myśl o Topsim. Nasze spotkania w „Zdrojowej", wspólne posiłki w małych restauracjach. Postawiłam na gazie czajnik, rondelek z jednym jajkiem i zabrałam się do przygotowywania grzanek, gdy w ciszę domu wdarł się długi, głośny dzwonek.

Pijusy wracają! — pomyślałam z bijącym niespokojnie sercem. Niech poczekają, poranny chłód dobrze im zrobi. Krajałam czerstwą bułkę na cienkie kromki. Ustawiłam bez pośpiechu na tacy masło, miód w miseczce, kawałek sera i resztkę pasztetu z poprzedniego dnia.

Dzwonek odezwał się ponownie. Bardziej kategorycznie i dłuższy od poprzedniego.

Długo jeszcze poczekacie — pomyślałam mściwie i powoli weszłam na górę zakręcić krany w łazience. Była obszerna, z dużym oknem. Dosypałam aromatycznych soli do wody w wannie, przeczesałam włosy przed owalnym lustrem, a dzwonek coraz uporczywiej domagał się otwarcia furtki.

Wyjrzałam oknem. Należało zorientować się, w jakim stanie wracają z nocnej eskapady. Słońce przedzierało się przez mgiełkę, nikły poblask rozświetlił korony drzew przerzedzone z listowia. Stały się jeszcze bardziej złote i piękniejsze.

Na moment zamarłam w bezruchu.

Przy bramie z ozdobnej kraty stał milicjant i dwóch mężczyzn w cywilu. Coś do siebie mówili, rozglądali się po oknach. Nad czymś się naradzali. Jeden z nich podszedł do ciężarówki. Zaglądał kilkakrotnie pod plandekę, sprawdzał, czy drzwiczki otwarte.

— Stało się! — jęknęłam. Wiedziałam od początku, że to wszystko nie może się skończyć tak zwyczajnie. Serce waliło na alarm, dłonie drżały, gdy naciskałam brzęczyk. Albo kogoś okradli, albo zdemolowali knajpę — przebiegło przez myśl.

— Co obywatelka tak długo nie otwierała? — milicjant spoglądał na mnie podejrzliwie, gdy wpuszczałam całą trójkę do hallu.

— Byłam w łazience — bąknęłam przerażona wizytą. — Jest bardzo wcześnie — dodałam bez sensu i potrzeby.

— My pracujemy na okrągło — odpowiedział surowym tonem. Był w średnim wieku, nieco otyły.

Ma kłopoty z nerkami — zarejestrowałam patrząc na jego bladą, nalaną twarz z wydatnymi obrzękami w okolicy oczu.

— Co się właściwie stało, że panowie przyszli? — jęknęłam na przydechu. Głos mi ugrzązł w gardle i nie wiadomo dlaczego, poczułam się jak winowajczyni.

— To ja tutaj zadaję pytania — odburknął wyciągając z kieszeni gruby notes w czarnej oprawie opasany gumką. Stojący przy nim mężczyzna miętosił w ręce jakieś papierki. Drugi rozglądał się ciekawie po częściowo tylko urządzonym hallu.

Poprosiłam, żeby usiedli, podsuwając stylowe krzesła zakupione na starzyźnie i starannie odrestaurowane przez stolarza — artystę z Kuczebina.

— To obywatelka jest... — zawiesił na moment głos zaglądając do notatnika — tą... tą kasztelanką? — patrzyły na mnie z ciekawością niebieskie, umęczone oczy. — Co to za zawód?

— Jestem lekarką. Pracuję w Kuczebinie w szpitalu na stanowisku ordynatora — wyjaśniłam, żeby zaoszczędzić mu dodatkowych pytań.

— A gdzie, w takim razie, jest ta obywatelka kasztelanka? — znów zerknął niepewnie do opasłego notesu.

— Tak mnie żartobliwie nazywają czasem znajomi — odpowiedziałam ostrożnie, uśmiechając się.

— Tu nic nie ma do śmiechu! — zganiła władza. — Koń uprowadzony, dorożkarz pobity, balustrada w publicznym lokalu rozebrana, rachunek za konsumpcję nie uiszczony, za szkody moralne także samo — szeleścił kartkami notesu odczytując z nich dalej: — Straż pożarna wezwana do ściągania konia z pierwszego piętra, trzy obywatelki zapaskudzone końskim łajnem, cztery stoliki z zastawą zdemolowane, jedno złamanie ręki i obraza moralności na środku konsumpcyjnej sali przez głównego sprawcę zajścia, tudzież obsikanie tańczącej pary, jak również górnej części bufetu, za którym obywatel Harnadel, krytycznego wieczora, pełnił obowiązki barmana... — wyliczał beznamiętnym, urzędowym tonem chory na nerki milicjant.

— Wszyscy delikwenci nocowali w izbie wytrzeźwień i też będzie z tego niewąski rachunek — zakończył ten w cywilu. Zabrzmiało to, jak „amen" w pacierzu.

— Ale co ja z tym mam wspólnego? W jaki sposób panowie trafili z tym do mnie? — denerwowałam się.

— Pięciu zeznało dobrowolnie, że obywatelka kazała im zjeść kolację na mieście na swój rachunek. Za zleconą w ogrodzie pracę nie uiściła zapłaty, a także samo obywatela Węchacza Eugeniusza oszukała przy kupnie domu nie dopłacając dodatkowej sumy za... — przez chwilę wczytywał się w tekst zbyt widocznie dla niego trudny — za... metafizykę i tą drogą ściąga należne mu pieniądze — dokończył milicjant wpatrując się teraz w mój dowód osobisty. Zażądał go na początku rozmowy.

— Nic nikomu nie jestem winna — zaczęłam głupio i niepotrzebnie tłumaczyć.

— To się okaże... — mruknął.

— Płaci pani, czy nie? — odezwał się zaczepnym tonem cywil z papierkami w ręce. — Nie dość, że lokal zapaskudzili rzygowinami, to jeszcze i rachunku uregulować nie chcieli, skubańce!

— Ten obywatel jest właścicielem prywatnej knajpy „Pod Orlątkiem" — wyjaśnił znużonym głosem milicjant i także popatrzył na mnie z pretensją w podpuchniętych oczach.

— To do pana lokalu wprowadzili konia? — zapytałam przerażona perspektywą płacenia wynikłych z tego tytułu szkód.

— To karygodne wydarzenie miało miejsce w parę godzin później, w restauracji „Samopomoc Chłopska", tuż za miastem, w zabytkowej kamienicy — objaśnił rzeczowo milicjant. — Nam chodzi o rachunek z „Orlątka". Sam właściciel się z nami tu pofatygował.

— Dobrze — zgodziłam się po krótkiej chwili namysłu. — Proszę mi dać ten rachunek. Innych w żadnym wypadku regulować nie będę — zastrzegłam się.

Cywil o wyglądzie wodnego szczura podał mi usłużnie długą listę zamawianych potraw i trunków. Suma była zawrotna. Każdy z konsumentów musiałby posiadać przynajmniej po trzy żołądki, żeby wszystko to w sobie pomieścić, nie mówiąc już o alkoholu. Jak zdążyłam pobieżnie obliczyć, na każdego z nich przypadało po trzy litry czystego spirytusu.

— Chyba trochę pan z tym rachunkiem przesadził? — starałam się mówić żartobliwym tonem, żeby nie zadrażniać sytuacji, a jednocześnie dać do zrozumienia, że orientuję się „co jest grane", jak mawiają w takich razach moi studenci odbywający praktykę na oddziale.

— Jaka praca, taka płaca! — właściciel „Orlątka" uśmiechnął się krzywo, zerkając w stronę milicjantów.

Ten w mundurze chrząknął i spojrzał surowo w moją stronę.

— Co oni za pracę u obywatelki wykonali? — zapytał urzędowym tonem.

— Mieli posadzić flance na klombach...

— Zobaczymy, sprawdzimy... — mamrotał milicjant coś tam notując na kartce.

— A co z rachunkiem właściciela lokalu „Pod Orlątkiem"? — wtrącił groźnie ten w cywilu.

— Proszę tu poczekać. Muszę sprawdzić, czy będę miała w domu taką sumę.

— Poczekamy — powtórzyli zgodnym chórem.

Szłam na górę do mego pokoju na uginających się nogach. Obawiałam się, że moje kłopoty z pijusami dopiero się zaczęły i może mnie ta ich „niespodzianka" drogo kosztować. I nie tylko finansowo. Wieść o koniu ściąganym z pierwszego piętra przez strażaków rozejdzie się szybko i dotrze do szpitala. Przerażała myśl, że moje nazwisko będą łączyć z chuligańskimi wybrykami grabarzy, a także podejrzanych osobników, jak pan Węchacz i Wykolejeniec. Niewykluczone, że rozpowiadał w knajpie o lekarce-kasztelance z wyciętymi jajnikami, córce jego ukochanego przyjaciela.

Pieniędzy wystarczyło na opłacenie rachunku. W kasetce pozostały zaledwie nędzne grosze. Na bieżące wydatki należało jeszcze dziś podjąć coś z książeczki. Spojrzałam na zegarek. Za niecałą godzinę miał przyjechać po mnie kierowca. Byłam jeszcze bez śniadania i czekała rozmowa z milicjantem. Zaznaczył na wstępie, że muszę udzielić pewnych informacji „odnośnie zapodanych w protokole obywateli".

Odliczyłam głośno co do grosza żądaną sumę, poprosiłam właściciela knajpy o pokwitowanie i od razu nastrój uległ zmianie. Obaj cywile uśmiechnęli się do mnie, milicjant rozchmurzył i innym już tonem zaczął rozpytywać o „znajomków" — jak się wyraził, chociaż za każdym razem, gdy używał słowa „znajomek", prostowałam, że żadne kontakty towarzyskie nie łączą mnie z tymi ludźmi, a grabarzy w ogóle nie znam.

W czasie rozmowy zaproponowałam kawę. Tłumaczyłam, że ranna godzina doskonale się do tego nadaje i miło będzie ją wypić w towarzystwie. Zaproszenie przyjęto bez specjalnego ociągania, z czego wywnioskowałam, że przestano traktować mnie jako osobę podejrzaną.

Przy kawie z czekoladkami przysłanymi przez Ewę ze Sztokholmu dowiedziałam się wreszcie, co wydarzyło się po libacji „Pod Orlątkiem".

Mimo że sytuacja, w jakiej się znalazłam, nie była najweselsza, nie mogłam się powstrzymać od śmiechu, gdy cywil — naoczny świadek zajścia, relacjonował ze śmiertelną powagą, co działo się w restauracji „Samopomoc Chłopska", mieszczącej się w zabytkowej kamieniczce będącej pod opieką konserwatora zabytków.

Wchodzi się do niej przez ogromny hall na pięterko dębowymi schodami. Tam mieści się wielka sala konsumpcyjna z piękną drewnianą balustradą, przy której stoją również stoliki z widokiem na tenże hall wykładany starą gotycką cegłą zamiast podłogi.

Wykolejeniec z panem Węchaczem, przy pomocy grabarzy, obezwładnili jedynego w mieście dorożkarza, upiwszy go uprzednio „Pod Orlątkiem". Po czym związanego linami pozostawili przytroczonego do latarni. Sami wyprzęgli gniadosza i uprowadzili. Dosiadł to apatyczne zwierzę Wykolejeniec w dżinsowym stroju i kowbojskim kapeluszu. Kopiąc je piętami po zapadniętych bokach wjechał z kawaleryjską fantazją na schody, wznosząc antypaństwowe okrzyki — co będzie sądzone — jak wtrącił milicjant w mundurze — z innego już pewnie artykułu i paragrafu. Nie chciał jednak bliżej określić tych obraźliwych wystąpień. Zaznaczył jedynie, że osoby w nich wymienione: nie pasowały do miejsca, w które chciał je wcisnąć pijany obywatel.

Podczas gdy Wykolejeniec szarżował stoliki suto zastawione jadłem i trunkami, na sali wybuchła panika. Szkapa zagrzewana okrzykami Wykolejeńca i jazgotem orkiestry, która spontanicznie i „nie wiadomo z jakich przyczyn" — jak nadmienił milicjant — odegrała marsza: „My Pierwsza Brygada", całkowicie oszalała. Wierzgała tylnymi nogami, zamiatała ogonem po stolikach zrzucając zastawę, stawała dęba. Najgorsze jednak nastąpiło w chwili, gdy trzech kelnerów wraz z kierownikiem lokalu usiłowało utrzymać konia przy pysku i sprowadzić ze schodów. Zaparł się czterema kopytami, rżał przeraźliwie, ze strachu zanieczyścił lokal i trzeba było zawezwać straż ogniową. Rozebrano drewnianą zabytkową balustradę, a konia na parcianych pasach spuszczono w dół do hallu.

„Wesołe obywatele" — jak określił cywil — przebywali obecnie w Izbie Wytrzeźwień. Z dalszych relacji wynikało, że nie zostaną oni w najbliższym czasie doprowadzeni na przesłuchanie do komisariatu, a dowiezieni do szpitala na leczenie zatrucia alkoholowego.

— Wkrótce przyjedzie po mnie sanitarka — napomknęłam mimochodem, gdy wspomnieli o szpitalu.

— No, to my tylko jeszcze przeprowadzimy wizję lokalną w ogrodzie — oznajmił milicjant podnosząc się z krzesełka krytego błękitnym brokatem w drobne różyczki. — Potrzebne do raportu — dodał jakby na usprawiedliwienie.

— Od jak dawna choruje pan na nerki? — zapytałam, bo moje skrzywienie zawodowe nie pozwoliło postąpić inaczej.

— A skąd obywatelka wie? — zapytał z nie ukrywanym lękiem.

— Po oczach — roześmiałam się. — Niech się pan koniecznie zgłosi do mnie do szpitala w dniu wolnym od służby. Jeśli, oczywiście, nie ma pan stałego prowadzącego lekarza — zastrzegłam się.

— Pani doktor, ja nie mam czasu na leczenie! Tak się tych obywateli chuliganów namnożyło, że człowiek nie ma czasu, za przeproszeniem, wyjść za własną potrzebą — sumitował się i bardziej przychylnym okiem popatrzył w moją stronę.

Zeszliśmy do ogrodu. Ranek był ciągle mglisty. Przedzierające się z trudem słońce znów przesłoniła chmura. Zanosiło się na deszcz.

— A te groby to czyje? — zainteresował się milicjant. Przez chwilę przyglądał się uważnie skopanej ziemi. Końcem buta dotknął rabatki z fioletowymi bratkami.

— To właśnie te klomby — wyjaśniłam bez przekonania. — Musieli być już chyba pijani w czasie pracy — bąknęłam przerażona tym widokiem. Dopiero z bliska w mglistym krajobrazie wyglądało to przerażająco.

— A te krzyżyki to niby co? — usłyszałam za sobą głos cywila.

— Jakie krzyżyki? — zdrętwiałam.

— A te tutaj, na tych trzech grobach!

— Nic nie wiem o krzyżykach! — zastrzegłam się i razem z mundurowym milicjantem podeszłam do młodego mężczyzny, przypominającego w tej chwili wyżła w akcji.

— Wygląda to na podręczny cmentarzyk — zauważył z takim zachwytem w głosie, jakby odkrył skarby Inków. Schylił się i dotknął uważnie obeschłą ziemię pomiędzy flancami fiołkowego żeniszka i srebrzystych mrozów. — Świeża robota!

— Świeża — powtórzyłam. — Od wczoraj — dodałam wyjaśniająco i głupio, wpatrując się jak urzeczona w małe, wycięte z dykty krzyżyki. Domyśliłam się, że miały zapewne symbolizować trzy groby moich bliskich, ale jak mogłam wytłumaczyć to funkcjonariuszom milicji? Trzeba by opowieść zacząć od dzieciństwa, a i to z pewnością niewiele by dało.

— Sprawdzimy, co tam pod darnią i kwiatkami siedzi! — oznajmił milicjant, a ja przeraziłam się nie na żarty. Pan Węchacz z Wykolejeńcem i przy pomocy grabarzy mogli mi spłatać makabrycznego figla. Nie było dla nich nic świętego.

— Są to z pewnością pijackie dowcipy — wzruszyłam ramionami starając się mówić spokojnie, bez emocji. — Ale niech panowie kopią. Nie mam nic przeciwko temu. Zwłaszcza że i tak muszę poszukać ogrodnika, który to wszystko zniweluje i doprowadzi ogród do poprzedniego wyglądu.

Wyciągnęłam krzyżyki z ziemi i odeszłam w kierunku domu. Trójka mężczyzn podążyła z ociąganiem za mną, prosząc, żebym na razie niczego w ogrodzie nie ruszała.

— Przyślemy obywatelce ogrodnika. Jeszcze dzisiaj — postanowił nieoczekiwanie milicjant z chorymi nerkami. — Na koszt obywatelki — dodał po namyśle.

— Będę bardzo wdzięczna — odpowiedziałam z uśmiechem i poprosiłam, aby zabezpieczyli również ciężarówkę i zabrali ją na posterunek, ponieważ nie chcę widzieć na oczy jej właścicieli.

Knajpiarz gorąco i skwapliwie poparł moje stanowisko. Co jakiś czas dotykał kieszeni na piersiach, gdzie wsunął otrzymany ode mnie plik banknotów, jakby sam nie wierzył własnemu szczęściu, że się tam rzeczywiście znajdują. Podejrzewałam, że i w sezonie z tygodniowego utargu nie może więcej wyciągnąć.

Rozstaliśmy się w przyjaznym nastroju. Gdy ciężarówka prowadzona przez cywila ruszyła, usłyszałam głośny wystrzał w kuchni. Pobiegłam do domu wyobrażając sobie najgorsze rzeczy, ale to tylko woda wygotowała się całkowicie w rondelku i przypieczona skorupka jajka eksplodowała rozpryskując twarde żółtko po ścianach. Woda w imbryku także o mało się nie przypaliła, a Hiob siedział na tacy dojadając resztki pasztetu.

*

Od Ewy nadchodziły częste listy i kartki ze Szwecji.

Barwne fotografie różnej maści psów i kotów, a jeśli była to widokówka wysłana z jakiegoś miasta, powtarzał się niezmiennie fragment mostu.

Zapytałam ją kiedyś, czy w tych wszystkich miejscowościach, z których je wysyła, są one najciekawszą budowlą, gdyż według mnie nie odznaczają się specjalną urodą.

Odpisała krótko i lakonicznie, że dla niej most jest symbolem łączenia, trafiania na inny brzeg i że to także dotyczy ludzi. Przede wszystkim ludzi...

W tych barwnych pocztówkach zaplątały się czasem róże lub sielski pejzaż — dobrany bardziej pod gust mojej matki. Domyślałam się wtedy, że zatęskniła za nią i dawnym domem. Styl słów kreślonych na kartkach był taki, jakby je sam ojciec pisał. Nawet coś w charakterze pisma było znajomego. Nie zdawała sobie nawet sprawy, że literę „a" i „d" pisze zupełnie tak jak dziadek. Ten sam kąt pochylenia, ta sama niedbałość w prowadzeniu kreski. Może dlatego, że to on pierwszy włożył między jej paluszki ołówek i wodził rączką, aby napisała swoje imię.

Nie byłam wówczas z tego zadowolona. Robiłam ojcu wymówki. Uważałam, że gdy pójdzie do szkoły, znając już literki i wiążąc je zgrabnie w słowa, będzie nudziła się na lekcjach. Nie miałam ambicji, aby moje dziecko było najlepsze, najzdolniejsze w klasie. Najczęściej ci mali geniusze obniżali z czasem loty, stawali się przeciętnymi uczniami. Wywoływało to późniejsze kompleksy i zawiść do tych, którzy byli pod jakimś tam względem od nich lepsi.

Listy przyfruwały regularnie i często. Było to miłym zaskoczeniem. Obawiałam się kiedyś, że zajęta własnym, dorosłym życiem, odbije się od domu pozostawionego w Polsce. Nie było w nim już przecież ukochanych dziadków. Podejrzewałam nawet, że jest do nich bardziej przywiązana niż do mnie. Nie potrafiłam, nie miałam także możliwości, w odpowiednim czasie przywiązać Ewy do siebie. Miałam na utrzymaniu cztery osoby nie licząc kota. Brałam dodatkowe dyżury w szpitalu, w pogotowiu i wszelkie możliwe zastępstwa. Ojciec twierdził złośliwie, że najlepiej będzie, jeśli całkowicie przeniosę się tam z łóżkiem i meblami.

Wychowywali ją więc dziadkowie. Znali lepiej ode mnie, a może i nawet kochali czulej niż ja, która nie miałam zbyt wybujałego instynktu posiadania dziecka. Z Ewą zbliżyłyśmy się dopiero wtedy, gdy dorastała, gdy moje życie emocjonalne nie ułożyło się z Piotrusiem, gdy dziadkowie odeszli w wieczność, a ona wyznała, że jest w ciąży. Może na tej ze mną przyjaźni zaważyło i to, że tak łatwo i bez komentarzy przyjęłam wiadomość o jeszcze jednym „bęsiu" w rodzinie.

Nie zapytałam nawet, kto jest ojcem, chociaż truchlałam na samą myśl, że do przychówka przyczynił się profesor Płodziak. Obrzucony był jak piegami potomstwem z prawego łoża, reprezentowanego przez urodziwą żonę — ostatnią platoniczną miłość mego ojca. Może nie dotyczyła ona samej Płodziakowej, ale jej udanych progenitur. Ojciec w następnej kolejności po wódce kochał dzieci i zwierzęta.

Nie wypytywałam Ewę o nic. Pragnęłam tylko, aby memu dziecku oszczędzić dodatkowych cierpień. Chciałam, aby urodziła to dziecko. W sferze uczuciowej nie wiodło jej się równie jak i mnie. Kierując się instynktem, przyjęłam w tej sprawie postawę ojca. Kochał wszystkie dzieci, bez względu na kolor skóry i pochodzenie. Nie dopuściłby nigdy do tego, aby Ewa uśmierciła to, co się w niej poczęło.

Irytowało często jego widzenie świata w krzywym lustrze, a także metody wychowawcze. Przerażała lekkomyślność i fantazja nie pasująca do jego możliwości. W rezultacie jednak instynkt go nigdy nie zawodził. I chociaż obierał zbyt kręte i często karkołomne drogi, to jednak dochodził nimi do określonego celu, będąc jakoś w zgodzie z etyką i filozofią, jaką sam wypracował pod koniec życia.

„Nie pomnażać zła na świecie!" — mawiał coraz częściej przy różnych okazjach. Przybierał godny wyraz twarzy, mrugał nerwowo lewym okiem i sam był pewnie zaskoczony tym, co głosił.

Ostatni list od Ewy leżał przede mną na sekretarzyku przywleczonym tu z Warszawy, a wcześniej jeszcze z mego pierwszego samodzielnego mieszkania we Wrocławiu. To antyczne, intarsjowane cudo przydźwigał na plecach Paweł z placu Nankiera, gdy jeszcze oboje łudziliśmy się, że jesteśmy stworzeni dla siebie. Kosztowało jakieś grosze i pół litra wódki.

Miłość dawno się skończyła, a sekretarzyk przetrwał. Uczucia są bardziej kruche od przedmiotów. A i dla Pawła zegar odmierzył dokładny czas odejścia. Zmarł przed trzema laty na rozległy zawał serca, w momencie gdy na zegarku leżącym obok jego szpitalnego łóżka dobiegła godzina jedenasta rano. Miał wtedy już dwoje dorosłych dzieci, wnuka i wspaniałą willę. Aby ją wybudować i utrzymać zaharował się na śmierć.

List Ewy, na pięknym metalicznie szeleszczącym papierze, zaczynał się dość tajemniczo.

„Droga Maa, naszą podręczną mennicę odstawiliśmy już do lamusa. Oczywiście tylko w przenośni do «lamusa», bo to aluminiowe dzieło fabryki garnków w Polsce, przyozdobione pokaźnym dziobem, stoi w naszej pracowni na honorowym miejscu. To znaczy, na drewnianym stoliku zielonego koloru i na tle olejnego obrazu malowanego przez Brysia. Przedstawia pewną cichą i nie najbogatszą uliczkę w Sztokholmie, od której się wszystko zaczęło. A dlaczego tam stoi? Bo to przecież pamiątka po najukochańszym dziadusiu, a właściwie niepisany jego testament dla mnie. On zawsze nieomylnie wiedział, co komu i kiedy potrzebne jest do życia... A więc

Droga i Kochana Maa, my oboje z Brysiem i naszym synkiem Siasiem, bo wciąż od momentu, gdy skończył dziewięć lat, nie przyzwyczailiśmy się jeszcze nazywać go Stasiem..."

Nie doczytałam się, co oni oboje z Brysiem i synkiem mają mi do zakomunikowania. W ciszę domu wtargnął przenikliwy dźwięk dzwonka i nie ustawał w kategorycznym domaganiu się otwarcia natychmiast frontowych drzwi. Furtkę znów widocznie zapomniałam zamknąć.

Dochodziła godzina piąta po południu. Moje zawodowe sprawy na dziś były już poza mną. Nie spodziewałam się też żadnej wizyty. Rzadko zapraszałam gości. Stawałam się z latami odludkiem i najlepiej czułam się we własnym towarzystwie. Uczucie nudy było mi obce. Niewiele miałam czasu dla siebie, na pracę w ogrodzie, przeczytanie książki. Przy moim łóżku piętrzył się stos interesujących pozycji. Niewiele po przeczytaniu przeniosłam z niego na półki.

Niechętnie, z ociąganiem podniosłam się znad zaczętego listu. Hiob, rudy i leniwy, nie otwierając ślepiów, zastrzygł tylko uszami i dalej drzemał z łapkami podwiniętymi pod puszystą pierś.

W otwartych szeroko dębowych drzwiach, z jesiennym krajobrazem za plecami, tkwił Busio przyodziany w przykrótki prochowiec. Wyzierały spod niego rachityczne nóżki w zbyt wąskich kraciastych spodniach.

Staliśmy naprzeciw siebie jak dwa zjeżone psy różnej rasy, ale jednej płci. Żadne z nas nie mogło, nie potrafiło wydusić z siebie słowa.

Wymizerowana twarz Busia była jakby trochę inna, obca w wyrazie. Chuda szyja wyłaniała się z koszuli z wystrzępionym kołnierzykiem, w fioletowy rzucik na szarym tle. W ręce trzymał skromny węzełek z bawełnianej chustki, w jakiej kiedyś wiejskie kobiety nosiły posiłek na pole. Wszystko to w ułamku sekundy zarejestrowały moje przerażone oczy. Stałam jak drętwa. Powiało grozą. Wizyta Busia, a zwłaszcza jego wygląd, nie wróżyły nic dobrego. Mogłam się spodziewać wszelkiego rodzaju niespodzianek i komplikacji. Po ostatniej wizycie Wykolejeńca z panem Gieniem panicznie bałam się wszelkich „niespodzianek". W trwającym między nami milczeniu zastanawiałam się, w jaki sposób odnalazł mój nowy adres na prowincji. Nie widzieliśmy się prawie siedem lat.

— No i co, smarkata, zaskoczyłem cię moją inteligencją?! — wdarł się w niepokojącą ciszę jego rechot. Wypadł jakoś żałośnie.

Busio przestępował z nogi na nogę. Buty miał wykoślawione, w miejsce sznurowadeł związane sznurkiem. Węzełek przekładał z ręki do ręki. Wyglądało na to, że stanie sprawia mu szczególną trudność albo pęcherz domaga się o swoje prawa.

— Wejdź do środka — zmusiłam się do wydobycia głosu. — Nie będziemy tak w nieskończoność stali na progu.

— Nieskończoność, dziecko, dopiero na nas czeka — westchnął spazmatycznie i drobnym kroczkiem, na palcach, przemknął prosto przez uchylone drzwi i hall do pokoju. Po drodze ściągał w pośpiechu płaszcz. Nie było pod nim marynarki. Węzełek schował dyskretnie pod fotel.

— Jak mnie tu odszukałeś? Co się z tobą przez te lata działo? — usiłowałam nawiązać rozmowę, aby jak najprędzej ją zakończyć i pozbyć się Busia, chociażby kosztem paru tysięcy złotych.

— A co u ciebie, smarkata? — pominął moje pytanie, rozsiadając się wygodnie w fotelu. Przełknął kilkakrotnie ślinę, jakby mu coś ugrzęzło w krtani. — Nie wżeniłaś się w nowego gacha? — przypatrywał się z ukosa mojej twarzy.

Przez myśl przemknął Topsi. Nie dał dotychczas znaku życia.

— A jak ty ułożyłeś sobie życie? — odpowiedziałam pytaniem na pytanie, chociaż nie interesowało mnie to zbytnio.

— Tak, jak każdy prawdziwy artysta! — roześmiał się nijako, uciekając wzrokiem w bok. — Wizje mam takie, że dech zapiera! Konie na mnie ze ścian wyłażą i aż się proszą, żeby je malować, ale na tym się kończy... Pieniędzy na farby brak. Płótno także dla mnie za drogie. Nie mówię już o własnym kącie, a lata lecą i na przyrodzeniu ukazały się pierwsze siwe włosy — dorzucił z westchnieniem drapiąc się w zamyśleniu po nodze.

Ogarnął mnie wewnętrzny popłoch. Po iluś tam latach znów znalazłam się sam na sam z wariatem i nic się od tamtego czasu nie zmieniło. Wraca do mnie uparcie jak czkawka, jak zły sen dręczący na jawie.

— Coś tak nagle zaniemówiła, smarkata? Siwy włos ci się nie podoba? Inny już nie będzie, a ja twój ślubny mąż, związany z tobą sakramentem i tylko śmierć może nas rozłączyć.

— Co cię do mnie sprowadza? — usiłowałam zmienić tok Busiowego myślenia. — W czym mogę ci pomóc? — dodałam odruchowo, bez zastanowienia. Zamilkłam spłoszona, zerkając wymownie na angielski zegar pod szklanym kloszem, tykający dźwięcznie i głośno na komódce. Busio nie wydawał się tego zauważać. Przez uchylone okno nawiewał goryczkowaty zapach późnej jesieni.

— Wielka samotność, dziecko, ot co! — błękitne, trochę już wyblakłe oczy, zaszkliły się łzami. — Straciłem wszystko. Ostatnimi czasy nawet już wizje, jakie mnie nawiedzały, a i.. — zamilkł nagle, bladość okryła wymizerowane policzki, na czoło wystąpiły kropelki potu. Zmagał się z sobą, walczył, czy wypowiedzieć głośno zaczętą myśl. Uniósł oczy ku górze. Przez chwilę poruszał bezgłośnie ustami. Może się modlił.

— Mów dalej — szepnęłam cicho. Coś mnie w wyrazie jego twarzy i w tym, co wyznał, poruszyło. Dobrze znałam bolesne znaczenie i smak słowa „samotność".

Twarz Busia wyrażała wciąż wewnętrzną walkę i napięcie. Dłonie zacisnęły się kurczowo na poręczy fotela, nozdrza rozdęły jak chrapy rasowego ogiera.

— Wiara opuszcza! — wyrzucił z siebie świszczącym szeptem, jakby słowa nie chciały przejść przez gardło. — Bronię się jeszcze, zapieram kopytami jak koń, żeby i jej nie utracić, nie dać się szatanowi i jego poplecznikom. Zastawia na mnie sidła, chce zepchnąć w otchłań, w straszliwą pustkę. Wiara to jedyne, co jeszcze posiadam...

Zegar tykał. Za oknami wiatr uderzał delikatnie bezlistnymi gałązkami akacji w szyby, a przede mną na fotelu tkwiła kupka ludzkiego nieszczęścia. Moje dzieciństwo, mój pierwszy mężczyzna.

Otrząsnęłam się jak pod dotknięciem lodowatej dłoni.

— I żyć się nie chce, i strach przed wiecznością nawiedza — westchnął boleśnie. — Człowiek bez wiary to gówno sobacze i mierzwa, a talent u mnie zaprzepaszczony, a to grzech śmiertelny, ot co! — mówił dalej jakby do siebie. — Słyszę nocami szum oczeretów i traw na stepie. Tętent i dalekie rżenie koni. I niebo nad sobą granatowe, a gwiazdy na nim błyszczą jak wilcze ślepia w zimowe noce. Toż to ostatnie resztki smaku życia... — Busio zaszlochał krótko, spuścił głowę. Przypominała w rysunku byczy łeb. Brakowało tylko rogów. Przygryzłam usta. Pomyślałam o Topsim. Ten jeden się do nich nie przyczynił.

Busio objawił się jak ktoś dotychczas nie znany. Było w tych jego zwierzeniach coś z moich tęsknot, wątpliwości i lęków.

— Nie powinieniem tego mówić, dziecko, ale rodzice, świeć Panie nad ich duszą, wielką krzywdę wyrządzili. Taż ja mam talent do malarstwa, do rysowania koni, większy niż Michałowski i Kossak razem wzięci. A mnie wtłoczono w mieszczańskie rameczki, kazano chemię studiować. Zniszczyli moje wizje, zabili duszę. To, co widzisz przed sobą, to tylko gnój dla robaków. Nędzna powłoka, wydmuszka, jak skorupka po jajku. Nu, to będzie wszystko. Cała spowiedź! — zakończył nieoczekiwanie zmieniając ton. Uśmiechał się teraz do mnie beztrosko, jakby trochę zawstydzony wyznaniem.

— Tak ja odbył pielgrzymkę do grobu moich teściów i oni mnie, dziecko, natchnęli myślą, aby ciebie odwiedzić. Ot i wsio!

Natychmiast wyobraziłam sobie ojca mrugającego nerwowo lewym okiem, jak gwałtownie zaprzecza insynuacjom Busia. Uśmiechnęłam się nieznacznie, chociaż nie było mi do śmiechu.

Busio mówił jeszcze długo w tym stylu. Wspomniał o gnieździe, do którego ciągną ptaki przed burzą, i nieoczekiwanie napomknął o gruczołach wewnętrznego wydzielania, którymi sam diabeł rządził, gdyż zsyłają dziwaczne pokusy, ale żebym się nie obawiała. On raczej daleki od łoża, a chętny byłby zainteresować się bliżej kuchnią. Od kilku dni skórkami chleba żyje, co w każdej chwili mogę sprawdzić, zaglądając do węzełka. Jest tam jeszcze szczotka do zębów, chociaż z zębami u niego bardzo źle i, żeby być bliżej prawdy, to tylko cztery mu się ostały. Zawsze był wrażliwy na ból, więc zamiast reperować, kazał usuwać. I sam się sobie dziwi, że teraz jego usta przypominają kaczy kuper, a nie wargi przystojnego, namiętnego bruneta, jakim był zawsze. No i jeszcze w węzełku ostatnia para jedynych i czystych gaci. On wprawdzie nędzarz, ale czysty, jak rzadko który mężczyzna. U niego nie ma portek w kant, ale za to nieskazitelnie czyste przyrodzenie, zaznaczył z naciskiem.

Busio plótł i plótł. Oczka mu biegały, na policzki wystąpiły różowe plamy. Gdy zaczął się rozwodzić na temat etyki, błędów wychowawczych rodziców i życia po życiu, jego twarz w tej samej chwili pokryła się zielonkawą bladością i nim się spostrzegłam, osunął się z fotela na podłogę.

Rzuciłam się na ratunek. W jednej chwili przeobraziłam się w lekarza. Wszystko inne stało się nieważne, przestało interesować. Miałam przed sobą człowieka potrzebującego mojej pomocy.

Byłam wstrząśnięta. Busio po prostu zemdlał z głodu i wyczerpania. Targały mną różnorakie uczucia. Było w nich coś z żalu i złości. Mając od dzieciństwa znakomity start, tak głupio i niepotrzebnie przegrał swoje życie, zaprzepaścił możliwości, nie potrafił nawet docenić miłości, jaką go kiedyś darzyłam. Było także coś z litości nad chorym, bezradnym człowiekiem. Nie ulegało wątpliwości, że Busio, poza dziwactwami, miał jakieś odchylenia od normy. Były i wyrzuty sumienia. Wiedząc o tym, nie uczyniłam nic albo prawie nic, aby go leczyć u dobrego psychiatry. I jeszcze coś nurtowało ukryte głęboko, spychane z myśli, odsuwane na plan najdalszy. W tym, co Busio mówił, na temat sakramentu, kryło się ziarno prawdy. Przed Bogiem byliśmy wciąż małżeństwem, chociaż oficjalnie, urzędowo byliśmy rozwiedzeni.

Byłam wierzącą katoliczką, a to do czegoś zobowiązywało. Wszystkie te „duszne sprawy" zazwyczaj odsuwałam od siebie, odkładałam „na później", zbyt pochłonięta morficznym, doczesnym życiem, uwikłana w namiętności.

Krzątając się przy leżącym bez ruchu Busiu patrzyłam na jego piękne w rysunku, nerwowe dłonie. Spoczywały teraz jak martwe przedmioty na brokatowej tkaninie stylowej rekamiery. Przypomniałam sobie mieszczański, zamożny dom rejentostwa. Ich chciwość, brak wyobraźni, liczenie się z opinią i całkowicie zamkniętych na sztukę.

Uważali, że każdy artysta to człowiek bez stanowiska, bez pozycji towarzyskiej, bez pieniędzy, bez jutra, a więc zupełne zero. Ten pełen pogardy stosunek do sztuki i artystów nie pozwolił im kształcić w tym kierunku ukochanego jedynaka, tak jak nie chcieli uznać jego dziwactw jako jednostki chorobowej. Bali się panicznie opinii publicznej. Psychicznie chory syn był czymś niesłychanie wstydliwym, kompromitującym i nie na miejscu w środowisku takich samych kołtunów jak i oni.

Busio leżał długo bez ruchu, z przymkniętymi oczami. Powoli łagodniały wyostrzone rysy, bladość ustępowała, podniosło się po zastrzyku ciśnienie. Długotrwałe niedożywienie zrobiło swoje. Nie mogłam, nie potrafiłam pozostawić go w takim stanie własnemu losowi. Należało coś przedsięwziąć.

Postanowiłam umieścić go na razie w pokoju odizolowanym od innych pomieszczeń. Znajdował się taki na parterze, w pobliżu kuchni i drugiej łazienki. Prawdopodobnie przewidziano go na służbówkę. Dla mnie służył na skład zbędnych przedmiotów, które miałam wykorzystać dopiero przy dalszym urządzaniu domu. Należało natychmiast ten obszerny, widny pokój doprowadzić do stanu używalności i umieścić w nim na jakiś czas Busia. Solidnie go przebadać, odżywić, przyzwoicie ubrać i dopiero wtedy zainteresować nim Józka Bureckiego, znakomitego, według opinii kolegów, psychiatrę. Byłam z nim i jego rodziną zaprzyjaźniona od lat, chociaż przez mój wyjazd do Kuczebina trochę się te kontakty rozluźniły. Nic więcej nie mogłam na razie dla Busia uczynić. Później będzie czas na zastanowienie się, co z tym fantem dalej robić. Wiedziałam, że nie będzie to sprawa prosta ani łatwa. Ktoś jednak musiał się nim zająć, ja według prawa kościelnego byłam jego żoną, a to do czegoś zobowiązywało.

Trochę przerażała ta nowa sytuacja, w jakiej się znalazłam. Los nie szczędził mi niespodzianek i w najmniej odpowiednim momencie płatał zazwyczaj takie różne psie figle. Wyglądało na to, że gdy tylko doszłam do równowagi po przygodzie z Topsim, to już pcha się na nowo pod skrzydła stare wydanie koślawego kaczątka. A przecież nie straciłam jeszcze nadziei, że się Topsi kiedyś objawi. I co wtedy? Wolałam teraz o tym nie myśleć. Nic na to przecież nie wskazywało. Od naszego rozstania minęły przeszło cztery miesiące.

Pokój szarzał zmierzchem, nasycał się barwą błękitu. Jasna plama Busiowej twarzy stawała się w nim centralnym punktem, przyciągała wzrok, kazała myśleć o człowieku, który był kiedyś moim mężem, moją wielką miłością. Dla niej sprzeniewierzyłam się Piotrusiowi, chociaż w szkolnych czasach obiecywałam, że będę na niego czekała i gdy oboje będziemy dorośli, zostanę jego żoną.

Co z niej pozostało? — zastanawiałam się rozpamiętywając czas tamtej pierwszej życiowej porażki, dziewczęcego dramatu.

Puls Busia był prawie w normie, a on sam lekko się do mnie uśmiechał. Seplenił, że czuje się dobrze, że za chwilę sobie pójdzie, bylebym go trochę nakarmiła. Najchętniej befsztykami.

— Leż spokojnie i oddychaj głęboko. Przygotuję trochę kleiku — pogładziłam go po ręce, jak to czyniłam czasem z pacjentami, i wyszłam na palcach z pokoju.

Dłuższy czas stałam w kuchni przy uchylonym oknie, wdychając chłodne, rześkie powietrze. Pachniało goryczką przekwitających astrów i rezedy, mieszając się z ostrą wonią pobliskiego warzywnika, ukrytego za wysokimi krzewami czarnej porzeczki. Panoszył się w nim dorodny koper. Jego zielone baldaszki przybrały brązową barwę. Przywodził na pamięć słoje kiszonych ogórków w naszym dawnym domu i ojca snującego marzenia o własnym domu z ogrodem i malwami. Nic nigdy z tych ojcowych pragnień nie wynikło. Ani w młodzieńczych czasach wyjazd do Ameryki, ani w późniejszym do Angoli, gdzie chciał z południowych owoców pędzić bimber i wino. Nie znalazł skarbu, nie wygrał miliona, nie miał wnuka, nie wybudował domu. Marzył o takim z solidnych bali, z widokiem na ogromny, zielony sad, a w nim wymoszczone sianem budy dla bezdomnych psów. Na obrzeżach sadu powinien kwitnąć koper i owocować czosnek, jako stała i najlepsza przyprawa do małosolnych ogórków, tak znakomitych pod kieliszek wódki.

Westchnęłam zatrzaskując okno. Wiało od niego wieczornym chłodem.

Ogarnął smutek, że w życiu na ogół wszystko przychodzi za późno i nie daje tej radości i satysfakcji, jaką mogło dać w odpowiednim momencie.

Gotowałam dla Busia kleik z odrobiną mleka, a w myśli urządzałam dla niego pokój. Za kilka godzin wprowadzę go do niego, ale jak i kiedy się go z domu pozbędę, nie byłam w stanie przewidzieć, tak jak i tego, czy go nie podpali ubrdawszy sobie, że zamieszkał z nim razem także i Asmodeusz, diabeł-specjalista od rozbijania małżeństw. Mógł także wyjść na główną ulicę Kuczebina w jednoosobowej procesji, aby sprzedawać przechodniom medaliki, i to tylko tym, którzy według niego wyglądali na komunistów. Lubił uszczęśliwiać na siłę.

Po Busiu można się było spodziewać wielu dziwnych rzeczy. Należało więc roztoczyć nad nim czujną, dyskretną opiekę. Tylko że ja nie bardzo miałam na to czas przy rozlicznych zajęciach nie tylko zawodowych, ale i przy dalszym urządzaniu posiadłości.

Ze zgrozą i lękiem myślałam o czekających mnie w najbliższej przyszłości kłopotach. Więcej było we mnie jednej lekkomyślności niż w całej naszej wystarczająco lekkomyślnej rodzinie.

Nalewając gorącą kaszkę do porcelanowej miseczki z chińskim wzorkiem rozmyślałam o liście Ewy, którego nie zdążyłam doczytać do końca. W którymś z ostatnich dopytywała się, czy mam jakieś wiadomości o Busiu, bo jak napisała:

„Jest to przecież taki fant, który nie da się zgubić. Będzie wracał do właściciela jak protestowany weksel".

W tym „protestowanym wekslu" zobaczyłam natychmiast ojca, bo skąd Ewa mogła znać to określenie?

Jej słowa były jednak prorocze.

Rozdział 6

Był czas kwitnienia akacji i pierzenia się topoli.

Drugi rok w moim domu.

Za oknami sypialni — spełnionego wreszcie marzenia młodości — unosił się bielutki puch przeganiany porannym wietrzykiem. Szeleścił w młodych listkach, nawiewał przez uchylone okno słodkawą, ciepłą woń akacjowych kiści rześkiego powietrza po wczorajszym deszczu.

Przez zmrużone rzęsy, pełne jeszcze snu, patrzyłam w poranne niebo, przeświecające przez koroneczkę liści akacjowca. Była niedziela. Nie musiałam zrywać się, jak co dnia, o świcie, ale i spać dalej nie mogłam, przyzwyczajona od lat do rannego budzenia się. Z dołu dochodziły przytłumione odgłosy Busiowej krzątaniny. Minęło wiele miesięcy, odkąd zamieszkał w moim „Kocim Domu". Kocim, bo właśnie Hiob miał młode, a Busio w przystępie fantazji i na uczczenie kociego porodu namalował w przedpokoju na ścianie, tuż nad drzwiami, rudego, rozsierdzonego kota z wygiętym grzbietem i puchatym ogonem. Po powrocie ze szpitala oniemiałam, gdy ze ściany groził mi łapą nasz Hiob.

— No i co, smarkata? — Busio spoglądał na mnie z rozbawieniem. — Masz teraz prawdziwy koci dom z godłem jak się patrzy. Świętej pamięci, twój ojciec, a mój teść, też pewnie przychylniejszym okiem spogląda teraz na mnie z zaświatów! — zarechotał, przeżegnał się, chociaż od blisko roku leczył się u Józka, a ten twierdził, że z Busiem nie jest tak źle, jak sądziłam. Więcej w nim dziwactw, kompleksów i fantazji, a także przekory niż odchylenia od normy.

Wcześniej już zauważyłam, że od czasu, gdy się zagnieździł w moim domu, wyraźnie normalniał. Spostrzegłam to w momencie, gdy przy jakiejś okazji stwierdził, że sprawy intymne między kobietą a mężczyzną nie są, według niego, jak sądził dawniej: „nurzaniem się duszy w błocie", ale rzeczą nader przyjemną. Zastrzegł jednak, że tylko wówczas, gdy partnerka jest ślubną żoną. Przy tym stwierdzeniu obrzucił spojrzeniem zdobywcy mój biust i z galanterią podsunął czarkę z wiśniowym dżemem, bo akurat siedzieliśmy przy kolacji. Ten dżem był także oznaką powrotu do zdrowia psychicznego. Nie nazywał go więcej „bobkami szatana", które wywoływały u niego niegdyś sraczkę, a „bardzo smacznym dodatkiem do chrupiących grzanek z masełkiem". Te grzanki przygotowywał jedynie dla mnie. Sam tylko patrzył łykając ślinę. Nie miał ich czym gryźć. Maczał więc w herbacie ze śmietanką, dodając do niej nieprawdopodobną ilość cukru. Twierdził, że cukier nadaje zły smak herbacie, jeśli się zapomni włożyć go w dużej ilości.

Busio zaczął teraz dogadzać sobie i mnie w kulinarnych sprawach, przejmując całkowicie prowadzenie domu. Bardzo mi dogadzało, że nie muszę zajmować się sprawami kuchni. Dawałam mu pewną część pieniędzy na prowadzenie gospodarstwa, prosząc jedynie, aby starał się nie przekraczać budżetu. Moje dochody nie były małe, ale nie tak duże, jak to sobie początkowo wyobrażał.

Ganił nawet delikatnie, że nie biorę honorariów za prywatne porady, które nazywał „wizytami". Uważał, że wykształcenie powinno się amortyzować i że ludzie wykorzystują moją naiwność, czyli „dobre serce". Nie prowadziłam prywatnej praktyki. Broniłam się przed pacjentami i tylko czasem sąsiedzi przychodzili lub telefonowali do mnie w nagłych wypadkach, ale od nich pieniędzy nie przyjmowałam.

Busio prawie codziennie wędrował z ogromną torbą na targowisko po świeże jarzyny, owoce, drób. Stało się to jego ulubionym zajęciem. Szperał po straganach z serami, wdawał się w konszachty z babami przywożącymi ryby i jajka. Wybierał zawsze najokazalsze, o brunatnym zabarwieniu, wypytując: „Czym szanowne kury były karmione". Opowiadał o tych swoich poczynaniach z humorem, a czasem nawet na papierowej serwetce szkicował twarze przekupek. Rozpoznawałam w nich nierzadko swoje byłe pacjentki ze szpitala. Nie można się było przy Busiu nudzić.

Leżałam teraz zasłuchana w tę jego krzątaninę z przyjemnym uczuciem, że jest ktoś w domu i gdy wstanę, będzie czekało na mnie śniadanie. Nigdy wprawdzie nie wiedziałam, co będę jadła, i trudno to było nawet przewidzieć. Busio miał i w tym względzie nieograniczoną fantazję. Potrafił postawić przede mną talerz kładzionych klusek z ogromnym kotletem, a na obiad kilka grzanek z dżemem i herbatę koloru słomki, chociaż sam pił świeżo parzoną i bardzo mocną. Uważał, że kolejność w podawaniu potraw nie ma żadnego znaczenia. Jest sprawą umowną, a trochę urozmaicenia w sposobie przyrządzania posiłków nikomu nie zaszkodziło.

Uśmiechnęłam się patrząc na zaglądające w okna kiście pachnącej akacji. Jej woń mieszała się z zapachem jaśminowych krzewów. Usiłowałam przypomnieć sobie senne majaki, odtworzyć fragment po fragmencie. Obudziłam się bowiem z uczuciem smutku, a może tylko tęsknoty za czymś nieuchwytnym prawie, bez nazwy, a bolesnym. Od lat nie pozwalałam sobie na rozpamiętywanie, świadome babranie się w przeszłości. Jednak tej nocy śnił mi się mój dawny dom — nasz „Lotniskowiec" z Piotrusiem. We śnie wyglądał trochę inaczej niż w rzeczywistości, ale ja wiedziałam, że to właśnie jest mój ukochany, urządzany przeze mnie i tak niegdyś upragniony dom. Błądziłam po pokojach szukając Piotrusia. Chował się przede mną, wołał po imieniu, a gdy biegłam do niego po schodach, krętych i wysokich, jakich tam nigdy nie było, głos odzywał się gdzieś z parteru.

I chyba to jego wołanie wyrwało z majaków i kazało spojrzeć oczami pełnymi jeszcze tego snu na realny świat za oknami. Był to jedyny ratunek, najskuteczniejsza odtrutka na niepotrzebne tęsknoty.

Od czasów „Lotniskowca" minęło prawie dziesięć lat. Jednak było trudno wykreślić całkowicie tamten czas — ostatni zryw uciekającej młodości. Widziałam Piotrusia przez te lata dwa, a może trzy razy przelotnie na ulicy, nie zauważona przez niego, i raz w kawiarni z Lizą. Nie wyglądali na szczęśliwą parę, ale może to ja chciałam ich takimi widzieć.

Dochodziły słuchy przez znajomych, że Piotruś się rozpił, Liza przywiędła. Stała się kostyczna i rozdrażniona, jak kobieta niezbyt szczęśliwa w pożyciu z mężczyzną. Były to jednak tylko plotki ze środowiska. Wstydziłam się sama przed sobą i zwalczałam takie małe, brzydkie odczucia, jednak przynosiły jakąś wewnętrzną ulgę i satysfakcję.

Na korytarzu coś zachrobotało, zamiauczało. W szparze uchylonych bezszelestnie drzwi stanął Busio z Hiobem na ręce. I wtedy rozpłakałam się. Może już wcześniej łzy łaskotały w gardle. Dopiero widok Busia z kotem w ramionach wyzwolił je spod powiek. Chociaż były przeznaczone dla kogoś innego, obrazek przywołał na pamięć ojca. Gdy byłam dzieckiem, przynosił w koszyku do mego łóżeczka potomstwo Kacuni. Nie pozwolił go jednak głaskać.

„Ślepych kociąt nie wolno dotykać. Tę czynność należy zachować dla kocicy, aby czuła, że są to wyłącznie jej dzieci — mawiał z przejęciem. — Takie jej kocie prawo i obowiązek" — dodawał z powagą, a czarne oko mrugało nerwowo. Wprowadzało mnie ono wówczas w rozbawienie. Matka za to karciła zapewniając, że nie ma w tym nic śmiesznego. Na prywatnego lekarza nie było ojca stać. Korzystał z usług Kasy Chorych, a tam studenci odbywali staż i uczyli się na pacjentach. Początkująca lekarka przecięła ojcu nerw przy okazji usuwania „jęczmienia" i należało Bogu dziękować, że ojciec w ogóle nie stracił oka.

— No, smarkata, stół zastawiony i żarło czeka! — oznajmił Busio lekko sepleniąc. Pod obcisłą trykotową koszulką prężył po gladiatorsku klatkę piersiową i wciągał brzuch, chociaż nie bardzo było co wciągać, mimo że Busio trochę przytył. Jedynie rachityczne nóżki w beżowym dresie przypominały szparagi.

— Hiob nakarmił małe i przyszedł cię przywitać — wdzięczył się przymilnie mrużąc przed słonecznym blaskiem skośne oczy.

— Już wstaję... — westchnęłam, dając dłonią znak, żeby zamknął drzwi. Nie zauważył, a może udawał, że nie dostrzegł łez. Ścierałam je pośpiesznie z policzków. Matka zawsze ostrzegała, że od łez tworzą się zmarszczki, a ojciec wtrąciłby z pewnością którąś ze swoich „złotych myśli" w rodzaju: „Chłopa ci brak i nadmiar tego, co ty wiesz, a ja rozumiem, oczami wyłazi".

Śniadanie było w stylu Busia. Kotlet siekany na gorąco z frytkami, a do tego kubek kakao.

— Czy zamiast tego obrzydlistwa może być herbata? — zapytałam nieśmiało, gdyż wszelkie sprzeciwy wywoływały dawniej u niego agresję.

— Nic z tych rzeczy, smarkata! — zawyrokował. — Co najwyżej pójdę przy niedzieli na ustępstwo. Najpierw pozwolę wypić gorącej wody, a na deserek, po męsku, kakauko! Jesteś chuda, biust też u ciebie mikry, a uroda kobiety w nim właśnie siedzi i nic tak na to dobrze nie robi jak kakauko na śmietance.

Przytaknęłam ze zrozumieniem głową.

Dobrze chociaż, że nie każe w tym celu chodzić na rękach, jak za narzeczeńskich czasów bywało — pomyślałam z westchnieniem. Diagnoza Józka nie pokrywała się jednakże z rzeczywistością.

Przy kotletach przyrządzonych po mistrzowsku rozmawialiśmy, z inicjatywy Busia, o domowych rachunkach. Prowadził je niczym wytrawna gospodyni. Potem przeszedł na sprawy Ewy. Od dawna już wykazywał wielkie nią zainteresowanie, a także wysyłał podejrzanie grube listy, chociaż nigdy nie zwierzał mi ich treści. Podejrzewałam, że są to głównie rysunki. Wypytywał szczegółowo o jej dzieciństwo, co mnie zdumiało i mile zaskoczyło. Busio nie miał zbyt rozwiniętego instynktu rodzinnego i poza samym sobą niewiele rzeczy i spraw go ciekawiło. Możliwe, że coś się w tym względzie zmieniło. Musiałam opowiadać o jej porodzie, a także i o Siasiu. Sama niewiele o nim wiedziałam, poza tym, że jest znakomicie zbudowany, pływa jak ryba, jest inteligentnym, wrażliwym dzieckiem i równie dobrze mówi po polsku, jak i po szwedzku. Nawet nieźle daje sobie radę z językiem angielskim, którego uczy się w szkole. W każdym nieomal liście była załączona do mnie karteczka przez niego własnoręcznie napisana. Nazywał mnie „babsia" i najczęściej były to wyznania, że: „Linus spędził wakacje nad Fiordami" albo, że Linus jest silniejszy, ale za to on, Siasio, szybciej pływa i jest zręczniejszy w grach komputerowych i że Linus, to jego przyjaciel, co ma siostrę Birgid i ona jest „lila vakra Flika" (mała, ładna dziewczynka).

Busio wszystko to skomentował jednym zdaniem.

— Należałoby więc gówniarza uczyć już rysunku. — I nieoczekiwanie zażądał kategorycznym tonem, abym całą korespondencję, jaką prowadzę z Ewą, zleciła jemu. I mam tylko mówić, co chcę w liście przekazać. On będzie pisał do Ewy sam. Wprawdzie nienawidzi „pisaniny", jak się zastrzegł, ale za to genialnie rysuje. Wobec tego będą to listy wyłącznie rysunkowe, co z pewnością przypadnie Ewie bardziej do gustu niż „dureńska, babska paplanina, bo siusiumajtek zna się na sztuce" — jak to określił.

Zaraz też poderwał się od stołu, aby za chwilę powrócić z plikiem maszynowego papieru. Każdy arkusik podzielił na cztery równe części, a niektóre tylko na dwie. Na każdej z nich wyrysował jedno z ostatnich wydarzeń domowych.

Satyrycznie naszkicowana wizyta Busia w Warszawie u Józka. Przy czym siebie przedstawił na rysunku jako człowieka normalnego, a do tego świętego, z aureolą nad głową. Natomiast Józek wyglądał na zdeklarowanego idiotę. Na obrazku obok dramatyczne narodziny trzech córeczek kocicy-Hioba. Dalej moje mizdrzenie się przed lustrem z krótkim dopiskiem: „twoja Maa przed wizytą u tych chamów z sąsiedztwa". Po czym, w oddzielnej klateczce, odrysował „jak żywą" całą liczną rodzinę tych „chamów" — samych zresztą docentów i doktorów habilitowanych. Busio znał ich jedynie z widzenia i z moich opowiadań.

Rodzajowe scenki kreślone tuszem i podbarwione akwarelkami były czytelne i wspaniale uchwycone. Oniemiałam z wrażenia i zachwytu.

— Cudowny list! — popatrzyłam na Busia z uznaniem.

Nadął się, wysunął napiętą klatkę piersiową do przodu.

— Taż ja, dziecko, geniusz, a nie jakiś zafajdany profesorek z Akademii, co to uczenie gada, a w głowie rozbełtane gówno i nic się na sztuce nie zna — zauważył skromnie.

Od tego dnia Busio rozpoczął jeszcze bardziej ożywioną korespondencję z moją córką. Czasem i ona przysyłała rysuneczki. Coś tam nimi usiłowała zilustrować. Były jednak zupełnie różne od Busiowych. Dla mnie zbyt abstrakcyjne. Zawierały jednak coś fascynującego w barwie i nastroju. Dziwiłam się, że Busio, jak się później okazało, tak bezbłędnie odczytywał ich treść. Ci dwoje rozumieli się w obcym dla mnie wymiarze.

Ewa zaczęła nowy, inny już etap swego malarstwa. Była w nim różna. Nie ograniczała swoich wizji do ram okiennych, jak czyniła to dawniej, gdy żył jeszcze jej ukochany dziadek. Wyszła z nimi poza ramy, poszerzyła horyzonty, wtargnęła w głąb czegoś, co nasuwało myśl o pozaczasowości, odrealnieniu przedmiotów widzialnych.

Przypomniałam sobie, jak cierpliwie mu tłumaczyła, na czym polega abstrakcja w malarstwie. Ojciec chrząkał z przejęciem, mrugał nerwowo lewym okiem, przytakiwał głową, żeby po chwili stwierdzić autorytatywnie:

— Taki, jak mu tam, ten, co namalował Grunwald, abstrakcji nie znał, a tak bitwę „odrobił", że człowiek się przed obrazem z rozumem nie mógł połapać. I duma rozpierała, i żałość w sercu, i łza pod powieką. Można było i godzinę patrzeć i człowiek się nie nudził, bo wciąż coś nowego w tym widział. Prawdziwy artysta! Taki jak i ten zagraniczny od gołych babek, i to wyłącznie blondyn z amatorskim biustem i rozłożystą, wygodną częścią ciała. Jak się popatrzyło na takie płótno albo nawet na „rycinę" w książce z malarstwem, to od razu człowiek czuł się mężczyzną! Abstrakcyjny obraz nie może takich przeżyć zapewnić...

Uśmiechnęłam się do tych wyciągniętych z pamięci ojcowych wywodów. Wzruszenie chwyciło ponownie tego dnia za gardło. Zbyt wiele miałam dla siebie czasu i stąd te niedzielne, niepotrzebne powroty w odległą przeszłość, jakby wziętą z innego życia.

Busio z namaszczeniem siorbał gorące kakao z fajansowego, wielkiego jak nocnik, kubka. Nie uznawał filiżanek. Jedynie szklanki, i to tylko do herbaty.

Trwającą od kilku minut ciszę, wypełnioną świergotem ptaków za otwartymi w ogród oknami, przerwał ostry dzwonek telefonu. Stał w pobliżu, na szklanej tafli stolika na kółkach. Gdy zjawiali się goście, co zdarzało się ze względu na Busia nader rzadko, służył do podawania drinków. Nie bardzo wiedziałam, w jaki sposób przedstawiać Busia, chociaż najczęściej zamykał się na ten czas w swoim pokoju.

Tłumaczył mi, że z byle zjadaczami chleba, by nie powiedzieć gówniarzami, to on nie chce się postponować. Było mi to na rękę. Wizyty jednak ograniczyłam do najkonieczniejszych. Z różnych innych względów także.

Napomknęłam kiedyś, że mieszka u mnie chwilowo ktoś z rodziny, kim się ze względu na jego stan zdrowia opiekuję. Chyba mi jednak nie uwierzono, dopatrując się zapewne w tajemniczym mężczyźnie zakamuflowanego kochanka.

— Zawsze twierdziłem, że telefon to wymysł szatana! — mruknął Busio podnosząc się niechętnie od stołu. — Pewnie znów jakiś bękart połknął guzik, a zwariowana matka odciąga cię od śniadania. Najlepiej nie podejmować słuchawki! — zawyrokował nagle, siadając z powrotem na krześle.

— Tak nie można! — krzyknęłam, zrywając się do telefonu. Zawsze obawiałam się, że lekceważąc sygnał mogę przyczynić się do czyjejś śmierci, co z pewnością było z mojej strony przesadą. Kryło się za tym także i coś bardziej osobistego. Mógł również odezwać się Topsi. Znał numer telefonu, a rozstaliśmy się w taki sposób, że mogłam liczyć na znak życia od niego. Chociażby tylko grzecznościowy, nie zobowiązujący do niczego telefon. Najczęściej były to jednak pomyłki. Rzadziej ktoś ze znajomych przypomniał sobie o moim istnieniu. Czasem rodzina pacjenta niepokoiła mnie w domu, chcąc uzyskać bliższe informacje o stanie zdrowia lub przebiegu operacji.

Tym razem sprawa była alarmująca. Telefonowała dyżurna lekarka. Młoda i niedoświadczona brzydula. Informowała chaotycznie o wypadku. W głosie wyczuwało się przerażenie i bezradność.

Z relacji wynikało, że pacjentowi rozerwała się w ręce butelka z fermentującym sokiem. Odłamek szkła przebił serce.

— Pacjent jest młody i jeszcze żyje! — powtarzała bliska płaczu i histerii. — Trzyma palec w ranie i tamuje krew.

— Dać tlen i podłączyć do kroplówki.

— Już to zrobiłam.

— Przygotować natychmiast salę operacyjną! — krzyczałam w słuchawkę, gdy drżącym głosem pytała, co ma dalej robić.

— Sala jeszcze zajęta. Doktor Beretowski operuje trzynastoletniego chłopca z ostrym wyrostkiem.

— Zatrzymać anestezjologa i pchnąć po doktora Jachowskiego. I po Felskiego — dodałam po sekundzie namysłu. — I natychmiast po mnie karetkę na sygnale!

Odsuwając dłonią stojącego mi na drodze Busia, wpadłam do swego pokoju zmienić podomkę na sukienkę. Ręce mi się trzęsły, nie mogłam odpiąć guzików. W sytuacji, jaka zaistniała, liczyła się każda sekunda, a i to nie wierzyłam, czy uda się pacjenta utrzymać przy życiu. Wypadek niecodzienny. Z czymś takim nie zetknęłam się w całej mojej praktyce lekarskiej. Potrzebowałam dobrej, doświadczonej asysty. Zamierałam z trwogi, czy Jachowski zdąży na czas. Należało jeszcze doliczyć te kilkanaście minut na mycie rąk. Obawiałam się także, czy Felski nie wyjechał na niedzielę. Był po dyżurze i miał do tego całkowite prawo. Najchętniej powierzyłabym przeprowadzenie operacji Zawilcowi. Był znakomitym chirurgiem z ogromną praktyką. My z Jachowskim i Felskim stanowilibyśmy zgraną asystę. Niestety, już w sobotę po południu pojechał z synową i wnukami na weekend. O przetransportowaniu chorego helikopterem do którejś z klinik nie mogło być mowy.

— Co się takiego stało, smarkata? — dopytywał się Busio z niepokojem. Dreptał za mną, a za nim kot. — Znów przez jakiegoś durnia nie dokończysz śniadania.

— Nie gadaj głupstw! I nie czekaj na mnie z obiadem. Nie wiem nawet, kiedy wrócę. Może dopiero jutro — zapinałam pantofle rozglądając się za torebką. Powinna leżeć na komódce pod lustrem. Nie leżała. Widocznie znów zamknął ją Busio w lodówce. Wciąż przewidywał możliwość pożaru. W niektórych pomieszczeniach sufity były z dębowych, poczerniałych bali. Pieniądze i dokumenty trzymał więc w lodówce twierdząc, że: „co jak co, ale ona zawsze oprze się płomieniom".

— Przynieś torebkę! — krzyknęłam słysząc daleki sygnał lecącej po mnie karetki.

— W takich warunkach to ty, smarkata, nigdy nie przytyjesz! — gderał wciskając w rękę prawie zamrożoną i umazaną w jakimś sosie torebkę.

— Jeszcze raz schowasz do lodówki, to grata każę wyrzucić oknem! — wrzasnęłam jakoś tak w ojcowym stylu i trzasnęłam za sobą drzwiami.

*

Biegłam długim korytarzem do bloku operacyjnego. Znajdował się na samym jego końcu. Sala była już wolna. Przed chwilą doktor Beretowski skończył operować i Władysława Krzyżyka układano już zapewne na stole operacyjnym. Wiedziałam jednak, że nie ma jeszcze drugiego chirurga. Mieszka za miastem, taksówkarz będzie z pewnością jechał wolniej. Boczna droga wyboista po zimie. Kierowcy skarżą się, że jeszcze nie zdołano jej naprawić i przez objazd trzeba nadrabiać przeszło kilometr.

I tak chłopak ma dużo szczęścia — pomyślałam. Jest przecież niedziela i piękna pogoda. Równie dobrze mogłoby ich obu nie być w domu.

Tylko czy zdążą na czas? Denerwuję się, chociaż staram się być dobrej myśli, nie popadać w panikę. Dzięki nagłej operacji ostrego wyrostka anestezjolog jest na miejscu. O jeden problem mniej — myślę z ulgą.

Jeszcze w sanitarce zdecydowałam, że na razie skorzystam z asysty koleżanki z interny. Ma za sobą duży staż, uchodzi za dobrą, opanowaną lekarkę. Przed chwilą rozpoczęła mycie rąk.

Wiadomość o niecodziennym wypadku musiała widocznie obiec już wszystkie sale z chorymi. Zalegli w milczeniu korytarz. Prowadzą mnie wzrokiem, podekscytowani i czujni, jakby chodziło o ich własne życie.

Długo, starannie myłam ręce i chociaż nadzieja na utrzymanie pacjenta przy życiu była nikła, powtarzałam w myśli z uporem, że operacja musi się udać. Dręczyła jednak świadomość, że nie ma jeszcze asysty w komplecie, a każda sekunda jest cenna i w tym przypadku może być decydująca. Jak przed trudnym egzaminem, starałam wyobrazić sobie i możliwie najdokładniej odtworzyć przebieg czekającej operacji. Każdą czynność, punkt po punkcie, od momentu rozcięcia powłok zewnętrznych.

Oddychałam głęboko, spokojnie, żeby własne serce nie spłatało figla, nie zawiodło w decydującej chwili. Od mojej kondycji, od umiejętności i opanowania zależało ludzkie życie. Może nigdy przedtem, nie czułam tak wyraźnie, nieomal namacalnie, presji odpowiedzialności za to, co się za chwilę może zdarzyć.

W ciszy gęstej od napięcia słychać było jedynie energiczne pocieranie szorstkiej szczotki o skórę rąk, jednostajny szmer strumienia wody spływającej z kranu.

Prześlizgiwałyśmy się z doktor Kasińską nieobecnym, niewidzącym wzrokiem po swoich twarzach, aby uciec nim w popłochu do własnych rąk ociekających po łokcie wodą z mydłem.

Czas wydłuża się w nieskończoność, minuty na zegarze jakby zatrzymały się w miejscu. Zawsze tak jest, gdy zależy na każdej sekundzie. Minęło jeszcze kilka minut i wreszcie sala operacyjna. Kto żyw z „białego personelu" zjawił się na niej. Cisza była tak wielka, że nieomal słyszałam niespokojne bicie własnego serca. Patrzono mi na ręce jak w telewizor z pasjonującym filmem.

— Boże, dopomóż — westchnęłam koncentrując się maksymalnie. W sekundzie wyłączyłam się ze wszystkiego, co nie dotyczyło operacji. Jeszcze raz powtórzyłam w myśli, jak zaklęcie, że musi się udać, że pacjent będzie żył. Ranka na piersi była niewielka i wyglądała bardzo niewinnie. Zaledwie różowa, dwucentymetrowa kreska. Wyciągnęłam dłoń po skalpel i w tym momencie poczułam wyraźnie, jak wszyscy obecni, w tej samej sekundzie, wstrzymali oddech.

Pierwsze cięcie rozładowało atmosferę napięcia rozciągniętą do granic ludzkiej wytrzymałości. Usunęłam dwie chrząstki żebra. Ukazał się ogromny, rozdęty worek osierdzia. Bezszelestnie zjawił się doktor Jachowski i zmienił asystującą internistkę. Bez słowa wybiegła przygotować krzyżówkę, aby podać dożylnie, strumieniowo krew. Na szczęście mieliśmy w szpitalu własny „bank krwi".

Oby tylko była odpowiednia grupa i w dostatecznej ilości, przemknęło przez myśl i dobrałam się do osierdzia. Trysnęła z niego na pół metra w górę krew ze skrzepami. Opryskała nas wszystkich, zalała pole operacyjne. Rozpoczęła się długa, żmudna tamponada serca, która wydała się nie mieć końca. Zjawił się wreszcie kolega Felski. Bez słowa włączył się do akcji. Odetchnęłam z ulgą zerkając na anestezjolożkę. Dała oczyma znak, że wszystko w porządku. Za chwilę doktor Kasińska powinna zjawić się z butlami krwi. Wciąż jeszcze nie opuściła mnie uparta wiara i wewnętrzne przeświadczenie, że operacja się uda.

Na sali duszno i gorąco. Czułam łaskotanie potu ściekającego strużkami z czoła. Ciało było mokre i lepkie, jakbym wyszła przed chwilą z gorącej kąpieli.

Siostra operacyjna, czujna na każdy mój ruch, na szybkie spojrzenie podsuwała odpowiednie narzędzia. Ktoś, kto stał za moimi plecami, ścierał kawałkiem sterylnej gazy pot zalewający mi oczy. Podniosłam je na jasną tarczę dużego zegara. Minęła druga godzina operacji. Czekała mnie teraz najtrudniejsza, najbardziej dramatyczna czynność zeszycia serca.

Sprężyłam się w sobie maksymalnie koncentrując, jak kot do bezbłędnego skoku na wróbla siedzącego na gałęzi.

Wielki, pulsujący mięsień, którego ruch decyduje o tym, że się żyje, trzeba uchwycić między dwa palce w ściśle określonym miejscu. Wtedy dopiero — i w także określonym momencie jego akcji — trzeba wbić szybko igłę i nałożyć szew.

W ułamku sekundy zmobilizowałam się do decydującego ruchu. Wstrzymałam oddech, chwyciłam drgający mięsień. I w tej właśnie chwili akcja serca ustała. Puściłam i chwyciłam ponownie. Historia się powtórzyła. Lodowaty dreszcz przebiegł przez plecy, w gardle zaschło, nie mogłam przełknąć śliny. Czułam, że za moment sama przeniosę się do wieczności, że moje własne serce nie wytrzyma stresu, trzaśnie, i padnę na posadzkę.

Oczy wszystkich otaczających stół w niemym napięciu wędrują od moich palców do twarzy zroszonej potem.

Wciągam głęboko powietrze. Próbuję raz jeszcze spokojnie. Udało się. Mięsień drgnął, pracował dalej równo, zeszyty ketgutem. Pozostało już tylko zamknięcie klatki piersiowej.

Asystujący doktor Jachowski spojrzał na mnie pytająco. Siostra narzędziowa wysunęła dłoń z instrumentem w jego stronę. Zaprzeczyłam ruchem głowy. Jeszcze nie była ku temu pora. Przez długich jak wieczność czterdzieści denerwujących minut obserwowaliśmy akcję serca: czy nie pokażą się przecieki. Wpatrywałam się z lękiem i niedowierzaniem w ten równo pracujący mięsień i dziesiątki nie związanych z operacją sytuacji przebiegło przez myśl jak błyskawica, ukazując obrazy z innego życia.

Znów jestem małą dziewczynką. Biegnę po złotym, chrzęszczącym piasku. Serce wali głośno. Nie mogę nadążyć za ojcem. Idzie szybko, długimi krokami, dźwigając wędki i wiadro na ryby. Słońce pali, chce mi się pić, wody Bugu stykają się ruchliwą wstążką z piaszczystym brzegiem.

A potem jakaś akacjowa droga zasypana pachnącym słodko okwiatem. Piotruś trzyma mocno moją dłoń i biegniemy szybko. Brakuje mi oddechu. Słyszę swój przyśpieszony oddech. Chcę coś krzyknąć i nie mogę. Inny się już obraz nasuwa. Matka zbiera w lesie maliny. Przedzieram się do niej z płaczem przez kłujące krzewy. Są wysokie, czepiają się moich włosów, moich wyciągniętych na ślepo rąk. I słyszę swój rozpaczliwy krzyk:

— Mama, tam jest wąż!

Widzę, jak matka rzuca koszyk. Różowe maliny rozsypują się w zieleń wysokich traw. Biegnie, chwyta mnie na ręce i unosi wysoko w górę...

Jachowski coś do mnie mówi. Odwróciłam powoli wzrok od spokojnie pracującego serca w otwartej klatce piersiowej Władysława Krzyżyka. Nie widziałam nawet jeszcze jego twarzy, a znam tak dobrze jego obnażone, bezbronne serce. Trzymałam je w palcach, przywróciłam życiu.

— Tak, można zeszywać — usłyszałam jakby z oddali swój głos i na miękkich, nieswoich nogach opuściłam salę zrywając z twarzy maskę, czapkę, zrzucając z dłoni na posadzkę gumowe rękawiczki. Dokładnie widziałam biało-niebieską układankę kafelków pod stopami i taką dziwną lekkość w sobie, jakbym nie szła, a unosiła się w powietrzu.

W gabinecie osunęłam się ciężko na fotel. Ktoś podsunął mi filiżankę kawy. Piłam ją łapczywie drobnymi łykami. Była słodka i aromatyczna. Dawno nic mi tak nie smakowało jak ta parząca wargi kawa.

— Och, jaka dobra! — chwaliłam tego kogoś, kto mi ją podsunął.

— Byłaś wspaniała! — ściskała, całowała mnie lekarka z interny, z którą do tej pory nie byłyśmy na „ty". Pokój się nagle zaludnił. Wszyscy zjawili się w komplecie.

— To wy byliście wspaniali! Bez was nic bym nie zrobiła... — Starałam się mówić spokojnie, żeby nie wyczuli, jak bliska jestem płaczu. Sięgnęłam powtórnie po filiżankę z resztką kawy, a właściwie już fusów i zapijałam nimi dławiące w gardle łzy. — A gdyby nie było aparatu dotchawiczego, o który tak zaciekle walczył mój poprzednik, na obywatelu Krzyżyku trzeba by było postawić krzyżyk — starałam się uśmiechnąć do anestezjolożki.

Coś jeszcze do mnie mówili, uśmiechali się, ściskali ręce, całowali. Radość z sukcesu, z uratowania jeszcze jednego życia, które wydawało się nie do uratowania, wyzwoliło w nich serdeczność i nieomal dziecięcą radość. Przejawiała się w gestykulacji, głośnej rozmowie, śmiechu. Takich ich nie znałam. Odnosiliśmy się do siebie z rezerwą, z pewną dozą obopólnej nieufności. I nieoczekiwanie, z godziny na godzinę, staliśmy się sobie bliscy. Ten nieprawdopodobny wyścig ze śmiercią, która chciała nas nabić w butelkę, a tymczasem my ją nabiliśmy, związał nas, przybliżył do siebie.

Piliśmy w podniosłym nastroju kawę. Morze kawy! Któraś z sióstr przyniosła z kuchni świeżo upieczone ciasteczka przewidziane na deser do niedzielnego obiadu. Wciąż od nowa wracaliśmy do przebiegu operacji. Każdy czuł potrzebę opowiedzenia własnych odczuć i doznań. Podzielenia się wątpliwościami i raz jeszcze skomentowania niecodzienności przypadku.

Gdy tylko zostałam sama, rzuciłam się do telefonu. Łączyłam się z Krakowem i Warszawą. Wydzwaniałam do prywatnych mieszkań znanych mi specjalistów od operacji serca. Konsultowałam się z docentami i profesorami, opowiadając ze szczegółami przebieg operacji. Wszyscy oni pocieszali mnie, że jeżeli pacjent przeżyje pięć godzin, to z całą pewnością wyżyje.

Całe popołudnie i noc spędziłam w szpitalu. Przed wieczorem, gdy się po raz dziesiąty upewniłam, że pacjent żyje i pielęgniarka czuwa przy nim, nakręciłam wreszcie numer do domu.

— Czego? — odezwał się podenerwowany głos Busia.

— To ja... — powiedziałam niepewnie, zaskoczona formą przyjmowania telefonów.

— Ty mnie kiedyś, dziecko, do grobu wpędzisz! — odetchnął z ulgą, zmieniając natychmiast ton. — Gdzie, u licha, jesteś?

— W szpitalu. Zszywałam serce. Jestem wykończona, ale szczęśliwa. Wrócę dopiero jutro po południu — wyrzuciłam jednym tchem.

— Serce zszywałaś?! — zdumiał się Busio. — Taż ty, smarkata, magik! Ale ja bym wolał, żebyś ty bardziej o moje dbała niż o cudze. Taż ja mało sam tutaj zawału nie dostałem, denerwując się, co z tobą.

— To się nie denerwuj! Wiesz przecież, jaką mam pracę. Nie jestem urzędnikiem, co to od godziny do godziny...

— Sądziłem, że nie ma cię w szpitalu.

— A gdzie miałam być? — rozzłościłam się, znając jego dawną, chorobliwą podejrzliwość. — Uprzedzałam, że mogę nie wrócić na noc.

— Z babami to nic nie wiadomo — westchnął. — Mówią jedno, robią drugie.

— Mężczyźni nie lepsi! — odpowiedziałam cierpko, myśląc o Topsim, i już chciałam odłożyć słuchawkę, ale Busio nagle zaskamlał żałośnie.

— Taż powiedz coś jeszcze, porozmawiaj ze mną! Sam tu siedzę, po pustym domu łażę, i nawet kot unika mego towarzystwa. Powiedz chociażby coś o tym zeszytym sercu. Lepsze to niż miauczenie tego zwariowanego Hioba, co łazi i szuka cię po kątach...

Wciąż byłam pod wrażeniem przeprowadzonej operacji. Czułam potrzebę mówienia o tym i o tej nieprawdopodobnej, prawie filmowej historii mego pacjenta.

— Wiesz, jak dzisiaj było gorąco, prawda?

— A co to ma do rzeczy? — jęknął Busio. — Dla mnie nigdy nie jest za ciepło. Taż ja południowiec...

— Nie przerywaj! — zniecierpliwiłam się. — Muszę zacząć wszystko od początku, tak jak opowiadała matka pacjenta i relacjonowali koledzy. Dopiero co wyszła ode mnie z gabinetu. To dopiero daje pełny obraz. Można by z tego napisać piękne opowiadanie! — dodałam pomyślawszy o Piotrusiu, który tak wspaniale potrafił opowiadać, a wszystko, co napisał, nie było interesujące.

— Poczekaj, dziecko, przysunę sobie fotel, bo nogi mi w tyłek wejdą od tego stania. Dzisiaj już dość się przy sztalugach nastałem.

Pomyślałam z zadowoleniem, że zrobił się bardzo pracowity od chwili, gdy zamieszkał pod moim dachem. Jeśli nie siedzi w kuchni albo nie robi zakupów, to zamyka się u siebie i coś maluje. Ilekroć zapytałam, nad czym pracuje, to tylko chrząkał, uśmiechał się tajemniczo, żeby wreszcie powiedzieć: „nad takim jednym barachłem".

— No, jestem. Wal wszystko po kolei!

— „Co za cholerne gorąco! Już mi w gardle zaschło!" — krzyczy Władysław Krzyżyk, coś tam kopiąc w ogrodzie. A trzeba ci wiedzieć — dodaję od siebie — że jest młody, silny i zaledwie dwa tygodnie po ślubie...

— To już nie miał lepszego zajęcia jak kopanie w ogrodzie i to jeszcze przy niedzieli? — wtrącił z niesmakiem Busio.

— Skończ z uwagami, bo odłożę słuchawkę — zniecierpliwiłam się. Jednocześnie pomyślałam, że należałoby zajrzeć do pacjenta, chociaż wiedziałam, że to zbyteczne. Był pod dobrą opieką, a ja niedawno byłam u niego.

— Już będę cicho, dziecko. Mów dalej!

„Napij się soku z czarnych porzeczek! — odkrzykuje na to żona z głębi ogrodu, gdzie pieli grządki. — Stoi w kuchni w kredensie!"

Obnażony do pasa Krzyżyk wpada na chwilę do kuchni, bo chce się przed obiadem uwinąć z robotą, wyciąga butelkę z kredensu, pochyla się nad ławą, na której stoi garnuszek, i usiłuje otworzyć kapsel. W tej samej sekundzie butelka rozrywa się w rękach jak granat. Sok opryskuje sufit i ściany. Drobne odpryski szkła wbijają się w kolorowy tynk. Z piersi chłopaka wytryska, niczym fontanna, wąski strumień krwi. Nie tracąc przytomności umysłu wtyka palec w ranę i wybiega na szosę. Po drugiej stronie remiza miejskich autobusów. Dopada do niej i krzyczy:

„Wezwijcie pogotowie, szkło przebiło mi serce!"

Któryś z kierowców odkrzykuje:

„Człowieku, nim przyjedzie pogotowie, to wykitujesz!"

Natychmiast znalazły się nosze — oddycham z ulgą przy tej opowieści, jakbym sama brała udział w wypadku. W słuchawce słyszę oddech Busia. — Kilku ludzi załadowało je z Krzyżykiem do autobusu. Kierowca błyskawicznie uruchomił silnik i na sygnale poleciał prosto do szpitala, klnąc wyboistą drogę.

Chwilę potem do pokoju lekarskiego wpada salowa z rozdzierającym krzykiem:

„Pani doktor, chory z raną w sercu!"

Doktor Grędzakówna, ta co do mnie telefonowała, wypadła na korytarz, a tam na noszach leży młody człowiek. Czterech rosłych mężczyzn z przerażonymi twarzami przestępuje z nogi na nogę. Jeden z nich mówi z przejęciem:

„To Krzyżyk, pani doktor!"

„Żaden krzyżyk — obrusza się lekarka. — Żyje przecież!" — Nie wie, że pacjent nosi właśnie takie nazwisko. A ten łapie z trudem oddech, mamrocze:

„Doktorze, serce..." — I zaczyna konać. Twarz szara, nos i uszy sine... — Milknę na chwilę, żeby zaczerpnąć powietrza i zwilżyć gardło łykiem zimnej herbaty.

— No i co? — niecierpliwi się Busio.

— No i nic. Podłączono mu natychmiast tlen, podano kroplówkę i rozdzwoniły się telefony po lekarzach. Dyżurna lekarka, młoda, u nas pracuje zaledwie od kilku miesięcy, jakaś taka ślamazarna, a w decydującym momencie nie straciła głowy i bezbłędnie wiedziała, co robić, jak ratować pacjenta, chociaż głos jej drżał, gdy rozmawiała ze mną przez telefon. No i właśnie ten od niej pierwszy telefon był do mnie. A ty nie chciałeś podnieść słuchawki — dodałam z wyrzutem i satysfakcją, że to ja właśnie miałam rację.

— I ty, dziecko, uratowałaś tego Krzyżyka? — odezwał się ze zbożnym lękiem Busio.

— Nie, nie tylko ja...

— I co, żyje? — spytał ostrożnie.

— Żyje i wyżyje! — odpowiedziałam z mocą.

— Gdyby jednak zmarł, to daj koniecznie znać — odezwał się po chwili namysłu z powagą w głosie. — To ja się wtedy pomodlę za jego duszę, bo pewnie nikt tam u was nie pomyśli o księdzu...

— Przestań! — krzyknęłam z zabobonnym lękiem. — Nie wolno nawet dopuszczać do głowy takiej myśli. Żyje i musi żyć! — wrzasnęłam odkładając słuchawkę i biegiem ruszyłam do separatki.

*

W nocy na szpitalnej kozetce nie zmrużyłam oka. Przeczytałam wszystko, co było możliwe, na temat operacji serca i co znalazłam w naszej bibliotece. Kilkanaście razy zaglądałam do pacjenta, dwa razy telefonowałam raz jeszcze do Warszawy, do kolegi, żeby usłyszeć jego spokojny głos i słowa otuchy, że operacja z pewnością się udała i pacjent wyżyje, jeśli dotychczas nie zaszły żadne komplikacje.

W nieustannym napięciu minęło nie tylko tych pięć pierwszych godzin, ale również cała noc spędzona nad lekturą, a także dzień następny. Na śniadanie nie mogłam nic przełknąć. Piłam jedynie mocną herbatę na przemian z gorącym mlekiem, które wmusiła we mnie dyżurna lekarka. Okazała się dziewczyną z sensem i nawet nie taką brzydką, jak dotychczas sądziłam. Miała w sobie coś, co musiało w jakiś sposób działać kojąco na pacjentów. Odniosłam takie wrażenie, gdy przez chwilę siedziała ze mną i z niemą prośbą w oczach podsuwała filiżankę z parującym mlekiem, którego nie cierpiałam od dziecka.

Rano Krzyżyk czuł się nadal dobrze. Pozornie nic nie zagrażało jego życiu. Cały personel, a nawet chyba i pacjenci, odetchnęli z ulgą. Życie w szpitalu, a przede wszystkim na moim oddziale, potoczyło się ustalonym i trudnym nurtem. Do domu wróciłam pod wieczór, marząc jedynie o tym, aby znaleźć się wreszcie w łóżku i móc spokojnie zasnąć.

*

Jednak wszystkie noce stały się teraz nieustannym czuwaniem, chociaż usiłowałam sobie tłumaczyć, że mogę być spokojna o stan zdrowia Krzyżyka. Był całkowicie zadowalający.

Wystarczyło jednak zasnąć, a za moment budziłam się bez określonego powodu, jakby działał we mnie mechanizm nadający sygnał do wejścia w rzeczywistość. I wtedy przeżywałam wciąż na nowo, godzina po godzinie, przebieg operacji — dramatyczny wyścig ze śmiercią. Wyrywał ten dziwny mechanizm z sennych majaków, przeradzając je w irracjonalny lęk, że gdy zjawię się rano w szpitalu, mój pacjent będzie już spoczywał w kostnicy.

Wiedziałam przecież, byłam nawet pewna, że jego życiu nie zagraża realne niebezpieczeństwo, że nie ma podstaw do lęków. Nie został popełniony żaden błąd w sztuce, wszystko przebiega w sposób typowy, a mimo to zrywałam się z pościeli, nakręcałam numer telefonu szpitala, łączyłam się z lekarzem dyżurnym, aby w rezultacie dowiedzieć się któryś raz z rzędu, że zaordynowane przeze mnie leki zostały podane, pacjent śpi spokojnie i nic się nie dzieje godnego uwagi. Odkładałam z ulgą słuchawkę, zagnieżdżałam się w ciepłą jeszcze pościel, ale sen nie chciał tak szybko przyjść, chociaż starałam się wyłączyć niepotrzebne myśli i rozważania. Oddychałam głęboko, rytmicznie. Liczyłam w myśli także barany czy też owce, wyobrażałam sobie, że ogromny ich kierdel pasie się na zielonej, górskiej połoninie, że jedna za drugą przeskakuje potoczek szemrzący bełkotliwie wśród omszałych maliniaków. Liczyłam te głupie barany, tłuste i wełniste, ale górska dolina, w którą teraz schodziły, przeistaczała się nieoczekiwanie w kwitnącą łąkę z cieplickiego krajobrazu. Szedł przez nią na moje spotkanie Topsi z Magnusem. I żałość ściskała serce, i czułam piekące ciepło łez pod powiekami. Dojmująca tęsknota trzymała przez chwilę w tamtym minionym czasie i nie mogłam się od niej uwolnić. Magnus skamlał radośnie, Topsi wyciągał ramiona, aby jak dawniej pochwycić, okręcić wokół siebie, przytulić roześmianą twarz do mego policzka. Siadałam więc raptownie na łóżku, zapalałam światło. W jego ciepłym, złotawym blasku znikały majaki. Rozglądałam się wtedy po pięknym wnętrzu, myśląc z żalem, że tak się w życiu dzieje, iż nie może być pełni szczęścia. Nie doczekali tego domu rodzice, nie mam go także z kim dzielić, razem cieszyć się jego urokiem i wygodami. Stał się dla mnie luksusowym więzieniem, przysłowiową złotą klatką dla słowika, a tak niewiele brakowało do pełni zwykłej, ludzkiej radości.

— Gdyby ułożyło się wszystko inaczej, byłby w nim dziś ze mną Topsi. Starałam się go sobie przez chwilę wyobrazić tu, w tych pięknych wnętrzach, w kwitnącym ogrodzie, doprowadzonym po „niespodziance" Wykolejeńca do takiego wyglądu, jakim go chciałam widzieć. Od pamiętnego dnia nie widziałam więcej i nie chciałam nic na temat Wykolejeńca wiedzieć po tych wszystkich kłopotach i nieprzyjemnościach, które mnie nie ominęły.

Po chwili kładłam się z powrotem zrezygnowana. Nie chciałam już wracać do zielonej łąki, a także pozostawionego stada nie policzonych owiec. Szukałam gorączkowo innego tematu, czegoś, co byłoby indyferentne, nijakie w wyrazie, nie przysparzające niepotrzebnych emocji.

Tym czymś stawał się teraz dla mnie Busio. Tak jak dawniej w moich bezsennych nocach występował w roli upiora, tak teraz, gdy spał pod moim dachem, przestał straszyć, napawać lękiem i grozą. Był wprawdzie wciąż dziwakiem i dystraktem, ale od dawna nie czułam w jego obecności niepokoju i zagrożenia. Stał się znów kimś z rodziny, kogo nie należy się obawiać, kto czuwa nad moim bezpieczeństwem w tym dużym, dziwnym domu zakupionym wraz z duchami. Do tej pory jakoś nie chciały się ujawnić, ale chyba w nim mieszkały ukryte w murach stawianych przez kogoś, kto robił to z miłością i pietyzmem, chociaż nie było mu dane w nich zamieszkać.

Dla Busia byłam wciąż jeszcze: „uprzykrzonym bachorem", „nieznośnym siusiumajtkiem" potrzebującym ojcowskiej, twardej, a jednak kochającej ręki. Było w tym coś wzruszającego, chociaż czasem irytowało.

W moich rozmyślaniach o Busiu łapałam się coraz częściej na tym, że wciąż odkładam „na później" decyzję wykwaterowania go wreszcie z mego domu, pokierowania jego losem. Zdawałam sobie sprawę, że moja dalsza opieka i pomoc finansowa będzie mu niezbędna.

Zagnieździł się w nim na dobre i przestał nawet już napomykać, że go kiedyś opuści. Wszedł do niego na pół godziny, jak zaznaczył zjawiając się ze skromnym węzełkiem w ręce, a pozostał do dziś i nic nie wskazywało na to, że się dobrowolnie z niego wyprowadzi, a i ja do tego jakoś nie dążyłam. Zdawałam sobie jednak sprawę, że im dłużej będzie w nim zamieszkiwał, tym trudniej będzie mu powiedzieć, aby go opuścił. Nie przestałam jednak liczyć się z tym, że pewnego dnia ułożę sobie osobiste życie i wtedy Busio będzie musiał odejść. Sama myśl o tym była mi przykra i odsuwałam ją na plan dalszy, czekając, że się to jakoś samo rozwiąże. Na razie nikt, poza Busiem jedynie, nie chciał go sobie ze mną ułożyć.

Topsi nie odezwał się więcej. Koledzy w moim nowym miejscu pracy byli dla mnie za młodzi albo ja raczej dla nich za stara. Kilku z nich miało od dawna ułożone życie z mniej lub bardziej akceptowaną żoną, a dla mnie już żadne „boczne uliczki" nie wchodziły od dawna w rachubę. A tak naprawdę, nie widziałam wśród nich wszystkich odpowiedniego dla siebie partnera i nie potrafiłabym się żadnym z nich bliżej zainteresować. Byli nudni i bez fantazji. Starzeli się też jakoś brzydko, po babsku.

Mijał szczęśliwie siódmy dzień od operacji Krzyżyka. Przed powrotem do domu zajrzałam raz jeszcze do niego, aby skontrolować, czy wszystko przebiega normalnie, a tym samym zapewnić sobie spokojne popołudnie i noc bez lęków i złych przeczuć, jakie mnie wciąż jeszcze prześladowały, bez jakiegokolwiek ku temu powodu. Stan chorego był więcej niż zadowalający. Młody człowiek nie mógł się jedynie doczekać wizyty żony. Był dzisiaj dzień odwiedzin i chłopak zwierzył mi z zakłopotanym uśmiechem, że wypadek z butelką zdarzył się w niecałe dwa tygodnie od ich ślubu i tak naprawdę to nie zdążyli nawet nacieszyć się sobą. Po powrocie ze szpitala będą musieli miodowy miesiąc zaczynać od początku.

— Wobec tego nie wypiszemy pana tak szybko! — zażartowałam. — Za wcześnie na wszelkiego rodzaju emocje.

— Czuję się zupełnie zdrów — zapewniał żarliwie. — Apetyt mi wrócił i wciąż jestem głodny, ale jeszcze nie mogę uwierzyć, że żyję. A mówią, że nie wraca się z tamtego świata! — usiłował żartować zerkając na drzwi. Spodziewał się zobaczyć w nich żonę, chociaż wizyty rozpoczynały się dopiero za godzinę. Przykazałam siostrom, aby surowo trzymały się regulaminu.

Busio przywitał mnie w domu gderaniem, że znów spóźniłam się na obiad i w tych warunkach to ja nigdy nie przytyję, i że przy deserze, jeśli grzecznie i bez kaprysów zjem wszystko, co przygotował, czeka mnie niespodzianka.

— Co to znów za niespodzianka? — zapytałam bez specjalnego zainteresowania, siadając przy stole zastawionym holenderską porcelaną.

— Tego nie mogę zdradzić — spojrzał na mnie z ukosa, a ja nagle parsknęłam śmiechem. Ciemny kosmyk Busiowych włosów był przewiązany białą kokardką, a on sam występował w fartuszku obszytym koronką.

— Przecież to niespodzianka — dodał ciszej, nie reagując na mój śmiech, chociaż zawsze się cieszył, ilekroć udało mu się czymś mnie rozbawić.

Coś mnie także zastanowiło w jego głosie. Zabrzmiało markotnie, chociaż Busio udawał dobry humor i usiłował rozśmieszyć swoim strojem pokojówki.

— Na obiadek będziesz miała kurczaczka z nadzionkiem i duszonymi jabłuszkami — zachwalał bez zwykłego w takich razach entuzjazmu. — Dla siebie usmażyłem befsztyk. Dla stuprocentowego mężczyzny drób nie jest żadnym jedzeniem, a przy okazji można zadławić się kosteczkami — tłumaczył. — Zupy nie gotowałem. Podam za to na deserek kisiel malinowy ze słodką śmietanką.

— Ja także chciałabym befsztyk! — westchnęłam. — Taki krwisty, z dużą ilością cebuli i świeżą bułką.

— Nic z tego! — kategorycznie potrząsnął głową. — Befsztyk danie męskie. Kobieta powinna jeść potrawy delikatne. Poza tym był to ostatni kawałek polędwicy i solidnie go dla siebie wysmażyłem, a to dla ciebie niezdrowe. Ja pamiętam o twojej diecie — dodał po chwili z pretensją w głosie, jakbym kiedykolwiek wątpiła w jego pamięć i dobre chęci.

— Umrę więc trochę zdrowsza! — mruknęłam wzruszając nieznacznie ramionami, bo miałam właśnie apetyt na coś pikantnego, ale dałam za wygraną. Z Busiem nie było dyskusji i jeśli przygotowane przez niego posiłki nie znajdowały uznania w moich oczach, nazywał mnie „kapryśnym bachorem", z którym i sam święty by nie wytrzymał i tylko on jeden jakoś to znosi, gdyż czuje do mnie „męską słabość" i dlatego zachowuje się jak tokujący głuszec, zamiast dać mi porządnie w skórę, bo jak mówi przysłowie: „gdy chłop baby nie bije, to w niej wątroba gnije".

Przy deserze oznajmił, że potomstwo Hioba oddał w „dobre ręce" do sklepu serowarskiego. Kierowniczka obiecała zabierać je na niedziele do siebie do domu.

— I to wszystko bez porozumienia ze mną? — naburmuszyłam się myśląc zupełnie o czymś innym.

— Jak ciebie znam, dziecko, ty nigdy byś sama na to się nie zdecydowała. Za rok byłoby w domu więcej kotów niż w spiżarni słoików z przetworami. A tego mamy mnogo... — nie omieszkał się pochwalić opuszczając skromnie oczy.

Pomyślałam, że i ojcu zawsze sprawiało trudność rozstanie z kociętami Kacuni. Były wtedy w domu dni żałoby kończące się zwykle popijawą z Wykolejeńcem w myśl zasady, że każda okazja jest dobra.

Busio chrząknął i podsunął mi kopertę zaadresowaną maszynowym pismem. Na odwrocie nie było nadawcy. Oglądałam ją ze wszystkich stron i zastanawiałam się, od kogo list przyszedł. Skojarzył się z Piotrusiem, chociaż było to raczej mało prawdopodobne.

Busio patrzył na mnie spod oka. Czułam na sobie jego zatroskany wzrok.

— Nie otworzysz, smarkata? — zapytał rozczarowany, gdy położyłam kopertę obok pustej czarki po kisielu.

— Przeczytam później. Wygląda to na coś urzędowego. Nie chcę sobie psuć teraz humoru.

— Tym bardziej należy otworzyć — westchnął, chociaż w podobnych sytuacjach postępował podobnie.

— Mam czas.

— Nie jesteś ciekawa?

— Nie — zaprzeczyłam ruchem głowy, chociaż miałam ochotę rozerwać kopertę, chwycić to, co jest w środku, i uciec na górę do swego pokoju. Nie zrobiłam jednak tego. Odkryłam niespodzianie, że jest mi żal Busia. Siedział naprzeciw mnie, w tej idiotycznej kokardce zawiązanej z myślą, aby mnie rozbawić, z oczami utkwionymi w długą kopertę oklejoną na odwrocie kolorowymi znaczkami z serii zwierząt. Przygarbił się i jakby postarzał. Zauważył, że na niego patrzę. Przełknął ślinę, uśmiechnął się z zakłopotaniem i źle ukrywanym smutkiem.

Na znaczkach dopatrzyłam się wizerunku psów różnej rasy. Nasunęło to myśl, że list może pochodzić od Topsiego, chociaż usiłowałam w siebie wmówić, że jest to równie nieprawdopodobne, jak i list od Piotrusia. Bałam się rozczarowania.

— Z pewnością jest od Anki — dodałam po dłuższej chwili.

— Stempel z Krakowa — stwierdził Busio, a mnie serce podskoczyło do gardła. Musiał dokładnie oglądać kopertę, nim mi ją oddał. Listu jednak nie mógł otworzyć nad parą, jak to niegdyś czynił i on, i mój ojciec. Znaczki pokrywały nieomal całą odwrotną powierzchnię koperty.

— Wobec tego nie wiem — bąknęłam wzruszając ramionami.

— Więc otwórz, a nie zgaduj — podniósł się z ociąganiem. — Nie będę ci przeszkadzał — dorzucił z westchnieniem, wychodząc z pokoju.

Długą chwilę siedziałam wpatrzona w kopertę, nie mając odwagi otworzyć. Zegar tykał głośno i dźwięcznie, wiatr uderzał gałązkami akacji w okno, a ja bałam się tego, co znajdę w liście. Zawsze czułam irracjonalny lęk przed korespondencją, tak jak i cała nasza rodzina. Nigdy nic dobrego z sobą nie przynosiła. Czułam się bardzo zmęczona. Nie tylko fizycznie. Ciążyła odpowiedzialność za wszystko, co działo się na moim oddziale, a działo się nie najlepiej. Były trudności z personelem pomocniczym, z dostawą leków, z całą serią skomplikowanych przypadków, z Krzyżykiem na czele, który na szczęście, wbrew wszelkim prognozom żył, dochodził do zdrowia i nawet nie zdawał sobie sprawy, ile ta jego operacja kosztowała mnie nerwów i bezsennych nocy.

— Jeszcze tu siedzisz? — zapytał ze zdumieniem Busio zaglądając do pokoju. Chodził cicho jak kot i zaskakiwał swoją obecnością.

— Jestem nieludzko zmęczona — odpowiedziałam z uśmiechem prosząc o filiżankę mocnej herbaty.

— A jakie podać konfiturki?

— Żadne.

— To może ciasteczka?

— Nie, dziękuję.

— Upiekłem takie, jak lubisz. Cały ranek się tym bawiłem.

— Zjem na kolację — starałam się, żeby nie wyczuł zniecierpliwienia w głosie. Nie zasługiwał na nie.

Powoli, z mieszanymi uczuciami rozrywałam kopertę. Wysunęła się z niej kolorowa pocztówka. Okazała się fotografią Magnusa. Siedział na piaszczystym wzgórku pod karłowatą sosną ze zmrużonymi ślepiami. Dzień był słoneczny i prawie poczułam zapach nagrzanego igliwia. Po drugiej stronie, drobniutkimi literkami, informacja, że nie tylko Magnus, ale także i on,

Topsi, tęskni za mną. Wspomina tamten odległy, a jednak bliski czas spędzony ze mną i chociaż wie z całą pewnością, że jestem tą jedyną, z którą chciałby się nigdy nie rozstawać, to dobrze się stało, jak się stało. Nie mógłby bowiem opuścić żony. Jest jej potrzebny. Przeżyli razem wiele lat, ma wobec niej obowiązki, a zwłaszcza teraz, gdy jest po ciężkim wypadku samochodowym, zupełnie unieruchomiona, i grozi jej do końca życia kalectwo, a może nawet wózek inwalidzki. Nie pisał wcześniej, bo po naszym rozstaniu musiał dojść z samym sobą do ładu, a później jego pobyt w Anglii trochę się przedłużył, a tam znów nie było wiele czasu na prywatne sprawy, jak chociażby napisanie listu. Wyważona w słowach karteczka kończyła się zdaniem:

„...A gdybyś i Ty zatęskniła, to w pierwszych dniach lipca możesz mnie znaleźć w Cieplicach, pod znanym adresem. Będę wraz z Magnusem wyglądał Ciebie każdego dnia. Przyjeżdżaj, najmilsza. Twój Topsi".

Nie Topsi, a Tadeusz Zezuj, a do tego nigdy nie był mój! — pomyślałam mściwie i głupio, bo miałam ochotę zapłakać. Krótko, spazmatycznie i także bez sensu. Nie należało powracać do przeszłości, sentymentów, złudzeń i nic nie znaczących stwierdzeń. Los wprawdzie raz jeszcze dawał mi szansę, ale nie taką, jakiej pragnęłam. Ofiarowywał, czy też wyznaczył, jedynie „boczną uliczkę", a ja nie mogłam, nie chciałam tego przyjąć.

Busio wszedł do pokoju z tacą. Połyskiwała na niej zastawa z białej cieniutkiej porcelany w różyczki. Patrząc na nią w zamyśleniu darłam bezmyślnie na drobniutkie kawałeczki podobiznę Magnusa, chociaż najbardziej w tym wszystkim było mi jej żal. Pies nie był niczemu winny, pasował do wiejskiego krajobrazu i byłabym szczęśliwa, gdyby teraz mógł siedzieć przy moich nogach, szukając wiernym, psim wzrokiem moich oczu.

— No i co, smarkata? — zagadnął Busio zerkając z ulgą na dartą przeze mnie fotografię. — Jakieś niedobre wiadomości?

— Dobre — uśmiechnęłam się blado. — Ktoś za mną tęskni i chciałby mnie widzieć latem u siebie.

Busiowi drżała ręka, gdy uważnie, ze skupieniem rozlewał herbatę do głębokich filiżanek.

— A ty w odpowiedzi drzesz pocztówkę, ładnie to tak? — niby to się przekomarzał i ubolewał, ale widać było, że sprawia mu to radość, wprowadza w dobry nastrój. — Z kobietami to nigdy jednak nic nie wiadomo, ot co! — zakończył odkrywczym stwierdzeniem i z powagą zaczął siorbać herbatę. Trzymał filiżankę od spodu w trzech palcach, jak czynił to kiedyś ze spodeczkiem.

— Bardzo lubiłam psa. Był to piękny kundelek — powiedziałam, byle coś powiedzieć.

— A jego pana nie? — zapytał z obłudnym uśmieszkiem. Poruszył nerwowo wąsami i przyglądał mi się badawczo zmrużonymi oczami.

— Jeszcze tak naprawdę nie zdążyłam polubić, gdy się wszystko skończyło — dałam wymijającą odpowiedź, odsuwając na bok strzępki fotografii. Sprawa była definitywnie zakończona.

— To czegóż ten dureń teraz chce? — zaperzył się. Na wystających kościach policzkowych wykwitły czerwone plamki.

— Niczego. Po prostu stwierdził fakt, że się za mną stęsknił, że chciałby mnie zobaczyć i zapewne coś ze mną przeżyć...

— Ot, swołocz i dureń jeden! — podniósł nieoczekiwanie głos. — Miał skarb, wypuścił z chamskiej łapy i rozbił na skorupy!

— To ja nie chciałam — sprostowałam z westchnieniem. Czułam potrzebę mówienia o Topsim, wyrzucenia z siebie tego czegoś, co jeszcze we mnie tkwiło, bolało. — Moja wina, że zainteresowałam się człowiekiem żonatym. Nie wiedziałam wcześniej o tym... — dodałam bez potrzeby dla porządku.

— Nie broń ścierwa! — wrzasnął. Krew mu odpłynęła z twarzy, usta pobladły i Busio przypominał upiora z białą kokardką w ciemnych włosach. — To ja przed tobą na kolanach jak przed obrazem świętej, a takie bydlę chciałoby latem użyć ciebie jak szmaty do... — urwał nagle, coś tam jeszcze mamrocząc pod nosem. Walnął pięścią w stół, aż zadźwięczała zastawa na srebrnej tacy.

Przeraziłam się, że Busio za chwilę dostanie szału, zdemoluje pokój, wytłucze cenną porcelanę, poderżnie mi brzytwą gardło i będzie to nawrót choroby, o której Józek mówił, że nie istnieje, że Busio nie ma żadnych niebezpiecznych odchyleń od normy i z całą pewnością nie jest psychicznie chorym człowiekiem.

— Uspokój się! — wrzasnęłam ja z kolei. — We wszystkim dopatrywałeś się i dopatrujesz brudów, a każdy mężczyzna, który się mną interesuje, jest w twoich oczach zboczeńcem, ścierwem, szubrawcem i Bóg jeden wie, kim jeszcze!

— Taż ja, dziecko, zazdrosny o ciebie! — spuścił nieco z tonu. — Męczę się jak potępieniec, gdy przychodzą listy, bo ja dla ciebie znaczę tyle, co gówno sobacze, a byle gach, co słodkie słówka prawi i pisze, przyprawia cię o łezki! Taż zrozum wreszcie, bachorze jeden, że ciebie kocham! Taż ja twój ślubny mąż, którego trzymasz w niełasce, a ja z rozpaczy i zazdrości po ścianach łażę!

— To chodź po ziemi! — westchnęłam. — Jesteśmy od dawna rozwiedzeni i to nie z mojej winy — dodałam z naciskiem. — Przypomnij sobie Wiśniową ulicę, przypomnij lata, gdy zakochana i nieszczęśliwa szukałam ciebie, a ty się przede mną ukrywałeś, odsyłałeś moje rozpaczliwe, błagalne listy! — wyrzuciłam z siebie jednym tchem z tym samym zapiekłym żalem, jakby zdarzyło się to wszystko zaledwie wczoraj.

— Nie wracajmy już do tego, dziecko... — zaskamlał, uderzając w pokorny ton. — Taż ja to już odpokutowałem dziesiątki razy i jeszcze dalej pokutuję. Stałem się innym człowiekiem, a ty teraz kopiesz leżącego... Taż ja wtedy byłem chyba chory na umyśle, że tego wszystkiego wcześniej nie widziałem! Od początku diabeł się wplątał w nasze małżeństwo, ot co! Asmodeusz przeklęty pod postacią przyjaciół... — Busio zasępił się, spuścił głowę i przypominał wyżętą ścierkę od podłogi.

— Słuchaj — odezwałam się po chwili. Gardło miałam ściśnięte łzami, w oczach tkwił siedzący na wzgórku Magnus z posiwiałym pyskiem. — Jestem bardzo zmęczona. Miałam trudny dzień w szpitalu, a ostatni tydzień zupełnie mnie wykończył nerwowo. Nie urządzaj nigdy więcej tego rodzaju scen i krzyków... — Starałam się mówić wolno, spokojnie. — Jeżeli rozmawiam o moich osobistych sprawach, to dlatego że zaczęłam cię traktować jak przyjaciela, jak kogoś z rodziny. Jeżeli zaczniesz robić sceny zazdrości, wygadywać głupstwa, używać plugawych sformułowań, to koniec z przyjaźnią! — Odetchnęłam głęboko i ciągnęłam dalej: — Mieszkamy pod jednym dachem, ale nie znaczy to jednak, że masz do mnie jakiekolwiek prawa. I pamiętaj również o tym, że jeśli będę chciała ułożyć sobie osobiste życie, to ułożę je bez względu na wszystko... — zaznaczyłam z naciskiem, żeby wiedział o tym i że chciałam mieć już tę rozmowę za sobą, bo kiedyś i tak musiało do niej dojść.

Przyniosło to niejaką ulgę i było trochę tak, jakbym przeprowadziła jakąś tam decydującą rozmowę także i z Topsim.

— Więc nie ma dla mnie już żadnej nadziei? — usta mu zbielały, głos się załamał i tylko te jego błękitne, urzekające mnie kiedyś oczy wpatrywały się we mnie z lękiem i psim oddaniem.

— Jak długo się żyje, tak długo jest nadzieja — uśmiechnęłam się blado, bo kategoryczny wyrok nie mógł mi przejść przez gardło. — Na razie nie wychodzę za mąż, nie mam także zamiaru wprowadzić tu żadnego mężczyzny. Mówię jednak o tym dlatego, żeby sprawę postawić jasno, więc nie miej o to żalu... — pogładziłam go po ręce. — Dobrze, że jesteś, troszczysz się o wszystko, że dużo malujesz, czujesz się tutaj dobrze... — dodałam impulsywnie, chociaż zdawałam sobie sprawę, że nie powinnam tego wszystkiego mówić, dawać cienia nadziei, że może to kiedyś utrudnić sytuację.

Busio przywarł bez słowa do mojej dłoni, a po chwili ukląkł, ujął moją stopę, postawił ją sobie na karku.

— Taż ja twój niewolnik, twój rab do śmierci! — powiedział z powagą jak przysięgę i rozpłakał się bezradnie jak dziecko.

*

W środku nocy, pierwszej spokojnej od tygodnia, obudził mnie telefon. W pierwszej chwili nie wiedziałam, o co chodzi i gdzie się znajduję. W moje majaki senne wplątał się Busio z Topsim, a także Wykolejeniec łowiący z ojcem ryby nad jakimś nie znanym mi jeziorem.

Natarczywy dzwonek wdarł się w sam środek męczącego snu, przyprawił o bicie serca i wreszcie ściągnął do rzeczywistości.

Po drugiej stronie drutu był lekarz dyżurny Zygmunt Jachowski. Od tamtej dramatycznej operacji byliśmy po imieniu.

— Wybacz, że cię zbudziłem... Jest krach.

— Co się stało? — wpadłam mu niecierpliwie w słowa.

— Wszyscy w szpitalu szalejemy, bo nie możemy zrozumieć, co się nagle stało.

— Coś z Krzyżykiem? — siadłam przerażona na łóżku.
— Brak tętna i wszystko wskazuje na to, że pacjent nie przeżyje godziny.
— Matko Boska! — jęknęłam. — Przyślij karetkę. Natychmiast!
— Już wysłałem i wracam do pacjenta — oznajmił spokojnym tonem odkładając słuchawkę.

Ręce mi się trzęsły. Nie mogłam rozczesać skołtunionych snem włosów. Przygładziłam je więc tylko byle jak, wpięłam pośpiesznie szpilki w węzeł nad karkiem. Dwie z nich wypadły z palców, utonęły w puszystym dywanie. Nie mogłam ich znaleźć. Zrezygnowałam. Wciągnęłam przez głowę sukienkę. Okazało się, że tyłem do przodu. Znów ją ściągnęłam klnąc w myślach. W jej koronkowy kołnierzyk zaplątała się szpilka od włosów byle jak wsadzona w kok. Szarpałam się z nią przez chwilę łapiąc uchem sygnał zbliżającej się karetki. Jeszcze raz upięłam włosy, przeciągnęłam puszkiem po twarzy, wsunęłam bose stopy w pantofle, których przez chwilę nie mogłam znaleźć.

Zbiegając ze schodów nadepnęłam na ogon śpiącego Hioba. Miauknął przeraźliwie i rzuciwszy się do ucieczki wpadł mi pod nogi. Zachwiałam się. Stopa w pantoflu na wysokim obcasie przekręciła się i gdybym w ostatniej chwili nie chwyciła równowagi łapiąc się poręczy, pojechałabym do szpitala w charakterze pacjentki.

W całym domu panowała cisza. Dochodziła godzina trzecia. Przebiegło przez myśl, że mogliby mnie tu zamordować, a Busio spałby dalej snem sprawiedliwego. Na noc wkładał, tak jak dawniej, woskowe kulki do uszu, żeby żadne dźwięki nie docierały do niego z zewnątrz.

— Taki to pożyje! — westchnęłam z zazdrością, zamykając za sobą frontowe drzwi.

Noc była ciepła, pachnąca. Ogród w rozkwicie szarzał już świtem. Gdzieś w krzewach zakwilił ptak, odpowiedział mu inny. Coś poruszyło się na ścieżce. Był to jeż Pankracy. Zamieszkał sobie pod modrzewiem w pobliżu schodków prowadzących do domu. Zostawiałam mu tam czasem mleko na spodeczku i jabłka.

Lekko utykając, bo noga w kostce od tego potknięcia na schodach bolała, dobiegłam do sanitarki.

— Pani ordynator to ma z tym Krzyżykiem krzyż Pański! — przywitał mnie zaspany kierowca. — No i ja też — dodał z westchnieniem, dyskretnie ziewając.

— Takie życie — odpowiedziałam krótko, myśląc teraz tylko o tym, co się mogło stać Krzyżykowi. Było w tym dla mnie coś niepojętego. Jeszcze wczoraj po południu czuł się znakomicie.

W pokoju dyżurnego lekarza Jachowski prowadził śledztwo.

Siostra Aniela siedziała naprzeciw niego, tłumacząc się z czegoś, z oczami pełnymi łez. Nieomal biła się w piersi, mówiąc, że nie ma o niczym pojęcia.

— Co się dzieje? — spytałam wpadając na tę scenę.

— Już panu doktorowi trzeci raz dokładnie opowiadam, co Krzyżykowi od wczoraj rano dano do jedzenia... — odpowiedziała łamiącym się głosem, wyręczając Jachowskiego.

— No, dobrze! — zakończył krótko. — Chodźmy do Krzyżyka — zwrócił się do mnie wstając ciężko z krzesła. Po drodze objaśniał, co na razie zaaplikował i w jakim kierunku idą jego podejrzenia.

— Sądzisz, że zatrucie pokarmowe?

— Obawiam się, że zjadł coś, czego jeszcze jeść nie powinien. Wprawdzie wszystkie siostry zaklinają się, że dostał tylko to, co miał w karcie przepisane, ale on sam mówi coś o rosole, który żona z matką przyniosły.

— Zobaczymy! — odpowiedziałam znużonym głosem.

Bezsensowna śmierć z przejedzenia po tak ciężkiej walce nas wszystkich o jego życie wydała mi się czymś nie do przyjęcia. Czymś, co może zwalić człowieka z nóg, doprowadzić do szału.

— Panie Krzyżyk... — zaczęłam surowo, siadając na brzegu łóżka. Na pozbawionej krwi twarzy kładły się zielonkawe cienie. Kropelki potu lśniły na czole. Drżał.

Siostra Lusia, z troską na młodej piegowatej twarzy, ścierała je kawałkiem ligniny. Dałam znak dłonią, żeby opuściła salę. Krzyżyk leżał w niej sam. Przedwczoraj wypisałam obu pacjentów do domu.

Jachowski przysiadł ciężko na taborecie, oczy miał zaczerwienione z niewyspania. Wpatrywał się nimi z namysłem w pacjenta. Twarz miał pociągłą, z nocnym zarostem. Z profilu przypominał trochę Topsiego.

— Panie Krzyżyk... — powtórzyłam raz jeszcze, żeby to, co mówię, dotarło do chłopaka. — Co pan wczoraj jadł po wizycie żony?

— Trochę rosołu... — wymamrotał wlepiając szkliste oczy przed siebie, w białą ścianę.

— Z makaronem?

— Z makaronem — przytaknął szeptem.

— Rosół był tłusty?

— Tylko taki lubię.

— I co jeszcze?

— Kawałek kurczaka.

— Pieczonego?

— Pieczonego.

— A co jeszcze? — nalegam nie wypuszczając jego chłodnej, wilgotnej dłoni ze swojej. Pacjent milczy, oblizuje językiem spieczone wargi.

— Panie Krzyżyk! — podnoszę bezwiednie głos. Czuję, że za tym upartym milczeniem coś się jeszcze kryje. Może nawet schabowy kotlet z kapustą. — Uratowaliśmy panu życie. A teraz pan umrze, jeśli nie dowiemy się całej prawdy. Musimy pewne rzeczy wykluczyć, poznać przyczynę tak raptownego pogorszenia się pańskiego stanu. W tej sytuacji nie wiemy, w jaki sposób i czym pana ratować!

Krzyżyk milczy, tylko cienie pogłębiają się na jego wilgotnej od potu twarzy. Pod palcami z trudem wyczuwam nierówny puls.

— Chce pan żyć? — pytam kategorycznym tonem.

— Tak... — porusza prawie bezgłośnie ustami i łza spływa po zapadniętym policzku.

— W takim razie muszę wiedzieć, i to natychmiast, co pan zjadł jeszcze poza rosołem i tym nieszczęsnym kurczakiem.

— Kawałek kiełbasy — wyrzuca wreszcie z siebie.

— Duży kawałek? — patrzę mu surowo w oczy, z którymi ucieka na boki.

— No, duży kawałek — wyznanie przychodzi z trudem, jak śmiertelny grzech na spowiedzi.

— Jak duży? Dokładnie!

— Ćwierć kilo, może ciut więcej...

Spoglądamy na siebie z Jachowskim i bez słowa, szybko wychodzimy z pokoju. Przynajmniej wiemy, jak i czym go ratować.

— Co za ludzie! — łapie się za głowę na korytarzu. — My tu flaki z siebie wypruwamy, nie śpimy, nie dojadamy, a kochająca żonusia z mamusią grób mu pracowicie widelcem i nożem kopią! A do tego wszystkiego ten gnojek przez tyle godzin nie chciał się przyznać, czym się tak doprawił!

— Nie denerwuj się, Zygmunt — mówię, byle coś powiedzieć, bo i we mnie narasta wściekłość, gdy przypomnę sobie ostatni tydzień pełen napięć, lęków, bezsennych nocy. — Damy na przeczyszczenie, podłączy się kroplówkę i zobaczymy, co będzie dalej... A ja zaraz zaparzę świeżej kawy. Przyda się nam i siostrze, którą doprowadziłeś do łez — staram się uśmiechnąć.

— Fajny z ciebie kumpel! — obejmuje mnie ramieniem i zaraz je cofa. — A nie podejrzewasz, że to zatrucie?

— Nie sądzę, ale zobaczymy, co będzie za godzinę. Zaaplikowałeś przecież wcześniej lek, który zadziała, jeśli jest zatrucie.

— Nic innego nam nie pozostaje — rozłożył bezradnie ręce. — Ale jak już jesteś, to zajrzyjmy pod siódemkę do tego dziadka z jedną nerką. Coś mi się tam nie podoba... — popatrzył na mnie z ukosa. — A kawę wypijemy zaraz potem...

Za oknami zrobiło się jasno. Różowo i błękitnie. Dzień znów zapowiadał się słoneczny i ciepły. Mimo woli westchnęłam myśląc o tym, że w lipcu w Cieplicach będzie Topsi z Magnusem i że to nie powinno mnie już interesować.

Po długim korytarzu kręciły się hałaśliwie salowe, siostry w dyżurce rozkładały na tacy leki, strzykawki, przygotowywały butelki do kroplówek.

Zaczął się jeszcze jeden zwyczajny dzień w szpitalu.

Rozdział 7

Kończył się mój trzeci dzień pobytu w Warszawie na Ogólnopolskim Zjeździe Chirurgów.

Było wczesne popołudnie i od pożegnalnego bankietu w „Victorii" dzieliło jeszcze wiele godzin. Po zakończeniu obrad miałam w „Gwiazdeczce" towarzyskie spotkanie z dawnymi kolegami.

Wysłuchałam miłych dla każdej kobiety komplementów, trochę plotek i drobnych sensacji ze środowiska. Wspominaliśmy pierwsze lata naszej pracy, nieżyjącego profesora Bienieckiego — najwspanialszego pedagoga i człowieka, koleżanki, które się rozwiodły, powtórnie wyszły za mąż i zmieniły miejsce pracy. Zuza przeniosła się do kliniki w Krakowie, Zośka, którą nazywaliśmy Łanią, powróciła do kliniki we Wrocławiu. Zrobiła tam specjalizację drugiego stopnia z nefrologii i przy okazji urodziła bliźnięta. Wspominaliśmy także i Pawła. Nie żył już od lat. Jedna tylko osoba z tego towarzystwa wiedziała, co nas łączyło, i właśnie ona taktownie zmieniła temat, gdy Kleciński zaczął się rozwodzić nad jego snobizmem i wiarą w potęgę pieniądza. Nie było to konieczne. Paweł stał się dla mnie tak daleką przeszłością, że nic już nie czułam, gdy padło jego imię. Może tylko zabolało wspomnienie o minionej tak prędko młodości.

Siedziałam obok Jarka Zabielaka. Lubiliśmy się od zawsze. Był koleżeński, dyskretny, zrównoważony. Nie uganiał się za pielęgniarkami i rzadko widywano go w towarzystwie kobiet. Przez dłuższy czas plotkowano nawet, że należy do mniejszości seksualnej, ale nie była to prawda. Podejrzewałam, że kochał się kiedyś beznadziejnie w Lizie. Trochę przytył, lekko wyłysiał, ale uśmiech pozostał ten sam. Pracował wciąż w tym samym szpitalu, z którego przed iluś tam laty odeszłam po rozejściu się z Piotrusiem. Straciłam z nim towarzyski kontakt i spotkaliśmy się dopiero teraz na Zjeździe. Przyszedł na to nasze koleżeńskie spotkanie z Klecińskim. Znali się jeszcze z gimnazjum, razem kończyli studia i chociaż pracowali w dwu różnych szpitalach, podtrzymywali tę przyjaźń. Maryśka Wrocka dogadała się z nim, że wkrótce po wojnie pracowali w pogotowiu, chociaż na innej zmianie. Z tej okazji Kleciński fundnął wszystkim po lampce wina.

Zagadywałam go o naszych wspólnych kolegów oczekując, że wreszcie padnie jakieś słowo na temat Lizy, jakaś dowcipna uwaga, w których dawniej celował. Nic się jednak takiego nie wydarzyło, chociaż krążyłam wokół tematu, rozpytując o moje dawne koleżanki. Byłam tym trochę rozczarowana, a jednocześnie zła na siebie za niepotrzebną ciekawość.

Interesowano się bardzo, dlaczego zrezygnowałam z pracy w Warszawie, jak układają się moje stosunki zawodowo-towarzyskie w szpitalu na prowincji, jak urządziłam się w Kuczebinie i czy nie ma wolnego etatu dla anestezjologa. Michał Krążkiewicz rozszedł się z żoną i chciałby przenieść się byle gdzie, aby tylko dalej od Warszawy. Warunkiem jest, oczywiście, mieszkanie. Swoje zostawił żonie i teraz mieszka w wynajętych pokojach, za ciężkie pieniądze, i ma już tego dość. Zwłaszcza że myśli o powtórnym małżeństwie i chce zacząć nowe życie w nowym środowisku.

Ucieszyłam się tą wiadomością. Michał był świetnym anestezjologiem i bardzo by się przydał na moim oddziale. Zwłaszcza że doktor Bilewska przebąkiwała coś o służbowym przeniesieniu męża do Szczecina. Była także w zaawansowanej ciąży. Wyglądało na to, że wkrótce poprosi o zwolnienie lub urlop macierzyński.

— Dla Michała etat się zawsze znajdzie — zapewniłam. — Powiedzcie, żeby koniecznie do mnie napisał, a najlepiej wybierzcie się wszyscy do mego wspaniałego domu w któryś weekend. Nocleg, żarcie i wypoczynek w ogrodzie zapewniony!

Wytłumaczyłam, którą drogą należy jechać samochodem i na odwrocie recepty nakreśliłam plan sytuacyjny. Zakrzewski z Machnowskim przyrzekli, że zabiorą do swoich wozów nie tylko Michała, ale także Bożenę i Maryśkę, a Jarek resztę towarzystwa i którejś soboty zwalą mi się na głowę w trzy pełne wozy.

Zainteresowali się także warunkami, w jakich pracuję w szpitalu, i jakich mam kolegów. Dopytywali się, jaki mam tam sprzęt medyczny i czy dużo przeprowadzam zabiegów.

Pochwaliłam się przeprowadzoną operacją na sercu, opowiadając o jej dramatycznym przebiegu wraz z całą tą otoczką z wypadku Krzyżyka. Słuchali jej jak scenariusza filmowego. Machnowski orzekł, że powinnam pisać scenariusze, a nawet powieści, bo, jak powiedział:

— Opowiadasz tak, jakbyś malowała obrazy, a przy tym trzymasz w napięciu i świetnie puentujesz.

Jarek obiecał przywieźć parę butelek różowego szampana, jeżeli zawiozę ich w odwiedziny do państwa Krzyżyków. Obiecałam zapewniając, że z pewnością poczęstują ich tam sokiem z czarnej porzeczki albo bardzo tłustym rosołem z makaronem domowym, a na deser Władysław Krzyżyk pokaże im śliczną bliznę pooperacyjną.

Jaś Straszewski, od kilku lat ordynator w powiatowym szpitalu w Biczyskach, nie chciał okazać się ode mnie gorszy. Chrząknął więc wymownie, powiódł po nas pięknie wykrojonymi oczami, w których podkochiwały się niegdyś wszystkie studentki, zaczął ściszonym, tajemniczym głosem, jakby zaczynał bajkę.

— W lipcu ubiegłego roku, a może na początku sierpnia... — zastanawiał się chwilę, jako że był zawsze we wszystkim, co robił i mówił, bardzo rzeczowy i skrupulatny — przywieźli furmanką z wiochy trzynastoletniego Rysia. Nazwisko wyleciało mi z pamięci... Zaraz... Zaraz... Zdaje się, że Grzewnowicz, ale nie jestem całkiem pewny. Jakoś tak podobnie brzmiało.

— Nieważne! — wtrącił Kleciński, uśmiechając się pod wąsem. — Mów dalej. Nazwisko ważne tylko w karcie chorobowej i w akcie zgonu.

— Chłopiec pomagał przy młócce — pominął całkowicie uwagę. — Pas transmisyjny wyrwał mu jedenaście centymetrów kości, tuż nad łokciem, miażdżąc jednocześnie staw. Kość upadła w plewy. Pies chwycił ją w zęby i zaczął uciekać. Rozpoczęła się za kundlem pogoń całej rodziny...

Wybuchnęliśmy jak na komendę gromkim śmiechem. Machowski zakrztusił się łykiem kawy. Maryśka z Bożeną zawyły tak, że aż się ktoś obejrzał od sąsiedniego stolika.

— Z czego wy się śmiejecie? — obrzucił nas zdumionym, śmiertelnie poważnym spojrzeniem Straszewski, co jeszcze bardziej pobudziło nas do śmiechu.

— Nic, nic! Opowiadaj dalej — dławiła się własnymi słowami Maryśka uczesana „na czarownicę". Nie było jej w tej fryzurze zbytnio do twarzy, ale za to modnie i, jak orzekł Jarek Zabielak, „seksy". Zawsze starał się każdemu zrobić czymś przyjemność.

— No i wreszcie udało się komuś wyrwać tę kość z psiego pyska. Zawinięto ją starannie w gazetę. Chyba była to „Trybuna Ludu", a może nawet „Żołnierz Wolności" — zastanawiał się — i wraz z chłopakiem przywieziono do szpitala.

Pokładaliśmy się dalej ze śmiechu. Każdy z nas musiał sobie tę pogoń za kundlem wyobrazić w jakiś specjalnie humorystyczny sposób, a dokładność, z jaką Straszewski relacjonował fakty, i beznamiętny sposób były tego ukoronowaniem.

— Doprawdy nie ma się z czego śmiać! — obruszył się wreszcie. — Myśmy tę kość przez dwie i pół godziny moczyli w antybiotykach i na długim gwoździu wmontowaliśmy na swoje miejsce. Po dziesięciu dniach zdjęto gips. Odpowiednia rehabilitacja i chłopak zgina swobodnie rękę w łokciu i bez wysiłku porusza wszystkimi palcami. Jak gdyby nigdy nic... — zakończył z widocznym zadowoleniem, jak ktoś, kto zrobił dobrą robotę.

— Masz na to dowód, że nie chciałeś nas jedynie zadziwić i rozbawić? — wtrącił, jak zwykle sceptyczny Kleciński, który przy tym lubił się przekomarzać. Interesowała go wyłącznie chirurgia miękka.

— Rzeczowym dowodem są zdjęcia rentgenowskie i fotografia leżącego, obok centymetra, kawałka kości z ochłapem mięsa! — zaperzył się, biorąc każdą uwagę śmiertelnie poważnie i nie rozumiejąc żartów. Już na studiach był taki. — Mamy na naszych kontach skomplikowane i często unikalne operacje. Zwłaszcza, jeśli chodzi o zespolenia kostne. No i trzeba wziąć pod uwagę ciężkie i często prymitywne warunki, w jakich jeszcze pracujemy... — zasępił się.

— Biedny pies! — jęknęła Maryśka. — Nawet nie dali mu zeżreć tego ochłapka.

— Co wam tak nagle wesoło? — wzruszył ramionami Straszewski. — Jak tak na was patrzę, to mam wrażenie, że siedzi przede mną banda studenciaków sprzed trzydziestu laty...

— Bo my wciąż młodzi duchem! — wtrącił Jarek Zabielak i objął ramieniem Maryśkę. — Pamiętacie, jak ona przy pierwszym zmarłym pacjencie płakała? A teraz wycina komu może i co może, śmieje się z wyrwanych kości, a wciąż wygląda ślicznie jak za tamtych czasów!

— Przestań, stary kocurze! — uśmiechnęła się z rozmarzeniem Maryśka opierając mu głowę o ramię. — Dawno przestałam wierzyć w piękne słówka, a ostatnio wyniosłam z domu wszystkie lustra, żeby nie straszyło mnie przed nocą moje własne odbicie.

— Pociesz się, że ja także! — wtrąciłam z westchnieniem.

— Panowie! — zatrwożył się Jarek Zabielak. — To przed czym będziemy się golić, gdy odwiedzimy ją w Kuczebinie?

Znów wybuchnęliśmy beztroskim śmiechem i zaczęliśmy się powoli rozglądać za kelnerką. Słońce przypiekało mocno, białe metalowe krzesełka nie były zbyt wygodne. Raz jeszcze mieliśmy się spotkać wieczorem na bankiecie.

Dalsze godziny postanowiłam spędzić także tu, na Starówce. Odwiedzić znajome kąty, zajrzeć do ulubionych kościołów, popatrzeć ze skarpy na Wisłę.

Straszewski odprowadził mnie do Rynku. Szliśmy w tym samym kierunku. Był umówiony z kimś w „Bazyliszku". Miał jeszcze kilka minut czasu do spotkania. Obeszliśmy dookoła rozsłoneczniony Rynek. Żalił się, jak w wyjątkowo ciężkich warunkach pracują, że aparatura przestarzała, brakuje nawet dobrego gipsu chirurgicznego i że wprawdzie budowa nowego szpitala jest przewidziana w planach inwestycyjnych, ale odkłada się ją z roku na rok i tak to trwa od siedmiu lat.

Pocieszyłam go, że i w moim wojewódzkim szpitalu nie jest najlepiej i nawet o głupi remont trudno jest się doprosić, nie mówiąc już o dobudowaniu nowego skrzydła dla bloku operacyjnego.

*

W kawiarni „Kamienne Schodki" zamówiłam kaczkę z grzankami i szklaneczkę czerwonego wina, chociaż rozsądek mówił, że nie jest to odpowiednie danie dla mojej wątroby. Postanowiłam być dziś nierozsądna. Spotkanie z dawnymi kolegami odmłodziło mnie.

Panował tu nastrój intymności i niedzisiejszych czasów. Krył się w gotyckich sklepieniach, drobnych, kolorowych szybkach oprawnych w ołów, w pluszowych zasłonach, miękkich, staroświeckich meblach, w świecach płonących w ciężkich antycznych świecznikach na stolikach krytych białymi obrusami. Obsiadali je chętnie zagraniczni turyści.

Kaczka była soczysta i miękka. Borówki smakowały jak domowe, a wino trzymało odpowiednią temperaturę. Jadłam powoli, z przyjemnością, wsłuchana w dyskretny szmer różnojęzycznych rozmów.

Nigdzie się wreszcie nie musiałam śpieszyć, nie myślałam o niczym, co mogłoby zmącić przyjemny nastrój, jaki nie opuszczał mnie od rana. Byłam także spokojna o dom. Wiedziałam, że Hiob otrzyma w odpowiednim czasie swoją porcję mleka i obrzynki z mięsa.

Busio w czasie mojej nieobecności zaopatrywał bogato lodówkę w różne mięsiwa i potrawy. Najczęściej w pieczoną cielęcinę lub baranią kulkę mocno naszpikowaną czosnkiem. Starał się zawsze mój powrót uświetnić dobrą kolacją. Nie zapominał także o drożdżowym cieście ze skórką pomarańczową i rodzynkami.

Obserwowałam elegancko odziane kobiety, odgadywałam z ich powiewnych, luźnych sukienek w pastelowych barwach, co się obecnie nosi w świecie, jakie dominują kolory. Zastanawiałam się, czym powinnam uzupełnić garderobę, chociaż stwierdziłam z zadowoleniem, że nie jestem od nich gorzej ubrana, chociaż od dawna nie przywiązywałam do tego takiej wagi, jak w czasach młodości. Wtedy jednak brakowało na taki luksus pieniędzy. Dziś były pieniądze, ale brakowało młodości. Przyszły trochę za późno, ale dobrze, że w ogóle przyszły, bo chociaż nie dają one szczęścia, ale je bardzo przybliżają, jak mawiała matka w czasach, gdy wybierałam się z wizytą do Reginalda w Londynie, który okazał się nie tylko Józefem, ale także głuchym jak pień potworkiem o cudownym tembrze głosu i wielkim sercu. Miałam wyjątkowe szczęście do udziwnionych i niecodziennych sytuacji i ludzi.

Chrupiąc rumianą grzankę z kawałkiem pieczonego jabłka pomyślałam, że im kobieta starsza, tym bardziej powinna dbać o swoją powierzchowność. Dobierać stroje odpowiednie do wieku i typu urody. U mnie impulsem do szczególnego dbania o ubiór byli zawsze mężczyźni, chociaż oni nie zauważają nawet, co nosimy. I tak naprawdę ubieramy się dla kobiet, żeby je zżerała zazdrość.

Zabrakło tych mężczyzn nagle. Ostatnim był Topsi. Suknia, jaką miałam na sobie, pochodziła z tego okresu. Lubiłam ją najbardziej.

— Wyglądasz w niej czarująco i dziewczęco — powiedział pewnego ranka w cieplickim parku, bo był jeszcze na etapie tokowania, więc zauważał nawet sukienki, a ja poczułam się wtedy jak młodziutka zakochana dziewczyna.

Wspomnienie o Topsim już nie bolało. Zachowałam tamten czas w miłej pamięci, z uczuciem niedosytu.

Po drugiej filiżance aromatycznej herbaty ruszyłam powoli na włóczęgę po starych, ulubionych uliczkach i zakątkach Starego Miasta. Nie było mi smutno, nie było wesoło. Spokojna, pogodzona z samą sobą, szłam bez pośpiechu w smugach nagrzanego słońcem powietrza. Rozglądałam się po starych kamieniczkach, wystawach, mijanych przechodniach.

Tyle się namnożyło pięknych, dorodnych dziewczyn — pomyślałam z westchnieniem. Ale one także się kiedyś zestarzeją, chociaż byłoby im trudno dziś w to uwierzyć.

Szukałam zmian, jakie zaszły od ostatniej mojej tu bytności, a więc przeszło od roku. I całkiem nieoczekiwanie, w pobliżu romańskiego kościoła Najświętszej Marii Panny, tuż przy skarpie, z której rozciągał się widok na Wisłę i prawobrzeżną Pragę z wieżycami kościoła św. Floriana, wyłonił się z bocznej uliczki i szedł wprost na mnie Piotruś.

Staliśmy naprzeciw siebie jak wrośnięci w bruk, jak dwa skamieniałe posągi. Oboje jednakowo zaskoczeni, nie przygotowani na to spotkanie, z oddechem wstrzymanym w połowie.

Obok nas przebiegł biały dalmatyńczyk w czarne cętki. Jakieś dziecko podążało niezdarnie za toczącą się po chodniku piłką i ktoś wychylony z okna wołał:

— Uważaj, nie przewróć się, Anulka!

Rejestrowałam to wszystko wyostrzonym nagle wzrokiem i słuchem, jakby to, co działo się wokół nas, na spokojnej, prażącej się w słońcu uliczce, było najistotniejszym w tej scenerii i godnym zapamiętania na całe życie. Nawet żółty kolor toczącej się piłki.

— Co za cudowne spotkanie! — przerwał pierwszy milczenie. Oddychał głęboko jak po długim biegu.

— No właśnie — zmusiłam się do uśmiechu, patrząc, jak czas okrutnie się z nim obszedł. Wydawał się niższy. Przekrwione oczy stały się bardziej wyłupiaste, włosy przerzedzone i bez połysku, zmieniły barwę na nieokreślony kolor szarości. Bardzo się postarzał od naszych „lotniskowcowych" czasów. Innym zachowałam go w pamięci. Jedynie ubrany był, jak zwykle, z tą staranną, a jednocześnie niedbałą elegancją.

— Tyle lat, tyle lat... — powtarzał w różnej tonacji, ściskając moją dłoń w obydwu swoich. Drobnych i suchych. Kochałam je kiedyś, były dla mnie czułe. Dziś już nijakie, prawie obce. Po prostu dłonie znanego mi kiedyś człowieka.

— I nic się nie zmieniłaś przez te lata... — pochylił się w moją stronę takim gestem, jakby chciał ustami dotknąć mego policzka.

Powiało alkoholem. Zrobiłam nieznaczny krok do tyłu.

— Te same oczy, ten sam rozbrajający uśmiech, dziewczęca sylwetka — usiłował podchwycić moje spojrzenie. Źrenice miał lekko rozszerzone.

Łże jak z nut — pomyślałam z mieszanymi uczuciami, a mimo to słowa sprawiały przyjemność. Zabrzmiały ciepło jak w dawnych czasach, gdy niecierpliwie szukaliśmy swoich ust, wiecznie siebie spragnieni. Coś tam rozbudziły, do czego sama przed sobą nie chciałam się przyznać.

— W twoich łaskawych oczach! — roześmiałam się z niejakim przymusem.— Bo widzisz, ja się nie zmieniam, tylko się starzeję! — Wysunęłam dłoń z jego dłoni. Usiłował ją jeszcze przytrzymać, szukał gorączkowo moich oczu, jakby szukał w nich ratunku albo własnego odbicia. Nie bardzo wiedziałam, co robić dalej, jak się zachować, o czym rozmawiać. Miałam pokusę, żeby odwrócić się i uciec. Biec gdzieś na oślep przed siebie, byle dalej od mojej młodości, od niego, od wspomnień i siebie samej odmienionej czasem.

— Musimy to spotkanie koniecznie oblać! — wykrzyknął natchnionym głosem, szczęśliwy widocznie, że znalazł nowy pretekst, aby sięgnąć po kieliszek. — I to w najbliższym lokalu!

Zdecydowanym gestem ujął mnie pod rękę. Uległam mu bezwolnie. W tym łagodnym ruchu i szelmowskim uśmiechu odnalazłam coś z dawnego Piotrusia. Pierwsze niekorzystne wrażenie zniknęło. Twarz stawała się twarzą mężczyzny, którego kiedyś kochałam, i to coś nie zostało widocznie całkowicie wymazane z pamięci serca, jeśli przemknęła bezsensowna myśl, że mimo wszystko jest to mój Piotruś. Poczułam się jakby nawet winna, że to nie on, ale ja zawróciłam z drogi, którą mieliśmy iść razem aż do ostatniego przystanku.

Jego oczy powróciły do tej zielonej barwy utrwalonej w mojej pamięci. Włosy do dawnego połysku i cała sylwetka urosła do właściwych wymiarów. Zobaczyłam go znów takim, jakim chciałam widzieć. Moje oczy przywróciły jego rysom dawny urok, zatarły spustoszenia dokonane przez czas.

— Oczywiście! — zgodziłam się z nadrabianym trochę entuzjazmem. Mimo wszystko, a może właśnie dlatego, nie bardzo potrafiłam sobie wyobrazić, o czym moglibyśmy rozmawiać, siedząc naprzeciw siebie w kawiarni. Dzieliło nas wiele lat i wiele wydarzeń. Staliśmy się sobie prawie obcymi ludźmi. Dziesiątki myśli przetaczało się błyskawicznie przez mózg. Zachodziły tajemnicze i niepojęte reakcje, sprzeczne odczuwania. Zapanował w głowie chaos. Narastała chęć ucieczki. Gorączkowo szukałam wyjścia z trudnej sytuacji, a jednocześnie brnęłam w nią dalej, chcąc być z nim razem jeszcze przez chwilę.

— A gdzie Liza? — zdecydowałam się na to właśnie pytanie po krótkiej z sobą walce. Rzuciłam je lekkim, beztroskim tonem. Chciałam ustawić nas oboje we właściwym czasie i miejscu.

— No tak, Liza... — sposępniał. — No, tak... — rozglądał się nieprzytomnie dookoła, jakby nieoczekiwanie zbudzono go z głębokiego snu. Twarz wyrażała zaskoczenie. Zapomniał widocznie przez moment o jej istnieniu, a ja brutalnie sprowadziłam go do rzeczywistości.

— Miała coś do załatwienia na Piwnej i właśnie tu byliśmy umówieni. Powinna już być... — spojrzał przelotnie na zegarek. — Ale wiesz sama, jaka jest Liza. Punktualność nigdy nie była jej najmocniejszą stroną.

— W pracy była punktualna — stwierdziłam lojalnie.

— Możliwie, ale nie w życiu prywatnym — powiedział kwaśno z niezadowoleniem.

— Nie narzekaj! Widziały gały, co brały! — nie potrafiłam odmówić sobie drobnej złośliwości wyrażonej zwrotem z naszych sztubackich czasów. I zaraz tego pożałowałam. Nie powinny obchodzić mnie te sprawy, a przede wszystkim Piotruś winien być o tym przekonany. Jednak gdzieś tam, w środeczku, coś jeszcze zabolało. Tkwiła maleńka drzazga. Nie udało się jej całkowicie wyrwać i przy nieopatrznym ruchu dawała znać o sobie.

— Nie tylko ja ponoszę w tej całej sprawie winę... — zaczął poważnie, z namysłem, opuszczając głowę i marszcząc czoło.

Nie słuchałam już tego, co mówił, dając Lizie znak dłonią.

Szła wprost na nas, uliczką zamkniętą z jednej strony białymi podcieniami, a z drugiej ciągiem kamieniczek ukrytych za drzewami klonów. Swoim zwyczajem stawiała uważnie, z gracją, stopy w białych sandałkach na bardzo wysokich obcasach. Wydawało się, jakby jeszcze urosła, wydłużyła się, ale ona była po prostu chuda. W sukience koloru „écru" przypominała deskę do prasowania.

— Witaj! — zawołałam, gdy przybliżyła się do nas. Przyjaznym gestem i z uśmiechem wyciągnęłam do niej rękę.

— Witaj! — odpowiedziała na przydechu, nieco zmienionym głosem, jakby biegła do nas, a nie szła spokojnym krokiem. Twarz o kostycznych rysach wyrażała zaskoczenie. Była wciąż jeszcze młodą, atrakcyjną kobietą, ale nie była to już ta dawna, piękna Liza. Oczy chmurne, bez błysków, twarz ściągnięta, opuszczone leciutko ku dołowi kąciki ust, nie tak już wypukłych i świeżych jak dawniej. I chociaż znacznie młodsza ode mnie, wyraz jej twarzy był znużony i stary.

Nie wyglądasz ty na szczęśliwą! — pomyślałam bez satysfakcji. Nie musiała mieć lekkiego życia z Piotrusiem.

— Wyglądasz, jak zwykle, pięknie — powiedziałam głośno, żeby rozładować niezręczną sytuację, dać do zrozumienia, że dawne sprawy przestały dla mnie istnieć.

— Należy jakoś uczcić to spotkanie! — wtrącił pośpiesznie Piotruś, nie dając nam dojść do słowa. — Zapraszam do „Bristolu".

— Może do „Krokodyla" — zaproponowałam nieśmiało. — Jest znacznie bliżej.

— Możemy — zgodziła się skwapliwie Liza, dyskretnie lustrując moją sylwetkę w szmizjerce z delikatnej tkaniny w morskim kolorze. Wiedziałam, że doskonale pasuje do moich rudych włosów. Odruchowo wciągnęłam brzuch, chociaż tak naprawdę nie było czego wciągać, i uniosłam wysoko podbródek, żeby owal twarzy wyglądał najkorzystniej. Uśmiechnęłam się nieznacznie z własnej głupoty.

— Mam myśl! — strzepnął palcami Piotruś ruchem, który tak dobrze znałam. — Wsiadajmy w wóz i jedźmy do nas! Wczoraj zaopatrzyłem obficie barek i mam w nim twoje ulubione campari! — zwrócił się do mnie robiąc taki ruch dłonią, jakby chciał nią dotknąć mego ramienia. W ostatnim ułamku sekundy przeciągnął palcami po włosach.

Zaległa chwila krępującego milczenia. Piotruś zorientował się wreszcie, że popełnił niezręczność. Zamilkł nagle, zerkając w naszą stronę z miną małego, niesfornego chłopca, który wie, że nabroił i dostanie w skórę. Rozbawił mnie. Nie rozbawił jednak Lizy. Spojrzała na niego surowo, z naganą.

— To już lepiej będzie, gdy zaspokoimy te twoje alkoholowe ciągoty w restauracji — patrzyła na niego z niechęcią, wyniosła i zimna. — Nie będzie przynajmniej możliwości popijania za twoich stu jeden poległych kolegów — zauważyła cierpko, z ironią, nie licząc się z moją obecnością. Pomyślałam, że i Piotruś nie ma z nią słodkiego życia, ale go nie żałowałam.

— Pozostańmy przy kawie w „Krokodylu" — łagodziłam sytuację. — Mam ochotę tam posiedzieć.

„Krokodyl" kojarzył się ze zdradą Michała, ale to już dawno przestało mieć dla mnie jakieś znaczenie, chociaż był czas, że płakałam po nocach, cierpiałam zadając sobie głupie, retoryczne pytanie: „dlaczego?".

Uświadomiłam sobie teraz dopiero w pełni mądrość zawartą w słowach cytowanych przez moją matkę, gdy starała się złagodzić moją rozpacz po ucieczce Busia.

„Nie ciesz się zbytnio szczęściem, bo minie. I nie rozpaczaj, gdy spotyka cię nieszczęście. Ono także minie".

I rzeczywiście. Minęło to, co było dobre. Minęło także i to, co złe. Stoimy teraz we troje naprzeciw siebie, zastanawiając się, do jakiego pójść lokalu na drinka, a każde z nas z innymi żalami i pretensjami do losu.

Zdążyłam jeszcze pomyśleć o niezachwianej wierze mojej matki. Twierdziła, że przestrzeganie dekalogu zaoszczędza cierpień, konfliktów i rozterek, gdy Piotruś, ziejąc na nas źle przetrawionym alkoholem, zdecydował nagle, że jedziemy jednak do „Lotniskowca". Powiedział z naciskiem do „Lotniskowca", a nie do domu, patrząc wyzywająco na Lizę.

Na jej delikatnie zarysowanych kościach policzkowych wystąpiły różowe plamki, zadrgały mięśnie twarzy, świadczące o tym, że Liza zwarła mocno szczęki.

— Piotrusiu... — odezwałam się spokojnym, prawie żartobliwym tonem. — Mam niewiele czasu. Jeżeli chcesz mi zrobić przyjemność, to nie upieraj się przy żadnych dalszych eskapadach. Wypijmy naszą kawę w „Krokodylu" albo jeszcze bliżej, w „Bombonierce".

Patrzył na mnie z namysłem. W wyłupiastych oczach, które jeszcze przed kwadransem nie były dla mnie takimi, przebiegło coś jak cień zrozumienia. Bez słowa przytaknął skinieniem głowy.

Szłyśmy z Lizą przodem. Piotruś za nami. Nieomal fizycznie czułam jego bliską obecność, wzrok na moim karku, tuż pod upiętymi wysoko włosami, w miejscu, które tak chętnie całował, gdy siedziałam pochylona nad stołem. Stłumiłam w sobie westchnienie.

Rozmawiałyśmy o nieistotnych sprawach. Dowiedziałam się, że poprzedni ordynator nie zmarł na zawał serca, jak powszechnie sądzono, a popełnił samobójstwo. Tracił pamięć, z czego zdawał sobie sprawę, i to było podobno przyczyną. Przed miesiącem zmarła na raka płuc siostra oddziałowa, którą kiedyś najbardziej lubiłam, i że oni z Piotrusiem wybierają się samochodem na urlop do Jugosławii. Poprzedni spędzili w Dalmacji.

Ja z kolei na grzecznościowe pytania Lizy odpowiadałam zwięźle w kilku słowach. Trochę tylko obszerniej o tym, że przez te lata zdążyłam także wyjść za mąż i nawet się rozwieść, gdyż nie mam cierpliwości do kompromisów, rezygnowania z własnych ambicji na korzyść męża i że samotność z wyboru jest właściwie tym, co mi najbardziej odpowiada. Kłamałam, jakby ten cały tekst ktoś mi podpowiadał, szeptał do ucha.

Liza pominęła moje wywody milczeniem. Przypomniała sobie natomiast Busia. Zlekceważyłam pytanie machnięciem ręki, bąknąwszy przy tym, że prawdopodobnie umarł, gdyż od lat nie mam od niego żadnej wiadomości.

Chciałam mieć już tę wspólną kawę za sobą. Czułam się zmęczona sytuacją, wymyślonymi na poczekaniu kłamstwami, które nie miały sensu i nie służyły żadnemu celowi. Niepokoiła także obecność Piotrusia za plecami. Czułam nieomal ciepło jego oddechu na karku.

A jednak to „coś" we mnie jeszcze nie całkiem wygasło — stwierdziłam w myśli z odrobiną satysfakcji i zadowolenia.

Zajęliśmy stolik w pobliżu kominka. Z otwartych okien nawiewał zapach nagrzanej słońcem ulicy i gwar wycieczkowiczów. Był czas wakacji i chociaż był to dzień powszedni, po Rynku kręciły się tłumy zwiedzających.

Otwarty fortepian kazał domyślać się, że za chwilę ktoś przy nim zasiądzie. Pomyślałam, że kiedyś grywał na nim szczuplutki pan, ubrany, bez względu na porę roku, w czarny tradycyjny garnitur. Oczy, które już prawie nic nie widziały, przesłaniał grubymi szkłami. Wtedy, gdy bywaliśmy tu z Piotrusiem, płynęły spod jego palców najpiękniejsze, zapomniane melodie z czasów, gdy jeszcze nosiliśmy szkolne mundurki.

Chciałam zapytać o niego kelnerkę. W ostatniej jednak sekundzie zrezygnowałam. Liza zawsze pokpiwała z moich sentymentów.

Piotruś zamówił trzy kawy z bitą śmietaną, francuski koniak i ogromne porcje węgierskiego tortu. Żadne z nas go w rezultacie nie tknęło. Na widok pękatych kieliszków z bursztynowym płynem ożywił się, oko mu błysnęło. Natychmiast znalazł temat, stał się rozmowny. Zaczął opowiadać ze swadą o koledze z Anglii. Wybiera się w odwiedziny do Polski i on, Piotruś, liczy już nie dnie, ale godziny do jego przylotu.

— Lataliśmy razem jako crow... Jako załoga! — poprawił się szybko pod ironicznym spojrzeniem Lizy. — I o mało nie zestrzelono nas nad Bremen. Do bazy nie powróciły dwie maszyny. Zginął wtedy Tadzio Wronecki i Marek Łączyński. Wspaniałe chłopaki! Marek miał psa. Jak ten kundel nieprawdopodobnie tęsknił. Nic nie żarł, tylko siedział dzień i noc przed kantyną i leciał jak nieprzytomny, gdy tylko usłyszał warkot maszyny... — opowiadał tak, jakbyśmy znały tych jego przyjaciół i jakby ta cała historia zdarzyła się przed miesiącem. Był nieobecny przy naszym stoliku. Trwały jedynie słowa. Wypowiedziane, należały już także do czasu przeszłego, a Piotruś przebywał gdzieś na polowym lotnisku pod brytyjskim niebem.

Rozglądałam się dyskretnie po sali zapełniającej się powoli gośćmi. Zerknęłam na stolik w głębi. Przed laty Michał, w lotniczym mundurze z dystynkcjami pułkownika, z pięknym profilem i sylwetką gladiatora, wdzięczył się do długowłosej, młodziutkiej dziewczyny w różowej sukience. Nikt przy nim teraz nie siedział. W wazoniku z zielonej ceramiki tkwiły białe margerytki.

Piotruś kończył swoją opowieść stwierdzeniem, że tamto życie podczas wojny nie było wprawdzie najbezpieczniejsze, ale było to prawdziwe, męskie życie, a nie stojąca woda... — zawiesił głos, jakby miał nastąpić jeszcze ciąg dalszy.

— Zawsze to samo! — jęknęła Liza. — Zaraz doda, że jak woda stojąca w wannie z brudnymi mydlinami.

— Jak stojąca woda w stawie z jedną skrzeczącą żabą w środku — zakończył zjadliwie i upił łyk koniaku. Widocznie ta przenośnia bardziej tym razem pasowała Piotrusiowi do własnych myśli, a może i sytuacji.

Liza z nieprzeniknionym wyrazem twarzy mieszała w skupieniu kawę z bitą śmietaną, jakby to była najważniejsza czynność, i nic ją poza nią nie obchodziło.

Czułam się zażenowana ich wzajemnym wrogim do siebie stosunkiem. Nie kryli się z nim przede mną. Byłam także pełna podziwu dla Lizy, że tak spokojnie znosi impertynencje, godzi się na taki stan rzeczy, i chyba nie w imię miłości, a dewizowego konta.

Wybiegłam wzrokiem pod łukowate sklepienie wejścia. W pewien niedzielny ranek dostrzegłam w nim ojca w odświętnym garniturze z różą w dłoni. Przeciskał się do stolika pod oknem. Siedziała przy nim pulchna i słodka Płodziakowa, spowita w powiewny szal na kwiecistej sukni. Ojciec kiedyś usiłował jej wytłumaczyć, że jej ukochany mąż zdradza ją z jego ukochaną wnuczką i oboje muszą wspólnie ten romans ukrócić. Przy okazji sam się w profesorowej zadurzył jak sztubak. Mimo woli westchnęłam. Wszystko to było już daleką przeszłością.

— A co słychać u małej Ewy? Co się z tym uroczym dzieckiem teraz dzieje? — Piotruś nieoczekiwanie zmienił tok myśli i zainteresowań.

— To „dziecko" — uśmiechnęłam się — ma już prawie dziewięcioletniego syna, a ja w ten prosty sposób zostałam babcią — zakończyłam ze swobodą, uśmiechając się beztrosko do obojga. Temat był bezpieczny, nie dawał powodu do nietaktów i należało go podtrzymać.

— Sama wyglądasz tak, jakbyś miała syna w tym wieku — wypalił tak po prostu, bez zastanowienia, jak komplement.

Drgnęło coś we mnie przy tych słowach, zapiekło bólem, obudziło dawny żal. Nie mogłam powstrzymać się, aby tego, co niegdyś ukryłam przed nim, nie wypowiedzieć głośno, zburzyć spokój, uczynić winnym.

— Miałby teraz mniej więcej tyle lat... — patrzyłam przed siebie, ponad głową Lizy. Wybiegłam spojrzeniem poza ramy otwartego okna, muślin firanek poruszanych ciepłym powiewem, gdzieś tam, w sam środeczek nieba rozciągniętego jak błękitny jedwab nad czerwienią dachówek Starego Miasta.

— Ale go nie było — mruknął Piotruś znad kieliszka koniaku. Dłoń mu lekko drżała, gdy niecierpliwym ruchem podnosił go do ust.

— Owszem, był. Tylko nie wszyscy go chcieli, więc go nie ma — odpowiedziałam spokojnie i może zbyt głośno. Ktoś odwrócił się w naszą stronę. Zrobiło mi się głupio. Nie można było już tych słów cofnąć.

Liza wpatrywała się uporczywie w filiżankę z kawą. Ciemne łuki brwi miała ściągnięte, rzęsy opuszczone. Długie i puszyste rzucały delikatny cień na pobladłe policzki.

Piotruś jednym haustem wlał w siebie zawartość kieliszka, lekko się zakrztusił. Wpatrywał się we mnie jak w widmo, łapiąc uchylonymi ustami powietrze.

Uderzyłam go mocno — przebiegło przez myśl. Nie czułam żadnej satysfakcji. Co mi to właściwie dało poza niesmakiem do samej siebie? Poczułam się zawstydzona, zrównana z poziomem ich wspólnych rozrachunków. Niejako wspólniczką. Nie pozbyłam się jednak całkowicie mojej impulsywności.

Uciekłam wzrokiem do otwartego fortepianu. Zasiadał przy nim młody człowiek w dżinsach, w rozpiętej na piersiach koszuli w białobłękitną kratkę.

— Stary pan nie żyje od blisko czterech lat — odezwała się wreszcie Liza z ulgą w głosie, idąc za moim wzrokiem.

Przytaknęłam głową bez słowa. Spod szybkich palców popłynęła rytmiczna melodia „country" z amerykańskiego westernu.

Szkoda. Nic już nie potrafię odnaleźć z tamtego czasu. Ludzie, melodie, moda, gusty — wszystko to wykrusza się jak cegły w starej kamienicy i zastępuje się je nowymi plombami.

Milczeliśmy przez chwilę udając, że słuchamy tego, co wystukuje na czarno-białych klawiszach młody pianista, kiwając się rytmicznie do taktu. Włosy miał płowe, spadające na czoło, i pochylony kark.

— Ale dlaczego... Dlaczego? — wymamrotał nieoczekiwanie Piotruś, jakby dopiero teraz dotarła do niego treść zawarta w słowach. Objął oburącz głowę i pochylił się nad nie tkniętą filiżanką kawy.

— O czym ty, Pete, mówisz? — zaniepokoiła się Liza zerkając także i w moją stronę. Usiłowała się beztrosko uśmiechnąć, ale jej to nie wyszło.

— I tak tego nie zrozumiesz! — warknął niegrzecznie i skinął na kelnerkę. Zamówił następny, podwójny koniak dla siebie.

— No i co robić z takim moczymordą? — Liza starała się żartować. — Sam nawet nie wie, co plecie! — wzruszyła ramionami. Dłoń jej drżała, gdy uniosła filiżankę do ust. Nie było w niej już kawy. — Mógłbyś wreszcie przestać. Od rana tankujesz!

Sytuacja stawała się coraz bardziej napięta i przykra. Czułam się winna. Należało ją jakoś rozładować. Nic mi jednak nie przychodziło do głowy. Zastanawiałam się przez moment, czy nie zapytać Piotrusia, jak wygląda jego praca nad książką. Czy udało mu się wreszcie wydać tomik opowiadań, o którym się kiedyś tak dużo mówiło. W porę jednak ugryzłam się w język. Temat ten zawsze go drażnił i z czasem stał się tabu.

— Jeśli piję, to mam ku temu powody! — warknął wpatrując się w Lizę. — I ty o tym dobrze wiesz! — Stał się po koniaku agresywny, a może tylko mniej zastraszony. — Nie moja wina, że twój wujek-wydawca okazał się mitem, a książka twoim pobożnym życzeniem — odciął się brutalnie, z zajadłością, wyciągając drapieżnym ruchem palce po napełniony ponownie kieliszek.

Wszystko to stawało się nie do zniesienia. Nie wiedziałam, gdzie podziać oczy. Miałam ochotę zerwać się i uciec. Zaczęto zwracać na nas uwagę.

— Na mnie już pora! — spojrzałam ostentacyjnie na zegarek. — Za pół godziny mam umówione spotkanie — kłamałam sięgając po torebkę przewieszoną przez oparcie krzesła.

— Czekaj! — Liza chwyciła mnie za rękę. Oczy jej pociemniały, stały się dzikie w wyrazie. — Jak już zostało powiedziane tyle, to dowiedz się, co zrobił po pijanemu ten gagatek! — patrzyła z nienawiścią w jego stronę. — Dom i konto bankowe zapisał córce w Anglii. Oszukał mnie, zniszczył, a teraz niszczy siebie zapijając się od rana, bo każda okazja dobra! — głos jej się załamał, twarz pobladła. Gestem udręczonego człowieka, który nie bardzo wie, gdzie się znajduje i co się z nim dzieje, sięgnęła dłonią do czoła.

— Liza! — mitygowałam ściszonym głosem. — Nie załatwiajcie swoich osobistych spraw tutaj, w kawiarni. Ludzie słuchają, a i mnie też to nie interesuje. Co się z wami dzieje?

— Nasze zwykłe, codzienne rozmowy! — wtrącił bełkotliwie Piotruś, machając lekceważąco dłonią. — Przywykliśmy do nich.

Liza siedziała w milczeniu z opuszczoną głową, jakby się nad czymś głęboko zastanawiała. Rytmiczny, hałaśliwy szlagier obijał się o ściany, wypełniał wnętrze kawiarni i wreszcie umilkł. Zaległa przyjemna cisza.

Zło rodzi zło — pomyślałam tak jakoś na marginesie. Raz jeszcze spojrzałam wymownie na zegarek. Piotruś nieobecnym wzrokiem popatrzył na mnie, na Lizę i zaproponował ponurym głosem, że odwiezie mnie wozem. Nie muszę się więc śpieszyć, bo przyjemnie się nam rozmawia i można by wypić jeszcze jednego drinka za to nasze spotkanie.

— Nie pozwolę ci prowadzić samochodu w takim stanie! — ocknęła się nagle Liza. Także i ona ofiarowała się mnie podwieźć.

— Mamy wspaniałego „Forda" — nie omieszkała zaznaczyć, jakby tym beztroskim stwierdzeniem chciała ratować sytuację, czymś wreszcie zaimponować, zbagatelizować wszystko to, co usłyszałam. Twarz powoli wracała do normalnego kolorytu i wyrazu. Starała się uśmiechnąć. Przepraszała za „przemówienie się z Pete" — jak to określiła. Bąknęła coś zdawkowego na temat moich u nich odwiedzin przy następnej bytności w Warszawie i jeszcze raz zaproponowała podwiezienie wozem. Spytała także lekkim, towarzyskim tonem, jak urządziłam się „na głuchej prowincji" i czy nie żałuję, że opuściłam Warszawę.

— Kupiłam wspaniałą posiadłość i czuję się w niej szczęśliwa — odpowiedziałam szczerze.

— Posiadłość? — zdumiała się Liza. — Wspomniałaś tylko, że masz ładny dom w tym jakimś... — zapomniałam nazwy.

— Przyjedź kiedyś do Kuczebina, to się sama przekonasz. Pałacyk w parku też można nazwać domem... — roześmiałam się. — I ma jeszcze tę zaletę, że jest wyłącznie moją własnością. A „Forda" względnie jakiegoś „Diesla", kupię w najbliższych miesiącach — nie mogłam sobie odmówić tej drobnej złośliwości.

Piotruś mamrotał coś pod nosem. Wzrok miał nieobecny i zamglony. Patrzył na nas, ale wyglądało na to, że nie widzi albo nie poznaje.

— Może jednak cię podwiozę? — zaproponowała raz jeszcze.

Odmówiłam grzecznie. Liza stwierdziła skwapliwie, że wobec tego oni tu jeszcze chwilę pozostaną. Pete musi „odparować".

Schodziłam powoli z szerokich marmurowych schodów, przerażona tym, co stało się z małżeństwem Lizy i Piotrusia. Nie czułam żadnej satysfakcji, a tylko coś jakby ulgę, że stało się tak, jak się stało, i że to Liza, a nie ja, jest jego żoną. Ale czy naprawdę byłam tego pewna. W głębi świadomości tkwiła bezsensowna myśl, że tylko ja potrafiłabym uchronić Piotrusia od nałogu, że nasze wspólne życie byłoby szczęśliwe. Wzruszyłam ramionami. Każda kochająca kobieta tak sądzi.

Resztę popołudnia miałam dla siebie. Szłam pieszo przez Krakowskie Przedmieście. Bez większego zainteresowania omiatałam wzrokiem wystawy, nie bardzo nawet widząc, co się na nich znajduje. Wciąż na nowo przeżywałam to nasze pierwsze i nieudane spotkanie. Żal było straconych złudzeń, obrazu zamkniętego w sercu jak w medalionie. Nic, albo prawie nic, nie pozostało z tamtego czasu, gdy nasz dom, nasz „Lotniskowiec" pachniał szczęściem. Pomyślałam, że ten mój w Kuczebinie ma zapach spokoju i ładu, ale to jednak nie to samo. Czułam także niesmak do siebie za niepotrzebne aluzje i okrucieństwo w stosunku do obojga. W ogólnym rachunku tylko ja jedna byłam wygrana. Pokonanego nie należy kopać.

Zastanawiałam się także, czy stałoby się z Piotrusiem to, co się stało, gdybym to ja była na miejscu Lizy. Pycha podszeptywała, że nie, że przy mnie stałby się innym człowiekiem. Może nawet wydałby tom wspaniałych opowiadań. Nie mogłam uwierzyć, że ktoś, kto tak wiele przeżył i potrafi interesująco, barwnie opowiadać, nie umie przelać myśli i odczuć na papier. Wierzyłam niezachwianie, że gdyby Piotruś miał w sobie mniej lenistwa a więcej samokrytycyzmu, mógłby napisać przynajmniej jedną dobrą książkę.

Rozmyślałam o tym wszystkim obserwując siebie odbitą w szybach mijanych magazynów. Wzruszyłam ramionami nad tym moim niepoprawnym marzycielstwem i naiwnością. Dorosłego, ukształtowanego człowieka nie można zmienić, ustawić według własnego wzorca, zatrzymać przy sobie jak niepodzielną własność. Trzeba go przyjąć takim, jakim jest w rzeczywistości. Z jego wszystkimi wadami i niedoskonałościami, albo w ogóle z niego zrezygnować. Prędzej czy później wymknie się, ucieknie do własnych nałogów, upodobań, przyzwyczajeń. Czasem do tej, w jego pojęciu, „lepszej" partnerki. W rzeczywistości może być gorsza, ale inna, nowa, a tym samym bardziej pożądana. Wiele rzeczy i spraw przemija, powszednieje, a to, co najlepsze, otrzymuje się za cenę wielkiego bólu.

Na rozgrzanej słońcem ulicy, wśród obojętnych przechodniów, w łoskocie przelatujących samochodów uświadomiłam sobie, że na tej właśnie zasadzie przyjęłam pod swój dach Busia. Zaopiekowałam się nim pozostawiając jednocześnie swobodę działania i wyboru. Niczego nie oczekiwałam, nie chciałam, nie wymagałam. Przyjęłam go takim, jakim był. Z dziwactwami, chorobą i pokręconą miłością do mnie. Może dlatego potrafiłam się na to zdobyć, że go już nie kochałam. Był mi obojętny. Tym samym stało się obojętne wszystko to, co czynił, mówił i myślał. Ale czy do końca było to prawdą?

Powróciłam znów myślami do spotkania z Piotrusiem. Zobaczyłam jego postarzałą, odmienioną czasem i przeżyciami twarz. Moja matka, jeszcze w Winiarach, orzekła, gdy przyjechał do nas po maturze, że Piotruś ma w sobie coś z ratlerka. Płakałam wtedy z oburzenia i niechęci do matki. Dziś przyznawałam jej rację. Z wyłupiastymi oczami wyglądał jak stary, zasuszony ratlerek. Stwierdzenie tego faktu nie wywołało we mnie odrazy. Mimo wszystko był chłopcem z mego dzieciństwa. Zagubionym i nieszczęśliwym.

Przez myśl przebiegały dziesiątki refleksji i wspomnień z naszego „Lotniskowca". Zagubiłam w nich nawet Lizę. Wydała się najmniej ważna w tej całej historii. Nie warto było zaprzątać nią myśli.

Czy jeszcze go kochałam? Nie umiałam, a może nie chciałam, odpowiedzieć na postawione sobie pytanie. Miałam chaos w myślach i odczuciach. Osaczyły, zdumiewały i należało je natychmiast stłamsić jako bezsensowne i niewłaściwe. Każde z nas ułożyło sobie w jakiś tam sposób życie i nie należy się w tym wszystkim grzebać jak żuk w łajnie.

Od dawna usiłowałam przestać żyć mrzonkami, ulegać nastrojom i sentymentalnym porywom. Ten nieudany cykl zakończył Topsi. Młodość miałam zdecydowanie za sobą. Byłam jednak na swój sposób szczęśliwa. Wiele kobiet mogło mi zazdrościć tego, co udało mi się osiągnąć i do czego doszłam. Na mężczyznach świat się jednak nie kończy. Byłam z pewnością szczęśliwsza od Lizy. Prowadziłam spokojne życie bez tych problemów, jakie miała ona. Moja samotność była w jakimś sensie z wyboru. Lizie było trudniej. Samotność we dwoje jest samotnością podwójną, a luksus, w jakim obecnie żyła i do którego szła po trupach, nie przyniósł szczęścia.

Tłumaczyłam sobie to wszystko, rozważałam, filozofowałam, ale tak naprawdę miałam ochotę zapłakać, uciec od siebie, od niepotrzebnych myśli.

Przyśpieszyłam kroku, sięgnęłam do torebki po karteczkę ze sporządzonym przez Busia spisem zakupów. Przed moim odjazdem wcisnął mi ją nieśmiało, prosząc o farby, pędzle, tusze. Wynotował numery kolorów, rozmiary pędzli i jakieś uwagi dotyczące producenta i zagranicznych firm.

Weszłam w moje codzienne życie, w narzucone sobie obowiązki wobec człowieka, który według boskich praw był wciąż jeszcze moim mężem. Nieoczekiwane spotkanie z przeszłością rozkleiło, wytrąciło z zaprogramowanego wcześniej dnia. Należało jak najszybciej przejść nad tym wszystkim do ustalonego porządku. A więc najpierw te pędzle i farby...

Gorączkowo szukałam wzrokiem sklepów, gdzie mogłabym zakupić potrzebne Busiowi drobiazgi. Wyciągałam z pamięci także inne, mało istotne sprawy, które mogłam przy okazji załatwić, ale traciłam powoli zainteresowanie tym wszystkim. Poczułam się nagle bezradna i zagrożona, jak człowiek zagubiony w buszu. Przerażała własna słabość. Należało się od niej uwolnić, znaleźć jakiś punkt zaczepienia. Rozglądałam się dookoła, jakbym w mijanych przechodniach mogła znaleźć ratunek. Otaczał zewsząd tłum obojętnych, zaabsorbowanych własnymi sprawami ludzi. Mijałam obce kamienice, wyrosłe w miejsce tych zburzonych przez bomby, które znałam i kochałam od dzieciństwa. Potrącały młode i dorodne dziewczyny w dżinsach, w sukienkach z gołymi ramionami, w dziwacznych klipsach. Nikt nikogo nie zauważał. Wszyscy tu byli samotni nie mniej ode mnie, chociaż otoczeni innymi ludźmi i gwarem ulicy.

I wtedy zatęskniłam rozpaczliwie za powrotem do domu. Nawet za Busiem, za jego krzątaniem się, za pełnym fantazji sposobem myślenia. Zatęskniłam za Hiobem łaszącym się wokół nóg, za moim ogrodem w rozkwicie, za drożdżowym ciastem z rodzynkami. Poczułam nieomal jego smak i zapach rozchodzący się po pokojach, zmieszany z wonią lipowego kwiatu. Busio suszył je rozstawiając na tacach wszędzie tam, gdzie dochodziło słońce. Dom wtedy pachniał jak otwarty flakon z dziwną perfumą.

Zdecydowałam, że nie pozostanę na bankiecie, że wrócę najbliższym pociągiem do Kuczebina.

I zadumałam się nad przewrotnością ludzkiej natury.

*

Tego dnia wróciłam ze szpitala trochę wcześniej. Obchód trwał krócej niż zazwyczaj. Nie było żadnych cięższych przypadków, większość chorych była już bliska wypisania do domu. Do dwóch niezbyt skomplikowanych zabiegów przewidzianych na dzień dzisiejszy wyznaczyłam młodszych kolegów.

— Co ty tak wcześnie, smarkata? — zdumiał się Busio. — Obiad jeszcze nie gotowy. Musisz z godzinkę poczekać.

— To dobrze. Posiedzę wreszcie spokojnie w ogrodzie. Cudowny dzień... — uśmiechnęłam się do niego.

— Komu cudowny, to cudowny — zmarkotniał i jakoś tak dziwnie na mnie popatrzył.

— Co się stało? — zaniepokoiłam się. — Masz jakieś złe wiadomości?

— Et! — machnął ręką. — Sen miałem dziś niedobry. Przepuszczałem przez maszynkę jakieś śmierdzące ochłapy, a do tego jakiś facet telefonował dwa razy i denerwował się, że cię nie zastał.

— Nie podał nazwiska?

— Może i podał, ale jakoś mi z głowy wyleciało.

— Nie wiesz, czego chciał i skąd dzwonił?

— Powiedział, że jeszcze raz będzie próbował, ale mu powiedziałem, że szkoda fatygi, bo ty nikogo w domu nie przyjmujesz.

— Zwariowałeś!? Przecież to mógł być ktoś ze znajomych.

— Otóż to! — westchnął Busio. — Nie lubię, jak się jakieś kundle po domu kręcą.

— Jeśli jeszcze raz zadzwoni, to wypytaj dokładnie, kto i w jakiej sprawie. Spodziewam się telefonu od Krążkiewicza z Warszawy. Obiecałam załatwić mu etat w naszym szpitalu.

— Żonaty? — zainteresował się Busio.

— Chyba rozwiedziony — wzruszyłam ramionami.

— Już ja się facetem zajmę! — zarechotał nagle, uderzając prawym kułakiem w lewą dłoń. — Mam specjalne uczulenie na chamów, gachów i inną swołocz — dodał z rozmarzeniem w głosie, jakby już widział ich wszystkich razem wbijanych na pal.

Oddaliłam się bez słowa w stronę starych platanów. Rzucały rozproszony cień na skoszony trawnik. Wyciągnęłam się na leżaku przymykając oczy. Dobrze było tak leżeć, patrzeć przez zmrużone rzęsy na rozkwitłe krzewy, na białą fasadę domu w pełnym słońcu. Tchnął spokojem, spełnionymi marzeniami. Był moją ostatnią miłością. Czule przesuwałam po nim leniwym wzrokiem. Był także czymś w rodzaju pomnika, wiecznym wspomnieniem Agnisi, jej ostatnią wolą. Napisała w testamencie:

„...Może te marne, nic w obliczu śmierci nie znaczące pieniądze spełnią coś, co się w twoim życiu będzie naprawdę dla ciebie liczyło..."

Gdziekolwiek jesteś... pomyślałam tak jakoś sentymentalnie, z głęboką wdzięcznością w sercu, dziękuję ci za ten wspaniały dar...

Wyobraziłam sobie, jak pewnego dnia zawitają do niego Brysiowie z Siasiem. Brakowało w nim dziecięcego śmiechu, gwaru szczęśliwych głosów. Dom jakby wciąż czekał i patrzył lśniącymi szybami w ogród, odbijając w nich niebo i zielone korony starych drzew.

Jaskółki śmigały koliście wokół mnie, błyskając w niskim locie białymi brzuszkami, nawołując się cmokliwie. Obserwowałam przepływające po niebie obłoki. Przypominały dostojne łabędzie na spokojnej tafli błękitnej wody. Patrzyłam na ruchliwe plamki słońca przesianego przez listowie. Przesuwały się po mnie, przebiegały złotym dreszczem, tak jak kiedyś w cieplickim parku, gdy podbiegł do mnie Magnus i położył ufnie łeb na kolanach. I naraz ukryty gdzieś głęboko smutek nasunął refleksyjną myśl, że to wszystko, co mnie tu otacza, mogłabym dzielić z kimś bliskim, kochanym, a nie dzielę. Pomyślałam o Topsim. Czekał, a może jeszcze czeka na mój przyjazd, który nigdy nie nastąpi. Rozważałam, czy postąpiłam słusznie rezygnując z tego, co mi los raz jeszcze chce zaofiarować. Czy nie będę kiedyś żałowała nie wykorzystanej szansy, przeżycia może czegoś bardzo ładnego z mężczyzną, który mi się podobał? Czy wszystko trzeba koniecznie mieć tylko dla siebie i na zawsze?

Odrzuciłam jednak prędko niepotrzebne dywagacje, starając się cieszyć tym, co mam, co dzięki Agnisi osiągnęłam. Przez chwilę także zastanawiałam się, od kogo mógł być telefon. Przestraszyłam się, czy aby nie przypomniał sobie o mnie Wykolejeniec. Mógł przecież poczuć przemożną ochotę wypicia litra wódki na świeżym powietrzu, pod wspominki o „kochanym Stasieńku". Wstrząsnęłam się, jakby ktoś spryskał mnie lodowatą wodą. Postanowiłam opowiedzieć kiedyś Busiowi o tej historii z koniem.

Może narysuje tę scenę i wyśle Ewie, jak to często czynił. Zamiast pozdrowień załączał zawsze do mego listu mały, kolorowy rysuneczek zabawnej treści, nie mówiąc już o tych wszystkich listach, które do niej wysyłał za mymi plecami.

Drzwi powoli się rozchyliły i na schodkach tarasu zjawił się Busio w dżinsach i białej bawełnianej koszuli rozpiętej na opalonym gładkim torsie. Widocznie przebrał się do obiadu. Po powrocie zastałam go obnażonego do pasa, a od dołu przepasanego barwną szmatą. Poszukał mnie zmrużonymi przed słońcem oczami. Hiob wyskoczył mu gdzieś spod nóg i biegł przez trawnik w moim kierunku.

— Obiad czeka! — zawołał. — I jest do ciebie także telefon. Jakaś baba truje, że musi z tobą rozmawiać.

Z ociąganiem podniosłam się z leżaka. Hiob pomiaukując biegł truchcikiem przy moich nogach z ogonem wyprężonym jak maszt.

Telefonowała najbliższa sąsiadka, pani Grędzielska, żona adwokata, z którego porady korzystałam po tej całej aferze z Wykolejeńcem, panem Węchaczem i grabarzami. Ich dom był oddalony od mego zaledwie o dwieście metrów. Jedenastoletnia Ulka miała od dwu dni silne bóle brzucha, wymioty i temperaturę. Matka prosiła, czybym nie zechciała zbadać dziecka. Jest bardzo zaniepokojona, a ma tylko do mnie zaufanie. Przed rokiem w Ośrodku Zdrowia młoda lekarka postawiła jej niewłaściwą diagnozę, bo jak się później okazało, nie było to zapalenie oskrzeli, a zupełnie coś innego...

— Dobrze, proszę za półtorej godziny przyjechać z córeczką — przerwałam potok jej żalów. — A co do fałszywego rozpoznania, to i mnie się czasem zdarzało — zakończyłam z westchnieniem. — Nie ma nieomylnych ludzi, a więc i nieomylnych lekarzy.

Busio niecierpliwił się, coś tam za moimi plecami mamrocząc o ludzkiej bezczelności i mojej głupocie.

— Dobrze, już dobrze! — machnęłam ręką. — Jaka jestem, taka jestem, a teraz pójdę do siebie nałożyć inną sukienkę. Ta zbytnio pachnie szpitalem...

— Zjeść nawet spokojnie nie pozwolą. W oczach giniesz. Albo dureński telefon ze szpitala, jakby tam nie było innych lekarzy, tylko ty jedna, albo wygodniccy, którym nie chce się do Ośrodka pojechać — irytował się, popychając mnie lekko przed sobą.

— Co dziś dobrego przygotowałeś? — zagadnęłam siadając do stołu w białej bawełnianej sukience z angielskimi haftami. Starałam się go udobruchać. Wzruszał troskliwością i tym ciągłym pitraszeniem w kuchni. Uwolnił mnie całkowicie od tego rodzaju obowiązków i byłam mu prawdziwie wdzięczna.

Zaczynałam rozumieć, dlaczego mężczyźni trzymają się tak kurczowo brzydkich, nieciekawych, ale za to gospodarnych i dobrze gotujących żon.

Nie miłość ich trzymała, ale kwasy trawienne — uśmiechnęłam się do własnych myśli.

— Mam wyrzuty sumienia, że zbyt mało czasu pozostaje ci na twoją pracę twórczą — chciałam mu zrobić przyjemność wykazując zainteresowanie jego malarstwem. — Może byłoby dobrze, żeby pani Władzia pomogła ci w kuchni?

— Mam czas na wszystko — burknął opuszczając oczy. Uśmiechał się tajemniczo. — Nigdy tak dużo nie malowałem jak teraz. A żadnego babusa do garnków nie dopuszczę. Baby to na ogół brudasy. Bakterie po nich skaczą jak pchły, rąk po wyjściu ze sracza nie myją, ot co!

Zamilkłam rozkoszując się smakiem cielęciny z ryżem i jakąś wymyślną sałatką. Na temat higieny nie było z Busiem żadnej dyskusji.

— Wspaniale gotujesz! — chwaliłam, uśmiechając się do niego przez długi stół nakryty błękitnym obrusem.

— Taż ja, dziecko, inteligent z wyobraźnią. A do gotowania muszą te dwie rzeczy iść w parze. Inaczej każda potrawa będzie w smaku przypominała gówno, a nie to, co przypominać powinna — stwierdził autorytatywnie.

— Byłbym zapomniał... — odezwał się po chwili, ocierając usta błękitną serwetką w białe różyczki. Cała ich paczka nadeszła przed paroma dniami ze Szwecji, wraz z kolekcją kolorowych świec. Busio uważał to wszystko za „barachło" i „przesąd burżuazyjny". Czuł pogardę do pięknej porcelany, antyków, do kwiatów na stole, serwetek dobranych kolorem do zastawy. Od chwili jednak, gdy zrozumiał, jaką przywiązuję wagę do estetyki i tego rodzaju mieszczańskich upodobań, pamiętał o każdym nawet drobiazgu, aby mi się przypodobać, sprawić przyjemność, wyrazić tym swoją adorację. Doceniałam to w pełni. Było to wbrew jego naturze.

— Telefonował ten dureń, lekarz od wariatów — popatrzył na mnie spod oka.

— Józek? — upewniłam się.

— A któż by inny? — wzruszył nieznacznie ramionami. — Pytał, jak się czuję, czy dobrze sypiam i nad czym obecnie pracuję. Chciałby moje malowidła obejrzeć, spryciarz!

— To świetnie! — ucieszyłam się. — Zaprosimy go na kolację i pokażesz mu swoje prace. Ja też chętnie obejrzę.

— Niedoczekanie jego! — roześmiał się Busio z zadowoleniem. — Taż on nie ciekaw, dziecko, mego malarstwa! On chce wywnioskować z tego, co maluję, czy ja wariat, czy zdrowy na umyśle. Pewnie myśli, przeklęta menda, że pacykuję jakieś bohomazy z serii zwidów sennych. Jakieś owady z głowami noworodków, kutasy z rybimi oczami albo babskie tyłki w koszach z kapustą — patrzył na mnie z rozbawieniem i zadowoleniem, że przechytrzył Józka. — Na malarstwie to on się tak zna, jak małpa na flecie, a każdy, kto wyrasta ponad przeciętność, jest już dla psychiatrów jednostką chorobową, jak to wy uczenie nazywacie... Dołożył sobie na talerz surówki, której dawnymi laty z zasady nie jadał.

— Opowiadasz głupstwa! — rozzłościłam się. — Jesteś chorobliwie podejrzliwy, i to pod każdym względem.

— To niech ze mną jak z człowiekiem rozmawia, a nie krętymi drogami. Niechby powiedział: „Panie szanowny, chcę obejrzeć pańskie obrazy. Nie dlatego, że się znam na sztuce, ale chcę się zorientować, czy u pana wszystko w głowie po kolei, bo jak pan wiesz, to, co w człowieku siedzi, to na płótno wyłazi, jeśli jest się malarzem". Wtedy ja bym na wieprzową pieczeń z suszonymi morelami zaprosił, a później drzwi przed nim otworzył. A on, zakłamane ścierwo, chciałby podstępem do pracowni wtargnąć i na moje dzieła okiem psychiatry, a nie artysty, spojrzeć. O, co to, to nie!

— Nikt ci nie każe! — wzruszyłam ramionami kończąc deser z truskawkowego musu.

Miałam ochotę po skończonym obiedzie pójść jeszcze do ogrodu, a później na tarasie wypić herbatę, ale na podjeździe zatrzymał się biały „Polonez", a za chwilę witałam się z panią Grędzielską.

Przeszłyśmy do mego gabinetu. Zaproponowałam filiżankę kawy. Odmówiła grzecznie, tłumacząc, że jest bardzo zdenerwowana i że już dzisiaj wypiła sporą jej ilość.

Pomogłam małej ułożyć się wygodnie na sofie. Chciałam, żeby się odprężyła, oswoiła z otoczeniem.

— Pięknie tu u pani, a ile książek! — dziwiła się pani Grędzielska rozglądając się ciekawie po gabinecie. — Ma pani doktor czas na czytanie?

— Nie za wiele — przyznałam z westchnieniem, marząc o tym, żeby znaleźć się teraz na leżaku z książką w ręce i mocną herbatą obok. Na razie jednak zabrałam się do zbadania Ulki. Miała wysoką temperaturę i widać było, że cierpi. Z objawów i pobieżnych oględzin wywnioskowałam ostre zapalenie wyrostka robaczkowego, ale mogło być równie dobrze coś innego. Nie ma typowych, klinicznych objawów przy wyrostku.

— Trzeba umieścić małą w szpitalu — zwróciłam się do matki wpatrzonej we mnie z troską na okrągłej, trochę amorkowatej twarzy. — Podejrzewam, że nie obejdzie się bez operacji.

— Jeśli to konieczne... — lęk wyzierał z ciemnych oczu.

— Konieczne — potwierdziłam. — Pójście do szpitala nie oznacza wcale, że potrzebna będzie operacja — pocieszałam zatroskaną matkę, chociaż byłam prawie pewna, że nie obejdzie się bez interwencji chirurga.

— Niech pani pomoże ubrać się małej, a ja przez ten czas zatelefonuję na oddział, żeby nie było żadnych kłopotów — uśmiechnęłam się do niej ciepło, żeby ją podtrzymać na duchu.

Najbliższy aparat telefoniczny stał w dużym pokoju obok, który ja nazywałam „herbacianym", a Busio niezmiennie „salonem". Przez dłuższą chwilę nie mogłam uzyskać połączenia. Numer był wciąż zajęty albo włączał się ktoś inny. Nakręcając kilkakrotnie tarczę chwytałam uchem podejrzane dźwięki dochodzące z hallu na dole. Drzwi były pootwierane i słyszałam charakterystyczne pochrząkiwania Busia i ściszonym głosem prowadzoną z kimś rozmowę. Obawiałam się, że może znów ktoś chce się do mnie dostać jako do lekarza. Busio w takich razach używał różnych chwytów, aby go do mnie nie dopuścić. Dbał o mój wypoczynek po pracy. Zwłaszcza od momentu, gdy przekonał się, że nie pobieram honorariów, jeśli już zdecyduję się udzielić porady. Wreszcie dodzwoniłam się. Połączono mnie jednak z siostrą oddziałową, a nie z lekarzem dyżurnym. Telefon w jego gabinecie nie odpowiadał. Był widocznie na oddziale.

Matka dziewczynki stała przy mnie, podtrzymując ramieniem pojękujące dziecko. Usiłowała podchwycić mój wzrok.

Informowałam siostrę, że wkrótce zgłosi się do niej pani Grędzielska z córeczką. Należy niezwłocznie przyjąć. Formalności w Izbie Przyjęć załatwi pani Grędzielska później. Podałam rozpoznanie, kazałam przekazać je dyżurnemu lekarzowi z prośbą o telefon po konsultacji.

— Wszystko będzie dobrze — pocieszałam wpatrzoną we mnie kobietę. — Będę z panią w kontakcie telefonicznym.

W momencie, gdy obie opuszczały pokój, wkroczył do niego Busio, obrzucając pacjentkę i mnie niechętnym wzrokiem.

— Jakaś pokraka do ciebie.

— To ją poproś — uśmiechnęłam się blado, przyzwyczajona do dziwacznych określeń i skojarzeń Busia w stosunku do pacjentów, a także i znajomych. Trochę się jednak przestraszyłam. Słowo „pokraka" nasunęło natychmiast myśl o panu Węchaczu.

W drzwiach stał Piotruś z wiązanką kremowych róż i dość głupią miną, ale i ja pewnie musiałam mieć podobną. Zza jego pleców wychylał się zmierzwiony łeb Busia. W chwilach wielkiego zdenerwowania autentycznie jeżyły mu się włosy.

— Łatwiej się dostać do twierdzy niż do ciebie — zażartował kwaśno, z wymuszonym uśmiechem wręczając mi kwiaty.

— Szkoda, że nie uprzedziłeś telefonicznie o swojej wizycie — starałam się mówić swobodnie, ale mi się to chyba nie udało. — Równie dobrze mogło mnie nie być w domu.

— Telefonowałem, ale... — zawahał się i spojrzał wymownie w stronę Busia. — I tak z trudem udało się mi zdobyć przez ministerstwo twój adres. Nie masz do mnie o to żalu?

— Oczywiście że nie mam! — wykrzyknęłam prawie, myśląc z ulgą, że szczęśliwie przebrałam się do obiadu w moją ulubioną sukienkę. Wiedziałam, że jest mi w niej do twarzy. — Miło, że przyjechałeś, ale gdzie Liza? — głos mi leciutko drżał. Nie byłam przygotowana na taką ewentualność, a obecność Busia mocno peszyła. Wciąż sterczał w uchylonych drzwiach.

Przez chwilę zastanawiałam się, czy Piotruś rozpoznał w nim „sąsiada-ziemianina" ze swojej pierwszej u nas w domu wizyty po powrocie z Londynu, gdy Busio odwiedził nas nieoczekiwanie i jak zwykle w dziwacznym przyodziewku. Wtedy jedynie ojciec wykazał bezkonkurencyjną przytomność umysłu. Przedstawił go jako naszego sąsiada, „ziemianina" wysiedlonego z Kresów.

— Przyjechałem sam. Chciałem z tobą porozmawiać — dodał z naciskiem, rozglądając się ciekawie dookoła. — Przyjemnie tu u ciebie... — zakończył najwidoczniej inaczej, niż wynikało to z sytuacji.

— Czy panowie się znają? — zerknęłam w kierunku Busia, robiąc niezdecydowany ruch dłonią, bo tak naprawdę, to nie wiedziałam, co z tym fantem robić.

— Znamy się, znamy! — przytaknął z rubasznym śmiechem Busio, ukazując niekompletne uzębienie. — Już się raz w życiu spotkaliśmy. Taż ja mam, dziecko, malarską i nieprzeciętną pamięć do ludzkich twarzy.

Patrzyłam na tych dwóch, tak różnych pod względem fizycznym i psychicznym, ludzi z mieszanymi uczuciami. Zdumienia, smutku, ciekawości. Każdego z nich kiedyś kochałam. Każdy unieszczęśliwił mnie na swój sposób. Teraz obaj zgodnie dopraszali się uczucia, zabiegali o moje względy, jakby można było zmazać z życia czas krzywd, jak kredę z tablicy, i zacząć wszystko od nowa.

— Odnowiliśmy tylko znajomość... — przytaknął Piotruś uciekając oczami na boki. — Jeszcze mnie ramię do tej chwili boli po pańskim chwycie — dodał z niejakim ociąganiem, siląc się na uśmiech i lekki ton.

Przez króciutki ułamek sekundy zastanawiałam się, co stanowiło zasadniczy błąd w moim postępowaniu, że działo się tak, jak się działo? I uświadomiłam sobie nagle, że wciąż zapominałam o tym jednym i najważniejszym, że w moim życiu tylko ja jestem głównym aktorem i od mojej roli i mojej gry wszystko zależy.

— Panie, taż ja takie coś mikrego jak pan, tobym jak muchę jednym uderzeniem rozgniótł! — przechwalał się rozbawiony i zachwycony sobą Busio.

„Do kompletu i pełni szczęścia brakuje tylko Wykolejeńca!" — pomyślałam z rozpaczą, czując się jak w dawnych czasach, gdy jeszcze żył ojciec i wciąż zdarzały się dziwne i niespodziewane sytuacje.

Poprosiłam Busia, żeby przygotował herbatę.

— Pij czaj, nie skuczaj... — mruknął pod nosem i wyszedł godnym krokiem z pokoju.

Zostaliśmy z Piotrusiem sami. Miał trochę niewyraźną minę i wyglądało na to, że ma już dość tej całej wizyty. A i ja jeszcze nie mogłam całkowicie ochłonąć po wystąpieniu Busia. Obawiałam się, że to jeszcze nie koniec i należy być przygotowanym na najgorsze. Przygarnęłam go impulsywnie pod swój dach, nie zastanawiając się nawet, nie potrafiąc przewidzieć wszystkich wynikających z tego czynu komplikacji. Mimo upływających lat byłam wciąż niepoprawnie lekkomyślna. Widocznie tę lekkomyślność i beztroskę przejęłam w genach po ojcu, a także dziadku Ignacu, i nie było już na to rady.

— Czy mógłbym zaprosić cię do jakiegoś spokojnego lokalu w mieście? — podniósł na mnie uważne oczy. — Muszę z tobą porozmawiać bez świadków.

Był trzeźwy, nienagannie ubrany. Pachniał dobrą angielską lawendą, dobrym tytoniem. Odnalazłam w nim znów coś z dawnego Piotrusia, coś z dawnej tęsknoty za nim. Ogarnęła nieprzeparta ochota przesunąć dłonią po jego ramieniu, dotknąć ogorzałej słońcem twarzy, powiedzieć, jak bardzo się cieszę jego widokiem. Siedziałam jednak bez ruchu, z nic nie znaczącym uśmiechem.

— Może później — zrobiłam nieokreślony ruch dłonią. — Na razie jesteśmy sami...

Spojrzeliśmy sobie przelotnie w oczy. Spłoszeni uciekliśmy nimi w jakimś nieokreślonym kierunku, jakby w obawie przed tym, co możemy nimi zdradzić i co z nich wyczytać.

Znów byliśmy młodzi, onieśmieleni sobą. Siedzieliśmy sztywno naprzeciw siebie przy okrągłym stole, przedzieleni nim i bukietem róż. Wysmukłe, piękne i jakby nieprawdziwe stały w seledynowym szkle, pasując do staroświecko urządzonego wnętrza. Pachniały nieuchwytną wonią herbaty, przypominając inny czas i inny dom.

Piotruś przesuwał uważnym wzrokiem po meblach o miodowej, ciepłej barwie drewna, rozjaśnionej słońcem, po ścianach z weneckimi lustrami w ramach ze szkła z Murano.

Zatrzymał dłużej wzrok na portretach rudowłosych „grafin", w głęboko wydekoltowanych sukniach z gipiur i wstążek. Wyszabrował je ojciec z pałacu w dawnych Prusach Wschodnich, gdy ziemie te powróciły do nas i gdy był starostą w Draniewie. Kompletował wtedy posag dla Ewy, aby mogła kiedyś powiedzieć, że: „sroce spod ogona nie wyleciała".

Uwierzyliśmy z czasem, że są to nasi rzeczywiści antenaci, i tak już pozostało.

— Jest trochę tak, jakbym się przeniósł w inną epokę — powiedział cicho, może w obawie, że głośniejszym odezwaniem się spłoszy coś z nastroju, jaki nas otaczał. — I ty, jakbyś zeszła z portretu, w tej jasnej sukni, z ciepłym uczuciem w oczach. Szkoda tylko, że patrzysz nimi z tą samą czułością na przedmioty, co i na mnie.

— Tak myślisz? — popatrzyłam mu w oczy przeciągle, w zamyśleniu. Zobaczyłam nas oboje w „Lotniskowcu" przy poobiedniej herbacie. Najchętniej piliśmy ją siedząc na puszystym dywanie w róże, obstawieni filiżankami, szklaneczkami z drinkiem, kasetami naszych ulubionych melodii.

— Nie tylko myślę. Widzę i czuję... — uśmiechnął się z przymusem, zapytał, czy może zapalić papierosa.

Skinęłam głową. Szukał ich nerwowo przez dłuższy moment, klepiąc się po kieszeniach, jak to miał w zwyczaju. W tym ruchu odnalazłam także dawnego Piotrusia. Oboje byliśmy wzruszeni, balansując nieświadomie na krawędzi szczęścia i klęski. Czułam, że coś się ze mną zaczyna dziać takiego, że za chwilę rozpłaczę się głośno, wtulę w jego ramiona i wszystko wróci do dawnego porządku. Westchnęłam spazmatycznie, zaciskając dłonie na brokacie fotela. Piotruś spojrzał na mnie pytająco. Opuściłam wzrok na delikatny haft serwety.

Busio wprawnym kopniakiem otworzył drzwi. Wtargnął ze srebrną owalną tacą i z pełną zastawą do herbaty. Z nieprzeniknionym wyrazem twarzy, mrużąc skośne oczy, ustawił ją ostrożnie na maleńkim, specjalnie do tego celu przystosowanym stoliczku na krzywych nóżkach. Przysunął go bliżej mnie, abym miała zastawę w zasięgu ręki.

— Ja siedzieć z wami nie będę. Mam ważniejsze zajęcia niż dureńskie rozmowy o niczym — oznajmił z rozbrajającą szczerością. — I niech pan pamięta, że krzepę to ja mam, chociaż u mnie nóżki cienkie i pozornie rachityczne — zwrócił się jakby od niechcenia do Piotrusia, przed którym stawiał szeroką filiżankę z cieniutkiej porcelany, przyozdobioną malowidłem polnych różyczek.

Piotruś miał tak głupią minę, że mało nie parsknęłam śmiechem. Dziwny nastrój, jakiemu przed chwilą uległam, przerodził się w zwykłą serdeczność, jaką się ma dla miłego, oczekiwanego gościa.

— Może jednak wypijesz z nami filiżankę herbaty? — zaproponowałam wcale nie zdawkowym tonem, a zwracając się do Piotrusia dodałam z przekorą:

— Do Busia trzeba się przyzwyczaić. To wielkie dziwadło ze specyficznym poczuciem humoru, ale z wszelkich niecodzienności rozgrzesza go niewątpliwy talent malarski.

— Nie tyle dziwak, co geniusz — sprostował z powagą. — Nie dla wszystkich także Busio, a „szanowny pan". — Popatrzył na nas niechętnym, badawczym wzrokiem i wyszedł ostentacyjnie z pokoju.

— Kim on, właściwie, dla ciebie jest? — zapytał szeptem Piotruś, gdy zatrzasnęły się za Busiem zbyt głośno drzwi.

— Moim byłym mężem — przyznałam się z westchnieniem rezygnacji. — Przygarnęłam go, bo ciężko chorował i jest zupełnie samotny. To wyjątkowo utalentowany człowiek. I dobry dla mnie... — nie mogłam sobie odmówić przyjemności, żeby mu tego nie powiedzieć.

Piotruś długą chwilę milczał. Mieszał bezmyślnie srebrną łyżeczką herbatę w filiżance, wpatrując się w kruche domowe ciasteczka ułożone w porcelanowym koszyczku, ale ich prawdopodobnie nie dostrzegał.

— A więc i ty nie ułożyłaś sobie szczęśliwie życia? — stwierdził w zamyśleniu, podnosząc na mnie zatroskany wzrok. Śledził uważnie moje oczy.

— Ułożyłam. Z trudem, ale ułożyłam — przyznałam szczerze, nie unikając jego spojrzenia. — Lubię swoją pracę, mam udaną córkę, wspaniałego wnuka. Mam wreszcie prawdziwy dom. Jest moim własnym i takim, jaki sobie wymarzyłam — recytowałam jak wyuczoną lekcję. Jej tekst był prawdziwy, chociaż głos pozbawiony entuzjazmu i wiary w to, co powiedziałam.

— I tego szurniętego faceta — dorzucił ponurym, niedowierzającym tonem. Palce mu drżały, gdy usiłował zapalić papierosa.

— Nie można żyć tylko z myślą o sobie — uśmiechnęłam się blado. Zdawałam sobie sprawę, że stwierdzenie to wypadło nijako, żałośnie i nie mogło Piotrusia przekonać, chociaż w rzeczywistości kryła się w nim prawda. — Zaopiekowanie się drugim człowiekiem daje wielką satysfakcję — brnęłam bez potrzeby dalej, jakbym w samą siebie chciała wmówić słuszność poczynań.

— Ale czy koniecznie nim właśnie? — przypatrywał mi się z powątpiewaniem. — Wy dwoje to dwa różne, nie tolerujące się wzajemnie żywioły.

— Niegroźne. Żyjemy obok siebie.

— To nie życie, to wegetacja. Jesteś na to za młoda. Wiem coś o tym... — burknął jakby do siebie.

— On mnie potrzebuje.

Piotruś opuścił głowę, jakby się głęboko nad czymś zastanawiał. W przerzedzonych włosach zalśniło słońce, przywróciło na moment ich dawną barwę. Lubiłam kiedyś zanurzać palce w jego czuprynie, przesuwać je przez jedwabiste pasemka, lekko tarmosić. Mruczał wtedy jak zadowolony kot.

Teraz przypominał zagubionego, zgorzkniałego człowieka. Było mi go żal, a jednocześnie słabość jego charakteru wywoływała we mnie sprzeciw i bunt.

Pragnęłam zawsze widzieć go innym. Takim, jakim go sobie kiedyś wyobraziłam, i nie chciałam wiedzieć o tym, że przykładana do niego wyidealizowana podziałka nie jest jego własną, przyrodzoną mu miarą. Był to mój błąd i tylko do siebie mogłam mieć pretensje. Dziś nie miało to już żadnego znaczenia. Pozostał jedynie nieokreślony żal.

Intrygowało, o czym chce ze mną rozmawiać w cztery oczy, bo się wyraźnie do tego przygotowywał. Domyślałam się, że nie bardzo wie, jak zacząć rozmowę. Musiała być dla niego trudna. Peszyła go zapewne także obecność Busia. Może sądził, że podsłuchuje pod drzwiami, co nie było wykluczone. Dawniej czynił to ojciec. Uważał za swój obowiązek „trzymać rękę na pulsie" — jak zazwyczaj tłumaczył schwytany na gorącym uczynku. Było to wtedy dla mnie nie do zniesienia. Dziś już tylko śmieszyło.

— Co cię do mnie sprowadziło, Piotrusiu? — zagadnęłam ciepło, wychodząc mu naprzeciw. Przypomniały się nasze pierwsze miesiące w „Lotniskowcu", jego pieszczoty, dbałość o mnie i czułość. Bądź co bądź, podarował pięknie wkomponowany w moje życie rozdział, a że wszystko kiedyś ma swoje zakończenie, to już zwykła kolej życia. Póki jest się młodym, trudno jest uwierzyć w przemijanie.

— Nie mogę już dłużej tak żyć, jak żyję — powiedział po prostu patrząc na mnie ze smutkiem w zielonych oczach. Były pociemniałe, czułe w wyrazie i znów dla mnie tak piękne, jak dawniej.

— Mój Boże... — szepnęłam. — W czym ja ci dziś mogę pomóc? Tak już daleko odeszliśmy od siebie.

— Ale dlaczego? Dlaczego tak się stało? — wpatrywał się we mnie z napięciem. — I dlaczego wtedy skłamałaś? Pragnąłem przecież tego dziecka...

Busio, stuknąwszy pięścią w drzwi, zajrzał do pokoju. Domyśliłam się, że z pewnością podsłuchiwał i wtargnął celowo w najbardziej dramatycznym momencie. Wypadło to jak w teatrze.

Odetchnęłam z ulgą. Pod impulsem chwili mogłam powiedzieć, uczynić coś, co byłoby później trudne do odwołania, odwrócenia. Pozostawił czas do przemyśleń.

— Czy lubi pan befsztyki? — zapytał nieoczekiwanie i prozaicznie. — Właśnie układam menu na kolację — uzupełnił z powagą. — A panu przydałoby się coś krwistego. Ot, co! — zarechotał przyjaźnie i klepnął Piotrusia w plecy tak, że ten lekko się przygarbił.

Piotruś patrzył na niego trochę nieprzytomnym wzrokiem i zaczął się tłumaczyć, że wkrótce musi pojechać na dworzec. Nie chce spóźnić się na pociąg. Napomknął także coś i o tym, że zabrał nam zbyt wiele czasu.

Busio poczuł się nagle panem domu. Oznajmił, że gościa bez kolacji nie wypuści. Ostatni pociąg do Warszawy odejdzie około dziesiątej wieczorem. Czasu jest więc pod dostatkiem i że on, w trosce o moje rozrywki, których nie mam w nadmiarze, musi gościa zatrzymać, choćby siłą. Jeżeli natomiast gość zechciałby zmierzyć się z nim na rękę albo trochę poboksować, to jemu osobiście zrobi wielką przyjemność. Dawno już bowiem nikomu „gęby nie rozkwasił" — jak zakończył z zadowoleniem.

Piotruś nie okazywał w tym względzie entuzjazmu i gdy Busio odnosił do kuchni tacę z zastawą do herbaty, dotknął mojej dłoni.

— Każdego dnia między dziewiątą a jedenastą rano będę czekał na twój telefon — szepnął pochylając twarz ku mojej. — Pamiętaj, że każdego, choćby to miało trwać wiecznie — dodał z naciskiem, kurczowo zaciskając palce na mojej dłoni. — Uszanuj moją prośbę. Ostatnią...

Słowo „ostatnią" zaakcentował w specjalny sposób. Poszukał moich oczu. Zobaczyłam nas w „Lotniskowcu". Zakochanych, szczęśliwych. Młodych jeszcze i nie wyobrażających sobie życia bez siebie. Jednak udało nam się przetrwać blisko dziesięć lat oddzielnie i jakoś ułożyć to, co wydawało się pozornie niemożliwe.

— Nie, Piotrusiu — odpowiedziałam po chwili namysłu, powracając myślami do słowa „ostatnia". Nie lubiłam wymuszeń, a tym bardziej uczuciowego szantażu. — Nie zatelefonuję...

Używał w stosunku do mnie nieodpowiednich chwytów i to mnie zmroziło. Wciąż jeszcze mnie nie znał, chociaż szliśmy kiedyś jedną drogą.

— Nie zrobisz mi tego... Błagam — chciał jeszcze coś dodać, ale już nie zdążył.

Busio wpadł do pokoju z wiadomością, że był alarmujący telefon ze szpitala od lekarza dyżurnego i że wysłano po mnie karetkę pogotowia.

— Jeszcze tego brakowało! — jęknęłam zrywając się od stołu.

— I po cóż ty tak harujesz? — zadał, jak dawniej, retoryczne pytanie Piotruś. — Przecież nie musisz... — spojrzał z wyrzutem na Busia, jakby go obwiniał za taki stan rzeczy.

— Otóż to! — podchwycił Busio. — Święte słowa! Każdego dnia jej to powtarzam, ale ta smarkata uparta od dziecka jak muł i w ogóle nieznośny był z niej zawsze bachor! — zarechotał wybiegając z pokoju. Prawdopodobnie do lodówki. Znów w niej, widocznie, zamroził moją torebkę.

— No, to żegnaj! — uśmiechnęłam się ciepło do Piotrusia, podając mu rękę. Potrząsnął nią kilkakrotnie po koleżeńsku. — Będę każdego dnia czekał na znak od ciebie — szepnął obejmując nieoczekiwanie za szyję i całując w policzek. Spojrzeliśmy sobie z bliska w oczy. Odwróciłam je pierwsza, czując smak goryczy i czegoś nie dopowiedzianego do końca.

Podjechała sanitarka, dając dwukrotny sygnał klaksonem. Z głębi domu nadbiegł Busio z moją torebką w dłoni, coś tam mamrocząc pod nosem.

Pachniały nadwiędłe, przekwitające akacje. Biały okwiat zasypał alejkę prowadzącą na podjazd przed bramą. Deptałam po nich jak po śniegu. Przypomniały się wakacje z Piotrusiem w Winiarach, gdy jeszcze oboje nosiliśmy szkolne mundurki.

Wsiadając do sanitarki posłałam mu ciepły uśmiech i tak się rozstaliśmy.

*

Było późne popołudnie wczesnej jesieni. Lekko pożółkłe drzewa mokły w drobnym deszczu. Padał od wczesnego rana i nic nie wskazywało na to, że się pogoda zmieni na lepsze. Po niebie zasnutym szarością kłębiły się na krańcach ciemne, brzuchate chmury. Od południa bardzo się ochłodziło. Rozpaliłam w kominku.

Błądziłam po moim dużym, pustym domu, wśród cieni od płonących szczap i świec w lichtarzach. Zaglądałam do każdego zakamarka, dotykałam z czułością kruchych drobiazgów, przesuwałam pieszczotliwie dłonią po meblach. Tych starych, przywiezionych niegdyś z Ziem Odzyskanych. Z upływem lat stały się antykami. I tych zabytkowych, kupowanych okazyjnie do niedawno jeszcze pustego domu.

Moja twarz odbita w krysztale weneckich luster, stonowana mrokiem i osiadłą na nich mgiełką czasu, wydawała się młoda i nieomal piękna. Zerkałam w nie kątem oka, powtarzając sobie, że to tylko złudzenie i że nie należy żałować minionej młodości.

Nie byłam przecież wcale przez to szczęśliwsza, gdy moje policzki były gładkie, a owal nieskazitelny.

Dom wciąż cieszył. Napawał dumą i zdumieniem, że udało się w życiu coś, czego nie mogłam spodziewać się po starcie z ulicy Dobrej. Tam podłoga była z betonu, a w piecyku, zwanym kozą, paliło się pożyczonymi książkami. Nim zostały przeczytane, stawały się już płomieniem. Ogrzewałam nad nim zaczerwienione, spuchnięte od chłodu dłonie.

Rozmyślałam ze ściśniętym sercem, że rodzice nigdy już nie zamieszkają w domu, który moja matka określiłaby z całą pewnością słowem „ujutny". Kochała to słowo. Miało podtekst i historię. Kojarzyło się z pierwszymi miesiącami jej małżeństwa. Ojciec, wyjeżdżając na front, pozostawił ją u Polci w Petersburgu. Ciotka dodzierała już wtedy trzeciego męża — carskiego pułkownika — zapewne także zboczeńca, jak wszyscy jej mężowie. Nic dziwnego, że uchodziła w rodzinie za eksperta w tej dziedzinie.

Matka często wspominała bogato urządzony dom i wystawne przyjęcia. Zwłaszcza wtedy, gdy nie było co jeść, a głód oszukiwało się kubkiem gorącej wody i wyschniętymi skórkami chleba odkrawanymi przez ojca mającego kłopoty z zębami. Matka zbierała je skrzętnie chowając przezornie „na czarną godzinę".

W dzieciństwie słuchałam z zachwytem matczynych opowieści o stałej loży w teatrze, pokojach zasłanych dywanami, pod którymi ciotka ukrywała złote dziesięciorublówki. O ikonach w srebrnych koszulkach wysadzanych szlachetnymi kamieniami, o kolacjach z szampanem, kawiorem, koszami róż zwożonych powozami przez pułkowych kolegów męża ciotki — zapraszanych na popołudniowe herbatki.

,,W talii jak osa, a epolety kapały od złota" — dodawała niezmiennie, z rozmarzeniem w szarych oczach błądzących gdzieś nad naszymi głowami po brudnym suficie.

Ojciec chrząkał groźnie, mrugał nerwowo czarnym okiem, a ja już wiedziałam, że niczego się więcej nie dowiem o tym jakimś tajemniczym kawiorze z szampanem i epoletach. Były dla mnie czymś pośrednim między czekoladkami w sreberku a włosami anielskimi z choinki. Matka z westchnieniem powracała na ziemię i milkła.

Z latami poznałam bardziej pikantne szczegóły. W herbatkach uczestniczyła także ciotka Natala, pracująca w ,,letuczkach" jako siostra miłosierdzia. Podbierała siostrze złote rublówki i oficerów. Ciotka nie była jednak w stanie doliczyć się ani jednych, ani drugich.

Rozlewała herbatę z tulskiego samowara do szklanek tkwiących w ciężkich podstawkach z kutego srebra, a na każdym jej pulchnym paluszku skrzyły się brylanty. Od wczesnej młodości kochała się w brylantach i starych mężach. Kochanków wolała jednak młodszych.

Było takie jedno popołudnie z ,,czajem" i różami. Matka zapamiętała je na całe swoje ubożuchne życie w najdrobniejszych szczegółach. Ja i Monika znałyśmy je na pamięć, ale ilekroć do nas przyszła, aby wyżalić się na Wykolejeńca, zawsze się do tego opowiadania wracało. Może dlatego, żeby sprawić matce przyjemność, zobaczyć, jak ubywa jej lat i znów staje się młodziutką mężatką w powiewnej białej sukni z gipiurami. A może Monika chciała chociaż na moment uciec w inny świat, w marzenia o lepszym, kolorowym życiu, jakiego sama nigdy nie zaznała?

Zapamiętałam ją, jak siedzi naprzeciw matki za kuchennym stołem, w tym swoim czarnym kostiumie ,,na wszystkie okazje", zasłuchana, wpatrzona w nią ogromnymi oczami pełnymi bezbrzeżnego smutku, i zapija herbatą wyjętą przed chwilą z pieca szarlotkę. W parę dni później już nie żyła.

Tę białą suknię z gipiurami matka donaszała po ciotce Polci. Pokojówka przypaliła ją niechcący żelazkiem. Ciotka krzyknęła histerycznie, że nadaje się już tylko do wyrzucenia, i podarowała ją matce. Ta brązowa plama była na plecach, ale matce, zachwyconej suknią, to nie przeszkadzało. Doszła do wniosku, że jeżeli będzie siedziała przez cały wieczór w fotelu, nie ruszając się z miejsca, to spalenizna nie będzie widoczna. I właśnie tego popołudnia, gdy siedziała spowita w gipiury i bogate hafty, z grubym blond warkoczem upiętym nad karkiem, jeden z oficerów przy herbacie z ,,klukwą" w cukrze, wlepiając w nią oczy od momentu, gdy zjawił się w salonie, powiedział szeptem, że wygląda jak ,,polskaja dama iz portrieta". Matka porozumiewała się już wówczas nieźle w języku rosyjskim i od tego wieczora upodobała sobie to właśnie słówko ,,ujutnie". Kruczowłosy, młodziutki oficer użył tego określenia, gdy w półmroku zapalonych świec całował matki dłonie bawiące się różą. Jak się nam z zażenowaniem przyznała, nie bardzo wiedziała, co ma robić z rękami. Trzymała więc w nich różę. Była przecież taka onieśmielona i szczęśliwa, chociaż przeżywała katusze. Herbatka bowiem przedłużała się. Rozbawieni oficerowie opowiadali zabawne dowcipy, a matka od dłuższej chwili czuła, że koniecznie musi wyjść do toalety. Nie miała jednak odwagi ruszyć się z miejsca. Wszyscy, a przede wszystkim „piękny jak archanioł" oficer zobaczyłby wtedy rudą plamę długości żelazka. W rezultacie zesiusiała się w majtki.

Matka tęskniła za ojcem. Pisała w obszernych listach o wszystkim, co się wokół niej działo. Miała także nieostrożność wspomnieć o tym nieszczęsnym komplemencie i przygodzie z suknią. W odpowiedzi zagroził, że jeżeli natychmiast nie opuści domu jego siostry, co do której ma już wyrobione zdanie, zaczynające się od słowa „blad'", to on zdezerteruje. Oznaczało to w praktyce „kulkę w łeb" i matka powróciła do Warszawy, do swojej biedującej rodziny. W tym czasie jedną z jej starszych sióstr, matkę Moniki, uwięziono w cytadeli za udział w majówce w amarantowych rogatywkach, z całą grupą młodzieży śpiewającą zakazane, patriotyczne pieśni.

Z petersburskich czasów pozostała również i biała sukienka, a właściwie jej resztki. Matka uszyła z niej dla mnie pierwsze batystowe kaftaniki, a z bogatych, nieco już pożółkłych gipiur, sukieneczkę do chrztu.

Słowa „ujutnie" używała często. Zawsze z nieobecnym uśmieszkiem i rozmarzeniem w oczach, dodając za każdym razem z pretensją w głosie:

„I po cóż mnie ten idiota ściągał z Petersburga do Warszawy? O co mu właściwie chodziło?"

Urządzałam ten mój nowy dom z miłością. Nie mniejszą chyba niż zachwyt matki nad wspaniałymi apartamentami ciotki Polci, zajmującej całe piętro w którymś z pałacyków „na Fontance". Dobierałam starannie każdy mebel i każdy drobiazg. Firanki i lampy. Garnki i serwisy. Zawieszałam nad lustrami wiązanki zasuszonych róż. Zdawałam sobie sprawę, że będzie ostatnim w moim doczesnym życiu. Trochę to przerażało, bo cóż z tego, że śpi się w łóżku ze złota, mając świadomość, że się właśnie w nim umrze?

Patrzyłam z podziwem na to wszystko, czego w tak krótkim czasie dokonałam, a jednocześnie myślałam ze smutkiem, że po co i dla kogo to wszystko? Tyle starań, pieniędzy wpakowałam w coś, bez czego dotychczas doskonale się obywałam. Nie byłam przyzwyczajona do zbytku i luksusu, w jakim się znalazłam, chociaż z taką łatwością go sobie przyswoiłam.

Wprawdzie wierzyłam w powrót Ewy z rodziną, chociaż na razie nic na to nie wskazywało. Znałam jednak mego ojca. Ewa była zadziwiająco do niego podobna w reakcjach i odczuciach. Z listów wynikało, że tęskni za krajem, a więc całe to domostwo urządzałam pod kątem ich powrotu.

Wstyd było przyznać się nawet przed sobą, że po ostatnim zrywie — nieudaną historią z Topsim — tkwiły gdzieś tam we mnie resztki nadziei, że jednak, że może, że ktoś, że...

Zarabiałam, na koncie coś tam jeszcze pozostało ze spadku po Agnisi, a i Ewa przysyłała korony na moje dewizowe konto. Nie potrzebowałam od niej pomocy materialnej. Moja córka była jednak równie uparta, jak ja.

Robiła tylko to, na co miała ochotę lub uważała za słuszne. Było zastanawiające, jak Brysio z nią wytrzymuje. Nie miała łatwego charakteru. Nikt w naszej rodzinie go nie miał.

Hiob kręcił się przy moich nogach pomiaukując, jakby się na coś żalił, coś mi wyjaśniał. Ja także byłam niespokojna. Od paru już dni narastało we mnie napięcie, a dziś nie mogłam sobie z nim poradzić. Wynajdywałam więc różne czynności, byle stłamsić w sobie lęk i nie skonkretyzowane poczucie winy.

Od przeszło tygodnia Busio zniknął z domu tak nagle, jak się przed rokiem w nim pojawił. Po powrocie ze szpitala zastałam jedynie w lodówce potrawy przygotowane na kilka dni. To mnie uspokoiło, uśpiło czujność. Nie miał zwyczaju opowiadać się, dokąd wychodzi, co robi i kiedy wróci. Nie istniało dla niego coś takiego jak poczucie czasu. Nawet dawniej, w początkach naszego małżeństwa, potrafił zniknąć na całą dobę, bąknąwszy przed wyjściem, że idzie kupić gazetę. Po powrocie był zdumiony, że jest to już dzień następny i że szalałam z niepokoju.

Ostatnimi czasy znikał na pół dnia i dłużej. Najczęściej odwiedzał stadninę koni oddaloną od centrum Kuczebina zaledwie o kilkanaście kilometrów. Wypychał kieszenie wiatrówki kostkami cukru i oznajmiwszy, w najlepszym razie, coś w rodzaju: „Idę z wizytą do mego najserdeczniejszego przyjaciela, konia" — znikał na wiele godzin. Czasem nie wracał na noc. Zaprzyjaźnił się z dyrektorem i tamten zatrzymywał go czasem na noc. Z późniejszych relacji wynikało, że prowadził w stadninie nie kończące się rozmowy z masztalerzami i chłopcami stajennymi. Obserwował stado na wybiegu, zakochał się w klaczy Bachantce, przesiadywał ze swymi ulubieńcami w boksach, pomagał przy ich karmieniu. Znał rasy, krzyżówki, pochodzenie, imiona ogierów i potomstwa. Gdy któryś z koni został sprzedany za granicę, miewał złe nastroje, przypalał potrawy i zamykał się na wiele godzin w swoim pokoju. Ubolewał, że nie żyje w czasach feudalnych. Byłby wtedy właścicielem dworu i wielkiej stadniny. Nigdy jednak nie brał pod uwagę, że mógłby urodzić się w chałupie pańszczyźnianego chłopa. Taka ewentualność nie wchodziła w rachubę. Wierzył, że jest stworzony „na pana" i że w poprzednim życiu był nim z całą pewnością. Co do tego nie miał żadnych wątpliwości.

„W dobrym końskim towarzystwie czas się, dziecko, zatrzymuje" — mawiał z powagą, gdy przesiąknięty zapachem końskiego potu zjawiał się w domu z kilkugodzinnym opóźnieniem, a ja spoglądałam, dla zasady, wymownie na zegarek.

Przypuszczałam, że i tym razem wybrał się tam z wizytą. Mógł także pojechać do Warszawy czy Krakowa w sobie tylko wiadomych sprawach. Od momentu, gdy „wynormalniał", w czym utwierdzał mnie Józek, zostawiałam mu całkowitą swobodę, celowo się nim i jego sprawami nie interesując. Czasem tylko zadawałam sobie pytanie, co z nim będzie dalej. W jaki sposób i kiedy zacznie myśleć o samodzielnym urządzeniu sobie życia. Byłam gotowa służyć pomocą materialną, postarać się o mieszkanie, możliwie w innym mieście, chociaż było dość miejsca w moim domu i, na dobrą sprawę, Busio w nim nie przeszkadzał. Przeciwnie nawet. Był pomocny, zżyłam się z jego nie narzucającą się obecnością. Zdawałam sobie jednak sprawę, że taka dwuznaczna sytuacja nie może trwać w nieskończoność. Pewnego dnia, chociaż stawało się to coraz mniej prawdopodobne, może zjawić się w domu mężczyzna. I co wtedy? Jak zareaguje Busio i co powie tamten? Dwaj mężowie pod jednym dachem? Jeden od garów, a drugi od łóżka. Sytuacja idealna tylko dla mnie. Dla panów chyba nie do przyjęcia.

W dwa dni po zniknięciu Busia zaczęłam szukać wiadomości pozostawionej na jakimś widocznym miejscu. Nie znalazłam. Uspokajałam siebie, że kartkę napisał, ale zapomniał pozostawić. Nosi w kieszeni, sądząc, że znajduje się w hallu przy telefonie albo w moim gabinecie na sekretarzyku. Zazwyczaj kładł tam wyjętą ze skrzynki korespondencję.

Nie powrócił i piątego dnia. Nie zjawił się także i następnego. Zaczęłam się poważnie niepokoić. W nocy nie mogłam długo zasnąć. Nasłuchiwałam, czy nie zachrobocze klucz w zamku, nie zapalą się światła na podjeździe. Sięgałam po książkę. Czytałam po kilka razy to samo zdanie, nie rozumiejąc, o co w nich chodzi, i wreszcie ją odrzucałam, rozmyślając o Busiu.

Rozpamiętywałam nasze ostatnie rozmowy, jakieś drobne, nieistotne sprzeczki. Zastanawiałam się, co takiego mogło się zdarzyć, że zniknął bez słowa. Żyliśmy wprawdzie obok siebie, ale i w harmonii. Nic nie wskazywało, że chce opuścić dom. Nie zabrał nawet płaszcza, tylko ocieplaną wiatrówkę. Ostatnio zaprzyjaźnił się nawet z Hiobem, a i on zaczął okazywać mu względy. Dawniej na odgłos Busiowych kroków kot przybierał obronną postawę. Jeżył grzbiet, wyginał w łuk, ogon stawał się puchaty i wielki, chociaż Busio nigdy go nie uderzył i sumiennie karmił. Ilekroć jednak spotkał go na swojej drodze, zawracał. Twierdził, że ma uczulenie na kocią sierść. Wywołuje bardzo nieprzyjemne swędzenie w miejscu, którego przy damie nie ośmieliłby się nazwać właściwym słowem.

Najchętniej jednak — jak zwierzył mi w chwili szczerości — obciąłby kotu łeb siekierą. Oczywiście po uprzednim uśpieniu eterem.

Podejrzewałam, że nie uczulenie, a zazdrość, była powodem niechęci do Hioba. Wiedział, że jestem do niego przywiązana i głaszczę go przy każdej okazji.

Ze szpitala dzwoniłam do domu dziesiątki razy. Telefon milczał. Raz tylko odezwała się pani Władzia. Przychodziła od niedawna dwa razy w tygodniu robić w całym domu porządki, ale i ona oznajmiła, że:

— Starszego pana nie ma w domu. — Sądziła, nie wiadomo dlaczego, że Busio jest moim wujkiem. Zwracał się do mnie przy niej per „smarkata" i to ją musiało zmylić. Nie wyprowadzałam jej z błędu.

Pocieszałam się jednak tym, że mógł mieć jakieś własne sprawy do załatwienia poza Kuczebinem. Mógł odwiedzić kogoś ze znajomych. Otrzymywał jakieś listy, przesyłki. Nic jednak o tych ludziach nie wiedziałam, nie interesowało mnie to, kim są, gdzie mieszkają. Nie zawsze nawet uważnie słuchałam tego, co mi przy posiłkach opowiadał.

Coraz bardziej utwierdzałam się w przekonaniu, że musiał gdzieś pozostawić wiadomość, że niezbyt dokładnie szukałam. Kartka mogła obsunąć się za jakiś mebel, a mogła także znajdować się w jego pokoju pod stertą rysunków. Busio był dystraktem i wszystkiego można się było spodziewać. Postanowiłam rozpocząć poszukiwania od części domu zamieszkanej przez Busia, a jeśli nie znajdę informacji i nie wróci do niedzieli, zawiadomię milicję. Minie wtedy dokładnie dziesięć dni jego nieobecności.

W pokojach panowała cisza, rozchodziło się przyjemne ciepło. Pachniało czymś nieuchwytnym, co miało swoją pamięć, jak perfumy albo muzyka. To coś zabolało gwałtowną tęsknotą za przeszłym czasem, za czymś, co kojarzyło się z tą właśnie wonią, z minionym szczęściem, z dawną radością życia.

Stałam pośrodku schodów prowadzących w dół, do pokoju Busia. W pustce urządzonego domu, wsłuchana w nierówne bicie własnego serca, nie miałam już dokąd uciec od pustych ścian, od tego, co stanowiło moje dotychczasowe życie. Mogłam je tylko wymienić na inne ściany, na inne otoczenie. Zatrzeć stare wspomnienia nowymi wrażeniami i dalej powtarzać sobie, że moja samotność jest z wyboru i niczego już nie pragnę.

W tych ścianach nie zabrzmiał nigdy śmiech Ewy, ciche matczyne nucenie o „kalinie z liściem szerokim" ani „złote myśli" ojca na każdą okazję. Między błękitną godziną a zmierzchem coraz częściej chwytała dojmująca tęsknota za tamtym utraconym czasem, gdy nasze ciasne, warszawskie mieszkanie, tyle razy przez nas przeklinane i jednocześnie kochane, bo nasze rodzinne, nie otoczy nas swoimi ścianami.

Na tych ciemnych, dębowych schodach, pełna lęku o zaginionego Busia i tłamszonych w sobie tęsknot, rozpłakałam się głośno, spazmatycznie, chociaż wydawało się, że już od dawna nie potrafię płakać, że jestem uodporniona na wszelkie przeciwności losu i sentymenty. I wiedziałam także, że płaczę nie tylko za moimi bliskimi, za domem rodzinnym. Płakałam za szczęśliwymi dniami w „Lotniskowcu", za dzieckiem, które się nie narodziło, za straconymi złudzeniami. Płakałam nad kruchością ludzkich uczuć, za Topsim, za wszystkim, co nie spełnione, utracone wraz z młodością i marzeniami.

Hiob nerwowo, niespokojnie ocierał się o moje nogi. Tak niegdyś czyniła nasza pierwsza Kacunia, gdy płakałam po ucieczce Busia z Wiśniowej ulicy. Wzięłam go na ręce, przytuliłam mokrą twarz do ciepłego futerka. Nie wstrzymywałam łez. Przynosiły ulgę, jak to zwykle łzy.

Uspokajałam się powoli. Hiob mruczał przymilnie, obejmując mnie łapkami za szyję, i tak razem weszliśmy do pokoju Busia. Pachniało farbami i terpentyną, jak kiedyś w pracowni Ewy. Zatęskniłam boleśnie, dojmująco za córką. Miałam ją i nie miałam. Dzieliły nas tysiące kilometrów, mijałyśmy się z czasem, który moglibyśmy poświęcić dla siebie. Kończyło się na obietnicach z obu stron. To ona wybierała się do mnie w odwiedziny, to ja do niej, i zawsze coś temu stawało na przeszkodzie. Miesiące przeradzały się w lata i tak to trwało...

Rozejrzałam się uważnie po pokoju. Był inaczej urządzony niż go dla Busia przygotowałam. Surowy, pozbawiony wszelkich zbytecznych przedmiotów i jakichkolwiek ozdób na ścianie, poza ogromnym kalendarzem z widokiem ośnieżonych Alp. Zagruntowane różnych rozmiarów płótna stały pod ścianami, odwrócone blejtramem do pokoju. Staroświecka ciemna szafa z kolumienkami zamknięta na klucz, a ten pewnie gdzieś schowany. Nie mogłam więc sprawdzić, czy wisi w niej skromna garderoba Busia.

Przerzucałam uważnie dziesiątki rozrzuconych niedbale na rajzbrecie kartonów. Na nich szkice tuszem i węglem końskich zadów, fragmentów pęcin z kopytami, łbów z rozwianą grzywą. Bogato zdobionych rękojeści szabli, kindżałów i kozackich twarzy. Leżały także karteczki z długimi kolumienkami cyferek z przypiskami: kapusta, masło, truskawki na konfiturę, cukier, drożdże, rodzynki, proszek do prania. Teczki brzuchate z kolorowymi rysuneczkami i karykaturami ludzi i zwierząt, powiązane tasiemkami.

Dokładnie przeglądałam porozkładane nieomal wszędzie książki i albumy traktujące o sztuce malarskiej, filozofii jogów, a nawet stare wydania z dziedziny metafizyki. Mógł przez roztargnienie zostawić napisaną do mnie karteczkę, w którejś z nich. Zajrzałam także do szuflad. Pełno w nich było ołówków, pędzli, buteleczek z tuszem, na wpół wyciśniętych tub z olejnymi farbami. Nie znalazłam jednak między tym wszystkim tego, czego szukałam.

Ogarnęło mnie zniechęcenie i smutek pomieszany z lękiem, z uczuciem zawodu, że Busio tu już nie wróci, że będzie się znów gdzieś tułał głodny i nie zrozumiany przez obcych. Byłam do niego przywiązana bardziej jeszcze, niż sądziłam. Był cząsteczką mojej młodości z pogranicza dzieciństwa. Może nie najlepszą, ale był nią jednak.

— Wracamy! — powiedziałam do Hioba obwąchującego niepewnie, na przygiętych łapach, kąty i jakby zaniepokojonego nie znanym wnętrzem. Było tu wiele dziwnych dla niego zapachów. Przekręcając klucz w zamku poczułam się jak winowajczyni. Nie interesowałam się dotychczas jego życiem pod moim dachem, a teraz nieproszona wtargnęłam na terytorium zazdrośnie przez niego strzeżone.

Przez chwilę wahałam się nawet, czy zajrzeć do łazienki w pobliżu pokoju. Należała wyłącznie do niego. Nie pozwolił nawet pani Władzi w niej sprzątać. Utrzymywał sam porządek, co mnie zbytnio nie zdziwiło. Busio był zawsze zwariowany na punkcie higieny i bał się, aby ktoś nie korzystał przypadkiem z jego ręczników. Pani Władzia interpretowała to dziwactwo po swojemu.

— Wujek pani doktor to nawet, nie powiem. Niczego sobie mężczyzna. Nie stary jeszcze, ale, za przeproszeniem, dziwaczny jak nasz dziadek, co chleb z masłem pod materacem trzyma. Widać od razu, że tak jak i on bez kobiety żyje...

W drzwiach łazienki tkwił klucz, co natychmiast nasunęło myśl o zaplanowanej wcześniej ucieczce. Zazwyczaj nosił go przy sobie, na co skarżyła się pani Władzia, twierdząc, że tam właśnie „najporęczniej" byłoby brać jej wodę, a nie latać z wiadrem do kuchni, kiedy musiała cały dom sprzątać.

Z ciekawości zajrzałam do wnętrza i stało się jasne, dlaczego ją tak skrzętnie zamykał. Ściany obszernej, jak pokój mieszkalny, łazienki, o jakiej ani marzyć w nowym budownictwie, pokrywały wspaniałe malowidła przedstawiające różnej maści ogiery stanowiące klacze. Realistyczne sceny w delikatnym kolorycie wiosennych traw nie były przeznaczone dla oczu ignorantów.

Patrzyłam oniemiała z zachwytu, urzeczona ekspresją i artyzmem wyłażącego ze ścian piękna. Usiadłam na desce klozetowej, jakby to było siedzisko w muzeum, wodząc wzrokiem od jednej sceny do drugiej, osnutej mgiełką budzącego się na łące poranka. Nie mogłam ochłonąć z podziwu i radości. Busio nie był mitomanem. Był prawdziwym artystą, a jego utwierdzanie wszystkich dookoła, że jest malarskim geniuszem, miało swoje uzasadnienie i nie świadczyło o żadnym odchyleniu od normy. Nie było w nim jedynie zakłamania i fałszywej skromności. Busio wyrastał ponad przeciętność. Stąd brały się jego dziwactwa i konflikty z otoczeniem. Józek miał rację.

Rozglądając się po przestronnej łazience, zauważyłam na półce pod lustrem sterczącą w szklance szczotkę do zębów. Trochę mnie ona rozbawiła, bo tak naprawdę, to ta imponujących rozmiarów szczotka była niewspółmiernie duża do tego, co się tam z tych Busiowych zębów jeszcze zachowało. Do niej była jednak doczepiona karteczka na różowej wstążce. Rzuciłam się do niej z takim impetem, że wystraszony Hiob zjeżył się tuląc uszy i fuknął na mnie.

Drżącymi z niecierpliwości palcami rozwiązywałam szeleszczący papierek. Treść była nader zagadkowa, ale ja już się przestałam czemukolwiek dziwić.

„Tu nie myśli się o sprawach wiecznych. Ciało też ważne. Wrócę, jak przyjdzie na to pora. Żarcie w lodówce".

Raz jeszcze przeczytałam uważnie, a później znów przeniosłam wzrok na malowidła ścienne. Busio pod każdym względem wyrastał ponad przeciętność. Zastanawiałam się tylko, gdzie się podziewa, u kogo i w jakich warunkach zamieszkał i co się zrodziło w tej szalonej głowie, bo coś musiało się jednak zrodzić. Może przyczyniła się do tej czasowej ucieczki wizyta Piotrusia, a może był jeszcze jakiś inny, ważny powód wiążący się z moją osobą. Musiałam widocznie nosić w sobie jakiś antytalent do postępowania z mężczyznami. Żaden się przy mnie nie ostał. Nawet spokojny Mikołaj, z którym wiodłam spory o jakieś widocznie błahe sprawy, jeśli dziś nie potrafiłabym ich nawet skonkretyzować. Zaczęłam się teraz nad nimi zastanawiać, wyciągać z pamięci wszystko to, co stawało się między nami kością niezgody. Tę kropkę nad „i" stanowiła z pewnością jego zmarła żona. Nie mogliśmy się oboje od jej widma odczepić, ale ona zjawiła się dopiero później, jednocześnie prawie z panem wiceministrem. Mikołaj wtedy ujawnił cały swój snobizm, małostkowość i nudziarstwo zakorzenione w małej, mieszczańskiej duszyczce.

Usiłowałam w początkach, aby jego dom — trzypokojowe mieszkanie w przedwojennej kamienicy — „z wszystkimi oknami od frontu" — jak chełpliwie podkreślał — urządzić tak, abyśmy oboje czuli się w nim dobrze i nie przenosili do niego nic z naszej przeszłości. Okazało się jednak, że Mikołaj tęsknił za tym wszystkim, co utracił z jego dawnego wnętrza. Zaczął czynić wyrzuty, że zmieniłam firanki, do których był szczególnie przywiązany. Wybierali je razem z żoną, a ona, jak twierdził, była estetką i czego by nie kupiła, świadczyło zawsze o jej znakomitym guście. Wypomniał także, iż musiał zrezygnować z pięknych „landszaftów", wybieranych także z żoną, którymi zachwycali się dawni jego przyjaciele, a były na nich oprawione w złocone ramy „brzozy jak żywe i rozlewiska wodne z kaczkami w locie". I że tęskni za tymi dobrymi czasami, gdy wszystko stało na swoim właściwym miejscu, gdzie było na czym wzrok zatrzymać, a nie na pustych ścianach i pustych półkach, pełnych niegdyś bibelotów i pamiątek z wielu zagranicznych podróży. Czynił także wyrzuty, że po śmierci Bulika nie zgodziłam się na kupno nowego psa, chociaż on tak lubił wieczorne spacery z pieskiem.

Z tych słów zrozumiałam, że kocha wszystko to, czego ja nie tylko kochać, ale i tolerować nie byłam w stanie, i co budziło we mnie sprzeciw, jak chociażby zastąpienie Bulika — najwierniejszego przyjaciela — jakimś nowym, a do tego jeszcze kupionym z rodowodem, bo to było akurat w modzie i świadczyło o poziomie stopy życiowej, jak mi klarował, gdy zaproponowałam nieśmiało, że jeśli już nowy pies, to tylko wzięty ze schroniska dla zwierząt, jakiś nieszczęśliwy kundelek.

Było mu ze mną źle, obco w otoczeniu przedmiotów wybranych moim gustem i moimi oczami, a jednocześnie nie potrafił się temu przeciwstawić, powiedzieć, że mu się coś nie podoba, że nie chce w domu żadnych zmian.

Uświadomiło to nagle, że z Busiem sprawy mają się całkiem inaczej. Jego fantazja i nieszkodliwe dziwactwa wywołują u mnie więcej rozbawienia niż irytacji. Cenię sobie nawet jego różną od mojej osobowość, inne widzenie świata, rubaszne poczucie humoru.

Kiedyś przy kolacji, gdy wspomniałam, że chciałabym się rozejrzeć na wystawie plastyków za jakimś dobrym płótnem do jadalni, Busio podskoczył na krześle, jakby mu szydło wsadzono w tyłek, i wykrzyknął:

„Tylko żadnego barachła! — Żyły mu na czole nabrzmiały. — Sama, to ty możesz kupować sobie majtki albo popręgi — jak nazywał biustonosze — ale nie obrazy! Te, to ja już będę dobierał. Możesz najwyżej towarzyszyć i rachunki regulować. Jak sama wybierzesz, będą jakieś dureńskie kwiaty albo chałupa z malwami. Już ja dobrze znam wasz babski, sentymentalny gust. Z obrazu musi powiać nieśmiertelnością, ot co! Pod każdym względem, ale ci współcześni gówniarze nie mają o tym pojęcia!"

Sprzeczaliśmy się z Busiem na ten temat i wymienialiśmy poglądy przez dobrą godzinę. Wreszcie zakończył z westchnieniem:

„Zdecydowanie twierdzę, że jednak baby duszy nie mają. Jest to pewnik. Chociaż ty, dziecko, jak tak z tobą rozmawiam, dochodzę do wniosku, że jesteś na najlepszej drodze, żeby ją przez liczne reinkarnacje kiedyś osiągnąć.

Musisz jednak poczekać jeszcze te kilkaset lat, ale ja już wtedy nie będę miał możności dyskutowania z tobą. Nasze płaszczyzny duchowe nigdy się nie zejdą. Taka widać nasza karma i trzeba się z tym pogodzić..."

Z Mikołajem bardzo prędko nie mieliśmy o czym rozmawiać, poza koniecznymi życiowymi sprawami. Usiłowałam wciągać go czasem w dyskusje, opowiadać o interesujących mnie sprawach, dzielić się wrażeniami z przeczytanej książki czy obejrzanego filmu. Siedział wtedy z miną zwierzęcia w klatce i odpowiadał monosylabami, rozglądając się przy tym po pokoju w taki sposób, jakby szukał w nim szczeliny, przez którą można umknąć. Dość szybko zrozumiałam, że nie spełniam jego wyobrażeń o szczęściu we dwoje, tak jak i on nie spełniał moich. Popełniliśmy błąd, sądząc, że bez miłości można ułożyć sobie szczęśliwe życie, byle tylko starczyło dobrej woli z obu stron. Widocznie jednak nie można. A jeśli można, to muszą być przynajmniej wspólne upodobania, gusty, podobne odbieranie zjawisk i widzenie świata. A przynajmniej któraś ze stron musi mieć rozwinięte poczucie humoru.

Z westchnieniem opuściłam łazienkę. Lęk o Busia ulotnił się wprawdzie, ale pozostało uczucie nieokreślonego smutku i osamotnienia. Znów poczułam napływające do oczu łzy. Rozkleiłam się wspomnieniami, rozpamiętywaniem dawno nieaktualnych spraw.

Mikołaj, jak powiedziała Irma, związał się z młodą dziewczyną. Na dobrą sprawę mogła być jego wnuczką. Widziałam ich ubiegłego lata na ulicy. Prowadziła na czerwonej smyczy parę białych miniaturowych pudelków. Drobił przy niej w dżinsach, w rozpiętej młodzieżowej wiatrówce. Znad paska wylewał się obwisły nieco brzuch, którego musiał się niedawno dorobić. Miał minę zaaferowanego ojca strzegącego cnoty nazbyt rozwiniętego w biuście dziewczątka. Przeszłam na drugą stronę ulicy, żeby mnie nie zauważył. Wstydziłam się za niego.

W mojej sypialni było ciemno i ciepło. Nie zapalając światła usiadłam z podwiniętymi nogami w fotelu. Hiob wskoczył na kolana pomrukując i szukając na nich najdogodniejszego dla siebie miejsca. Za oknami padał deszcz. Krople uderzały głośno o szyby, zacinały ukośnymi smugami, to znów zacichały, gdy zmieniał się kierunek wiatru. Wsłuchałam się w ich monotonną melodię, nie mając energii podnieść się i włączyć telewizor. Był mały i nabyłam go zaledwie przed paru tygodniami w Pewexie. Nawet dziennik wydawał się ciekawszy, gdy oglądało się go w kolorze. Zbliżał się jego czas, a może nawet już się kończył, i należało wysłuchać, jaką zapowiedzą na jutro pogodę. Zrezygnowałam jednak. Żal mi było ruszać śpiącego ufnie kota, ale tak naprawdę nie miałam na nic ochoty. Nawet na obejrzenie zapowiedzianego w programie angielskiego filmu kryminalnego.

Wzrok przyzwyczaił się do mroku. Rozpoznawałam kontury mebli, moknące w deszczu gałęzie drzew, rozjaśnione delikatnym poblaskiem latarni przy wjazdowej bramie. Przez moment wydawało mi się, że słyszę jakieś szmery za drzwiami, jakby się ktoś za nimi czaił, a potem zbiegał boso po schodach w dół. Natychmiast przypomniał się pan Węchacz oznajmiający z mściwą radością, że sprzedał mi dom z duchami. Serce zabiło niespokojnie, chociaż zdawałam sobie sprawę, że jest to wierutna bzdura, a to, co usłyszałam, może być z pewnością fizycznie wytłumaczone. Stare domostwo żyje swoim własnym, utajonym w rurach i starym drewnie, życiem. Mógł być to także Busio. Miał własny klucz, mógł się bezszelestnie dostać kuchennym wejściem do domu i wcale nie musiałam tego słyszeć. Chodził zazwyczaj cicho jak kot i nie zapalał bez koniecznej potrzeby świateł. Czekałam chwilę, nasłuchując pełna napięcia, ale nic się takiego więcej nie powtórzyło.

— Busiu, czy to ty? — krzyknęłam na wszelki wypadek, chcąc przynajmniej usłyszeć własny głos. Odpowiedziała jedynie cisza i łoskot deszczowych kropli na szybach. Poczułam się nieswojo. Najwyraźniej czułam w domu czyjąś obecność. W zasięgu ręki nie miałam żadnej lampy, aby ją zapalić. Tkwiłam więc dalej w mroku, czekając, co będzie dalej. Nasłuchiwałam, ale łomot własnego serca tłumił wszystkie inne dźwięki.

Hiob miauknął cichutko. Musiało się mu coś przyśnić. Na dole trzasnęły któreś drzwi, rozbłysło w hallu światło, rozjaśniając drzewa moknące za oknami. Odetchnęłam głęboko z ulgą. Nie ruszyłam się jednak z miejsca. Chciałam, aby Busio myślał, że nie ma mnie jeszcze w domu, aby poszedł najpierw do siebie, dał czas na starcie śladu niedawnych łez, przypudrowanie zaczerwienionego nosa.

Energiczne, drobne kroczki zatrzymały się przed drzwiami. Nim zdążyłam podnieść się z fotela, otworzył je szeroko, bez pukania i nacisnął wyłącznik. Pokój zajaśniał złotawym światłem. Ciemność pierzchła za szyby, wsiąkła w jesienną noc. Hiob szeroko ziewnął.

— Co ty, dziecko, tak po ciemku siedzisz? — zatrwożył się. — Sądziłem, że nie ma cię w domu, że znów jakiś dureński dyżur. I oczy masz czerwone jak angorska królica! Czyżbyś się aż tak niepokoiła o mnie? — spłoszonym wzrokiem poszukał moich oczu, jakby w obawie, że może ten żart nie przypadł mi do gustu.

Wszyscy moi mężczyźni w jakiś sposób się mnie obawiali. Było to przykre dla mnie i niepojęte.

— Od dawna jesteś? — zapytałam wsuwając stopy w pantofle.

— Ze dwadzieścia minut albo i dłużej. Przemokłem do gaci, więc wziąłem prysznic i zmieniłem ubranie. Ot i wsio!

— Byłeś też wcześniej pod drzwiami? — chciałam się upewnić, czy nie uległam halucynacji.

— Byłem! — patrzył na mnie z rozbawieniem. — A ty, siusiumajtku, myślałaś pewnie, że duchy łażą po schodach i bałaś się ruszyć z miejsca. Ot, dureniek! One wprawdzie tu są, ale to jeszcze nie ta pora, żeby się po domu szlajały.

— Dlaczego myślisz, że są? — spytałam ostrożnie.

— W każdym domu ktoś mieszkał, coś w nim przeżył, a więc go odwiedza, gdy wyzwolił się ze skorupy, w której był jego duch uwięziony. To tak jest, dziecko, jakby motyl wyfrunął z kokonu...

— Ładnie sobie to wszystko tłumaczysz — westchnęłam wpatrując się w niego z zaciekawieniem i niepokojem. Nie chodziło mi o to, o czym mówił, ale coś się w jego twarzy zmieniło. Ale co? Nie mogłam się zorientować, na czym ta różnica polega. Rysy stały się jakby trochę inne, mniej ascetyczne, łagodniejsze w wyrazie. Wciąż milczałam przypatrując się bacznie, z namysłem, jego twarzy.

— Cóż to, smarkata, własnego męża nie poznajesz? — mizdrzył się prężąc bohatersko pierś przyodzianą w granatowy pulower. Podkreślał błękit oczu. Doszłam do wniosku, że Busio jakimś cudem nagle wyprzystojniał, coś powróciło z młodości, z czasów, gdy byliśmy narzeczonymi. A i głos wydał się trochę inny. Mniej sepleniący i dźwięczny.

— Gdzieś ty się właściwie podziewał przez te wszystkie dni? — odezwałam się wreszcie. Paliła ciekawość i zadziwił starannie dobrany strój. Busio był abnegatem. Nie przywiązywał żadnego znaczenia do ubioru, a nawet podkpiwał sobie z tego u innych. — Denerwowałam się. Sądziłam, że przytrafiło się ci coś złego. Przez parę dni nie mogłam znaleźć wiadomości, a jak wreszcie dziś znalazłam, to idiotyczną i nic nie mówiącą... Na przyszłość nie rób takich historii... — dodałam ciszej, podnosząc na niego oczy.

Wpatrywał się we mnie z niepokojem i oczekiwaniem, jakby na coś, co powinnam zrobić albo powiedzieć.

— Wprawdzie informacja zwariowana, ale malowidła wspaniałe! — uśmiechnęłam się do niego. — Jesteś wielki! — dodałam już bez uśmiechu.

— Nie podlega dyskusji — burknął skromnie, oddychając jednak z widoczną ulgą. Po minie było widać, że sprawiłam mu przyjemność i na takie właśnie słowa czekał.

— A więc zauważyłaś także i moją nieobecność? — Zarechotał radośnie, ukazując dwa rzędy solidnych, nowych zębów. — Kiedyś byłaś łaskawa zauważyć, że moje usta przypominają ci bardziej hemoroidy, niż to, czym być powinny. Wobec tego, żeby zrobić ci miłą niespodziankę, wstawiłem ich pełną gębę.

— Nie do wiary! — krzyknęłam zaskoczona. — Ja tu już widzę ciebie rozjechanego przez samochód, zadźganego nożem przez chuliganów, a ty tak po prostu pojechałeś wstawić sobie zęby i nawet nie przyszło ci do głowy, że może mnie szlag trafić!

— Nie sądziłem, dziecko, że cię to interesuje, czy jestem w domu, czy mnie nie ma. Nie byłem nawet pewny, czy w ogóle zauważysz moją nieobecność... — dodał ze skruchą w głosie. — Przygotowałem żarcie prawie na dwa tygodnie, więc jestem w porządku.

— Idiota! — wrzasnęłam. — Czy ty sądzisz, że dla mnie żarcie jest czymś aż tak ważnym, że nie mam już żadnych innych ludzkich uczuć i odruchów?

— Owszem, masz! — przyznał spoglądając na mnie skośnymi oczami, lekko je mrużąc i przechylając na bok głowę, jakby chciał mi się dokładnie przyjrzeć. — Masz je dla swoich chorych, dla Hioba, dla bezdomnych psów...

Może nawet dla jakichś gachów, ale dla mnie chyba nie... — starał się uśmiechnąć, uciekając wzrokiem na boki.

— Głupstwa gadasz! — żachnęłam się. — Powiedz lepiej, skąd miałeś pieniądze na taki wydatek? — zapytałam jakoś tak niezręcznie i odruchowo, uświadomiwszy sobie z przykrością, że do tej pory nie pomyślałam o tym sama, że może ich potrzebować większą ilość na jakieś własne potrzeby. Spełniałam jedynie bardzo sumiennie prośby Busia o zakupienie farb i płócien.

— Z „koszyczkowego" — przyznał z rozbrajającą szczerością i rozbawieniem. — Żeby jednak być bliżej prawdy, smarkata, to udało się mi sprzedać parę obrazków w stadninie. Wiszą w sali konferencyjnej, jeśli cię to interesuje.

— Nie było prościej powiedzieć, że są ci potrzebne? Przecież ja nie mogę o wszystkim myśleć, wszystkiego przewidzieć...

— Po cóż mam prosić? — obruszył się. — Pracuję i uczciwie zarobiłem to „koszyczkowe", i bez uszczerbku dla ciebie, ot co! — dodał poważnym tonem.

Pomyślałam, że były to chyba pierwsze naprawdę solidnie zarobione przez Busia pieniądze i to z myślą, aby zrobić mi przyjemność i niespodziankę.

Popatrzyłam na niego ciepło, z uznaniem, a jednocześnie doznałam przykrości, poczułam się upokorzona. Czuł się u mnie jak stara gospodyni na łaskawym chlebie, bo prawdziwa pobiera co miesiąc pensję, i to wysoką.

— Możesz przecież robić, co zechcesz. Nie musisz zajmować się gospodarstwem. Niczego ci nie narzucałam i nie narzucam. Sam zająłeś się kuchnią z własnej i nieprzymuszonej woli — wzruszyłam ramionami, żeby całą sprawę zbagatelizować i możliwie szybko zakończyć.

— Jestem biedny, ale nie jestem alfonsem! — obruszył się Busio. — Nie ciągnę z ciebie zysków i nie chcę ciągnąć tylko dlatego, że mam ochotę spokojnie malować. Nie lubię dwuznacznych sytuacji. Uczciwie u ciebie pracuję — wyjaśniał spokojnie. — Nie zaakceptowałaś mnie jako męża, więc staram się być ci przydatny w inny sposób i w ten właśnie zarabiam na swoje życie — ciągnął dalej z uśmiechem, jakby sobie podkpiwał z sytuacji, w jakiej się znalazł. — A te zęby, dziecko, to taki dureński dodatek dla ciebie! Spostrzegłem, że patrzenie na moją gębę musi ci sprawiać wyjątkową przykrość, jeśli tak niechętnie i rzadko to czynisz.

— Nie opowiadaj takich głupstw! Przykro nawet słuchać! — obruszyłam się nie bardzo wiedząc, co Busiowi odpowiedzieć. Był zbyt normalny jak na tego dawnego Busia, którego wciąż jednakowo, jak tamtego, traktowałam. Czułam się zawstydzona, było mi przykro, a jednocześnie bałam się działać pod wpływem impulsu, żeby nie popełnić jakiegoś nieodwracalnego błędu. Nie należało się roztkliwiać nad dawno „rozlanym mlekiem".

— Idę przygotować kolację! — oznajmiłam kategorycznym tonem. — A ty odpocznij po podróży. Byłeś pewnie w Warszawie? — Zadałam podchwytliwe pytanie, chcąc wysondować, gdzie przez te dni mieszkał.

— I to u najlepszego dentysty! — stwierdził Busio. — Zrobił wszystko, co trzeba, w najkrótszym terminie, jaki był tylko możliwy, no i znów jestem przystojnym brunetem! — usiłował mnie rozśmieszyć, a jednocześnie zignorował moje pytanie, robiąc coś zupełnie nieoczekiwanego. Nachylił się i zabrał z moich kolan Hioba. Głaszcząc, przytulił do granatowego swetra.

— Znów ta swołocz linieje! — wymamrotał czule przez nowiutkie zęby i ruszył za mną do kuchni.

*

Lubiłam starą, zabytkową dzielnicę Kuczebina.

Miała w sobie coś z uroku warszawskiej Starówki i krakowskiego Rynku. Lubiłam renesansowe i secesyjne kamieniczki niedawno odrestaurowane. W długich białych podcieniach mieściły się małe kawiarenki, sklepy z prywatną tandetą, wielkie witryny Salonu Sztuki. Przyciągały wzrok szkła o najprzedziwniejszych kształtach i kolorach, surrealistyczne i abstrakcyjne obrazy w białych drewnianych pliskach. Jeden z nich, którym się bliżej zainteresowałam, przedstawiał płaski, niczym wycinanka, portret kobiety z profilu, utrzymany w fioletowych i złotych barwach na czarnym tle. Było w nim coś z egipskiego rysunku i bizantyjskich malowideł bogato złoconych. Jedno podłużne oko umieszczone płasko, wydłużona szyja przechodząca w obnażony biust. Ze sterczącej wysoko piersi, zakończonej szpiczastym dziobem, wylatywał stylizowany ptaszek. Było w tym dziwnym, ciemnym malowidle coś fascynującego, co przyciągało wzrok. Stałam przed nim długą chwilę, zastanawiając się, czy chciałabym go zawiesić w swoim gabinecie, czy w sypialni. Postanowiłam go zakupić.

Po całodobowym dyżurze w szpitalu, wyjątkowo spokojnym, który udało mi się w nocy prawie w całości przespać, miałam wolny dzień. Postanowiłam wykorzystać go na drobne zakupy, włóczęgę po mieście.

Zbliżały się urodziny Busia. Chciałam jakoś je uczcić, kupić prezent. Wybrać jesienne, efektowne wdzianko, kilka koszul i dużo farb. Tych mu zawsze było za mało.

Było wczesne popołudnie. Parne i chmurne. W powietrzu czuło się nadciągającą burzę. Jeszcze daleką, a już dającą o sobie znać w ociężałym ciele, utrudnionym oddechu. Torba z zakupami robiła się coraz cięższa. Pomyślałam, że jednak powinnam kupić wreszcie samochód. Traciłam zbyt wiele czasu i energii na dojazdy autobusami. Spóźniały się, zwłaszcza w zimie, wypadały z kursu i trudno było przewidzieć, kiedy się przyjedzie na miejsce. Irytowało długie wyczekiwanie na przystankach, a później pchanie się do zatłoczonego wozu. Od dawna już myślałam, żeby zrobić kurs samochodowy i postarać się o przydział dużego „Fiata", bo jak mawiał kierowca naszej sanitarki:

„Skrzynka pocztowa, czyli maluch, nie pasuje do pani wzrostu, stanowiska i posiadłości".

I chyba miał rację. Mogłam sobie pozwolić na większy wóz. Jedna z koleżanek bardzo sobie chwaliła „wczasy za kierownicą" w jakiejś wypoczynkowej miejscowości w okolicach Krakowa, gdzie można i odpocząć, i zdobyć w miłych warunkach prawo jazdy. Pomyślałam, że najbliższy urlop tak właśnie wykorzystam. Nieoczekiwanie przypomniały się Cieplice i Topsi z Magnusem. Bezwiednie przyśpieszyłam kroku.

Upadły pierwsze krople deszczu. Rzadkie i ciężkie. Skryłam się w podcieniach, oglądając bez większego zainteresowania wystawy. Na dłużej zatrzymałam się przy witrynie „Jubilera" przystrojonej sztucznymi różami, rozrzuconymi niedbale na granatowym aksamicie połyskującym drobnymi wyrobami ze srebra. Zdecydowałam się poszukać klipsów do mojej nowej sukienki w drobniutkie biało-turkusowe paseczki. Kupiłam ją przed tygodniem z zagranicznej paczki, jaką otrzymała pielęgniarka z interny od swego brata z Kanady. Była dla niej przyciasna i trochę za długa. Dziewczyna przytyła o te dwa kilogramy, o czym brat nie mógł wiedzieć. Prosta w kroju, wysmakowana w każdym szczególe. Było mi w niej do twarzy, a zwłaszcza do koloru włosów.

Sklep cieszył się zawsze dużą frekwencją. Zwłaszcza kobiet, łasych na błyskotki niczym sroki. Tak to kiedyś określił Busio, gdy przymierzałam u siebie przed lustrem różne wisiorki i łańcuszki na szyję, nie mogąc się zdecydować, który nałożyć do popołudniowej sukienki. Wybierałam się z pierwszą wizytą do koleżanki z interny. Tej, która zaczęła mi asystować przy operowaniu Krzyżyka. Pomyślałam z westchnieniem, że będę musiała wkrótce urządzić jakąś rewanżową kolację i zaprosić ją z mężem. Wciąż tę imprezę odkładałam ze względu na Busia. Musiałam go w jakiś sposób przedstawić i wciąż się wahałam między „byłym mężem" a „bliskim kuzynem". To pierwsze mogło się wydać im dziwne, drugie sugerowało kochanka. Byłam w rozterce. Mieszczańskie pochodzenie tkwiło jednak we mnie mocniej, niż sądziłam. Pogłębiło się z latami.

W gablotce ze srebrnymi klipsami, do której się z trudem dopchałam, nie było nic dla mnie odpowiedniego. To, co się spodobało, okazało się być kolczykami. Nie miałam przekłutych uszu i nie mogłam się na ten zabieg zdecydować. Było w tym coś barbarzyńskiego. Busiowi nawet noszenie klipsów przeze mnie kojarzyło się z kółkiem w nosie u dzikusów.

W gablocie obok zainteresowała mnie kuta w srebrze solniczka o bardzo wyszukanym kształcie. Przypatrywałam się jej przez chwilę, wyobrażając sobie, jakby się prezentowała na stole, gdy ktoś niespodzianie klepnął mnie w plecy.

— To ty, stara!? — usłyszałam za sobą rozradowany głos Kostyrówny. — Co ty tu robisz?

— A ty? — wykrzyknęłam zaskoczona, bo spotkanie w Kuczebinie było prawie czymś takim, jak znalezienie broszki na pustyni. Witałyśmy się hałaśliwie jak za szkolnych czasów. Wiele lat się nie widziałyśmy. Wymiana okolicznościowych, zdawkowych karteczek urwała się od czasu, gdy przeniosłam się do Kuczebina. Wciąż obiecywałam sobie, że napiszę do niej obszerny list z moim nowym adresem i wciąż o tym zapominałam.

— Przyjechałam do ciotki — informowała zdyszanym z wrażenia głosem. — Mówiłam ci kiedyś, że mam ciotkę w Kuczebinie, ale ty zawsze jednym uchem tylko słuchałaś — dodała z wyrzutem. — Ma tu dom i wciąż jakieś zatargi z lokatorami. Czynszu nie płacą, a żądają remontów, bo ciotka wciąż figuruje jako właścicielka, chociaż nic poza kłopotami z tego nie ma. No i przyjechałam na dwa dni, żeby coś jej tam pozałatwiać. Wzięłam delegację, to przy okazji służbowych spraw i jej coś załatwię — wzruszyła po dawnemu ramionami i parsknęła przez nos. — Ale co ty tu robisz? — wlepiła we mnie z zaciekawieniem duże, okrągłe oczy, wciąż jeszcze ładne, chociaż już w drobniutkiej siateczce zmarszczek, starannie tuszowanych tuszem.

— Mieszkam tu.

— Ty w Kuczebinie? — oczy stały się jeszcze bardziej okrągłe. — Ale co się stało? — patrzyła na mnie jak na widmo.

— Nic się nie stało — uśmiechnęłam się widząc jej niepomierne zdumienie. — Kupiłam pod miastem wspaniałą posiadłość i pracuję w tutejszym szpitalu.

— Ale chyba nie mieszkasz tam sama? — niedowierzanie brzmiało w głosie.

— Na razie z Busiem.

— Z tym wariatem? — złapała się za głowę. — I nie boisz się, że cię kiedyś zadusi.

— Co też ty opowiadasz! — żachnęłam się. — Jest nieszkodliwym dziwakiem.

— No, ale ja ci jednak nie zazdroszczę tych tatarskich nocy! — jęknęła. — Wariat, czy były wariat, to na jedno wychodzi!

— Ani tatarskie, ani inne nas nie łączą — wyjaśniłam pociągając Kostyrównę delikatnie do wyjścia.

Rozmawiała, jak zwykle, głośno i afektowanie. Zaczęto spoglądać w naszą stronę.

Ulewa trwała, chociaż już zaczęło przeświecać przez chmury wyblakłe, jesienne słońce. Zaprosiłam Kostyrównę do najbliższej kawiarenki o pretensjonalnej nazwie „Sans Soucis". Była malutka, z wymalowanym na czerwono wnętrzem, z lampkami na stolikach ocienionymi również tej barwy abażurkami. Młodzież, między sobą, nazywała tę kawiarenkę „Słodka Dziurka". Dwa stoliki zajmowało rozgadane młode towarzystwo nad lampkami wina.

Usiadłyśmy w kącie pod oknem, zamawiając galaretkę owocową. Kostyrówna dodatkowo do niej porcję bitej śmietany z rodzynkami. Kawy nie chciała, tłumacząc, że szkodzi jej na wątrobę.

— Nie powinnaś w takim razie jeść bitej śmietany — wtrąciłam z zawodowego przyzwyczajenia.

— Mam na nią apetyt. A jak coś człowiekowi smakuje, to nie szkodzi! — wygłosiła swoją teorię i popadła w zamyślenie, wyjadając starannie rodzynki z kremu. Przypominała w tym skupieniu małą, łakomą dziewczynkę.

Nasłuchiwałam, kiedy zacznie sapać z zadowolenia, jak dawniej przy czekoladowych kulach nadziewanych rumową masą.

— A skąd u ciebie wziął się Busio? — powróciła do interesującego ją tematu. — Przecież od dawna jesteście rozwiedzeni.

Opowiedziałam jej pokrótce całą historię, a także jak doszło do kupienia posiadłości, bo i tym się zainteresowała. Nie omieszkałam wspomnieć i o Topsim. Słuchała lustrując rozbieganymi oczami niewielką salkę, jakby szukała w niej czegoś, co umknęło jej uwagi.

— Słuchaj — wtrąciła — rozumiem, że trzymasz się Busia, bo taka gosposia na stałe to prawdziwy skarb, ale nie rozumiem, dlaczego zrezygnowałaś z tamtego faceta, co mu nadałaś psie imię. Co do tego wszystkiego ma żona? Przecież nie z nią będziesz spała, a jak on to od czasu do czasu zrobi, to co to komu szkodzi? Zazdrosną to można być tylko o kochankę, a nie żonę. Przecież chłop musi mieć jakieś domowe kapcie! — wzruszyła pogardliwie ramionami obciągniętymi naturalnym, jaskrawym jedwabiem w geometryczne wzorki. — Ty byłaś pierwsza do zrywania, ujmowania się honorem! Troszczyć się należy tylko o to, co mamy między nogami, bo chłop z honorem do łóżka nie idzie, tylko z tobą — pokręciła z dezaprobatą głową. — Z tym twoim Piotrusiem też tak zrobiłaś, zamiast babę przegnać, jego wziąć krótko za mordę i tak długo trzymać, aż się opamięta. Honor jest potrzebny, moja droga, do obrony ojczyzny, a nie do spraw łóżkowych. Tam rządzą inne prawa... — odetchnęła głęboko zjadając ostatnią łyżeczkę kremu. — Jak się już raz chłopa złapie, to należy trzymać i dobrze karmić. Chłop z pełnym brzuchem staje się nieruchawy. Tylko że trzeba o niego dbać, ulubione potrawy gotować, schlebiać przy każdej okazji, a i bez okazji także, do łóżka ciągnąć, wynajdywać różne zajęcia i rozrywki, żeby nawet nie miał czasu rozejrzeć się dookoła — wygłaszała z pasją swoje credo. Pulchna, modnie ubrana, pewna siebie, przypominała w tych swoich wywodach ciotkę Polcię. — Kiedyś też byłam taka głupia, ale prędko wypracowałam sobie metodę — spojrzała na mnie z wyższością.

— Mamy różne poglądy na te sprawy. Inny skład psychiczny, temperament — usiłowałam coś wtrącić, zmienić temat, ale Kostyrówna musiała się wygadać, zaimponować „życiową mądrością".

— Pamiętasz tego naczelnika z ministerstwa?

Skinęłam głową, przypominając sobie, że coś mu tam miała do zarzucenia.

— No więc jednak trzymamy się razem. A bywało różnie! Pamiętasz, jak zaczął podskakiwać, kręcić z jakąś blondyną, wymigiwać się konferencjami?

Nie pamiętałam, ale przytaknęłam zasłuchana w te jej wywody. Wydały się czymś niesłychanie smutnym, chociaż opowiadała z humorem i może miała w tym, co mówiła, trochę racji. Przypominała kwokę zgarniającą pod skrzydła swoje stadko, gotowa wydziobać oczy każdemu, kto się do niego zbliżał, choćby w najlepszych zamiarach.

Wyblakłe słońce kładło się szeroką krechą na stoliku, to znów gasło.

Młodzi ludzie dawno już wyszli, przyszła następna trójka na coca-colę i rurki z kremem, paru samotnych mężczyzn siedziało nad filiżankami parującej kawy, przeglądając gazety.

— Bardzo prędko zrobiłam z tym porządek. Przydybałam ich wreszcie razem w restauracji — iskierki tryumfu rozbłysły w brązowych, wyrazistych oczach pod wyskubanymi starannie łukami brwi. Powieki miała lekko przeciągnięte seledynową szminką. — I na miejscu załatwiłam całą sprawę! Przysiadłam się do ich stolika. Akurat byli przy pieczeni z buraczkami — odtwarzała z upodobaniem każdy szczegół. — Przywitałam się z moim, jak gdyby nigdy nic, przedstawiłam się tlenionej blondynce, która zaniemówiła i kolorem twarzy nie różniła się od obrusa, powiedziałam „smacznego". Od razu też zaznaczyłam, kim dla siebie jesteśmy, i że jeszcze w jego domu czeka zdradzana żona, która jest popędliwa i jakby było trzeba, to także potrafi dołożyć. Skłamałam, że od dawna wiem o ich romansie. Bo my, proszę pani, nie mamy przed sobą tajemnic... — tak jej właśnie powiedziałam. Zaznaczyłam nawet, że znam jej niewybredne zachowanie w łóżku i mrużąc konspiracyjnie oko powiedziałam: „fee..." Mój zrobił się czerwony na twarzy i otworzył usta, jakby chciał coś powiedzieć, ale mu pantoflem na stopę wlazłam i co chciał się odezwać, to wbijałam mocniej obcas. A wiem, gdzie ma najbardziej bolesne odciski.

— Potwór jesteś! — roześmiałam się, zobaczywszy tę scenę, w której prawdziwość nie wierzyłam. Wprawdzie Kostyrówna nigdy nie miała wyobraźni, ale natomiast ambicje, „żeby w życiu się nie dać i mieć swoje na wierzchu".

— Ostatnio narzekał, że ma pani dość, ale nie wie, jak się z tego interesu wykręcić i szukał u mnie rady. No i znalazł! — Tak jej właśnie powiedziałam. — Ja ze swojej strony radzę pani serdecznie udać się do dentysty. Podobno bardzo nieprzyjemnie pachnie pani z ust, a mężczyźni tego nie lubią — mówię spokojnie, z uśmiechem. A ona to robi się czerwona, to biała, ale siedzi cicho i sztywno. Ludzie ciasno dookoła nas siedzą, a ja coraz to głos podnoszę, jak któreś chce tylko jakiś ruch zrobić — roześmiała się głośno na wspomnienie tamtej sceny.

Mrówki mi po plecach przeszły. Podziwiałam jej odporność psychiczną i upór w dążeniu do celu, ale za przeciwnika bym mieć nie chciała. Podejrzewałam, że i obecne stanowisko w pracy było także ciężko, z uporem wypracowane. Z klasy do klasy także przechodziła z trudem, ale jednak przechodziła.

— Na zakończenie wzięłam chłopa za rękę i mówię: A teraz, kochanie, pójdziemy do domu na dobry deserek, a ty zostaw pani pieniążki, żeby mogła zapłacić za obiad i niech uważa sprawę za załatwioną...

Kostyrówna zaczerpnęła powietrza, przełknęła nerwowo następną łyżeczkę galaretki z kawałkiem ananasa w środku i popatrzyła na mnie z tryumfem, zadowolona z siebie.

— Naprawdę tak zrobiłaś? — spytałam z niedowierzaniem, zażenowana samą już tylko koncepcją.

— Oczywiście! — odrzuciła do tyłu głowę ruchem znarowionej klaczy.
— A co on? Poszedł z tobą?
— Poszedł potulnie jak baranek. Wprawdzie w domu trochę histeryzował, odgrażał się, że sobie pójdzie, że narobiłam mu wstydu, że to tylko była koleżanka i takie różne... — Zamyśliła się na moment, jakby chciała przypomnieć sobie, co jeszcze powiedział. — To ja pytam: a dokąd pójdziesz? Przecież ona nawet teraz nie plunie w twoją stronę, a nikogo już z tym swoim leniwym paluszkiem nie poderwiesz. Możesz iść, jak chcesz, ale do łazienki. Weź ciepłą kąpiel, uspokój się, kochanie, a ja przygotuję coś dobrego na słodko do herbatki. Nim się jednak rozebrał, to go wciągnęłam do łóżka i jakoś się pogodziliśmy. Zagrałam na jego męskiej ambicji. To zawsze skutkuje. No i został do dziś, a ładnych parę lat minęło od tamtej pory... — dodała z westchnieniem, które równie dobrze mogło oznaczać znużenie, jak i tryumf.
— Ja tak nie potrafię i nawet bym nie chciała... — przyznałam się. — Cóż to za satysfakcja kogoś na siłę trzymać, szantażować. Gdzie tu miejsce na przyjaźń, na jakiekolwiek uczucia...
— Uczucia? — zdumiała się. — A ileż ty masz lat? W naszym wieku nie szuka się już miłości i uniesień, a człowieka na stare lata. Sama widzisz, jak czas ucieka. Później będzie już całkiem trudno coś znaleźć dla siebie. Miłość i tak z latami ulatuje, rozpływa się jak zapach perfum, a inne rzeczy więdną jak sałata bez wody. Pozostaje jednak kawałek mężczyzny, który może już nie do łóżka z tobą pójdzie, ale do kina, na spacer, coś w domu naprawi, zrobi zakupy, w kolejce do apteki postoi, ciasto na placek wyrobi. Pamiętaj, że im chłop bliższy końca swojej męskości, tym lepiej lubi zjeść i pospać. Żadna blondynka czy brunetka nie zrobi na nim takiego wrażenia, jak dobrze przyrumieniony kurczak po polsku z nadzionkiem i sałatą...
— Bardzo to smutne... — popatrzyłam na Kostyrównę ze współczuciem. — Daje ci zadowolenie taki związek?
— Trzeba lubić, co się ma, bo mogłoby być jeszcze gorzej — dokończyła z westchnieniem i spojrzała na zegarek.
— Zabieram cię na kolację do siebie — powiedziałam spontanicznie. Wydała się przegrana, oszukująca samą siebie i bardziej samotna niż ja. Wciąż jeszcze w coś wierzyłam, na coś czekałam. Nie opuściły mnie tak całkowicie złudzenia, potrafiłam jeszcze nawet marzyć. Mimo wszystko moje życie nie było tak puste, jak jej, i wyprane z piękna i złudzeń.
— Zrobiło się późno, a ja ciotkę zostawiłam tylko na godzinkę. Pewnie się zamartwia, czy mi się coś nie stało.
— Zatelefonuj do niej.
— Nie ma telefonu — popatrzyła na mnie jakoś bezradnie. Ożywienie zniknęło bez śladu i Kostyrówna postarzała się o kilka lat.
Odprowadziłam ją pod sam nieomal dom ciotki. Stał prawie na peryferiach miasta, jednopiętrowy, szary, z odrapanym tynkiem i smutny jak sama starość. Umówiłyśmy się, że gdy następnym razem przyjedzie do Kuczebina, a miało to nastąpić za parę tygodni, odwiedzi mnie i nawet

może zatrzyma się u mnie przez kilka dni, bo, jak powiedziała, nie zdążyła jeszcze o wielu rzeczach opowiedzieć, które mnie z pewnością zainteresują, a dotyczą Lizy. Często ją widuje w drodze do pracy, a jej koleżanka z ministerstwa zna bardzo dobrze jej rodzinę i opowiada rzeczy, które z pewnością powinny mnie ucieszyć.

— Nie interesuje mnie Liza ani jej sprawy — powiedziałam szybko, żeby nie zaczęła na ten temat rozmowy.

Popatrzyła na mnie z niedowierzaniem.

— Przecież odbiła ci faceta.

— No to co z tego? — wzruszyłam ramionami. — Gdyby facet nie chciał, toby się jej to nie udało — dodałam z mimowolnym westchnieniem.

— Ja bym jej do śmierci tego nie zapomniała i nie darowała!.— obruszyła się poruszając niecierpliwie dłonią w kremowej rękawiczce, pasującej do jasnego płaszcza. — Ale ty byłaś zawsze ciepłe kluchy! Nawet w szkole brałaś winę na siebie.

— Każde z nas zawiniło w tej sprawie — starałam się być obiektywna. — A dziś nie ma to już żadnego znaczenia.

— Bronisz go! — wykrzyknęła. — I dlatego nie wierzę, że jest ci to obojętne. Wciąż go kochasz! — popatrzyła na mnie przenikliwie.

— Porozmawiamy o tym przy innej okazji — wyciągnęłam do Kostyrówny rękę. — To temat na dłuższą rozmowę i nie na ulicy. Przyjedziesz do mnie, to pogadamy...

Pożegnałyśmy się mniej wylewnie, niż się witałyśmy.

Po przelotnej ulewie rozjaśniło się. Powietrze stało się świeże, pachnące zrudziałą zielenią drzew ciągnących się wzdłuż ulicy Studziennej.

Cieszyłam się myślą o powrocie do domu i odetchnęłam z ulgą, że Kostyrówna nie mogła skorzystać z mego spontanicznego zaproszenia. Nie chciałam roztrząsać z nią spraw związanych z Piotrusiem i Lizą. Potrafiła wszystko spłaszczyć, pomniejszyć, obrzydzić. Do wszystkiego i wszystkich przykładała własną miarkę. Nie była człowiekiem złym, ale głęboko nieszczęśliwym, zakompleksionym, chociaż nie zdawała sobie z tego sprawy, a może nie chciała się do tego przyznać nawet przed sobą.

Odetchnęłam z ulgą także i z innego powodu. Mogła ją spotkać nie zamierzona przykrość ze strony Busia. Zwłaszcza że, pozbawiona poczucia humoru, łatwo się obrażała. Busio nigdy nie darzył jej sympatią i był rozbrajający w swojej szczerości. Twierdził, jeszcze za naszych narzeczeńskich czasów, że ilekroć na nią patrzy, gdy słucha jej paplaniny, to coraz bardziej utwierdza się w przekonaniu, że kobieta nie ma duszy, a jedynie narządy płciowe. Mogłam się także obawiać, że i Kostyrówna, która trochę się bała, a trochę lekceważyła Busia, może powiedzieć lub zrobić coś, czego bym sobie nie życzyła.

*

Późnym popołudniem listonosz na rowerze przywiózł polecony expres od Ewy.

Busio rzucił się na niego jak wygłodzony sęp na zdobycz. Przebierał niespokojnie nogami, gdy wyjęłam mu go z rąk i rozerwałam kopertę z różnymi zabawnymi naklejkami w postaci serduszek, wianuszków z niezapominajek, czarnych kotów. A wszystko to miniaturowe, kolorowe i połyskliwe.

„Droga Maa i Bu, u nas wciąż leją deszcze..." — zaczęłam głośno czytać, a Busio zrobił uwagę, że u nas także leje, i nic z tego nie wynika, i że kobiety zawsze zaczynają od spraw najmniej ważnych.

— Nie przerywaj! — żachnęłam się niecierpliwie.

Busio westchnąwszy usiadł z rezygnacją na krześle, dopytując się, czy są jakieś rysunki.

— Nie ma żadnych — obejrzałam zapisane karteczki i powróciłam do przerwanej lektury, ale Busio zapytał raz jeszcze, czy jest tam coś o nim albo specjalnie do niego adresowane.

— Przecież dopiero zaczęłam czytać. Skąd mogę wiedzieć, co jest w środku!? — zniecierpliwiłam się.

— To ja w takim razie idę do swoich zajęć! Nic tu po mnie... — westchnął rozżalony. Wyniósł się ostentacyjnie z pokoju, aby jeszcze odwrócić się przy samych drzwiach i oznajmić, że jak będzie coś o nim, to żebym nie zapomniała przynieść mu listu. On to przecież zajmuje się korespondencją z Ewą i, na dobrą sprawę, powinien go pierwszy przeczytać.

Wzruszyłam bez słowa ramionami i powróciłam do tego, o czym pisała Ewa. Przez cały nieomal czas lektury widziałam przed sobą ojca, a nie ją, tak wiele było tam z jego osobowości i humoru.

„...U nas wciąż leją deszcze, Siasio się przeziębił i też leje, ale w łóżko, a Brysio od dwu dni ma zaparcie. Na dodatek przygarnęliśmy kota z przetrąconą łapą i uciętym ogonem. Prawdopodobnie uciekł komuś i się zagubił, bo tu nie ma bezdomnych zwierząt tułających się po ulicach. Kot jest wyjątkowo mądry i dziaduś byłby nim z pewnością zachwycony, bo leje do zlewu, a nie w piasek... Do tego wszystkiego mam na głowie zbliżający się termin wystawy moich prac w Sztokholmie, a tu przyplątała się do mnie grypa, czy inny syf, bo inaczej trudno to nazwać. Temperatura mała, ale ból głowy i katar taki, że chyba już wysmarkuję mózg.

Cała moja radość w łóżku, bo od czterech dni w nim leżę, to listy od Twego Busia. Co za talent! Co za wyobraźnia i poczucie humoru! Maa, Ty masz skarb w domu, a właściwie mennicę pieniędzy, tylko sama o tym nie wiesz, a i on chyba także. To artysta całą gębą! Leżąc obłożyłam się teczkami, w których przechowuję te jego rysunkowe listy, i mam świetny ubaw. Każdy list od Busia jest czymś w rodzaju miniaturowej wystawy z bieżącej kroniki życia rodzinnego. Wprawdzie Ty, Maa, jesteś za każdym razem inaczej przedstawiona, i to w zależności od swoich humorów i różnych życiowych sytuacji. Tak naprawdę to cię dopiero poznaję przez te właśnie listy. Przepadam za nimi! Raz jesteś aniołem z aureolą nad głową i strzykawką w ręce, a raz wiedźmą wylatującą przez komin na miotle z rozwianym włosem i takim gołym cycem, że hej! No i jest jeszcze ten Twój dawny Piotruś. Pojawia się coraz częściej w Busiowych rysunkach, co mnie trochę niepokoi, zwłaszcza że nic o nim nie wspominasz. Raz jako diabeł-kusiciel z wężem w ręce, a wąż trzyma transparent z napisem: „Asmodeusz", albo jako rozsierdzony pies-kundel, goniący za rudą suczką z podwiniętym ogonkiem i bardzo nieszczęśliwą miną. Ta suczka ma w sobie coś ludzkiego..."

List był długi, pismo trochę koślawe i czasem poszczególne słowa nie do odczytania. Widać było, że pisze w pośpiechu i w łóżku, na podłożonej pod papier książce, jak to jeszcze dawniej było w jej zwyczaju.

Ogarnął mnie śmiech i jednocześnie złość na Busia, że tak dokładnie, za moimi plecami, informuje Ewę o wszystkim, co dotyczy mnie, i że oboje wiedzą o mnie więcej, niż ja sama o sobie. Doznałam również przykrości, że Busio tak bezceremonialnie wtargnął w moje życie, pociągnął nawet ze sobą Ewę, jak robił to kiedyś mój ojciec.

— Dobrze mi tak! — mruknęłam mściwie do siebie. Zawsze muszę brać sobie na głowę to, co przypłynie do mego brzegu, nie myśląc o konsekwencjach. Ta moja impulsywność jeszcze mnie kiedyś zgubi, jeśli już nie zgubiła! — pomyślałam ze wściekłością na samą siebie za głupotę, za działanie pod wpływem chwili. Postanowiłam zaraz, natychmiast rozmówić się z Busiem. Po trosze przestawałam czuć się swobodnie w moim własnym domu.

Wtargnęłam jak burza do kuchni. Tam go nie znalazłam. W innych pomieszczeniach, a także i w ogrodzie, ani śladu Busia. Na koniec zastukałam do jego pokoju, w którym się zazwyczaj zamykał na klucz, dając tym do zrozumienia, że nie życzy sobie nieproszonych osób. Byłam w nim tak rzadkim gościem, że już nawet nie pamiętałam, jak go sobie, według własnego gustu, urządził i co jeszcze od mojej ostatniej w nim bytności zmienił. Zapamiętałam jedynie, że znajdowało się w nim kilka moich starych waliz, które nigdy tam nie stały. Możliwe, że przechowywał w nich swoje prace.

— Czego? — usłyszałam po długiej chwili ciszy niezbyt przyjazne pytanie.

— Otwórz.

— Za chwilę, dziecko... — odpowiedział z namysłem, a może z ociąganiem w głosie.

Przez moment słyszałam jego szybkie kroczki po pokoju, przesuwanie krzesła, a może tych właśnie waliz lub sztalug, przekręcanie klucza w szafie.

Powoli odchodziła złość, ogarniała ciekawość pomieszana ze smutkiem. Żyliśmy pod jednym dachem jak ludzie zupełnie sobie obcy, a przecież kiedyś tak irracjonalnie i po dziecinnemu go kochałam. Dlaczego wówczas nie potrafił, nie chciał tego dostrzec?

Wzruszyłam ramionami. Nie warto było zastanawiać się i rozmyślać teraz o sprawach przebrzmiałych i jeszcze bardziej z oddalenia niezrozumiałych.

— No i co, smarkata? — ukazał w szparze drzwi nic nie mówiącą twarz, z tym dawnym, chytreńkim uśmieszkiem Azjaty.

— Dlaczego tak się barykadujesz?

— Z przyzwyczajenia, dziecko — otworzył szerzej drzwi i wpuścił mnie do środka.

Rajzbret pokrywały rozłożone arkusze białego papieru, sztalugi stały puste i wsunięte w kąt, na stoliku przy tapczanie leżała rozłożona książka do nabożeństwa. Walizy nakryte krzywo dywanikiem, jakby zrobiono to przed chwilą, w pośpiechu.

— Miło mnie ciebie gościć, nigdy tu nie zaglądasz... — wskazał trochę oficjalnym gestem jedyne krzesło.

Usiadłam i nie wiedziałam, w jaki sposób zacząć rozmowę. Uświadomiłam sobie, że tak naprawdę, to nie mam Busiowi nic konkretnego do zarzucenia. Sama dobrowolnie zgodziłam się, aby prowadził z Ewą tę swoją rysunkową korespondencję. Nawet nie byłam jej zbytnio ciekawa i byłoby śmieszne, a nawet żenujące, abym obrażała się za to, że widzi mnie może nie tak, jakbym sobie tego życzyła, i że zbyt interesuje się moim osobistym życiem. Miał prawo do własnych wizji i obserwacji, chociaż ta biegnąca suczka, o której wspomniała Ewa, dotknęła do żywego. Pomyślałam samokrytycznie, że człowiek jednak najbardziej skłonny jest obrażać się za prawdę o sobie, najbardziej boli odkrycie jej i uświadomienie przez osoby trzecie. W tym rysunku było coś z prawdy o mnie. Postanowiłam być ponad to wszystko. Przezwyciężając opory, uśmiechnęłam się do Busia.

— Chciałeś przeczytać list Ewy, więc go przyniosłam — podawałam mu równo złożone karteczki.

— Przeczytam później — uśmiechnął się także, wodząc wzrokiem po pokoju, jakby chciał się upewnić, czy pochował wszystko to, co chciał ukryć przede mną.

Doznałam uczucia przykrości, że ma więcej zaufania do mojej córki, niż do mnie, że nie uważa mnie za równorzędnego partnera do rozmów o swojej sztuce, ale i w tym byłam trochę niesprawiedliwa. Do wszystkiego, co robił, miałam trochę lekceważący, pobłażliwy stosunek i to się teraz mściło.

— Dlaczego przykryłeś swoje rysunki na rajzbrecie? — starałam się mówić lekkim, przyjaznym tonem. Zdałam sobie nagle sprawę, że właśnie to sprawiało mi w tej chwili największą przykrość. Nie bardzo nawet rozumiałam, dlaczego. Przebywaliśmy z Busiem w dwu różnych światach i nigdy dotąd nie było mi przykro, że mnie do swego nie zapraszał, bo i ja nie chciałam go widzieć w moim.

— Et, takie tam nędzne szkice i rysuneczki! Jak coś namaluję dobrego, to ci pokażę — wciąż uśmiechał się nieszczerze.

— Na sztalugach też miałeś jakąś pracę.

— Głupi szkic. Nie chciałem, żebyś go widziała.

— Ale ja bardzo chcę go zobaczyć! — upierałam się, sama nie wiedząc dlaczego, bo tak naprawdę, czułam się w tym pokoju jakoś nieswojo. Trochę obco i z poczuciem winy. Wprowadzało mnie to w stan rozdrażnienia, gdyż nie potrafiłam tego skonkretyzować.

— Nie ma nic do oglądania — Busio spoglądał na mnie z namysłem, jakby się zastanawiał, czy należy mi go pokazać, czy też nie.

— Ale dlaczego, jeśli cię o to proszę?

— Taż ja, dziecko, Azjata! — roześmiał się, łyskając nowym garniturem zębów. — Nie lubię ujawniać swoich myśli i uczuć.

— Pewnie dlatego nigdy tak naprawdę ze sobą nie rozmawialiśmy i nie rozmawiamy! — odpowiedziałam spontanicznie i podniosłam się z krzesła z zamiarem opuszczenia pokoju. Poczułam się upokorzona, niepotrzebna tutaj i chciałam jak najprędzej wrócić na piętro do siebie.

Busio musiał wyczuć mój nastrój i widocznie zależało mu na tym, abym pozostała i może nawet obejrzała jego prace. Nagle zdecydował się pokazać szkic.

— To taki dowcip rysunkowy... — usprawiedliwiał się. — Lubisz zwierzęta, więc naszkicowałem psa. Dużego podwórzowego kundla — tłumaczył jakoś niepewnie i zawile, otwierając szafę z klucza. Wyciągnął z niej sporych rozmiarów karton. Odwrócony do mnie plecami, w granatowej koszuli w białe i drobne końskie łby, ustawiał go na sztalugach powoli, niechętnie. Jakby z ociąganiem odsunął się na bok, spuszczając oczy jak winowajca.

Patrzyłam na świetny rysunek zrobiony czarną kreską na białym tle i już w niektórych fragmentach podbarwiony pastelami, a serce waliło mi głośno i nierówno. Czułam, jak powoli krew napływa mi do twarzy i nie mogłam nad tym zapanować, chociaż wiedziałam, że Busio obserwuje mnie spod oka.

W głębi, na brzeżku tapczanu, w skromniutkiej pozie, z dłońmi w małdrzyk, siedziała młoda, szczupła kobieta o długich nogach, w powiewnej, zsuwającej się z ramion sukni. Z twarzy i sylwetki przypominała mnie. Tyle tylko, że wyidealizowaną i młodziutką. Na pierwszym planie, przy uchylonych drzwiach, stał duży pies trzymający coś w pysku. Tyłem do psa, a blisko młodej dziewczyny, lotnik w angielskim mundurze, z wyrwanym kawałkiem spodni na tyłku.

Rysunek był tak sugestywny i przejrzysty, że co do treści a także intencji autora nie było żadnych wątpliwości. Aluzja do mnie i Piotrusia była oczywista. Nic dodać, nic ująć.

— Świetny rysunek — powiedziałam nieswoim głosem, chociaż starałam się mówić beztroskim tonem. — Nie rozumiem tylko, dlaczego nie chciałeś go pokazać? — kłamałam i Busio o tym wiedział. A także i to, że trafił w dziesiątkę.

— No to lu, kasztan do wody! — zacytował swoje dawne, ulubione powiedzonko. — Taż ja, dziecko, jestem zazdrosny o swoją żonę i męczę się jak potępieniec. Nie jestem ślepy! Widzę, co się święci, a nie mogę, nie mam prawa o ciebie walczyć. Jestem nędzarzem, nic nie mam do zaofiarowania... — głos mu się łamał, przyśpieszony oddech utrudniał mówienie. — Taż ja mam swój honor i nie jestem takim wariatem, za jakiego mnie zawsze uważałaś... — Busio nagle urwał, coś jeszcze mamrocząc pod nosem, i nakrył rysunek kawałkiem szmaty, uśmiechając się jakoś półgębkiem, z widocznym zażenowaniem.

Przyglądałam się jej z rosnącym niepokojem i zdumieniem. Rozpoznałam fragment mojej letniej spódnicy w drobne kolorowe kwiatuszki na czarnym tle. Od lat jej wprawdzie nie nosiłam, ale trzymałam przez głupi sentyment do przeszłości. Był to angielski kreton z czasów „Lotniskowca" — prezent od Piotrusia.

— Coś ty zrobił z moją spódnicą!? — wykrzyknęłam.

— Pociąłem — usłyszałam spokojną, lakoniczną odpowiedź. — Nigdy tej kiecki nie lubiłem. Pociąłem także dwie nocne koszule — przyznał się z rozbrajającą szczerością i zaproponował, że przyniesie mi herbaty, bo wyglądam na zdenerwowaną, a nic tak dobrze nie robi na samopoczucie jak „czaj" — powiedział miękkim akcentem, wynosząc się z pokoju, jakby nic nigdy nie zostało powiedziane. Widocznie nie oczekiwał żadnej odpowiedzi.

Odetchnęłam z ulgą i podreptałam za nim do kuchni z własnej, nieprzymuszonej woli, myśląc o tym, że życie jest tak pełne niespodzianek, jak bywa rój os zawieszony na starym drzewie, i nigdy niczego nie można przewidzieć. Nawet własnych reakcji.

*

Mój wyjazd na urlop, który chciałam połączyć z nauką jazdy, wciąż się przesuwał w terminie. Przypominało to mój wyjazd po operacji do sanatorium.

W najpiękniejszych miesiącach letnich w ogóle o nim nie myślałam. Ogród kwitł kolorowo, pachniał i nie bardzo miałam ochotę gdziekolwiek się z niego ruszać. Spędzałam w nim wszystkie wolne od szpitalnych zajęć dnie. Czytałam książki, grzebałam się w ziemi przy kwiatach, obserwowałam niezliczoną ilość gnieżdżących się tu ptaków. Zadomowiły się w drzewach i gęstych żywopłotach z nie znanych mi krzewów i dzikich róż. Busio dokarmiał je różnymi ptasimi specjałami. Któregoś dnia, jeszcze w ubiegłym roku, przydźwigał grubą książkę z dziedziny ornitologii i oznajmił, że wstawił ten wydatek do domowego budżetu, w rubryce: „wydatki na żarło", ponieważ dotyczy również ptasiego pożywienia.

— Jak chcesz, żeby się tu zagnieździły na stałe, to trzeba sypać im różną karmę dla różnych gatunków. Osobiście czniam na ptaki, ale zauważyłem, że ty, smarkata, lubisz to ćwierkające bractwo, więc postanowiłem rozpracować je naukowo... — oznajmił i zaczął zakładać w ogrodzie karmniki.

Miałam ochotę załatwić wczasy na drugą połowę września, ale wtedy właśnie nadeszła depesza od Zabielaka, że zwalają się do mnie w siódemkę na trzy wolne od pracy dni. Wypadły akurat w tym terminie. Trzeba więc było znów przesunąć wyjazd i przygotować dom na przyjęcie gości.

Busio złapał się za głowę.

— Taż my, dziecko, nie mamy ich wszystkich gdzie położyć! — zatrwożył się. — I spokój domu zakłócą, i diabli wiedzą, co z tego może wyniknąć.

— Przywiozą dmuchane materace i pledy, bo tak się umawialiśmy, a pomieszczeń jest tyle, że nikomu nikt wadzić nie będzie.

— To ja się wyprowadzam! — oznajmił kategorycznym tonem i włosy mu się na głowie zjeżyły, co wyglądało dość niesamowicie. — Nie na moje nerwy dom pełen gachów! — wykrzyknął.

— Czyś ty do reszty zwariował? O czym ty mówisz? Jakie znów gachy! To moi dobrzy, starzy koledzy i nic poza tym — tłumaczyłam się niepotrzebnie, przestraszona, że Busio spełni swoją groźbę. Perspektywa gotowania i pieczenia na taką ilość osób przerażała. Odzwyczaiłam się od gospodarowania i, tak na dobrą sprawę, nie bardzo się nawet orientowałam, co mamy w domu z zapasów, a czego nie, i co należy zakupić i przygotować.

— Dokąd pójdziesz?

— Przeniosę się na te dni pandemonium do stadniny. Pan Sebastian, chociaż dyrektor, przyzwoity człowiek i krajan. Wciąż telefonuje, kiedy znów się u nich pokażę i posiedzę dłużej. Klacze za mną tęsknią... — westchnął żałośnie i oczy zaszkliły się podejrzanie.

— Wobec tego będę musiała poprosić panią Władzię, żeby pomogła mi w kuchni. Może nawet uda mi się ją namówić, żeby zanocowała... — westchnęłam także, czekając, co z moich słów wyniknie.

— Żadne takie! — wykrzyknął. — Żadnych bab w kuchni! Zrobi taki bardak, że się z rozumem nie pozbieram, i jeszcze jakąś francówkę przywlecze. Nie dość, że goście, to jeszcze syfilis w domu! — denerwował się biegając nerwowo na cienkich nóżkach.

— Więc zostań. Nie dam rady sama!

— Taż ja, dziecko, nie mogę! Nerwówki dostanę, jak będę musiał na tych facetów patrzeć, grzecznie się uśmiechać, kiedy miałbym ochotę wszystkich ich zbiorowo wykastrować — zerknął na mnie z ukosa i dalej biegał po pokoju.

— Wobec tego jutro w szpitalu porozmawiam z panią Władzią. Z pewnością chętnie sobie zarobi.

— Nie zrobisz mi tego! — zaskowyczał i przez moment wpatrywał się we mnie z namysłem, jakby się nad czymś zastanawiał.

Słońce przedarło się zza chmur, rozjaśniło pokój, ukazało cały jego urok. Wciąż jeszcze dom był moją miłością, cieszył każdym drobiazgiem, każdą słoneczną plamą na podłodze.

— Muszę — wzruszyłam ramionami, myśląc jednocześnie o tym, że Topsi nigdy nie zobaczy mego pięknego domu i nawet mu do głowy nie przyjdzie, w jakim luksusie mógłby mieszkać.

— Wobec tego pójdę na ustępstwo — westchnął ciężko i opadł na fotel z miną męczennika. — Nagotuję żarcia na kilka dni, upiekę ciasto i nawet desery wsadzę do zamrażalnika, ale w piątek pojadę do stadniny i wrócę w poniedziałek rano.

— Musisz?

— Muszę, dziecko. Mam pewien plan do zrealizowania. Potrzebuję do niego trochę szkiców porobić i takie różne... Chcę ci zrobić niespodziankę. Ale co ja ci będę tłumaczył! I tak tego nie zrozumiesz — zmienił nagle ton, jakby w obawie, że już i tak za dużo powiedział.

— Tylko bez niespodzianek! — krzyknęłam przypomniawszy sobie ogród po niespodziance Wykolejeńca i grabarzy. Bałam się także i Busiowych pomysłów. Fantazję miał przerastającą moje możliwości percepcji.

— Czego ty się, dureńku, boisz? — złagodniał nagle. — Coś kiedyś wspomniałaś o kupnie obrazów, a ja mam lepszy pomysł, jak wyrzucanie pieniędzy na współczesne barachło. U tych artystów to się przecież gówno z mózgiem tryka! Czy ty tego nie widzisz?

— Nie — odpowiedziałam spokojnie, ale tematu nie podjęłam. Pomyślałam sobie, że niech maluje, jak mu to sprawia radość. Najwyżej nie powieszę na ścianie, jeżeli nie będą mi się podobały.

Wkrótce po wizycie gości, którą mogłam zaliczyć do wyjątkowo udanych, chociaż trochę męczących, Busio zachorował na grypę z powikłaniami. Wyjazd na wczasy należało znów odłożyć. Wprawdzie dość szybko dochodził do zdrowia, był jednak osłabiony, czuł się psychicznie nie najlepiej, więc odkładałam decyzję wyjazdu z tygodnia na tydzień, bojąc się zostawić go własnemu losowi. Pod koniec października, zorientowałam się, że muszę go wykorzystać do końca roku, a także i należne mi dni za dyżury.

— W listopadzie wyjeżdżam nieodwołalnie na urlop — oznajmiłam Busiowi przy najbliższej okazji, gdy piliśmy popołudniową herbatę z malinowymi konfiturami.

— To bardzo dobrze, dziecko — wyraźnie się ucieszył. Byłam tym trochę zaskoczona. Nie lubił, gdy ruszałam się z domu, a dłuższy wyjazd uważał za dopust Boży i wpadał w zupełną histerię, wynajdując przeróżne preteksty, aby mój wyjazd przynajmniej opóźnić.

— A kiedy i dokąd?

— Byłoby mi najwygodniej, ze względu na układy w szpitalu, w drugiej połowie miesiąca. Dokładnie jeszcze nie wiem, gdzie. W każdym razie pod Kraków. — Szukałam w pamięci nazwy miejscowości wczasowej, którą zachwalała koleżanka. — Chciałabym tam zrobić kurs samochodowy.

— Et, dureń jesteś! — zniecierpliwił się. — Po co ci samochód? Utrzymanie drogo kosztuje, w warsztatach oszukują, a i sama sobie jakiegoś nieszczęścia narobisz.

— To już postanowione! — wtrąciłam. — Nie jestem tylko pewna, czy o tej porze roku będą tam jakieś kursy. Muszę się dowiedzieć.

— Znaczy się, zrezygnujesz z wyjazdu, jak ich nie będzie? — zmarkotniał i unikał mego wzroku.

— Widzę, że chciałbyś się mnie pozbyć z domu — spojrzałam na niego ze zdziwieniem.

— Et, głuptas! — kręcił się niespokojnie na fotelu. — Tyle tylko, że niespodzianka musiałaby się przesunąć w czasie, a ja chciałbym, żeby i Ewa ją sobie obejrzała... — dodał z ociąganiem.

— Ewa? — zdumiałam się. — Już od dawna nie mam od niej wiadomości. Kilka razy usiłowałam zatelefonować, ale trzeba kilka godzin stracić na wykręcanie numeru kierunkowego. Nie mogę przecież siedzieć od świtu do nocy przy aparacie.

— Był list — wydukał po chwili cichutko, jakby chodziło o jakąś wstydliwą sprawę.

— I dopiero teraz mi o tym mówisz. Kiedy? — odsunęłam na bok filiżankę z herbatą, żeby nie była w zasięgu mojej ręki i za moment nie znalazła się z trzaskiem na podłodze, chociaż rzucanie porcelaną nie należało do moich zwyczajów.

— Dość niedawno, adresowany do mnie i bardzo króciutki. Nie chciałem ci mówić, bo to też miała być niespodzianka... — spojrzał na mnie spłoszonym wzrokiem. — I jeszcze nic pewnego, czy się uda...

— Za dużo tych niespodzianek! — mruknęłam. — Mów, o co chodzi? — krzyknęłam zniecierpliwiona. — Jak mogłeś nie pokazać listu! Co wy tam razem knujecie?

— Przykazała, żebym ci nic nie wspominał, a ja się wypaplałem. O, i teraz kłopot!

— Ja chyba w tym domu zwariuję! — denerwowałam się coraz bardziej. — Rodzona córka przeciw mnie! Mów, o co chodzi!

— Prawdopodobnie przyjadą na święta Bożego Narodzenia, ale to jeszcze nic pewnego — zastrzegł się. — I dlatego byłoby dobrze, żebyś pojechała trochę odpocząć, a ja zajmę się wszystkim, co trzeba, i może nawet zdążę na czas z niespodzianką... — tłumaczył, uśmiechał się, uciekał oczami na boki.

— I dopiero teraz o tym mówisz?

— Nie chciałem, żebyś się rozczarowała. A nuż nie będą mogli w tym terminie przyjechać? Zdaje się, że Ewa jest w ciąży... — chrząknął i podniósł na mnie wystraszone oczy, jakby to on był tego sprawcą.

— I ja się, oczywiście, dowiaduję ostatnia! Do tego już doszło — wlepiłam w niego oczy. — A skąd wiesz, pisała ci o tym?

— No, nie... Wyraźnie to ona o tym nie pisała. Nawet w ogóle nic na ten temat nie wspomniała. Mnie się jednak widzi, że ona z farszem chodzi...

Pomyślałam, że Busio zwariował. Że znów trzeba będzie, zamiast pojechać na wczasy, zaprosić Józka i zająć się leczeniem. Ręce mi opadły. Byłam bliska płaczu. Wszystko wciąż się komplikowało.

— Tylko się nie denerwuj, smarkata! Ja nie zwariowałem, ale mam malarskie oko.

— Co do tego ma twoje malarskie oko? Mów wreszcie wyraźniej, bo nie odpowiadam za siebie!

— Ty wiesz, że ona mi przysyła rysuneczki. Nu, można powiedzieć, że się nimi wymieniamy, jak, nie przymierzając, chłopcy znaczkami pocztowymi. Na jednym takim ładniutkim Ewa narysowała coś w rodzaju swego portretu — rozpromienił się, mrużąc z zachwytu oczy. — W tle fotela, w seledynach i złocie, wybłyskują same oczy. Nu, ja tylko spojrzał i wiedział, że to jej oczy. Wszystko niżej jest tylko balonowatą wypukłością. — Busio zamilkł i spojrzał na mnie niepewnym wzrokiem.

— I z tego wnioskujesz, że jest w ciąży? — uspokoiłam się, chociaż nic bym przeciwko nowemu wnukowi nie miała. Dom był duży i wciąż czekał.

— Nawet w abstrakcji jest jakaś logika, a twoja Ewa, ten siusiumajtek, jest logiczny, aż dziw bierze, bo na ogół baby są jej zaprzeczeniem. Wszystko się u nich kupy nie trzyma, a jak dać im to do zrozumienia, to wpadają w histerię albo mówią, że się jest sadystą... — zamyślił się. — Więc tak mi się wydaje, że te wypukłości nie są przypadkowo podkreślone. One coś znaczą... — chrząknął i przyglądał mi się przez zmrużone rzęsy.

— No i dobrze — powiedziałam. — Byleby tylko przyjechali...

— Nic jej na ten temat nie pisz. I o tym, że wiesz o liście i ewentualnym przyjeździe na święta.

— Dobrze — skinęłam głową i pomyślałam, że w życiu wciąż mnie coś zaskakuje. Nigdy bym nie przypuszczała, że Ewa z Busiem nawiążą kiedykolwiek tak serdeczny kontakt. Wyglądało na to, że się świetnie rozumieją w nieuchwytnej dziedzinie sztuki — w barwie, ruchu i inności widzenia świata.

Rozdział 8

Spadł pierwszy śnieg.

Był dopiero początek listopada. Należało się spodziewać, że niezbyt długo utrzyma się na krzewach i trawnikach okalających szpitalne budynki. Dookoła pojaśniało, wprowadziło wszystkich w lepszy nastrój. Dały się we znaki ostatnie deszczowe tygodnie. Zimne, mokre, tonące w szarości i mgłach. Nawet chorzy stali się jak gdyby pogodniejsi, mniej przygnębieni dolegliwościami. Podchodzili do okien, patrzyli na oszronione drzewa, uśmiechali się. Mówili o tym, że nieoczekiwanie zrobiło się na świecie biało i tylko patrzeć, kiedy zacznie się adwent i nadejdzie Boże Narodzenie. Dla mnie stało się ono również pełne nadziei, chociaż bałam się cieszyć przyjazdem Brysiów, żeby znów nie mieć rozczarowań. Jednak wciąż powracałam myślą do tej radosnej nowiny. Obmyślałam prezenty gwiazdkowe, wyobrażałam sobie, jak szczególnie pięknie ubiorę tego roku choinkę. Ogromną, do samego sufitu, pośrodku jadalni. Błyszczącą od świecidełek, czekoladek w kolorowych sreberkach. Starałam się także o wcześniejsze, niż poprzednio zamierzałam, „wczasy za kierownicą”, żeby po powrocie nie musieć w ostatniej chwili przygotowywać całego tego świątecznego ceremoniału.

Tego śnieżnego ranka, wkrótce po obchodzie, poproszono mnie do telefonu.

— Zamiejscowa do pani ordynator — oznajmiła z przyjaznym, wieloznacznym uśmiechem siostra Kasia, która przez chwilę szukała mnie na oddziale. Nie usiłowałam nawet zgadywać, kto znajduje się po tamtej stronie drutu. Z całą pewnością wiedziałam, że Piotruś. Od dłuższego czasu narzucał się w myślach. Wiodłam z nim nieme, długie rozmowy, z których nic nie wynikało, poza tym jednym, że nieomal codziennie o nim rozmyślam. Od miesięcy dręczyła nie dokończona z nim rozmowa, jakaś niejasna nadzieja na coś nie skonkretyzowanego, czego nie potrafiłam ująć w słowa, wytłumaczyć sobie, zrozumieć. Wywoływało to złość i niechęć do samej siebie. Poza pracą w szpitalu, wynajdywałam dziesiątki różnych zajęć, aby coś nimi w sobie stłamsić, nie dopuścić do głosu.

Stałam się niecierpliwa i rozdrażniona. Nie mogłam znaleźć sobie miejsca w ogromnym domu. Wpadałam w irytację, gdy coś nie układało się według mojej myśli. Nawet Busio zauważył mój zły nastrój i pobudliwość. Ilekroć zapytał, co mnie gnębi, tłumaczyłam, że na to moje złe samopoczucie wpływa ciągła zmiana ciśnienia, na które od pewnego czasu źle reaguję. Nie była to jednak cała prawda i Busio to prawdopodobnie wyczuwał. Musiał mieć na temat moich humorów jakąś inną, własną teorię. Obserwował mnie bacznie, wzdychał markotnie po kątach, krzyczał bez widocznej przyczyny na Hioba.

Któregoś wieczora, przy kolacji, napomknął niby to żartobliwie:

— Ja ciebie, smarkata, tak „na priglatku", jak w tym rosyjskim dowcipie o kawałku cukru do herbaty wiszącego pod lampą, a ty myślami daleko, ot co!

Piotruś mówił szybko, na przydechu, jakby w obawie, że odłożę słuchawkę, a on nie zdąży powiedzieć wszystkiego, co miał do powiedzenia.

Zaczął od tego, że zburzyłam jego spokój tym, co powiedziałam wówczas w „Krokodylu". Muszę go wysłuchać, dać odpowiedź na kilka pytań, porozmawiać, jak człowiek z człowiekiem, bo nie tylko on ponosi winę za to, co się stało, a stało się źle i on tak dłużej już żyć nie potrafi i nie chce. Raz więc jeszcze prosi o spotkanie. Przysięga, że od paru miesięcy nie wypił żadnego „drinka", a jeśli będzie trzeba, to pójdzie na „odwykówkę", chociaż jest to zbyteczne. Nie jest z nim aż tak źle, jak to mówią plotki, które już z pewnością do mnie dotarły.

— Nie jest to rozmowa na telefon — przerwałam krótko potok wymowy, uświadomiwszy sobie zbyt późno, że telefonistka w centralce z pewnością słucha naszej rozmowy z nastawionymi uszami i nie zatrzyma jej przy sobie. Nasze środowisko, jak się zdążyłam przekonać, było wyjątkowo plotkarskie, a ja już od dawna wystarczająco dużo dawałam powodów do wszelkiego rodzaju komentarzy. Chociażby powiązanie z aferą Wykolejeńca, a teraz i Busio dostarcza tematu na długie zimowe wieczory.

— Zadzwonię do ciebie około szóstej wieczorem. Będziesz w domu?

— Będę! — odpowiedział bez chwili namysłu, a ja bąknąwszy: „to do usłyszenia" — odłożyłam słuchawkę. Na ebonicie pozostał wilgotny ślad kurczowo zaciśniętej dłoni. Serce waliło na alarm.

Gdyby żyła moja matka, stwierdziłaby ze smutkiem, że nie mam ambicji, jeśli po tym wszystkim, co przeżyłam przez Piotrusia, chcę jeszcze z nim rozmawiać, a co najgorsze, myślę o nim. Ojciec miałby także zastrzeżenia. Wyraziłby je tylko w bardziej drastycznej formie.

Zapatrzyłam się przez moment w wirujące za oknem płatki. Leciały teraz ukośnie z deszczem uderzającym o szyby przeszklonego korytarza. Doszłam do wniosku, że nie należy się niczego zarzekać i że samo życie pisze opowieść pełną nieprawdopodobnych i trudnych do przewidzenia sytuacji.

Matka twierdziła, że jest pewien gatunek ludzi, którzy sami ściągają na swoją głowę przeróżne życiowe komplikacje, dziwne wydarzenia, niecodzienne sytuacje, a nawet nieszczęścia, i że właśnie ja do nich należę. Jeszcze w dzieciństwie nazywała mnie „niespokojnym duchem", patrząc z troską w jasnych, naiwnych oczach. Zatęskniłam za nią nagle i boleśnie. Niczego już nie mogłam jej powiedzieć, wytłumaczyć, zwierzyć, sprawić czymś radość. Niewiele jej miała w całym swoim skromniutkim życiu, a gdy zbliżał się czas, w którym mogłaby poczuć się szczęśliwa, dumna ze mnie — musiała odejść.

Powróciłam do gabinetu z tabliczką: „ordynator". Zdążyłam się już do niej przyzwyczaić. Przez pierwsze miesiące napawała dumą i zdumieniem. Moje obecne stanowisko to był karkołomny skok z ulicy Dobrej do tych starych, szpitalnych murów. Spędzałam w nich więcej czasu niż w moim własnym, pięknym domu. Ale też tutaj czułam się potrzebna, kochana przez chorych, ceniona. Lepsza nawet, niż nią byłam w istocie.

Na dzisiejsze przedpołudnie miałam w planie jedną resekcję żołądka, dwie konsultacje na internie, przejrzenie kart chorobowych i podpisanie kilku urzędowych papierków.

Spojrzałam na zegarek. Za niecałe dziesięć minut powinnam znaleźć się w bloku operacyjnym, zacząć mycie rąk. Krążkiewicz był już na sali. W drodze do niej zajrzał do mego gabinetu, żeby się tylko uśmiechnąć, skinąć głową, dać do zrozumienia, że na mnie także już pora.

Sięgnęłam po filiżankę z zimną, nie dopitą herbatą i usiłowałam myśleć tylko o tym, co za kilkanaście minut będę robiła.

*

Busio przywitał mnie wymówkami, że przez mój opóźniony o przeszło godzinę powrót ze szpitala przypaliła się pieczeń, a legumina także „opadła".

— To nie rób legumin! — westchnęłam. Nie było co tłumaczyć, że ludzkie życie zależy czasem od paru sekund, a nie tylko godzin, że w zawodzie lekarskim nie można liczyć czasu od — do i że ja wychowuję nowe kadry w tym właśnie duchu, więc muszę swoją postawą dawać przykład. Tłumaczyłam mu to cierpliwie od samego początku, gdy znalazł się pod moim dachem, ale on uważał, że przy naszym przyroście naturalnym i zastraszającej ilości ludzi starych nie należy znów tak bardzo trząść się nad każdym chorym. Podejrzewałam jednak, że jest to tylko poza, jaką przyjął z sobie tylko wiadomych powodów. Może nawet dlatego, żeby mi czymś dokuczyć, w jakiś sposób odegrać się za to, że nie zaakceptowałam go jako męża. Miał w sobie dużo przekory i czasem lubił uderzyć w najczulszy punkt. Ojciec z pewnością zareagowałby na to swoim ulubionym stwierdzeniem, że u niskich ludzi „serce macza się w gównie" i stąd biorą się złośliwości.

— Przyjąłeś leki? — spytałam odruchowo, siadając do zastawionego stołu. Byłam zmęczona i głodna.

Pomyślałam, że dobrze jest przyjść na gotowy, smaczny posiłek, a Busio w charakterze gospodyni jest nieoceniony, jak stwierdziła także Kostyrówna, nie mająca o nim najlepszego wyobrażenia. Nie wiem nawet, co było powodem, gdy szepnęła mi, że jednak woli go od Piotrusia, chociaż tamten był bardziej „gładki".

— Przyjąłem — odburknął z niezadowoleniem, obserwując mnie spod oka. — Obawiam się tylko, czy te dureńskie pastylki nie zabijają we mnie talentu zamiast wydumanej choroby. Człowiek genialny, z talentem i fantazją jest przez psychiatrów traktowany jako osobnik z odchyleniami od normy, ot co! — złościł się. — A ja się pytam, jaka jest ta norma i kto ją ustala? Geniusz nigdy jeszcze za życia nie był przez tych wszystkich uczonych idiotów bez polotu i fantazji doceniany. A wiesz ty, dziecko, dlaczego? Bo jest na świecie przewaga matołów i miernoty, a geniusz trafia się jeden na ileś tam setek tysięcy ludzi i gdy na takiego trafią, to krzyczą o normie, o chorobie psychicznej. Nie wolno wyrastać ponad przeciętność. To jest zasada. Jak jesteś trochę inny, to młotkiem przez łeb albo do czubków. Jak się kanarek dostanie między wróble, to też go zadziobią, bo jest inny, chociaż także ptak. Weźmy chociażby takiego Leonarda da Vinci... — zaczął lekko podekscytowanym głosem. Dosiadł swego konika.

Wzruszyłam nieznacznie ramionami. Miałam w tej chwili ważniejsze sprawy na głowie niż Leonardo. Wciąż brzmiały mi w uszach słowa Piotrusia, jego niecierpliwość, chęć zobaczenia się ze mną.

Dostrzegł ten mój ruch. Przerwał monolog, popatrzył na mnie z niechęcią i żalem. Dla niego byłam także tylko zwykłym zjadaczem chleba.

— Nie denerwuj się... — bąknęłam, byle coś powiedzieć. Nałożyłam na talerz kawałek pieczeni. Okazała się w smaku krucha i nie przypalona. — Każdy z nas ma jakieś odchylenia. Na dobrą sprawę, wszystkim przydałoby się takie czy inne leczenie, a przynajmniej dłuższy odpoczynek.

Słowo „odpoczynek" zabrzmiało mi jakoś znamiennie i natychmiast skojarzyłam je z dzisiejszym telefonem Piotrusia. Dojrzeliśmy do tego, aby wreszcie doprowadzić do końca nie wyjaśnione między nami sprawy. Brakowało jednej zasadniczej rozmowy. Z dystansem, z przyznaniem się obu stron do popełnionego błędu. Pragnęłam pozbyć się goryczy, pretensji, tkwiącej gdzieś głęboko drzazgi. Ani Liza, ani nie narodzone dziecko nie powinno kłaść się między nas cieniem, mącić wzruszające wspomnienia pierwszej, zielonej miłości. Ocalić coś z tego jeszcze, zachować przyjaźń, jeśli już zaprzepaściliśmy miłość.

— Nad czym się tak zamyśliłaś, smarkata? — dotarł do mnie głos Busia. — Deserek nie tknięty, herbata już też zdążyła ostygnąć — usiłował żartować.

— Ach, o takich różnych sprawach! — zbagatelizowałam, sięgając pośpiesznie po filiżankę z herbatą. — Mam trochę kłopotów w szpitalu. Dwa beznadziejne przypadki... — kłamałam nieudolnie, z poczuciem winy, zła na siebie, że nie mam odwagi wyznać Busiowi całej prawdy, zwierzyć się jak przyjacielowi. Coś mnie od tego wstrzymało. Może świadomość, że sprawię mu niepotrzebnie ból.

Spojrzałam na zegarek. Dochodziła piąta. Pozostała blisko godzina do namysłu i podjęcia jakiejś decyzji. Ale ja wiedziałam już z całą pewnością, że wezmę wolne, nie wykorzystane za dyżury dnie na ten właśnie rzekomy „wypoczynek". W rzeczywistości będzie on spotkaniem z Piotrusiem, a prawdziwy urlop spędzę na wczasach. Skierowanie już miałam w torebce. Jadąc do Zakopanego zostawię cały bagaż w przechowalni dworcowej w Krakowie.

— Dokąd się znów śpieszysz? — zmarkotniał patrząc na mnie podejrzliwie.

— Nigdzie się nie śpieszę.

— To po co patrzysz na zegarek?

— Odruchowo.

— Aha! — skwitował bez przekonania i dalej już żuł z godnością placek z orzechami pełnym kompletem nowych zębów.

Pomyślałam z westchnieniem, że denerwowało mnie, gdy ich nie miał, a teraz denerwuje, gdy już je ma. Znaczyło to, że tak już pozostanie i wszystko, czego by nie zrobił, będzie drażniło. Busio po prostu nie liczył się dla mnie jako potencjalny mężczyzna.

— Jakoś ta twoja pokraka nie telefonuje, nie pisze... — spojrzał na mnie uważnie z uśmiechem, jakby chciał pożartować, czymś mnie rozbawić.

— Jaka pokraka? — udałam, że nie wiem, o kogo chodzi.

— No, ten twój dawny gach, co to latem z kwiatami przylazł i bardzo się rozczarował, że nie byłaś w domu sama.

— Myślisz o Piotrusiu? — starałam się mówić lekkim, bagatelizującym tonem. Intuicja Busia była zatrważająca. — Od lat wszystko między nami skończone. Ożenił się, ma piękną, młodą żonę.

— To czego się ciebie czepia?

— Przestańmy rozmawiać na ten temat, bardzo cię proszę. — Wstałam od stołu. Busio także się podniósł. — Nie powinno cię to wszystko obchodzić, nie jesteśmy już małżeństwem.

— Jesteśmy — odpowiedział spokojnie i zaczął powoli, z ociąganiem sprzątać ze stołu.

— Zostaw. Sama zbiorę talerze. Nie mam w tej chwili nic lepszego do roboty — powiedziałam, żeby jakoś rozładować sytuację, i uśmiechnęłam się do niego ciepło. Miał taką nieszczęśliwą minę.

Nie odwzajemnił uśmiechu. Nadal był markotny i czujny, jakby coś przeczuwał.

— Wszystko się jakoś ułoży... — powiedziałam bezwiednie i głośno. Zaraz też ogarnął lęk, że Busio chwyci się tych nic nie znaczących słów, bo tak naprawdę nie miały one żadnego podtekstu, niczego konkretnego nie chciałam nimi wyrazić.

Chrząknął, jakby chciał coś powiedzieć, rzucił mi spojrzenie z ukosa i nadal milczał.

Schodziliśmy powoli ze schodów z tacami pełnymi naczyń.

— Nie byłoby od rzeczy kupić maszynę do zmywania — odezwał się w kuchni Busio. — Rąk szkoda i czasu na to dureńskie, wieczne zmywanie.

— Rzeczywiście! — przyznałam skwapliwie. — Jakoś o tym nie pomyślałam. Trzeba będzie się rozejrzeć po sklepach albo poszukać w Pewexie — uczepiłam się z entuzjazmem tematu, aby tylko nie dać poznać po sobie, że wszystko inne mam w tej chwili w głowie, tylko nie wyposażenie kuchni.

— O wielu rzeczach już przestałaś myśleć — powiedział cicho, beznamiętnie. — Ale tak już jest, gdy ma się pieniądze. Dopóki jest szyba, to widzi się ludzi. Jak się ją posrebrzy, to już tylko widzi się w lustrze siebie.

Bez słów sięgnęłam po gumowe rękawiczki i zmywak.

— Zostaw. Ja to zrobię — odsunął mnie łagodnie na bok. — Musisz dbać o ręce. To twoje narzędzie pracy.

— Twoje także — powiedziałam ze skruchą.

— Et! — żachnął się. — Geniusze nie są potrzebni społeczeństwu, jeśli tylko miernoty dochodzą do głosu, a ludzi z talentem leczy się pigułkami.

— Gadasz, byle gadać! — obruszyłam się. — Musisz wyjść na zewnątrz ze swoimi pracami. Dać się poznać, a nie wszystko zamykać w walizach pod kluczem. Do kogo masz o to pretensje? A te twoje leki są na wzmocnienie, na zregenerowanie tkanki mózgowej. Wiesz przecież o tym, więc po cóż to całe gadanie? — posłałam mu uśmiech zachęty. Przepasałam go fartuchem i wróciłam szybko na górę.

Punktualnie o szóstej podniosłam słuchawkę, nakręcając przez automatyczną centralę tak dobrze znany mi numer. Przez tyle lat nie potrafiłam go zapomnieć, chociaż nie miałam pamięci do cyferek i zdarzało się, że czasem myliłam mój własny numer.

Piotruś odezwał się natychmiast, jakby czatował przy telefonie.

— W najbliższą niedzielę przyjadę wieczornym autobusem do Zakopanego. Jeżeli chcesz, znajdziesz mnie w willi „Bibi" na Gubałówce. Nie wychodź na dworzec.

— Będę już tam na ciebie czekał! — usłyszałam zdyszany, podniecony głos Piotrusia. — Przyjadę parę dni wcześniej.

— Jeżeli zdobędziesz pokój — wtrąciłam sceptycznie. — Dla mnie zawsze się tam znajdzie.

— Zdobędę! Jest po sezonie.

— No, to do zobaczenia — zakończyłam szybko rozmowę, korzystając z tego, że Busio zamknął się w kuchni. Miałam pewność, że nie podsłuchuje pod drzwiami.

Zupełna ze mnie wariatka — pomyślałam z niesmakiem, odkładając słuchawkę. Takie odprężenie dobrze mi zrobi. Usiłowałam przekonać samą siebie o słuszności mojej decyzji. Zawróciłam do sypialni przejrzeć w szafach garderobę.

— Za cztery dni wyjeżdżam służbowo do Krakowa — oznajmiłam Busiowi przy kolacji. — A stamtąd prosto na wczasy, bo to już bardzo blisko. — Jedliśmy ją później niż zazwyczaj. Obiad był także opóźniony, a Busio wymyślił jakąś nową zapiekankę. Według jego słów: „wymagała czasu i umiejętności".

— Tak nagle? Miałaś jechać w połowie listopada — burknął nie podnosząc na mnie oczu, a ja przypomniałam sobie szkic na sztalugach.

— Jeszcze tak niedawno chciałeś, żebym wreszcie wyjechała na wczasy, a teraz narzekasz, że udało mi się je wcześniej załatwić.

— Nie lubię, jak nie ma cię w domu — skrzywił się, jakby rozgryzł cytrynę. — Jedziesz tylko do Krakowa? — zapytał po chwili.

— Jeśli się uda, to wyskoczę na dzień do Zakopanego. Tęsknię za górami — dodałam niepotrzebnie. Nie miałam żadnego obowiązku tłumaczyć się, wprowadzać akcentu intymności w nasze poprawnie układające się stosunki. — Nie mogę zjawić się na wczasach o dzień wcześniej...

Busio patrzył na mnie ze smutkiem nie pozbawionym podejrzliwości.

— Wszystko będzie zależało, jak szybko uda załatwić się to, co mam służbowo do załatwienia — brnęłam dalej wykrętnie, jak uczennica przed profesorem.

Busio spuścił głowę nie pytając o nic więcej. Widocznie coś przeczuwał, czegoś się domyślał, a może nawet wiedział, że kłamię. Zrobiło mi się go nagle żal. Poczułam się nieswojo, jakoś pomniejszona tymi drobnymi kłamstewkami. Wstydziłam się za samą siebie.

Busio się przecież zmienił. Jego reakcje w sprawach zasadniczych były prawidłowe. Cierpiał, zdawał sobie dokładnie sprawę ze swojej sytuacji. Musiałam się z tym także liczyć, nie ranić człowieka.

— Pilnuj, żeby Hiob dostawał codziennie swoją porcję mleka. Chciałabym także, żebyś na mój powrót upiekł tę twoją parzoną babę z rodzynkami — starałam się zrobić mu przyjemność. Czułam się jak winowajczyni. — Napiszę do ciebie z wczasów, jak tylko przyjadę — pogłaskałam go po ręce. — Wrócę przecież za niecały miesiąc.

Pozostał nadal chmurny i zamyślony.

Czułam do siebie niechęć pomieszaną z buntem. Znów czemuś ulegałam, nie potrafiłam wyzwolić się z niepotrzebnych kłamstw, które w rezultacie niczego nie załatwiały. Odsuwałam problem na plan dalszy. We wszystkich poczynaniach wciąż brakowało cywilnej odwagi i uczciwości. Było w tym coś atawistycznie niewolniczego.

Busio westchnął i nie dokończywszy kolacji odszedł nieoczekiwanie od stołu. Odwrócił się od drzwi, popatrzył na mnie jakoś tak dziwnie, z zastanowieniem.

— Nie rozmawiaj ze mną jak z idiotą — dobiegł do mnie obcy w brzmieniu głos Busia. — Przygotuję na twój powrót wszystko, co trzeba, bo to należy do moich obowiązków, ale chociaż raz mogłabyś potraktować mnie jak człowieka, który czuje i widzi coś więcej poza gotowaniem i zmywaniem garów. — Zamknął za sobą cicho drzwi. Zostałam sama nad rozbabraną na talerzu zapiekanką. Pachniała mocno selerami.

Długo w noc nie mogłam zasnąć, wsłuchana w szmery domu, zapatrzona w ciemność nie zasłoniętych okien. Zacinał o nie deszcz ze śniegiem, uderzała od czasu do czasu czarna gałąź akacji. Czułam do siebie niechęć i nieuzasadnioną pretensję do Busia, że stał się takim, jakim się stał, że muszę obrać wobec niego jakąś zdecydowaną, jednoznaczną postawę. Zmuszał niejako do tego, aby zacząć się z nim liczyć, nie traktować obojętnie, jak kogoś obcego, kto zamieszkał jako sublokator. Z każdym miesiącem odkrywałam w nim nowe wartości. Zaskakiwał swoją postawą, brakiem agresywności, cierpliwością tak dawniej mu obcą. Niezauważenie stał się kimś, z kim należało się liczyć, postępować w grze jak z równorzędnym partnerem. Urósł do problemu. Należało go w jakiś sposób rozwiązać. Moja sytuacja nie była łatwa. Przerażały kłopoty, jakie mnie jeszcze czekały. W jakimś sensie czułam się za niego odpowiedzialna, jak za każde stworzenie, które się do siebie przywiązało.

Wtargnął w moją codzienność. Odmienił ją, uczynił mniej jałową, chociaż pozornie nic się nie zmieniło. Tyle tylko, że i ja się do niego w trochę nieokreślony sposób przywiązałam. Był mi potrzebny. Dawał złudzenie rodzinnego życia. Wszystko to mnie zaskakiwało, przynaglało do jakiejś decyzji. Ze zdumieniem pomyślałam, że może teraz mogłoby się wszystko inaczej ułożyć, gdyby znów w moim życiu nie pojawił się Piotruś.

Zburzył pozorny spokój, wkradał się nieustannie między Busia i mnie, chociaż do tej chwili nie zdawałam sobie z tego wyraźnie sprawy. Obaj jednak byli na przegranej pozycji. Tyle tylko, że Piotrusia nie potrafiłam brutalnie odtrącić, chociaż przez minione miesiące usiłowałam o nim nie myśleć. Nie zatelefonowałam pierwsza, chociaż wiedziałam, że oczekuje tego ode mnie. Nie wytrwałam jednak w postanowieniu. Natychmiast zgodziłam się na spotkanie. Rozmowa, o którą prosił, wydawała się wciąż czymś koniecznym i najważniejszym, jakby od tego zależało dalsze moje życie. Chęć zobaczenia się z nim, skonfrontowania ze swoimi do niego uczuciami, była silniejsza od rozsądku. Jeślibym miała kogoś w tej grze skrzywdzić, tym kimś byłby Busio, a nie Piotruś, chociaż żaden z nich nie zasługiwał na moje uczucia, a Piotruś najmniej.

Chciałam wierzyć, że właśnie tak myślę, że nic się nie kryje za tym spotkaniem. Żadnych nie wiążę z nim nadziei. Jest tylko sprawdzeniem siebie, jak głęboko tkwi we mnie ta głupia, niepotrzebna, latami tłamszona, wyolbrzymiona cierpieniem i rozłąką miłość.

Wszystko to, co było złe, odpłynęło przez te lata. Co kryło w sobie cierpienie, przybladło. Tylko to, co działo się między nami w pierwszym okresie uniesień i całkowitego zespolenia, wypiękniało, urosło do najważniejszego.

W moim życiu, które od czasów Topsiego upodobniło się do stojącej, porosłej rzęsą wody, zaczynało się coś dziać. Pierwszym sygnałem, uciążliwym i nie chcianym był Busio. Teraz wychodziłam odważnie naprzeciw temu, co czekało w Zakopanem, co mogło okazać się klęską albo zwycięstwem. Tylko czyim zwycięstwem i jakim? Zadawałam sobie pytanie, na które nie umiałabym odpowiedzieć.

Wiedziałam z doświadczenia, że wszystkie powroty są niebezpieczne, że nie dają nic poza rozczarowaniem, a nawet niesmakiem. Nie należy wchodzić po raz drugi w to, co się pozostawiło za sobą, tak jak nie należy jeść odgrzewanych potraw, bo można się nimi zatruć.

Widocznie jednak nie potrafiłam żyć bez złudzeń, bez wiary, że tym razem może być inaczej, że sytuacja jest osobliwa i niecodzienna i że to nie ja, a on, pragnie spotkania, odmiany życia, miłości, bo nie potrafi żyć w pustce, w jakiej się znalazł.

A może... Rozmyślałam dalej, wodząc szeroko rozwartymi oczami po mrocznych kątach pokoju. Może tkwi we mnie jedynie tęsknota za przeżyciem czegoś, co da mi poczuć się znów młodą i pożądaną? Jeszcze raz pragnę wejść w tamten czas miłosnych uniesień, wtulić się w ramiona wciąż pożądanego mężczyzny, jakim był zawsze Piotruś. Tylko moja wyobraźnia ubiera to wszystko w inną, bardziej wzniosłą otoczkę?

Poruszyłam się niespokojnie. Przesunęłam dłonią po zmęczonych bezsennością oczach, przewracając się na drugi bok. Sen jednak nie chciał przyjść. Myśl pracowała gorączkowo, przywołując coraz to inne, nowe koncepcje i żale za nie spełnionymi tęsknotami. Niewiele było w moim życiu tego, za czym, mimo upływu lat, wciąż jeszcze tęskniłam. Jeśli zdarzały się w moim życiu miłości, trwały krótko, kończyły się dramatycznie. Jedynie latami ciągnęło się za mną cierpienie i pytanie: „dlaczego"? Było ono wiecznym czekaniem i mijaniem się z tym, co uważałam w życiu za najważniejsze — z miłością.

Rozmyślałam o tym wszystkim wsłuchana w wiatr i deszcz za oknami, w tajemnicze szmery w pokoju, trzaskanie mebli. Rozpamiętywałam minione lata i uczuciowe klęski, czując piekącą wilgoć pod powiekami. Łzy jednak nie popłynęły, nie przyniosły ulgi. Supełek w gardle dławił nadmiarem nie wypowiedzianych słów, skarg, nie przelanych łez. Chciałam gorąco wierzyć, że może rozluźni się wreszcie tam, w Zakopanem. Zniknie na zawsze, nie będzie dławił więcej w bezsenne, samotne noce, gdy wciąż młode serce pragnęło darzyć miłością. Przyniesie ulgę i wielkie uspokojenie w zrozumieniu prawdy, że człowieka nie kocha się za coś, człowieka kocha się po prostu. Irracjonalnie. Z błędami, wadami i z całą niedoskonałością, jaką w sobie nosi. Jeżeli w ogóle się kocha...

A potem pomyślałam o Ewie, o tym, że może po raz drugi zostanę babką i że ją może wkrótce zobaczę, usłyszę jej śmiech.

Hiob zamiauczał cichutko pod drzwiami. Zapomniałam o nim, nie pozostawiłam szpary w drzwiach, aby mógł się wśliznąć do pokoju, połasić się na dobranoc i powrócić do swego koszyczka w hallu przy kominku zachowującym ciepły żar do rana.

Przemogłam lenistwo i zbliżającą się powoli senność. Wstałam i wpuściłam kota do pokoju. Był to niejako ukłon w stronę ojcowego cienia. On by nie pozwolił, aby kotka płakała na darmo pod drzwiami. Wziąłby na ręce, pogłaskał, mamrocząc pod wydatnym nosem czułe słowa w rodzaju: „Cholerne bydle, spać człowiekowi nie daje".

Biorąc w ramiona tulącego się ufnie Hioba, poczułam nagłą, dojmującą tęsknotę za ojcem, za czasem, w którym byliśmy jeszcze wszyscy razem, a matka, krając makaron do niedzielnego rosołu cienki jak „włosy anielskie", narzekała z przyzwyczajenia i bez wiary w to, co mówi: „W tym zapowietrzonym domu, człowiek nie ma chwili odpoczynku".

*

Piotruś czekał na mnie w drzwiach werandy, w narzuconym na ramiona krótkim kożuszku. Przypomniała się ta jego popielata kurteczka ze szkolnych czasów, z szarym, barankowym kołnierzem.

Oczy mu błyszczały. W wyrazie twarzy odnalazłam coś młodzieńczego, jak u chłopca z tamtych lat, przypinającego mi łyżwy na ślizgawce w parku Ujazdowskim. Nieomal poczułam zapach świeżych pączków w nagrzanym baraku z desek, usłyszałam rozlewną melodię walca z ryczącego ochryple magnetofonu.

... Los mi się zmienił, ach wróć, luby wróć!
Po falach Dunaju, zawodźmy swój żal...

Poczułam się wolna, szczęśliwa. Znów miałam nie więcej niż piętnaście lat. Wyskakując z sanek chciałam rzucić się Piotrusiowi na szyję. Przytulić się do niego, ucałować, powiedzieć, jak bardzo się cieszę tym naszym spotkaniem. Zapomnieć o tym, co rozdzieliło, zacząć wszystko na nowo od tego wieczoru pełnego gwiazd i śniegu skrzypiącego pod stopami.

Tymczasem podałam mu rękę. Bąknęłam, że nie spodziewałam się tu go jednak zastać i udałam, że nie zauważyłam wyciągniętych do mnie ramion. Znów zrobiłam coś głupiego, czego nie przewidziałam w swoim scenariuszu i wbrew samej sobie. Przywitaliśmy się więc oficjalnie pod granatowym, wieczornym niebem. Może trochę zbyt hałaśliwie. Oboje staraliśmy się pokryć tym wzruszenie i sztuczność naszego powitania. Zaczęło się wszystko nie tak. Zabrakło autentyczności.

— Jaką miałaś drogę?

— Świetną. A ty?

— Znakomitą.

Weszliśmy do obszernego hallu. Pachniał nagrzanym drewnem i wilgotnymi wiatrówkami. Suszyły się na kołkach długiego wieszaka przymocowanego do ściany z jasnych, sosnowych desek.

— Wspaniale wyglądasz w tym białym kożuchu — stwierdził beznamiętnie, pomagając mi go ściągnąć.

Zaszczekał pies. Zaskrzypiały schody i ukazała się pani Jaga, cała w uśmiechach, serdeczna jak zwykle, w odwiecznej włóczkowej sukni w skandynawskie wzorki. Oznajmiła, że ulokowała mnie na piętrze, w moim ulubionym pokoju, a pana tuż obok, w tym większym z kominkiem, i tam też zaraz podadzą nam kolację, tak jak sobie pan życzył.

Piotruś uśmiechał się do niej promiennie, podnosząc w górę kciuk, gestem pilota przed startem maszyny, i zapewnił mnie, że pani Jaga nie zapomniała nawet o brzozowych szczapach i filiżankach do herbaty, o które prosił. A na śniadanie otrzymał autentyczne, angielskie tosty.

Widać było, że się już zdążył z nią zaprzyjaźnić, zadomowić przez te dwa dni, które tutaj samotnie spędził. Wspinał się przy tym na palcach, ustawiał na schodach tak, żeby wydać się wyższym, niż był w rzeczywistości, i wszystko wskazywało na to, że wciąż jeszcze tokuje, roztacza czar, jak paw barwny ogon i nadużywa słowa: „okey".

— Jani Jaga jest niezawodna! — Uśmiechnęłam się do obojga po serdecznym przywitaniu, idąc za nią na górę. Pomyślałam, że za takie pieniądze, jakie pobiera od swoich gości, można być niezawodnym i pamiętać o ich gustach, przyzwyczajeniach.

Szła przede mną szczupła, długonoga, bez pantofli, w grubych białych skarpetach, wypytując, kiedy do niej zawitam na dłużej, aby mogła zatrzymać dla mnie pokój, i kiedy wreszcie zobaczy Ewę. Zapamiętała ją jako podlotka. Nie docierało jakoś do niej, że to znane jej kiedyś dziecko ma już od dawna własne.

Otworzyła drzwi pokoju. Owionął dobrze znany zapach jabłek i nagrzanego drewna. Ze wzruszeniem przesunęłam wzrokiem po znajomych kątach. Po wianuszkach z ziół rozwieszonych na poczerniałych deskach ścian, na tapczan zasłany jasną, puszystą baranicą, na drewniane, proste meble.

Czułam się w tym pokoju zawsze tak, jak w którymś z dawnych domów dzieciństwa. Domów na wsi, z wyszorowanymi do białości podłogami z desek, z prostymi meblami, z zapachem jabłek, suszonych ziół i grzybów. Domów wynajmowanych przez rodziców na wakacje, za pożyczone od ciotki Polci pieniądze, które nigdy nie zostały zwrócone. Te wynajmowane domy, a właściwie chałupy, były uboższe, prymitywne, ale pachniały podobnie i był w nich ten sam nastrój przytulności i bezpieczeństwa. Były „ujutne".

Piotruś ustawił na ławie moją niewielką podróżną torbę i spytał, czy chcę się przebrać do kolacji. Widocznie wciąż jeszcze kultywował angielskie zwyczaje.

Przytaknęłam głową. Natychmiast weszłam w rolę i była to jedyna okazja, aby wreszcie znów poczuć się kobietą przebierającą się do posiłku dla zainteresowanego nią mężczyzny. Mimo woli westchnęłam. Wszystko to było jakieś nieprawdziwe, wyreżyserowane, chociaż miłe. Nasuwały się nie najlepsze refleksje, a może byłam po prostu przewrażliwiona i zbyt już nieufna.

— Za ile minut mam wstąpić po ciebie?

— Za piętnaście. No, powiedzmy, za dwadzieścia... — spojrzałam odruchowo na zegarek.

Pani Jaga szepcząca o czymś z Piotrusiem opuściła razem z nim pokój, rzucając mi figlarne spojrzenie. Wyciągnęłam z torby suknię z kremowej, cieniutkiej włóczki, beżowe czółenka na francuskim obcasie i szybko zrzuciłam z siebie spódnicę ze szkockiej kraty w granatowo-zielonych barwach i jasny golf. Weszłam pod gorący prysznic, aby za chwilę ubierać się starannie w przygotowane łaszki. Trochę dłużej niż zwykle pozostałam przed lustrem. Przeczesywałam i szczotkowałam włosy upięte w ciężki węzeł nad karkiem, z puszystą grzywką nad brwiami. Tak, jak to kiedyś czesała się Agnisia. Westchnęłam nad jej przedwczesną, niepotrzebną śmiercią, odsuwając szybko wszystkie minorowe myśli. Nie należało niczym mącić tak długo oczekiwanego wieczoru.

Przypudrowałam nos, podmalowałam brązowym ołówkiem dyskretnie oczy, przeciągnęłam usta jasną kredką i delikatnie różem policzki. Przez chwilę zapatrzyłam się w zmatowiałe starością lustro. Nie wyglądało to wszystko źle, zwłaszcza przy nie najlepszym oświetleniu. Kiedyś odbijało ono moją młodą twarz. Dziś już trochę inną. Nie z tak jak dawniej napiętą skórą i trochę jakby ciemniejszą w kolorycie.

Westchnęłam rozcierając perfumę na karku i za uszami. Po pokoju rozeszła się delikatna woń fiołków. Nasunęła wspomnienia o Monice. Ona też, tak jak i ja, przez całe życie szukała miłości. Znalazła jedynie śmierć. Nie potrafiła żyć z Wykolejeńcem, a także nie potrafiła żyć bez Wykolejeńca. Wymknęła się więc ukradkiem z życia w swoim czarnym kostiumie „na wszystkie okazje”, z bukiecikiem nadwiędłych fiołków w klapie.

Pomyślałam także, iż ulubione perfumy Piotrusia, „Kwiat Dzikiej Gardenii”, używa teraz zapewne Liza. Nigdy już więcej nie sięgnęłam po flakon z nimi. Były to perfumy z bolesną pamięcią. Leżał więc ten smukły flakonik ze złotym koreczkiem głęboko na samym dnie szuflady w komódce. Przechowywałam tam różne drobiazgi, z którymi nie mogłam się rozstać. Było to coś w rodzaju „trumienki wspomnień”.

W rozmyślania przed lustrem wdarło się ciche pukanie. Przyoblekłam twarz w pogodny uśmiech. W progu stał rozpromieniony Piotruś. W zielonkawych sztruksowych spodniach, w beżowym pulowerze na kremowej, rozpiętej koszuli. Pod szyją związana wzorzysta chusta w drobne wzorki, z miękkiego jedwabiu w kolorze spodni. Wszystko wysmakowane, w dobrym tonie i w jego stylu.

— Ależ z ciebie playboy! — gwizdnęłam z rozbawieniem przez zęby.

Moje zachowanie oszołomiło Piotrusia. Wlepił we mnie zielonkawe oczy, do których koloru dobrał zapewne chustkę i spodnie. Nie wiedział, czy sobie kpię z niego, czy wywarł na mnie tak ogromne wrażenie. Zawsze był trochę próżny i miał kompleks na temat swego wzrostu. Uważał, że mężczyzna nie mający metra dziewięćdziesięciu pięciu centymetrów wzrostu nie jest stuprocentowym mężczyzną, a jemu było daleko do tej miary.

Osobiście nie podobali mi się tacy wysocy, ale Piotruś o tym nie wiedział, a może już zapomniał.

— Masz mi coś do zarzucenia? — W głosie wyczułam niepokój i coś zbliżonego do irytacji.

— Ależ skąd! Uważam, że wyglądasz szałowo! — Roześmiałam się głośno, serdecznie. Spotkanie pięćdziesięciolatków przyodzianych nieodpowiednio do otoczenia i sytuacji wydało się nagle humorystyczne. Mój wrodzony samokrytycyzm i groteskowe widzenie świata dochodziło zawsze do głosu w najmniej odpowiednim do tego momencie. Potrafiłam mimo woli zepsuć tym sobie i partnerowi moment, który mógł być decydujący, a przynajmniej ważny. Tak mogło stać się i teraz. Jednak ten właśnie moment nie był ważny. Wszystko bowiem wydało mi się tutaj niepoważne, niepotrzebne. Mój przyjazd także. Chociaż z drugiej strony dobrze się stało. Jeszcze raz przekonałam się, że nie pasujemy już do siebie. Nie pasowaliśmy zapewne nigdy, tylko ja byłam zbyt zakochana, zaślepiona, żeby chcieć to zauważyć. Byliśmy młodzi, spragnieni siebie, zafascynowani życiem, jakie nas wówczas czekało. Nie chcieliśmy patrzeć obiektywnie. Nie było nam to wówczas potrzebne.

— Więc co cię tak rozbawiło? — Naburmuszył się, nie bardzo wiedząc, jaką przyjąć postawę, a chciał wypaść w tym spotkaniu jak najlepiej. To się czuło.

— Uświadomiłam sobie, Piotrusiu, że oboje jesteśmy więcej niż dorośli, a zachowujemy się jak smarkacze na pierwszej randce — wyjaśniłam z rozbawieniem podbarwionym nutką smutku. — I ty, i ja jesteśmy nieprawdziwi. Dwa durne przebierańce! Ubraliśmy się na to spotkanie w góralskiej chacie cholernie po cepersku! Popatrz na te moje francuskie obcasy, na tę koronkową suknię z włóczki, na perły i spojrzyj w lustro na siebie! Spotkaliśmy się, żeby przeprowadzić poważną, zasadniczą rozmowę, a zachowujemy się trochę jak na maskaradzie albo jak źli aktorzy w kiepskiej sztuce. Piotrusiu, to przecież wszystko jakoś nie tak... — wyrzuciłam jednym tchem, żeby mieć już za sobą to nawiązanie do rozmowy, która nas jeszcze czekała.

— Z tobą to nigdy nic nie wiadomo! — wzruszył zniechęcony ramionami, jak człowiek, któremu popsuto dobrze zapowiadającą się zabawę, chociaż usiłował mówić lekkim, bagatelizującym tonem.

— A wiesz przynajmniej, dlaczego? — Popatrzyłam mu w oczy. Były w wyrazie trochę jakby nieobecne. — Bo ludzie, mój najmilszy, starzeją się, ale nie zmieniają tak bardzo. Chyba że na gorsze. W szkolnych czasach miałeś do mnie pretensje, że nie byłeś nigdy pewny, co za chwilę zrobię albo powiem. Przerażało cię to, chociaż udawałeś, że jesteś zachwycony.

— I dzisiaj przeraża! — przyznał szczerze, z westchnieniem przyłapanego na czymś niewłaściwym ucznia ka. — A w tej chwili nie mam nawet odwagi wprowadzić cię do mego pokoju. Potrafisz wszystko wykpić.

Wyraźnie popsułam mu humor, wytrąciłam z roli, jaką chciał odegrać i starannie wyreżyserował.

— Nic się nie pesz! Jestem straszliwie głodna i na nic już nie będę zwracała uwagi, tylko na to, co zobaczę na stole! — Poklepałam go dłonią po policzku.

Minął mój refleksyjny nastrój, mijało zauroczenie. Ogarnęła wesołość i jakaś wewnętrzna lekkość, jak po zrzuceniu ciężaru. Poczułam się pewnie i na mocnej pozycji. Wyzwolona i odczarowana.

Odetchnęłam z głęboką ulgą. Od tego momentu wszystko już będzie tylko zabawą. Wiedziałam już, że moje obawy, jakie nachodziły podczas podróży autokarem i jeszcze wcześniej, były na wyrost. Moja wyobraźnia dokonała reszty, a okazało się, że Piotrusia nie należało traktować zbyt poważnie. A jeszcze tak niedawno obawiałam się tego spotkania, chociaż go jednocześnie pragnęłam. Miało czegoś dokonać. Coś wymazać z mego życia albo je całkowicie odmienić za sprawą Piotrusia. Pragnęłam uwolnić się od przeszłości, zamknąć definitywnie rozdział pod tytułem „Lotniskowiec" albo zacząć go z Piotrusiem od początku. To drugie już nie wchodziło w rachubę.

Przekonałam się z ulgą, że spotkanie już nie boli, nie wywołuje przyśpieszonego bicia serca, a jedynie ciekawość, co w nas pozostało z tamtego czasu i oparło się przemijaniu. Było chyba tego niewiele. Przynajmniej ze strony Piotrusia.

Jadąc autobusem przez górski ośnieżony krajobraz zastanawiałam się, co mu odpowiem, jeśli będzie chciał odmienić coś w swoim życiu łącząc je z moim. Tutaj, na miejscu, zrozumiałam, że moje dywagacje i rozterki były niepotrzebne i śmieszne. Czułam, że Piotruś wcale tak naprawdę nie pragnął nic zasadniczego w nim zmienić. Jeżeli nawet, to połowicznie. Myślał zapewne o stworzeniu sobie „małej, bocznej uliczki". Lata rozłąki niczego nie nauczyły. Pozostał takim, jakim był zawsze. Jeżeli mówił o tym, że dalej tak żyć nie może, nic to w rzeczywistości nie znaczyło. Pragnął jedynie odmiany. Szukał nowej podniety, musiał sprawdzić się jako mężczyzna. Może także szukał jakiegoś zagubionego dnia, nie bardzo wiedząc jakiego i czego chce naprawdę. Jeszcze się szarpał, jeszcze chwytał się czegoś, co mogło być tylko mglistym punktem zaczepienia, oparcia, a może nawet kołem ratunkowym, ale tak naprawdę nie umiał już niczego pragnąć, niczego zmieniać. Alkohol powoli, skutecznie zabijał wolę, uczucia wyższe. Piotruś nie potrafił już niczego i nikogo kochać. Był od środka martwy, chociaż sam o tym jeszcze nie wiedział.

Przeleciało mi to wszystko przez mózg jak błyskawica. Jak w olśnieniu zobaczyłam go właśnie takim, chociaż jeszcze nie rozmawialiśmy nawet z sobą na serio. Są takie momenty, że nagle wiemy więcej i stajemy się na jakiś tam błysk sekundy mądrzejsi od samych siebie.

Mogłam go jeszcze kochać, ale już nie pragnęłam być z nim, przejść drogę aż do ostatniego przystanku. Był na straconej pozycji. Z moich obaw uleciało coś najistotniejszego, że spotkanie będzie przebiegało dramatycznie i że coś nieodwracalnego wyniknie z tego. Teraz z całą pewnością wiedziałam, że Piotruś traktował je nie tak, jak sądziłam, że potraktuje, i jak się tego należało spodziewać po jego telefonie.

Mogłam więc i ja podejść do spotkania jak do czegoś w rodzaju miłej przygody połączonej z pewnym dreszczykiem. Od dawna moje życie było pozbawione tego rodzaju emocji. Ta historia z Piotrusiem, tu w tej pięknej scenerii i niecodziennej sytuacji, odmładzała mnie, budziła dawne tęsknoty do nietuzinkowych przeżyć i do czegoś jeszcze, co ojciec określiłby trywialnie: „gotowaniem się wody w tyłku".

Piotruś wprowadził mnie do pokoju. Stanęłam oniemiała. Pod nogami biała baranica rzucona niedbale na podłogę. Na kominku trzaskały szyszki, płonęły liliowym ogienkiem brzozowe i buczynowe szczapy. Na stole w drewnianych lichtarzach migały jasnym blaskiem czerwone świece. Poza kominkiem stanowiły jedyne oświetlenie, co mnie ogromnie ucieszyło. W złotawym, ciepłym półmroku świec zmarszczki są mniej widoczne, a oczy nabierają specjalnego blasku. W porozstawianych po całym pokoju gliniakach pachniały cierpko ogromne bukiety róż.

„Musiały kosztować majątek — przebiegło przez myśl i rozbawiło. — Nigdy by Liza mu tego nie wybaczyła. Prędzej już spotkanie ze mną, ale tych wyrzuconych pieniędzy, nigdy!"

— No, no... — jęknęłam z podziwem, patrząc na to odmienione wnętrze willi w góralskim stylu. — Brakuje tylko szampana i służby! — zażartowałam.

— Szampan w lodówce, a zamiast służby masz mnie! Wierniejszego nie znajdziesz! — Przechwalał się w swoim stylu, rzucając słowa bez zastanowienia, po efekciarsku. Wprowadziło to natychmiast zadziorny nastrój.

— Nie reklamuj towaru, którego nie masz na składzie! — powiedziałam cierpko, trochę uszczypliwie, jednocześnie uśmiechając się promiennie, aby pokazać Piotrusiowi, jak mnie to, w gruncie rzeczy, mało obchodzi.

Obchodziło jednak, chociaż on nie musiał o tym wiedzieć. Ja także udawałam przed sobą brak zainteresowania mężczyzną, z którym, jak nigdy z żadnym, no, może tylko z Michałem, sprawy łóżkowe dawały mi tak wielką satysfakcję. Dziś może nie było to dla mnie tak istotne i ważne, chociaż długotrwały post i moje niebezpieczne pięćdziesiąt lat były innego zdania. Należało więc nie zaprzepaścić okazji, skorzystać z tej ostatniej z Piotrusiem szansy, przekonać się, utwierdzić, czy rzeczywiście staje mi się uczuciowo coraz bardziej obojętny, czy tylko usiłuję w siebie to wmówić i utrwalić, kierując się wreszcie rozsądkiem, a nie mrzonkami.

Chęć przeżycia z nim czegoś niezobowiązującego uświadomiłam sobie w całej rozciągłości patrząc na jego chłopięcą jeszcze sylwetkę i twarz, na której nikłe oświetlenie świec zatarło ślady przeżytych burz, a nadało skórze złotawy, żywy koloryt.

— Nie rań mi serca... — odpowiedział zbyt poważnie jak na sytuację i usiłował pochwycić moje spojrzenie. Przeniosłam je celowo i świadomie na kosztowne, o tej porze roku, kwiaty. Chciałam nawet coś na ten temat powiedzieć, ale ostatecznie była to jego sprawa i nie należało wkraczać na obce terytorium.

— Wobec tego zasiądźmy do kolacji, bo jeszcze bardziej mogę je zranić padając z głodu na twoich oczach! — zażartowałam i nagle zobaczyłam przed sobą Busia, gdy na wpół zagłodzony, zjawił się w moim domu i w nim pozostał w nieokreślonym charakterze. Był czymś w rodzaju gosposi, dozorcy, „wykidajła gachów" i karmiciela zwierząt. Ostatnio dożywiał jakieś dwa przybłąkane psy, a i o ptakach pamiętał, wstawiając w rachunkach pozycję: „krupy dla ptaków dużych i małych" oraz „kości dla Ferdka-chuligana". Tak nazwał jednego z kundli. Uśmiechnęłam się mimo woli w przestrzeń. Pozostał dziwakiem, ale przydawało mu to wdzięku i barwiło codzienność naszego obcowania.

Jadąc na spotkanie z Piotrusiem odczuwałam coś w rodzaju wyrzutów, chociaż Busio nie miał do mnie żadnych praw ani ja nie miałam wobec niego żadnych zobowiązań. A jednak przykro było kłamać, chociaż całej prawdy też nie mogłam powiedzieć. Coś mnie przed tym wstrzymywało, z czego nawet nie bardzo zdawałam sobie sprawę. Nie dawał także spokoju rysunek lotnika z wyrwanym na tyłku kawałkiem munduru, a także świadomość, że jest o mnie zazdrosny, że wciąż nie jestem mu obojętna.

— Nie lubię, jak się tak głęboko zamyślasz — zrobił mimochodem uwagę Piotruś, wyciągając z podręcznej meblowej lodówki wspaniale wyglądające mięsiwa i sałatki na szklanych półmiskach. — Wydaje mi się wtedy, że uciekasz ode mnie gdzieś bardzo daleko... — zakończył z namysłem, jakby do czegoś wracał pamięcią.

— Nawet nie zauważyłeś kiedyś, że uciekłam, że zniknęłam naprawdę z twego życia. — Nie mogłam sobie odmówić tej przyjemności, aby mu tego nie wytknąć, nie dokuczyć.

— Nie było to tak, jak sądzisz — westchnął. — Bardzo szybko zauważyłem, odczułem brak ciebie w naszym „Lotniskowcu".

— A więc stchórzyłeś?

— Stchórzyłem — przyznał podnosząc oczy znad ustawionych na stole półmisków i salaterek.

W porę powstrzymałam się, aby nie powiedzieć: „szkoda" i dalej grzałam dłonie o zielone kafle starego, tradycyjnego pieca. W jego wnętrzu nie było już prawdziwego ognia, a ogrzewanie kumulacyjne, tak jak i we mnie nie płonął już tamten ogień ani ciepło, jakim kiedyś darzyłam Piotrusia. Pomyślałam ze smutkiem, że z czasem wszystko się w nas wypala, a jednocześnie cudownie, że się tak właśnie dzieje.

— I nie próbowałeś tego zmienić? — spytałam cicho przypominając sobie, jak wówczas cierpiałam.

— Chciałem.

— No i co?

— Miałem do ciebie żal. Zostawiłaś mnie jak psa.

— Psa się nie zostawia. Pies jest wierny, pies kocha bezinteresowną miłością. Nawet wtedy, gdy zadaje mu się ból... — Uśmiechnęłam się do

Piotrusia takim specjalnym uśmieszkiem, który u mnie najbardziej lubił. Nazywał go „konfiturki".

— Nie mówmy teraz o tym... — poprosił czule. — Nie psujmy wieczoru, tej cudownej chwili bycia znów z tobą.

— Spotkaliśmy się jednak, żeby porozmawiać. O to właśnie prosiłeś — przypomniałam dla porządku, z naciskiem, chociaż i ja nie miałam już na tę rozmowę ochoty. Piotruś był dla mnie pozycją straconą. I nie dlatego, że istniała Liza, ale po prostu nie dorósł do roli, jaką bym chciała lub mogła mu powierzyć. Nawet jakieś poważniejsze rozmowy i nawiązywanie do przeszłości nie miały już sensu i nie warto było się w tym grzebać, rozkładać na czynniki pierwsze przebrzmiałych historii. On także tego nie pragnął z sobie tylko wiadomych powodów. Domyślałam się, że z tchórzostwa i wygodnictwa. Cała ta otoczka, o jakiej wspominał będąc u mnie, była jedynie pretekstem do spotkania, odświeżenia czegoś, co może chciałby przemienić w atrakcyjne wieczory, gdy nachodzi go chandra. To, co przeżywaliśmy teraz, miało już w sobie coś z tego, było niejako przygotowaniem. Było grą, psychologicznym chwytem i chęcią, aby wszystko powróciło na dawne miejsce, w zmienionej nieco, bardziej wygodnej i niezobowiązującej formie.

Byliśmy wciąż różni w odczuciach, w widzeniu świata, w reakcjach. Nasze drogi rozeszły się dawno i tak skutecznie, że nie sposób było zawrócić i odnaleźć się na którejś z nich. Zrozumienie tego przyszło zbyt późno. Dlatego nic nie zostało mi oszczędzone. Nie mogłam o to winić Piotrusia. Był, jaki był, i o tym powinnam wiedzieć wcześniej. Może nawet wiedziałam, ale kochając przyjęłam go takim.

Siadając za nieomal weselnym stołem, naprzeciw Piotrusia, ze skupioną, zaaferowaną miną czułam się odświętnie i trochę inaczej niż każdego innego dnia w sportowym obuwiu i najczęściej w tej samej kraciastej spódnicy i swetrze wciąganym przez głowę. Niewiele miałam okazji do błyśnięcia jakąś wytworną toaletą po Agnisi i brakowało mi czasem tego. Były to moje „ostatnie lata" — jakby powiedziała matka. Postanowiłam wreszcie to zmienić, bardziej dbać o ubiór niż dwudziestolatka. Tamtą zdobi młodość. Mnie już tylko modna, elegancka sukienka.

— No, to za nasze spotkanie! — uniósł w górę z widocznym nabożeństwem szklaneczkę z szampanem. W skupionym, uważnym wyrazie oczu było coś z Wykolejeńca. Ta sama rzewna czułość do trzymanego w dłoni kieliszka. — Pani Jaga nie miała w domu płaskich szampanek. Goście wytłukli — informował zatroskanym głosem, jakby to było czymś specjalnie ważnym w obecnej chwili.

Nie było więc u Piotrusia, tak jak i dawniej, gradacji w rzeczach i sytuacjach. Mimo że był starszy ode mnie o parę lat, zachowywał się w dalszym ciągu jak duży chłopiec. Dawniej miało to jeszcze swój wdzięk. Dziś irytowało. Czy żałowałam tamtych, zauroczonych nim lat? Nie, nie żałowałam. Przeżycia wzbogaciły, cierpienie wyrzeźbiło określony kształt w bryle, jaką jest człowiek.

— Znów cię nie ma w pokoju! — wykrzyknął odstawiając szklaneczkę.

— Zdaje ci się, Piotrusiu. Jestem duchem i ciałem przy tobie. Możesz dotknąć i się przekonać! — Ponownie uśmiechnęłam się „konfiturkami", a jednocześnie pomyślałam, że powinnam się z nim przespać.

Bo niby dlaczego nie? Tylko żadnych wyjaśnień, do niczego nie przywiązywać wagi, nie dopuszczać do zwierzeń — przemknęło jeszcze przez myśl z odrobiną refleksyjnego smutku, ale i ulgi.

Postanowiłam tak zrobić i czekać, co z tego wyniknie. Jeżeli moje rozeznania były mylne, szybko się o tym przekonam. I wtedy, od tego momentu, w zależności od sytuacji, będzie można nasze spotkanie potraktować poważnie i w tym duchu rozmawiać z Piotrusiem.

Sięgnęłam po swoją szklaneczkę szampana. Jasny płyn prześwietlony blaskiem świec był zimny i musował delikatnie.

— No, to za nasze spotkanie! — podjęłam toast dotykając wargami chłodnego, zroszonego szkła i popatrzyłam Piotrusiowi w oczy, połyskliwe i zielone jak dawniej.

Czas się jednak nie cofnął. Nie zapachniało ostatnim latem naszej najwcześniejszej młodości. Nie istnieliśmy już także i w „Lotniskowcu". Mogłam więc pić z nim szampana jak ze starym znajomym. Nawet nie jak z przyjacielem. Uczucie to chyba od początku nie istniało między nami albo ktoreś z nas do niego nie dorosło. Była miłość, pożądanie, zazdrość, ale nie przyjaźń. Uświadomiłam sobie ze zdumieniem i smutkiem, w tym dopiero momencie, że gdy namiętności ostygły, miłość się wypaliła, a wspomnieniami już żyć się nie da, jedynie ona mogłaby nas uratować, połączyć. I właśnie zabrakło tej przyjaźni, tak ważnej między ludźmi. Nie było już na czym budować. Może dlatego zachowywaliśmy się oboje tak dziwnie i sztucznie, nie podejmując nawet próby wyjaśnienia najistotniejszej sprawy — nie narodzonego dziecka.

Wychyliliśmy szklaneczki w pośpiechu, jakby to nie był szampan, a woda mineralna. I jeszcze dwie następne.

Teraz dla odmiany będę tkwiła w pustce — przebiegło przez myśl. — Do tej chwili miałam złudzenia i tę resztkę miłości wyidealizowanej, rozdmuchanej latami tęsknoty. Było z nią żyć trudno, a jednocześnie stanowiła duchowe bogactwo, była czymś nieskończenie pięknym. Należało się wreszcie i tej resztki złudzeń pozbyć.

— Czy pamiętasz, że naszą podróż poślubną mieliśmy odbyć do Zakopanego? — zapytałam z uśmiechem.

— Pamiętam — przytaknął skwapliwie, ale ja nie byłam znów tak bardzo pewna, iż rzeczywiście pamiętał. Zastanawiał się przez chwilę i wzrok miał niepewny, rozbiegany.

— No, to się rozbieraj! — zadecydowałam za niego, odstawiając szklaneczkę. — Nie ma już na co dłużej czekać, niczego nie wymyślimy — dodałam rozpinając sukienkę pod szyją. Było w niej gorąco i niewygodnie. Perły także ciążyły na szyi.

Piotruś oniemiał zaskoczony. Wybałuszył na mnie oczy. W tej sekundzie wydały się mi nie tyle ładne, co wyłupiaste, a później rzucił się na mnie jak młody lew. Futrzak na podłodze był całkowicie w tej sytuacji na miejscu.

W godzinę później pomyślałam z żalem i ulgą:

Niby to samo, a jednak już nie to samo...

Wyzwolona z dawnych odczuć, spokojna i trochę zawiedziona, mogłam następnego dnia wracać już do domu, a w tym wypadku na wczasy.

Gdy jeszcze leżeliśmy przytuleni do siebie zmieniwszy miejsce na tapczan, a Piotruś sięgnął po papierosa, zaryzykowałam z ciekawości pytanie.

— Rozwiedziesz się z Lizą?

— Chciałbym... — westchnął gładząc moją rękę.

— A co stoi na przeszkodzie? — ciągnęłam beznamiętnym tonem. — Powiedziałeś przed chwilą, że chcesz zacząć życie od nowa i że muszę ci w tym pomóc.

— Ona nie zgodzi się na rozwód! Nie zrezygnuje z willi, samochodu i konta, jakie mam.

— To zostaw jej wszystko! Zapakuj walizkę, poszukaj pracy, podziel konto. Życie ma się tylko jedno i nie będziesz go repetował — powiedziałam, zdając sobie sprawę z nierealnej, absurdalnej rady. Rzadko który mężczyzna mógłby się na to zdobyć. Prędzej kobieta.

— I co dalej? — zaciągnął się nerwowo papierosem, poruszył prawą stopą, jak to czynił dawniej, gdy był czymś zirytowany, wytrącony z równowagi.

— Zaczniesz nowe, inne życie. Przecież chcesz tego.

— Chcę, chcę... — przedrzeźniał. — Wiele rzeczy się chce, ale nie można ich osiągnąć.

— W tym wypadku można. — Brnęłam dalej nie czując nic, poza zdumieniem, że ta cała rozmowa bardziej mnie śmieszy, niż smuci.

— Łatwo ci powiedzieć! — poruszył się niespokojnie. — Liza jest twarda i bezwzględna.

Przez króciutki moment znalazłam się w Cieplicach, w pokoju Topsiego.

Teraz zaproponuje mi wspólne wyjazdy, ukradkowe spotkania pełne emocji i dreszczyków... — Zbierała we mnie powoli złość i niechęć do tej całej sytuacji, w jakiej się znalazłam pakując się w nią dobrowolnie z głową pełną idiotycznych mrzonek. Poczułam także głód i już zerkałam łakomie na nie tkniętą jeszcze kolekcję na stole. Świece się dopalały, róże więdły w nagrzanym powietrzu.

— Gdybyś mnie rzeczywiście kochała... — zaczął z emfazą. — Moglibyśmy ułożyć sobie życie na innych zasadach. Niekoniecznie burząc wszystko inne... Można być szczęśliwym i bez ślubu. Nigdy ci na tym specjalnie nie zależało. — Utkwił wzrok w belkowanym suficie.

— Mów za siebie. Ja niczego nie muszę burzyć. Jestem całkowicie wolna, a do tego mam wspaniały dom... — Zrobiłam wymowną pauzę, żeby dać mu do zrozumienia, że mógłby również stać się i jego domem, chociaż już wcale tego nie pragnęłam.

— No, przypuśćmy... — Rozejrzał się za drugą, nie dopitą butelką szampana. Stała przy tapczanie na podłodze. Przytknął ją łakomie do ust nie sięgając nawet po szklaneczkę. — Mam pragnienie — usprawiedliwiał się.

— I co dalej? Co chciałeś jeszcze powiedzieć? — Słyszałam swój leniwy, beznamiętny głos, jakby ktoś inny wypowiadał słowa.

— Gdybyś kochała, powtarzam... — Odstawił butelkę, otarł usta wierzchem dłoni, czego nigdy przedtem nie czynił, i odetchnął z ulgą zaspokoiwszy pragnienie.

— No, właśnie... — wpadłam mu w słowa. — Gdybym ciebie kochała... — powtórzyłam zawieszając głos. Wodziłam wzrokiem po suficie z pociemniałych bali. Skojarzył się z wiekiem trumny.

Przytulił się do mnie, poszukał mojej dłoni, zamknął w swojej.

— Ale ja ciebie, Piotrusiu, nie kocham — dokończyłam z westchnieniem.

— Jak to? — poderwał się na tapczanie, jakby chciał z niego wyskoczyć. — Więc dlaczego przyjechałaś, dlaczego jesteś tu ze mną? — Denerwował się mierzwiąc palcami mocno przerzedzone włosy.

— Prosiłeś, żebym przyjechała, że potrzebujesz mojej pomocy, że... — zrobiłam nieokreślony ruch dłonią. — No i chciałam przekonać się, jaki jesteś teraz w łóżku. No i się zawiodłam! — dodałam mściwie, chociaż nie było to całkowitą prawdą.

— Jesteś cyniczna! Gdzie się podziała tamta dziewczyna, która rumieniła się na słowo „pocałunek"? — Patrzył na mnie jak na potwora wciągając mimo woli brzuch i prostując plecy.

— Zmarło się jej — westchnęłam unosząc oczy ku górze. — A teraz skończmy z tym tematem. Jestem piekielnie głodna, a ty?

— Jak możesz w takiej chwili myśleć o jedzeniu?! — obruszył się, ale bezwiednie powędrował za moim wzrokiem w kierunku stołu i przełknął ślinę.

— W jakiej chwili, Piotrusiu? Nic się przecież nie stało. Od początku wiedziałeś, że te twoje dywagacje o rozpoczęciu nowego życia skończą się ze mną na tapczanie. Prawda? No, przyznaj się... — Objęłam go za szyję, przyciągnęłam do siebie i pocałowałam.

— Wciąż mnie czymś zaskakujesz! — jęknął nadąsany, ale poddawał się pieszczocie jak rozespany kot.

— Zawsze cię zaskakiwałam i nigdy nie usiłowałeś mnie poznać, zrozumieć moje reakcje. Ale to już nieważne! — tłumaczyłam między jednym pocałunkiem a drugim. — A jeśli chodzi o jedzenie, to każda chwila jest dobra. Moje ciotki największy apetyt wykazywały na stypach. Im nieboszczyk był bliższy sercu, tym większy apetyt i obżarstwo. — Westchnęłam. Nie było to pozbawione prawdy, chociaż Piotruś myślał pewnie, że kpię sobie z niego.

— Ale co będzie dalej z nami? — Usiadł na brzegu tapczanu obejmując oburącz głowę i zerkając spod oka w moją stronę.

— Na razie zjemy kolację, a później zobaczymy! Cała noc przed nami! — roześmiałam się patrząc na jego zaaferowaną minę i posłałam raz jeszcze uśmiech „konfiturki".

Objął mnie ramieniem za szyję, przyciągnął do siebie i cmoknął w policzek.

— Powiedz, że to nieprawda... — usiłował zajrzeć mi w oczy.

— Ale co, że nie jest prawdą?
— Że mnie nie kochasz.
— Przecież to już nie ma znaczenia.
— Ma znaczenie! Dla mnie ma ogromne. Nie potrafię ciebie zapomnieć i wszystkie moje nieszczęścia wynikły z tego, że mnie zostawiłaś — usiłował przerzucić na mnie odpowiedzialność.
— Nie przesadzaj! — powiedziałam może zbyt ostrym tonem. — Przez tyle lat ani razu nie zainteresowałeś się, co dzieje się ze mną, nie szukałeś okazji do spotkania.
— Ale myślałem! Nie było dnia, żebyś nie zjawiała się w moich myślach. Uciekałem z domu, żeby nie widzieć cię w każdym kącie.
— Ja także myślałam — westchnęłam mimo woli nakładając sukienkę. — I w dalszym ciągu będę myślała, tylko trochę już inaczej.
— A jak? — Nutka nadziei zadźwięczała w głosie.
— Tego jeszcze nie wiem. — Wsunęłam się za stół na sofę, sięgając po salaterkę z sałatką przyozdobioną pomidorami. — Nałożyć ci czegoś na talerz? — spytałam, zastanawiając się, czy będzie równie smaczna, jak te, które przygotowywał dla mnie często Busio. Wyglądała apetycznie.
— Tak, proszę... — Zerknął z namysłem na stół, zapinając spodnie. — Może kawałek pasztetu. Podobno domowy. No i tę sałatkę, którą i sobie nałożyłaś, a ja przygotuję drinki.
— Przecież nie pijesz! — zauważyłam mimochodem, próbując sałatkę i dokładając plaster szynki.
— Muszę się dziś napić! Nie da rady! — Palce mu lekko drżały, gdy wyciągał z lodówki butelkę. — A od jutra ani kieliszka więcej! — zastrzegł się ze śmiertelną powagą, siadając naprzeciw mnie za stołem. — No, to za pomyślność! — Uniósł kieliszek na wysokość oczu i lekko skinął głową w moją stronę.
— Za pomyślność... — powtórzyłam za nim bezmyślnie, unosząc także kieliszek w górę, chociaż nie lubiłam i zazwyczaj unikałam alkoholu.
Rozpoczęliśmy wreszcie mocno spóźnioną kolację.

*

Góry zasnuła mgła.
W Zakopanem padało. Z Piotrusiem nie było o czym rozmawiać. Na inne rzeczy nie miałam już ochoty. Widocznie zestarzałam się bardziej, niż to nawet podejrzewałam. A może była inna tego przyczyna. Za tapczanem odkryłam starannie zamaskowaną kolekcję różnego rodzaju trunków, chociaż jeszcze przy śniadaniu usiłował mnie przekonać, że od dawna nie bierze do ust alkoholu, a jedynie dla mnie zrobił wyjątek z szampanem i czymś mocniejszym do kolacji, żeby uczcić mój przyjazd. Nie warto było nawet tego komentować. Było wiadome, że ani ja, ani Liza, ani nawet „odwykówka" nie uratuje Piotrusia, gdy sam nie pragnie wyleczyć się z nałogu. Zbyt wiele wygodnictwa, sybarytyzmu, za mało silnej woli i męskiego cha-

rakteru. Był i chciał pozostać wiecznym chłopcem z pisarskimi ambicjami, z wiarą w potęgę pieniądza i własne bohaterskie wyczyny podczas wojny na spitfaire'ach.

Piotruś postanowił jeszcze kilka dni posiedzieć w Zakopanem, odwiedzić jednego z dawnych kolegów z dywizjonu, który się tu po powrocie z Anglii osiedlił, ale jak orzekł z obłudnym westchnieniem: „rozpił się jak świnia".

Pomyślałam, że wobec tego będą dwie i że widocznie ukryta bateria wódek została w tym celu przygotowana. Chciałam już jak najszybciej znaleźć się w Krakowie. Odebrać bagaż z przechowalni i pojechać autobusem do „Szarotki" w Ropuszycach.

Rozdeptany śnieg z deszczem tworzył na peronie śliską papkę. Chłodna mżawka osiadała na włosach i ubraniu. Pociąg był już podstawiony. Mój skromny bagaż leżał na półce i należało się szybko pożegnać.

— Więc co będzie z nami? — zajrzał mi w oczy i zaraz nimi uciekł, ponawiając wczorajsze pytanie. Zabrzmiało zdawkowo i nieprzekonywająco.

— Prosiłeś, żebym wróciła, żeby wszystko było tak, jak dawniej... — zaczęłam, całując go w oba policzki. — Jeżeli byłoby to w ogóle możliwe, to tylko w dniu, w którym przyniesiesz zaświadczenie lekarskie z odbytej kuracji. Papierek stwierdzający, że jesteś rozwiedziony z Lizą i podpisaną umowę na złożoną w wydawnictwie książkę... — wyliczałam powoli, wiedząc z całą pewnością, że wszystko to, o czym mówię, nie leży w granicach jego możliwości ani nawet chęci. — Do tego czasu nie staraj się do mnie pisać ani telefonować...

Piotruś wpatrywał się we mnie jak w widmo. W dziennym świetle jego twarz wydawała się lekko obrzmiała i zmięta. Oczy przekrwione, wyblakłe.

— Pomyśl nad tym... — dodałam z jedną nogą na stopniu wagonu pierwszej klasy, żeby jakoś tę rozmowę zakończyć, zrewanżować się za wyreżyserowane, wspaniale przygotowane spotkanie. Nie zależało mi już na niczym, co wiązało się z Piotrusiem. Po prostu już nie kochałam.

Trzymał kurczowo moją dłoń. Potakiwał, obiecywał spełnić te wszystkie „drobiazgi", o które prosiłam. Zapewniał żarliwie, że najdalej za rok zjawi się u mnie ze ślubną wiązanką i książką pod pachą. Przypominał w tym dziecko, które zwierza drugiemu dziecku, że jak tylko zechce, to zamieni się w zająca.

— Z samych róż! — przyrzekał, jakby chodziło w tym wszystkim o coś najważniejszego. — A w podróż poślubną przyjedziemy tutaj, w góry do „Bibi" — uzupełnił śpiesznie, bez przekonania, ze źle ukrywanym zniecierpliwieniem, jakby mu się gdzieś bardzo śpieszyło, oblizując spieczone wargi.

Nieobecnym wzrokiem patrzył w jakiś nieokreślony punkt ponad moją głową i zapewne tak jak i ja nie wierzył, że coś z tych obietnic uda się spełnić.

Pomyślałam z żalem i smutkiem, że zapewne widzi, gdzieś tam w szarości nieba, kieliszek, po który sięgnie, gdy tylko pociąg ruszy, gdy znajdzie się w pokoju, a może już i po drodze w najbliższej otwartej restauracji.

I tak rozstaliśmy się.

Przez dłuższą chwilę stałam na pustym korytarzu, zapatrzona w przesuwający się podgórski krajobraz z poszarzałym śniegiem, z czarną od deszczu szosą biegnącą poniżej torów. Na szybie osiadały coraz gęściej wirujące płatki mokrego śniegu. Topniały spływając grubymi łzami po szkle, rozmazując to wszystko, na co patrzyłam.

Odwróciłam się i weszłam do pustego prawie przedziału. Teraz należało myśleć już tylko o Ropuszycach, których jeszcze nie znałam, i nauce jazdy samochodem. Była to jedyna realna rzecz w całej tej historii.

Rozdział 9

Po blisko miesięcznej nieobecności wracałam do domu z wczasów „za kółkiem", spędzonych w Ropuszycach. I wiedziałam już, że drugą po nim namiętnością stanie się dla mnie samochód. Stwierdziłam ze zdumieniem, że powoli zaczynam się odsuwać uczuciowo od ludzi, a darzyć miłością przedmioty. W tym zaskakującym stwierdzeniu kryło się zapewne coś z instynktu samozachowawczego, co dawało poczucie bezpieczeństwa. Przedmioty bowiem nie są w stanie przysporzyć bólu, jaki jest nierozerwalnie związany z miłością do człowieka.

Po raz pierwszy świadomie i prawdziwie cieszyłam się na myśl, że czeka na mnie w domu Busio, że przez to stał się prawdziwym i żywym domem, a nie tylko pięknym obiektem architektonicznym. Dobrze się stało, że te wszystkie dziwne i trudne dla mnie dni po spotkaniu z Piotrusiem mogłam spędzić w oddaleniu od niego, wśród obcych, niczym nie absorbujących mnie ludzi i nijakiego otoczenia. Było dość czasu i okazji na dokonanie czegoś w rodzaju ekspiacji i ostatecznego rozrachunku z przeszłością, z sobą samą, z nagromadzonymi problemami. Wydawały się dawniej nie do pokonania. Tutaj wreszcie udało się zakończyć coś, co wlokłam latami za sobą w nie zmienionej formie, a czego nie potrafiłam całkowicie wymazać z pamięci i serca, tak jakbym sądziła, że czas można zatrzymać w miejscu, a ludzie nie podlegają przemianom.

Ten pobyt w Ropuszycach — w zimowym, górzystym krajobrazie — stał się dla mnie nie tylko psychicznym odprężeniem i rozrywką, ale także czymś, co pozwoliło wyprowadzić na czyste wody i zamknąć pewien rachunek, w którym coś się przez te wszystkie lata nie zgadzało. Zakradł się pewien błąd, którego nie potrafiłam, a może nie chciałam wcześniej wykryć. Dziś już wiedziałam, że seks między mężczyzną a kobietą jest ważną, ale nie najważniejszą częścią tego, co składa się na uczucie miłości. Natomiast jest nią zaufanie, a jedyną rzeczą, która nie powinna zaistnieć między dwojgiem ludzi związanych miłością jest kłamstwo. I jeszcze jedna prawda odkryła się przede mną w błysku olśnienia. Zdumiała i przeraziła swoją nieoczekiwaną prostotą. W błysku tym zrozumiałam, że całe swoje życie czekałam na coś, co się właściwie nigdy nie mogło zdarzyć, ponieważ tym czymś była rzeczywistość. Zatraciłam ją i jej poczucie, czekając wciąż na spełnienie marzeń o wyimaginowanym szczęściu i snów o takiej właśnie miłości. Po prostu żyłam fantazją i mrzonkami niedojrzałej dziewczynki, chociaż wydawało się, że powinnam już być dojrzałym człowiekiem.

Teraz więc mogłam wreszcie odetchnąć z ulgą, że nikt i nic nie zdoła zburzyć więcej mego odbudowanego spokoju, że przeszłość, a z nią mrzonki i niepotrzebne złudzenia zostały skutecznie i bez większego żalu pogrzebane. Na jakiekolwiek myśli o Piotrusiu nie było już teraz miejsca. W najmniej oczekiwany sposób wysunął się całkowicie i bezboleśnie z mego życia, jak bezużyteczna zakładka z przeczytanej książki.

Rytmiczny, łagodny stukot kół ekspresowego pociągu przybliżał nieuchronnie do codziennych spraw szpitala i domu. Tęskniłam już za nim, a jednocześnie byłam niespokojna, co zastanę po powrocie i czy nie wydarzyła się jakaś nieprzewidziana historia, jak chociażby nagły, nie zapowiedziany przyjazd Ewy, co byłoby bardzo w jej stylu. Perspektywa spędzenia świąt Bożego Narodzenia z Brysiami przyśpieszała radosne bicie serca, pobudzała wyobraźnię, przydawała kolorytu wszystkim moim zamysłom.

Przez cały ten czas spędzony w Ropuszycach nie miałam listu od Busia ani innego znaku życia. Było to dziwne i niepokojące. Mąciło spokój, nurtowało. Kilkakrotnie usiłowałam się połączyć z nim telefonicznie. Nikt jednak nie podnosił słuchawki. Dzwoniłam w różnych porach dnia, a także w czasie, w którym pani Władzia powinna znajdować się w domu. Nikt jednak nie podchodził do telefonu. Nie było więc wykluczone, że Busio odprawił ją na czas mego pobytu na wczasach. Nie zawsze potrafiłam przewidzieć jego dziwactwa i reakcje, aby móc w jakiś sposób im zapobiec. Czyniłam sobie wyrzuty, że pozostawiłam mu zbyt dużą swobodę działania i przestałam się interesować gospodarstwem. To on je prowadził, troszczył się o dom i o wszystko, co było potrzebne do spokojnej w nim egzystencji. Nie miałam tu wiele do powiedzenia. Zwłaszcza że Busio wywiązywał się znakomicie z dobrowolnie przejętych na siebie obowiązków. Z pewnością nawet lepiej niż ja bym to mogła robić przy mojej ograniczonej ilości czasu.

Trzy dni przed końcem urlopu usiłowałam ponownie połączyć się telefonicznie z domem. Próbowałam to robić w przeróżnych godzinach. Wreszcie późnym wieczorem Busio podniósł słuchawkę. Jednak nasza rozmowa, jeśli w ogóle można ją było tak nazwać, niczego nie wyjaśniła. Uspokoiła jednak, że Busio żyje, a dom jeszcze istnieje.

— Czego tam? — usłyszałam zirytowany, zdyszany głos Busia. — Cały dzień ten dureński telefon dzwoni i dzwoni, jakbym nic nie miał lepszego do roboty, tylko latać i podnosić słuchawkę! — złościł się, nie pytając nawet, z kim rozmawia.

— Busiu, co się stało? — wystraszona przerwałam monolog. — Nie mogłam się do ciebie dodzwonić.

— A, to ty, dziecko... — odpowiedział trochę nieprzytomnym głosem. — No, miła niespodzianka...

— Jesteś chory? — spytałam ostrożnie.

— Jaki tam chory! — zarechotał. — Zapracowany, ot co! Myślałem, że to jakieś gówno tak namolnie dzwoni! Nie spodziewałem się od ciebie telefonu. — Chrząknął. — A z innymi to ja nie mam o czym gadać i nie muszę.

— Co robisz?

— Siedzę na drabinie. Nie mogę przecież z niej co chwila złazić — tłumaczył po chwili milczenia podniesionym głosem. — Chciałem nawet wyrwać sznur i rozdeptać to brzęczące ścierwo, żeby nie odrywało od pracy.

— Ale co robisz na tej drabinie? — zaniepokoiłam się nie na żarty wodząc wzrokiem po błękitnych ścianach z rozwieszonymi na nich kolorowymi fotografiami zagranicznych wozów.

— Maluję.

Przez chwilę trwała w słuchawce cisza. Zaryzykowałam nowe pytanie.

— Co takiego malujesz?

— A cóż by innego, jak nie niespodziankę dla ciebie! Nie ma u nas przecież nocników, żeby je w serduszka i kwiatki pacykować! — Był wyraźnie zniecierpliwiony i nieomal widziałam, jak przebiera nogami.

— Bardzo nie lubię niespodzianek — westchnęłam, starając się odpowiadać spokojnie, chociaż na sam dźwięk słowa „niespodzianka" widziałam Wykolejeńca i mój piękny ogród zamieniony w cmentarz. Teraz również obleciał strach, co też Busio mógł wymyślić dziwnego. Nie zbywało mu także na fantazji.

— Nic nie szkodzi! — oznajmił rechocząc. — Polubisz, jak zobaczysz. Kiedy wracasz, smarkata? — zapytał przytomniejszym głosem.

— Za trzy dni.

— Nie możesz dzień później? — zafrasował się, co mnie zaskoczyło niemile. Bardzo nie lubił, gdy wyjeżdżałam z domu i czas obliczał nieomal co do godziny.

— Nie mogę. We wtorek zaczynam pracę.

— Szkoda — westchnął. — Wobec tego wyłącz się. Inaczej nie zdążę skończyć tego, co zacząłem. Trzecią noc z rzędu nie śpię, nie jem, tylko maluję.

— Czy na pewno dobrze się czujesz? — usiłowałam wyciągnąć go na słówka. — Nie zamęczaj się tak pracą. Może się to niekorzystnie odbić na twoim zdrowiu.

— Pomijając sraczkę po zimnym mleku, to całkiem dobrze! — oznajmił z westchnieniem. — Przeszedłem na wikt Hioba. On także zeszkapiał.

— Nie zapomnij, że przyjadę w poniedziałek rannym pociągiem.

— Ciasta nie będzie! — wrzasnął dyszkantem i odłożył słuchawkę, a ja nie mogłam do rana zmrużyć oka snując najgorsze przypuszczenia. A i teraz, w pociągu, patrząc przez zapotniałe szyby, nie wiedziałam, co o tym wszystkim sądzić, i z tym większym niepokojem myślałam o tym, co zastanę w domu.

A jeśli zwariował? — przemknęło przez myśl. Poczułam, jak mi plecy zwilgotniały od potu, chociaż w przedziale nie było za ciepło. — A jeśli tak, to równie dobrze mógł brzytwą poderżnąć gardło pani Władzi, a sam siedzi na drabinie i dumki śpiewa, jak jego pradziad po kądzieli. Tyle tylko, że tamten w noc poślubną przegryzł pannie młodej gardło zębami i nie siedział na drabinie, a na szafie, przygrywając dumki na bałałajce.

Odrzuciłam natychmiast tę myśl, jako zupełny nonsens, i usiłowałam powrócić myślami do minionego urlopu, chociaż nic się podczas niego nie wydarzyło godnego uwagi. Byłam jednak zadowolona z pobytu, a najbardziej z nauki jazdy. Nawet nie przypuszczałam, że prowadzenie wozu stanie się moją pasją. Nie mogłam się już doczekać momentu, w którym kupię samochód i zacznę brać dodatkowe jazdy, żeby przynajmniej nie zapomnieć tego, czego się nauczyłam na kursach. Instruktor twierdził, że mam wspaniały refleks. Początkowo nawet podejrzewał, że już nieraz siedziałam za kierownicą, tylko nie chcę się do tego przyznać. Gorzej wypadł egzamin ustny z silnika. Pomyliłam nomenklaturę i zamiast „wał rozrządu" powiedziałam „wał nierządu". Było z tego trochę śmiechu i to przejęzyczenie nie miało, na szczęście, wpływu na ocenę.

W „Szarotce" czas umykał szybko i przyjemnie. Zwłaszcza gdy siedziało się za kierownicą. Spędzałam także długie godziny na dalekich spacerach po lesistej okolicy. Przeważnie samotnych, nie licząc paru wypadów do pobliskiej kawiarenki zwanej „Szałasem". Można było wypić herbatę, a także zjeść nie najgorszy szaszłyk z baraniej polędwicy. Towarzyszyło mi tam przeważnie małżeństwo prawników z jakimś kuzynem w nieokreślonym wieku. Siedziałam z nimi w jadalni przy jednym stoliku. Ten samotny kuzyn upatrzył sobie mnie na zwierzenia o własnych dolegliwościach. Z jego opowiadań można by sądzić, że nie ma w nim ani jednego zdrowego organu, a właściwie to już od przynajmniej paru lat powinien leżeć na cmentarzu, a nie siedzieć przy stole na wczasach, gdzie podziwiano jego wspaniały apetyt. Pracował w handlu zagranicznym i nieomal każdą rozmowę zaczynał od słów: „gdy byłem w delegacji" i zaraz po tym padała nazwa jakiegoś egzotycznego kraju. Niewiele jednak potrafił o nich powiedzieć. Najbardziej utkwiły mu w pamięci potrawy serwowane na licznych bankietach. Nie było dla mnie w tym nic dziwnego. Na imię miał Tadeusz i nawet przy najlepszych chęciach nie potrafiłabym wymyślić innego. Pasowało jak ulał.

Listopad był śnieżny, w miarę mroźny i wędrówki leśnymi duktami dawały wiele radości. Godziły z życiem, z drobnymi przeciwnościami. Nie wlokłam za sobą żadnych więcej tęsknot, nie spełnionych nadziei i mrzonek, jakie mnie jeszcze tak niedawno nawiedzały. Nawet obraz Topsiego przybladł, stracił barwę, jak stara fotografia. Przestała wreszcie doskwierać tęsknota za czymś nie spełnionym, niekonkretnym.

W tej ośnieżonej, odciętej jakby od świata miejscowości, nie najpiękniejszej nawet, gdzie jedyną rozrywką i ogólnym tematem przy posiłkach była nauka jazdy i brydż, odradzałam się powoli rozpoczynając jakiś inny, nowy etap swego życia, bez nawrotów do przeszłości, bez obciążeń balastem wyobrażeń i tęsknot niewspółmiernie młodzieńczych do mego wieku. Każdą teraz rzecz i sprawę dotyczącą mojej osoby widziałam w innym wymiarze i w innym świetle. Trochę tak, jakbym stała z boku i była jedynie obserwatorem pozbawionym emocji i osobistego zaangażowania. Był we mnie nie znany dotąd spokój i zagubiona dawno pogoda ducha, którą tu odnalazłam. Te moje odczucia nie były wprawdzie pozbawione rezygnacji, a mimo to nie ciążył na nich smutek. Może dlatego, że jeśli coś z niej było, to powstała z przemyśleń, z wyboru jedynej i słusznej w mojej sytuacji postawy.

Cieszyła myśl, że z pewnością zastanę w domu list od Ewy. Kilkakrotnie starałam się z nią połączyć telefonicznie z poczty. W rezultacie były takie zgrzyty i zakłócenia na linii, że niewiele z tej całej rozmowy zrozumiałam. Mówiła coś także o jakiejś niespodziance, z której powinnam się ucieszyć. Wywnioskowałam z tego, że mają zamiar wkrótce przyjechać. Może jednak chodziło o ciążę, którą Busio wydedukował z jej rysunku.

Bardzo do niej tęskniłam. Od dawna jednak zżyłam się z tym uczuciem, chociaż doskwierało coraz mocniej, czyniąc momentami życie gorzkie jak smak piołunu. Pragnęłam od niej dokładnych, nieomal drobiazgowych informacji o drodze, jaką obrała i którą szła w obcym kraju o innych tradycjach i tak różnym od naszej rzeczywistości. Znając jej wrażliwą, chłonną naturę, lękałam się dla niej tego pięknego, a zarazem smutnego kraju, w którym ludzie stawali się nostalgicznymi, zbyt bliscy spraw ostatecznych, łatwo rezygnujący z życia. Często rozmyślałam o tym, jak układa się dalej jej życie uczuciowe. Pragnęłam dla swego dziecka szczęścia i miłości, o którą wcale nie jest tak łatwo w zmaterializowanym świecie rządzącym się egoizmem i wygodnictwem. Gdy mieszkałam w Warszawie, podtrzymywałam dość luźny, ale miły kontakt z matką Brysia. Starałam się od niej czegoś dowiedzieć, bo przynajmniej dwa razy w roku ich odwiedzała. Z natury nie była kobietą dociekliwą i wymagającą.

— Najważniejsze, że mają syna i pieniądze — powtarzała przy każdej nieomal rozmowie. — Z pewnością także się kochają — patrzyła na mnie z zatroskaną twarzą. Taką już miała zawsze, odkąd ją znałam. Nie miała łatwego życia po śmierci męża, wychowując samotnie syna.

Przytakiwałam ze zrozumieniem głową, ale znałam dobrze Ewę i wiedziałam, że pieniądze niewiele dla niej znaczą. Najważniejsza była zawsze strona uczuciowa. Profesor Płodziak był dla niej z pewnością taką bolesną drzazgą, jaką do niedawna był dla mnie Piotruś. Wiedziałam, że nie istnieje coś takiego, jak pełnia szczęścia, że zawsze znajdzie się jakieś „ale" i jeśli nawet wszystko układa się pomyślnie, to musi się coś zdarzyć, co zniszczy je odbierając radość życia. Pragnęłam tej radości dla Ewy, jak kiedyś pragnęłam jej dla siebie.

Pociąg przyszedł z niewielkim opóźnieniem. Ranek był mglisty, pachniało odwilżą. Na pustym peronie nikt mnie nie oczekiwał. Poczułam się zawiedziona, chyba dlatego, że tak bardzo byłam pewna obecności Busia. Dotychczas było mi całkowicie obojętne, czy będzie, czy nie będzie czekał, byle dom zastać w należytym porządku. Po raz pierwszy tak naprawdę i z przerażeniem zdałam sobie sprawę, że gdyby miało się coś odmienić w moim osobistym życiu, gdyby zjawił się wyczekiwany od lat mężczyzna, nie potrafiłabym już teraz wymówić Busiowi domu, rozstać się z nim, jak z sublokatorem. Wrósł w niego, stał się składową częścią krajobrazu, przywiązał do siebie nie tylko Hioba, ale także i mnie. Znalazłam się w pułapce.

Z peronu wyszłam ostatnia, łudząc się, że Busio spóźni się, jak zwykle. Zawsze był z czasem na bakier. Długo czekałam na postoju taksówek rozczarowana i smutna w zamglonej szarości rozpoczynającego się dnia. Powoli narastał we mnie lęk i niedobre przeczucia.

*

Przywitanie z Busiem nastąpiło w niecałą godzinę później. Wyglądało trochę niecodziennie, jak wszystko, co się z nim kojarzyło. Taksówka podwiozła mnie na podjazd pod bramę z wysokich, metalowych prętów wygiętych w barokowe łuki i zawijasy. Otworzyłam kluczem boczną furtkę w ogrodzeniu, naciskając jednocześnie dzwonek. Nim doszłam do domu brnąc zaśnieżoną, nie uprzątniętą alejką, na której nie widać było śladów człowieka, rozwarły się szeroko dębowe, ciemne drzwi i stanął w nich Busio o wyglądzie widma. Wymizerowany, ze zjeżonym sztywno włosem, jak u rozsierdzonego kundla, z zarośniętą twarzą, umazaną farbą w kolorze sepii, co w pierwszej chwili skojarzyłam z zaschniętymi plamami krwi.

Powiódł po mnie nieprzytomnym, rozgorączkowanym wzrokiem, zamrugał powiekami, jakby go oślepiła biel śniegu i nikły poblask słońca budzącego się ranka.

— Wszelki duch Pana Boga chwali! — zaskowyczał obciągając umazanymi w farbie dłońmi brudny drelich. Przypominał zaszczutego przez Niemców, skrwawionego partyzanta z wojennych filmów.

— I ja Go chwalę! — odpowiedziałam automatycznie, bez zastanowienia, wpatrując się w niego osłupiałym z przerażenia wzrokiem. Wyglądał na pijanego, odurzonego narkotykiem człowieka albo jakąś koszmarną zjawę ze złego snu. Przebiegło mi przez myśl, że jest to zapewne dopiero początek czekającej mnie niespodzianki.

— To już ranek? — zdziwił się nieco skrzeczącym, nieswoim głosem. — Taż ja, dziecko, straciłem rachubę czasu! Nie wiem już nawet, ile nocy nie przespałem, i widocznie musiałem pomylić dni. Byłem pewien, że przyjedziesz dopiero jutro — usprawiedliwiał się mrugając oczami i przecierając je kułakiem. Przeświecające między konarami drzew słońce kładło się na schodkach złotymi plamami na rozdeptanym śniegu. Trwała cisza.

— Co się tutaj dzieje? — Zdławiony lękiem głos uwiązł mi w gardle. Nie mogłam nic więcej powiedzieć.

— No, to w imię Boże! — wykrzyknął z desperacją i powiódł po mnie przekrwionym wzrokiem. — Właź do chałupy i niech się dzieje co chce! — Wyrwał mi bagaż z ręki. — Jak trzeba będzie, spakuję węzełek i ruszę, jak bezdomny pies, na włóczęgę! — Starał się panować nad głosem i cieknącymi po twarzy łzami. Żłobiły długie bruzdy w czerwonej farbie. Wyglądało tak, jakby po zapadniętych policzkach Busia spływały krople stężonej krwi.

Na miękkich nogach, pełna lęku weszłam bez słowa do hallu. Wypełniało go światło dnia wpadające przez weneckie okna. Wionęła fala ciepła i zapach wilgotnego tynku. Nieliczne stylowe meble tkwiły pośrodku ogromnego wnętrza zwalone na jedną wielką stertę okrytą krochmalonymi prześcieradłami. Przypominały zwłoki owinięte całunem. Z niegdyś białych, wysoko sklepionych ścian, wyskakiwały teraz wprost na mnie, spięte na tylnych nogach z kopytami nad moją głową, ogiery. Dzikie twarze Tatarów z rozwartymi, jak do krzyku, ustami, wpatrywały się we mnie skośnymi, okrutnymi w wyrazie oczami, unosząc nad głową zakrzywione szable jakby chcieli wszyscy naraz rozpłatać nimi mój nieszczęsny czerep. Od podłogi do sufitu, przyozdobionego stiukami, szarżowała na mnie Dzika Dywizja cała w kolorach krwistej sepii i ciemnego brązu.

Konie i ludzie na nich, rozwiane grzywy i końskie ogony — wszystko to żyło — poruszało się, galopowało, gnało naprzód, krzyczało w migotliwych jęzorach płonącego w kominku ognia.

Poczułam dreszcz grozy i zachwytu przebiegający po grzbiecie, na rękach gęsią skórkę.

— Jezu Chryste! — zdołałam jęknąć przygarbiając się odruchowo i z wzniesioną bezwiednie ręką, obracałam się wolno wokół własnej osi, jakby w obawie, że za moment stratują mnie końskie kopyta, a nisko pochyleni w siodle Kozacy, wydając dzikie okrzyki, porąbią na kawałki i rozniosą na szablach.

— Dzieło mego życia! — wrzasnął nieswoim głosem Busio, rozglądając się dookoła rozgorączkowanymi oczyma. Były pełne szczęścia i łez. — Całe życie, od dziecka, widziałem, jak ze ściany wyskakują na mnie ogiery, jak przysiadają na zadach, a chrapy u nich rozdęte, oko dzikie, grzywy rozwiane na stepowym wietrze... — wyrzucał z siebie ściszonym, urywanym głosem, jakby mu zabrakło nagle powietrza, a czarny zmierzwiony łeb poruszał się wolno to w jedną, to w drugą stronę zapatrzony w malowidła. Było w nim coś z płomiennego żaru i uniesienia graniczącego z ekstazą.

Czułam, że jestem świadkiem czegoś, co nie wszystkim może być dane, czego nie sposób ująć w słowa, wyrazić w jakiejkolwiek formie. Coś we mnie drgnęło, wypłynęło z samego dna zapomnienia, nabiegło łzami wzruszenia do oczu, poruszyło serce do szybszego biegu. Olśniło. Zrozumiałam, że Busio przeżywa tę jedyną, wielką i niepowtarzalną chwilę w życiu i nie wolno jej niczym zmącić, zakłócić, tak jak nie wolno stłamsić pierwszego krzyku rodzącego się dziecka.

Staliśmy oboje w narastającej ciszy, otoczeni czymś nieokreślonym, niemal dotykalnym, co zapierało dech, skłaniało do myślenia o wartościach nieprzemijających i odwiecznych. Ogień trzaskał w brzozowych szczapach na kominku, nikły poblask słońca kładł się na szybach okien.

Milczałam. Zauroczenie powoli mijało. Wracała rzeczywistość, a z nią uczucie, że przeżywam jakiś koszmarny sen, że to wszystko jest złudzeniem tylko, że może jeszcze tkwię w pociągu i przez chwilę się zdrzemnęłam. Patrzyłam szeroko rozwartymi oczyma na zamalowane ściany, łapiąc z trudem powietrze. Wzbierał we mnie powoli bunt i żałość. Miałam ochotę krzyczeć i płakać. Nie chciałam mieszkać w galerii sztuki, tylko we własnym domu, który z taką miłością urządzałam. Może i mieszczańskie, ale pasujące do mojej psychiki i upodobań, dawało radość i poczucie bezpieczeństwa, które Busio z taką beztroską i egoizmem zamienił w pole bitewne.

— Czy to naprawdę mój dom? — wymamrotałam szeptem, wydobywając z trudem głos. Czułam łaskotanie w gardle. Mogło nieoczekiwanie przemienić się w płacz lub śmiech. Busio obrócił powoli twarz w moją stronę. Promieniała radością, wewnętrznym blaskiem. Zrozumiał opacznie moje słowa. Nie wyczuł tajonej rozpaczy w moim głosie. Był zbyt pochłonięty tym, czego dokonał, i szczęściem, jakie nim całkowicie zawładnęło.

— Wszystko jest twoje, dziecko! — zapewniał gorąco ocierając łzy wierzchem dłoni. — Dom, konie, Dzika Dywizja — wymawiał z czułością słowa. — To, co ponadczasowe, najwartościowsze we mnie, ofiarowałem tobie! — głos mu drżał wzruszeniem, oczy, błękitne i podłużne, patrzyły z czułością.

Milczałam. Cóż innego mogłam zrobić, powiedzieć? To, co się już stało, było rzeczą nieodwracalną i nie do naprawienia.

— To tak, smarkata, jakbym niebo przed tobą otworzył! Całą duszę i talent złożyłem u twoich stóp... — tłumaczył żarliwie. — Będziesz odtąd mieszkała w przybytku nieśmiertelnej sztuki, a nie w dureńsko, po mieszczańsku urządzonym domu! — wykrzyknął dramatycznym tonem i wyciągnąwszy brudną szmatę z kieszeni kombinezonu wycierał hałaśliwie nos.

Rzuciłam się bez słowa ku schodom. Biegłam na górę po dwa stopnie, żeby jak najszybciej i chociaż na chwilę wyrwać się z zaczarowanego kręgu Busiowych wizji, nie wykrzyczeć mu swoich żalów, znaleźć się wreszcie w otoczeniu zwyczajnych mebli, białych ścian i „ujutnego" nastroju mojej sypialni. I chociaż to, co oglądałam przed chwilą, było naprawdę piękne, nie działało kojąco na moją psychikę, zburzyło dotychczasowy ład mego domu.

Już nad drzwiami przywitał mnie naturalistyczny rysunek trupiej czaszki, a pod nim napis: „tu się o wiecznych sprawach myśli". Z najgorszymi przeczuciami otworzyłam drzwi i w tej samej chwili wyskoczył na mnie ze ściany ogier naturalnej wielkości z uniesionymi wysoko przednimi kopytami i ogniem w oku pod zmierzwioną, czarną grzywą. Krzyknęłam. Wydał się być żywy. Za nim, na czterech ścianach i dookoła stłoczonych pośrodku pokoju mebli, harcowały na łące w przymglonym krajobrazie wiosennego poranka, w delikatnym błękicie przeciętym różowymi smużkami pierwszego brzasku, smukłe klacze, ogiery, rozbrykane źrebięta. Głębię horyzontu przesłaniała szarawa mgiełka, jak to bywa o poranku. Nieomal czułam rześkie powietrze łąki. Zwierzęta, uchwycone wspaniale w ruchu, pełne gracji i wyrazu, dawały złudzenie, że się poruszają, żyją, że za moment usłyszę ich rżenie i tętent kopyt. Wstrzymałam na moment oddech i wiedziałam już, że malarstwo Busia, jego nieprzeciętny talent, jest moją osobistą klęską. Nie ośmielę się zamalować ścian, doprowadzić do poprzedniej bieli. I nawet tego nie chciałam, chociaż najpiękniejsze pokoje stały się nagle nieużyteczne. Wstawienie jakichkolwiek mebli zepsułoby efekt całości, byłoby po prostu barbarzyństwem.

Jak szalona biegałam od pokoju do pokoju, aby się przekonać, że wszystkie nieomal ściany w domu były pokryte batalistycznymi scenami. Nie było tu już miejsca na meble, obrazy, na normalne, codzienne życie. Konie, a na nich Tatarzy wypełniali wnętrza, poruszali się w nich jak na własnym stepie. Niektóre sceny były zaledwie naszkicowane, nie wypełnione jeszcze barwą, surowe. Busio po prostu nie zdążył...

Pełna podziwu i rozpaczy powróciłam do sypialni. Przywlókł się za mną i Busio w stanie skrajnego wyczerpania. Zataczał się jak pijany. Nogi się mu plątały, głos brzmiał chropawo i obco. Tylko oczy płonęły w zapadniętej, nie golonej od paru dni twarzy.

— Mogłem tego dokonać przed kilkudziesięcioma laty! — Rozglądał się dookoła z niedowierzaniem, jakby sam się dziwił, że stworzył takie dzieło. — Rodzice, świeć Panie nad ich duszą, zafajdali sprawę! Złamali mnie, ale talentu nie udało się im zniszczyć. Przetrwał we mnie! — dokończył w uniesieniu i rozpłakał się głośno, jak dziecko, osuwając się na dywan. Nie było krzesła ani fotela. Wszystko to zostało zwalone pośrodku pokoju i okryte prześcieradłami. Przysiadłam obok i razem z nim płakałam. Z rozpaczy, że mój wymarzony dom zamieniono w sale wystawowe, że oto na moich oczach zrodziło się coś tak wspaniałego i że Busio okazał się nie wariatem, ale wielkim artystą. I chociaż może nie znałam się na sztuce, ale to, co mnie otaczało, przeszło najśmielsze oczekiwania. I radość była we mnie, i jednocześnie rozpacz, że trzeba będzie zrezygnować z ulubionej sypialni, a pomyśleć o jakimś jeszcze nie całkowicie zamalowanym pokoju. Trudno byłoby spać pod spiętymi na tylnych nogach ogierami i pod czujnym, dzikim okiem przyczajonych w siodle Tatarów.

Szlochałam bezradnie, nie mogąc zapanować nad łzami. Zmęczona podróżą, głodna i jakby bezdomna, czułam się skrzywdzona i nieszczęśliwa. Busio przyczołgał się do mnie. Objął, przytulił zmierzwiony łeb do mego ramienia, jakby szukał u mnie zrozumienia, a może ratunku przed czymś, z czym nie potrafił sobie sam dać rady. Łkał dalej. U niego były to łzy szczęścia. Przynosiły ulgę, oczyszczały z goryczy nagromadzonej latami, wyzwalały z lęków o zaprzepaszczonym talencie. Nie był już człowiekiem samotnym. Odnalazł swoją sztukę, miał swój własny świat, w który przyszło mu nieoczekiwanie wejść, chociaż jeszcze nie dowierzał szczęściu, jakie go spotkało.

— Jak ja będę tu teraz mieszkała? — wyszeptałam przez łzy bardziej do siebie niż do niego, gładząc Busia po drgających z płaczu plecach. Nie czułam już nawet złości, tylko wielkie znużenie i rezygnację. — Jesteś wielki, ale dlaczego nie oszczędziłeś przynajmniej mojej sypialni? — jęknęłam spazmatycznie. — Muszę mieć przecież coś w tym domu dla siebie. Całe swoje życie, tak jak ty o malowaniu, tak ja marzyłam o takiej właśnie sypialni.

Busio uniósł głowę z mego ramienia, szukał moich oczu, z którymi uciekałam na boki. Patrzył na mnie z niepokojem i niedowierzaniem, mrugając zaczerwienionymi powiekami, jak człowiek zbudzony ze snu. Z oczu płynęły wielkie, nabrzmiałe łzy, jak krople wiosennego deszczu.

— Taż to mój najpiękniejszy dla ciebie prezent, jaki mogłem ofiarować. Serce i duszę w niego włożyłem. Czy ty tego nie widzisz, dziecko? — Niepokój zabrzmiał w głosie. — Obmyślałem tę moją niespodziankę przez długie miesiące. Robiłem szkice, obmierzałem ściany i ledwo z tym zdążyłem...

— Gdzie ja teraz będę spała? — powracałam uparcie do dręczącej mnie sprawy, do krzywdy, jaką mi bezwiednie wyrządził. — Przy mojej ciężkiej, odpowiedzialnej pracy chirurga muszę mieć wygodne miejsce wypoczynku i nie tylko fizycznego — tłumaczyłam łagodnie, jak dziecku.

— Tutaj, ukochana! — oznajmił z przejęciem i zrobił szeroki ruch ręką zataczając koło. — Wszystkie graty wystawi się na strych. Na środku „komnaty" wyłożonej skórami z białych baranów ustawi się „pałatkę". — Już urządzał moją nową sypialnię według własnego gustu. — Będziesz w niej koczowała wśród koni i pięknego krajobrazu stepowego. Zawsze marzyłem, żeby móc tak właśnie mieszkać. Przy płonącym ogniu, wśród oczeretów i rżenia koni... — zamilkł nagle ścierając drżącymi palcami łzę z mego policzka.

— Ale ja chcę tak żyć i mieszkać, jak mnie to odpowiada... — broniłam się i buntowałam słabo, widząc, że nie mam innego wyjścia, że muszę się przystosować do nowej rzeczywistości, bo nie opuszczę domu ani nie zniszczę wspaniałego dzieła. Znalazłam się po raz drugi w pułapce.

— Nu, dla ciebie, smarkata, to ja zrobię ustępstwo... — westchnął po namyśle uśmiechając się do mnie czule. — Taż ty kobieta, więc może „pałatka" dla ciebie nie najwygodniejsza... Ustawi się więc duży namiot — zdecydował. — Wypacykuję go na kolorowo w tureckie wzory i będziesz w nim mieszkała jak sam wezyr! Pluń na dureńskie łóżko, na mieszczańskie przesądy!

Starałam się nadążyć za wyobraźnią Busia. Ostatecznie nie była ona i w moim życiu obca. W dzieciństwie, w talerzu ziemniaczanej zupy dopatrywałam się morza z wodorostami z pietruszkowej naci, z kamyczkami z ziarenek fasoli i kartofli. Przerażało to zazwyczaj ojca i cieszyło matkę. Uważał, że jestem „kołowata na nie wiadomo jakim tle", a matka odpowiadała na to z uśmiechem: „na szczęście ma wyobraźnię".

Więc i ja zobaczyłam ten barwny, oparty na tureckich wzorach namiot wyłożony wewnątrz skórami jagniąt. Ustawiony pośrodku pokoju tak, że gdy podniesie się jego boczne płachty, będę mogła z jego wnętrza patrzeć w trzy ogromne okna, za którymi zazielenią się wiosną korony starych drzew. Zamiast dywanu, w jego miejsce zobaczyłam podłogę zasłaną baranimi skórami, po których przyjemnie chodzić boso, leżeć z książką, baraszkować z Hiobem. Nie był to pomysł najgorszy! Łóżko, szafy, toaletkę i inne stylowe białe meble ze złoceniami, do których się przyzwyczaiłam w moim nowym, bogatym życiu za Agnisine pieniądze, można było umieścić w którymś z bocznych pokoi, nie zamalowanych jeszcze przez Busia.

Jakoś to będzie! — pomyślałam ojcowym porzekadłem, zastanawiając się już, co i jak można urządzić, żeby jakoś na razie zamieszkać. Z pokoju, w którym zazwyczaj jadaliśmy, postanowiłam usunąć tradycyjne meble zwalone na kupę i wstawić w ich miejsce jedynie długi, wąski i ciemny stół z szeregiem krzeseł o wysokich, renesansowych oparciach. Na nim rozstawić świeczniki, srebrne misy z owocami, żeby było trochę jak w pałacowej jadalni, a trochę jak w muzealnej sali. Sceny batalistyczne będą tu jak najbardziej na miejscu, dodatkową atrakcją i radością dla oczu przy spożywaniu posiłków. Obudził się we mnie ojcowy zmysł organizacyjny i chęć działania. Minęło zmęczenie podróżą. Zaraz też postanowiłam porozumieć się telefonicznie z panią Władzią, ściągnąć ją tu jak najszybciej, a Busia wysłać do jego pokoju, żeby się wreszcie wykąpał i wyspał.

Mimo woli westchnęłam zerkając w jego stronę. Musiał opacznie zrozumieć moje zamyślenie i trwające od dłuższej chwili milczenie. Nerwowym, szybkim ruchem zmierzwił palcami już i tak wystarczająco nastroszone włosy i klepnął mnie po koleżeńsku w plecy.

— Pluń, dziecko, na doczesne barachło! — Starał się rubasznością pokryć wzruszenie i niepokój. — Żyj z fantazją, a nie jak zwyczajny zjadacz chleba, co to się trzęsie nad byle gównem, podłogi froteruje godzinami, buty każe w przedpokoju zdejmować, boi się o każdą skorupę. Życia na to szkoda! Wyjdź poza ramy, rozejrzyj się dookoła, przestań być niewolnikiem rzeczy! Szukaj piękna i Boga! — wyrzucał z siebie głosem natchnionego kaznodziei. — Wmawiasz w siebie, że jesteś szczęśliwa otaczając się tym całym zafajdanym majdanem! Ty, smarkata, mimo wszystko masz artystyczną duszę! — Wyszczerzył do mnie zęby w uśmiechu. — Dlatego żadna pokraka do ciebie nie pasuje! Tylko ze mną możesz być szczęśliwa, tylko ja mogę być twoim partnerem! — Oczy mu płonęły, na wystające kości policzkowe wystąpiły krwiste rumieńce. — Tylko ja jeden mam narkotyk we krwi, bo żyję sztuką i duchem, a nie jak te różne twoje padalcowate gachy konserwowane w wódzie i lubieżne jak owsiki na wiosnę!

Pomyślałam, że coś w słowach Busia musi być z prawdy. Jakoś dotychczas nie potrafiłam dopasować siebie do żadnego z partnerów. We wszystkich coś mnie raziło. W ich reakcjach, interpretowaniu spraw i zjawisk. Była w tym jakaś szablonowość. Czegoś im wszystkim brakowało, z czego nie zdawałam sobie dotychczas wyraźnie sprawy. Na coś oczekiwałam, czegoś się po nich spodziewałam, co powinno nastąpić, a nie następowało. Teraz uświadomiłam sobie, że się po prostu z nimi nudziłam. Byli bez polotu, bez fantazji. Zbyt normalni w tym potocznym słowa znaczeniu. Niczego nie wnosili w moje, nie tylko duchowe, ale i codzienne życie. Byli bezbarwni, trochę może nawet sztucznie układni, podobni do siebie w przeciętności i nudni. Nie znaczy to, że byli pozbawieni wielu dodatnich cech, które w nich szanowałam. Z Busiem mogłam się pod wieloma względami nie zgadzać, ale przy nim nie można się było nudzić. Zaskakiwał wciąż czymś nieoczekiwanym, oryginalnym, nowym, innym i wcale przy tym nie głupim, gdy tylko odrzuciło się jego lapidarność i groteskowość widzenia rzeczywistości i ludzkich charakterów.

Busio odetchnął głęboko, powiódł nieprzytomnym wzrokiem po mnie i po malowidłach.

— Pewnego dnia przyjdzie wszystko zostawić! Ani łóżka, ani lustra, ani nawet najskromniejszego nocnika nie zabierzesz z sobą na tamten świat, ot co!

— Nie używam nocnika! — odpowiedziałam z niesmakiem, spontanicznie i głupio.

W tym momencie spojrzeliśmy na siebie i nagle zaczęliśmy się śmiać jak zwariowani. Ogarnęła nas nieoczekiwana wesołość, jak ludzi, którzy się niespodzianie odnaleźli w jakiejś zabawnej, nie pasującej do tego wydarzenia sytuacji i są szczęśliwi, że to wreszcie nastąpiło.

— Zobaczysz, jak nam będzie dobrze w tym namiocie! — zarechotał, chwytając mnie za rękę i przytulając do niej rozgorączkowany policzek.

— Nam? — zdziwiłam się głośno.

— No, przecież jesteś moją żoną. Kiedyś musi to nastąpić! — tłumaczył trochę ze śmiechem, a trochę na serio, zerkając niepewnie spod oka, jakie wrażenie zrobiły na mnie te słowa.

— Jesteśmy rozwiedzeni — mruknęłam dla porządku, bez większego przekonania.

— Nu, tak będziesz, dziecko, moją branką. Ot, co! — postanowił prężąc zwycięsko tors pod brudnym, zapaćkanym farbami drelichem. — Ja Tatar, ty Laszka, więc jak po dobroci nie, to za kudły do namiotu wciągnę i zgwałcę! — wykrzyknął z zachwytem.

— Jeśli będzie czym! — uśmiechnęłam się powątpiewająco zapatrzona w ogiera emablującego białą klacz z rozwianą grzywą.

— Uhuhuu! — wrzasnął dziko machając z zadowoleniem dłońmi, jakby unosił się na skrzydłach.

— Taż ja, dziecko, nie łajdaczyłem się za młodu, unikałem kobiet jak zarazy, na siłę wpędzałem się ziółkami w impotencję... — zapewniał z dziecięcą żarliwością, aż porwał mnie nowy atak śmiechu.

— I co, pomogło? — wydukałam krztusząc się słowami.

— Ni cholery! — rżał radośnie niczym ogier. — Jeszcze ci udowodnię w tym namiocie, co znaczy przystojny, namiętny brunet z narkotykiem w krwi i z artystyczną fantazją! — odgrażał się bawiąc się na równi ze mną tym, co mówił.

— Na wszystko przyjdzie pora! — odsunęłam go delikatnie od siebie. — Na razie jeszcze nie ma namiotu, skór i wiosny — mitygowałam jego zapędy. — Najpierw trzeba doprowadzić dom do stanu używalności. — Westchnęłam, podnosząc się z dywanu z różanymi girlandami. — Na razie chodźmy do kuchni coś zjeść, a później położysz się spać, a ja zajmę się gospodarstwem. Na szczęście, dopiero jutro idę do szpitala.

Busio zmarkotniał, westchnął spazmatycznie i także się podniósł.

— To ja ci, w takim razie, coś przeczytam... — oznajmił nieoczekiwanie, schodząc za mną po schodach do kuchni. Tutaj, na szczęście, nie zdążyli się jeszcze wprowadzić Tatarzy z końmi. Jedynie tylko wychudzony Hiob przywitał mnie rozdzierającym miaukiem, warując, jak pies, przed zamkniętą lodówką.

— Od wczoraj rana nic obaj nie jedliśmy! — przyznał się z przechwałką Busio. — A jutro od świtu zabieram się do paru szkiców. — Usiadł ciężko na taborecie wodząc za mną trochę nieprzytomnym z niewyspania wzrokiem.

— Żadne takie! — krzyknęłam. — Dziś i jutro masz spać, bo może się to źle skończyć! Mówię w tej chwili jako lekarz i musisz się do tego zastosować.

— Taż ty, dziecko, nie branka, a prawdziwa Ksantypa! — Usiłował się uśmiechnąć, ale widać było, że myśli ma zaprzątnięte czymś innym. — Byłbym zapomniał... — Spojrzał na mnie z miną winowajcy. — Bo u mnie teraz we łbie jak w kotle czarownic! Kłębią się wizje, koncepcje, aż ręka nie może nadążyć za nimi, ale zaraz przyniosę list...

— Jaki znów list? — zaniepokoiłam się.

— Od Ewy. Adresowany wprawdzie do ciebie, ale otworzyłem, bo my, dziecko, chociaż jeszcze nie sypiamy razem, to jednak stanowimy jedną duszę i jedno ciało.

Bez słowa nastawiłam na gazie czajnik na herbatę, zajrzałam do lodówki. Była prawie pusta, ale coś tam jeszcze na śniadanie można było w niej znaleźć. Wyłożyłam sery, masło, a ostatni kawałek obeschniętej szynki pokrajałam dla Hioba. Ocierał się niecierpliwie o moje nogi, otwierał bezgłośnie pyszczek, jako że był kotem delikatnym i wiedział, że się go nie skrzywdzi. Czerstwe pieczywo znalazłam w torbie pod oknem. Nadawało się jedynie na grzanki.

— Nie będę czytał wszystkiego. Nie mam zdrowia do babskich wywodów — zaznaczył Busio wygładzając szeleszczące kartki. — Pisze tak... — Przez chwilę szukał zmrużonymi oczyma odpowiedniego fragmentu mamrocząc coś pod nosem. — Jest, znalazłem... „...a więc, droga Maa, możesz powiedzieć Busiowi, że i ja mam dla niego wspaniałą niespodziankę, bo coś wspominał, że na mój przyjazd, a także na uczczenie Ciebie, ma zamiar przygotować coś gigantycznego. Ale moja będzie przede wszystkim czymś dla ciebie zupełnie niewyobrażalnym. Czymś nawet większym niż dla Busia! Powiedz Mu koniecznie, że oczekuję nowej porcji rysunków o tym samym formacie, co zwykle, i żeby je koniecznie wysłał odwrotną pocztą. Niech potraktuje sprawę jako wyjątkowo pilną..."

Busio zamilkł i popatrzył na mnie wyczekująco.

— Czy wyście oboje powariowali z tymi niespodziankami!? — krzyknęłam zniecierpliwiona, zwłaszcza że głód zaczął mi dokuczać. Miałam serdecznie dosyć tego rodzaju emocji. Od najmłodszych lat bałam się różnych niespodzianek, tak jak i moja matka. Na dźwięk tego słowa zatrzymywała zazwyczaj oddech i przykładała rękę do serca. Jej zapowiedź nigdy nie wróżyła niczego dobrego.

— Wysłałeś chociaż te rysunki?

— Nie denerwuj się, smarkata, i nie miej takiej nieszczęśliwej miny. Ewa coś tam dalej wspomina o niedzieli. Możliwe, że za parę dni będziesz ją tu miała z całą familią... — Uśmiechnął się powtarzając pod nosem: „z całą familią", jakby go coś w tym zdaniu szczególnie rozbawiło.

— I dopiero teraz o tym mówisz?!

— Ja sam mocno przestraszony... — przyznał się. — Nie zdążę wszystkiego wykończyć.

— Wystarczy tego, co jest! Wypełnisz jedynie kolorami zaczęte szkice. Nie pozwolę już ani jednego pokoju więcej zamalować! I tak dobrze, że nie padłam na serce od tej twojej niespodzianki! — dorzuciłam, żeby dać do zrozumienia, że temat wyczerpany i że ja mam także coś w tym domu do powiedzenia.

— Niby masz duszę, a czasem postępujesz tak, jakbyś jej nie miała! — dziwił się stawiając na stole miseczkę z malinowym dżemem i drugą z miodem. — Znów trzeba będzie do garów wracać... — westchnął niby to do siebie, ale na tyle głośno, żebym usłyszała.

— Od jutra będzie przychodzić teraz codziennie pani Władzia — postanowiłam.

— Nigdy! — wrzasnął Busio. — Nie odbieraj mi chleba! Muszę jakoś na niego i na te farby zarobić.

— Idiota! — odkrzyknęłam. — Mój mąż nie może być kucharką! — Trzasnęłam nożem o deskę, na której krajałam pieczywo na grzanki.

— Ksantypo ty moja! — wrzasnął piskliwie i rzucił się przede mną na kolana. Był w tym geście zabawny i wzruszający.

— Więc chcesz mnie za męża!? — Do oczu napłynęły mu łzy.

— Nie mazgaj się jak rozlazła baba! — wpadłam w jego ton. — I nie zadawaj głupich pytań! Mieszkamy pod jednym dachem, ślub kościelny był, więc o co chodzi? Spać razem nie musimy! — skwitowałam krótko.

— Ale dlaczego, dlaczego? — wpatrywał się we mnie zawiedziony.

— Mam opory! — wzruszyłam ramionami. — Zawsze byłeś zbyt brutalny. Nie nadajesz się dla mnie do tych rzeczy. Zajmij się lepiej swoją sztuką. Jesteś w tym znakomity i niezrównany — dodałam z uśmiechem, żeby mu osłodzić gorzką prawdę.

— Taż ja łażę po ścianach z namiętności do ciebie!

— Na razie te ściany zamalowałeś! — mruknęłam wyciągając z opiekacza grzanki.

— To co ja mam teraz robić!? — patrzył na mnie z bezradnością i przerażeniem w oczach.

— Nie wiem! Czekać, zdobywać mnie, być mężczyzną, a nie tylko o żarciu myśleć albo w końskim towarzystwie przebywać! — Wzruszyłam ramionami. — Pomyśl nad tym! Nie będę więcej z obowiązku spełniała tego, co z odpowiednim partnerem może dawać radość...

Usiedliśmy za stołem. Busio z opuszczoną głową wpatrywał się w talerz z grzankami.

— Nie ma co, tylko trzeba będzie wziąć od nowa ślub i zacząć wszystko od zera! — oznajmił nieoczekiwanie.

— Cnota mi przez to nie odrośnie! — burknęłam pod nosem, a głośno wyraziłam zdumienie. — A po cóż nam ślub? Cywilny nie ma przecież dla ciebie znaczenia, a kościelnego nie udało ci się unieważnić — zauważyłam złośliwie, nie mogąc sobie odmówić tej przyjemności, chociaż działo się to przed wielu, wielu laty i nonsensem było do tych spraw wracać. — A dla mnie nie staniesz się przez to bardziej pożądanym! Tu nie chodzi przecież o sprawy formalne...

— Ale ja się zmieniłem, dziecko! Wiele rzeczy zrozumiałem. Ty dopiero zobaczysz, co znaczy dojrzały, kochający mężczyzna! Daj się tylko przekonać... — Wlepił we mnie błagalny wzrok.

— Bądź cierpliwy... — przesunęłam dłonią po zmierzwionym łbie. Przez moment spotkaliśmy się oczami. Kochałam je kiedyś i były dla mnie najpiękniejsze. Poczułam dojmujący smutek i coś jak rozrzewnienie.

Nie było mi dane wyjść po raz drugi za mąż. Może była to owa żelazna konsekwencja przyrody nie uznającej ani nagrody, ani kary. Busio, ponieważ żył, przez sakrament małżeństwa był wciąż moim mężem, a ślub cywilny nie jest dla Kościoła tylko dla państwa. Przeznaczona mi więc była „kocia łapa" do śmierci. Od niej się wszystko zaczęło i na niej się zapewne skończy. W moim życiu, u jego nieomal schyłku, zamykało się kółeczko. Istniała w tym jakaś prawidłowość, a może tylko przypadek, w który nigdy nie wierzyłam. Początkiem i końcem wszystkiego był Busio i moja najpierw obłąkańcza, dziewczęca miłość do niego, a teraz rezygnacja i obowiązek wobec mężczyzny, z którym, według katolickich zasad, byłam związana sakramentem i czymś jeszcze, na co złożyło się całe moje życie. To wewnętrzne, utajone gdzieś głęboko i stłamszone, a nie tylko morficzne, jakim dotychczas żyłam.

— Będę cierpliwy — przyrzekał uroczystym tonem. — I zrobię wszystko, żebyś była szczęśliwa. Nawet, gdybym musiał zrezygnować z własnego szczęścia. Jestem twoim dłużnikiem do śmierci...

— Streszczaj się! — upomniałam ze śmiechem. — Świat jest tak przepełniony słowami, że trudno w nim już oddychać! — dorzuciłam smarując grzankę masłem i nakładając kawałek sera. Zobaczyłam nagle przed sobą Piotrusia na zakopiańskim dworcu, skwapliwie obiecującego rzeczy nie do wykonania.

— A teraz zjadaj szybko śniadanie i do łóżka! — Pogłaskałam go po ręce. Nie wyglądał w tej chwili na geniusza, ale wyczerpanego do ostatnich granic człowieka.

Pół godziny później połączyłam się z centralą telefoniczną w szpitalu, poprosiłam o wydzwonienie numeru kuchni. Długą chwilę czekałam, nim pani Władzia podniosła słuchawkę. Przez kilka minut musiałam ją przekonywać, jak bardzo potrzebuję jej pomocy i że „starszy pan" z pewnością nie chciał jej obrazić i że obie kiedyś zgodziłyśmy się, że jest dziwakiem. Niech więc wsiada, jak tylko będzie wolna, w taksówkę i na mój koszt przyjeżdża, a po drodze zakupi pieczywo.

— Nie ma u pani ordynator Rusków? — zapytała ostrożnie pod koniec rozmowy zalęknionym głosem.

— Rusków? — powtórzyłam, sądząc, że się przesłyszałam. — Jakich Rusków? O czym pani mówi? — zaniepokoiłam się.

— No, o Rosjanach — tłumaczyła dziwnie onieśmielona. — Pan starszy powiedział, że mam nie przychodzić, bo on do posiadłości wprowadza konie z jakąś dywizją, więc sobie pomyślałam, że może naspraszał Rusków, to jest Rosjan... — poprawiła się szybko.

— Pani Władziu kochana! — wykrzyknęłam z uciechy, nie mogąc powstrzymać śmiechu. — Sama pani zobaczy, jaką to dywizję wprowadzono do domu! Do tej pory nie mogę ochłonąć z wrażenia! Pani też się zdziwi...

— No, to za jakąś godzinę będę — przyrzekła. — Ciekawość mnie wprost zjada i żal mi pani doktor, bo jak stary mężczyzna coś wymyśli, to nie daj Bóg! Nasz dziadek, nie dalej, jak w ubiegły piątek, cały tyłek sobie oparzył. Zwidziało mu się, że najlepiej prasować mokre gacie nie zdejmując ich z tyłka. Taki z niego artysta! — westchnęła ciężko i zapewniwszy, że o pieczywie pamięta, odłożyła słuchawkę.

Raz jeszcze obeszłam pokoje. Obmyślałam, gdzie i jak rozlokować Brysiów, które meble usunąć i w rezultacie nic sensownego nie wymyśliłam czekając na pomoc pani Władzi. Miała siłę pociągowego konia i rozwinięty zmysł organizacyjny. Odstawione od ścian antyki zajmowały środek każdego nieomal pomieszczenia i trzeba je było od nowa przesuwać lub wynosić. Na szczęście, nie wszystkie wnętrza zostały zaludnione Dziką Dywizją. Można więc było je tak zagospodarować, żeby w którymś z nich urządzić oddzielną sypialnię dla Siasia. Postanowiłam także, że Ewa sama zadecyduje, które pokoje zajmą dla siebie. Byłam pewna, że ścienne malowidła nie będą jej przeszkadzały, aby wśród nich mieszkać, i z pewnością wzbudzą nawet zachwyt. W rezultacie pozostawało na razie urządzenie mojej sypialni, pokoju „herbacianego" i jadalni. W hallu należało usunąć kilka zbytecznych już tu teraz mebli, a jedynie pozostawić fotele przed kominkiem i mały, przesuwany stolik. Myślałam także o wstawieniu tam jakichś ozdobnych, zielonych roślin.

Powróciłam do kuchni. Przed nadejściem pani Władzi należało przygotować coś do obiadu. W zamrażalniku znalazłam kurczaki. Postanowiłam je rozmrozić i upiec. Były także jabłka w spiżarni. Tylko je obrać i obsmażyć w cząstkach na oliwie i podać do mięsa zamiast ziemniaków. Na razie zaparzyłam filiżankę mocnej herbaty, rozsiadłam się wygodnie na kuchennym krześle zapatrzona w zimowy pejzaż za oknami w różowościach i bieli. Usiłowałam zebrać myśli. Nie mogłam jeszcze ochłonąć po doznaniach dzisiejszego ranka. Może życie od pewnego czasu przestało już być stojącą wodą. Teraz jednak zamieniło się w rwący potok. Należało więc uważać, aby nie stracić gruntu pod nogami. Wieczorem postanowiłam zamówić rozmowę ze Sztokholmem. Dowiedzieć się wreszcie, którego dnia można się spodziewać Brysiów w Kuczebinie. W zależności od tego chciałam ułożyć dyżury w szpitalu, a także doprowadzić dom do takiego stanu, żeby nie zepsuć efektu Busiowych ekspozycji, a jednocześnie uczynić go chociażby w części mieszkalnym i tak „ujutnym", jakim był dotychczas. Należało działać spokojnie, planowo, nie poddawać się emocjom i czuwać nad fantazją Busia. Jak sam powiedział, ma teraz w głowie „kocioł czarownic z pomysłami".

Z rozmyślań wyrwał trzykrotny dzwonek oznajmiający pojawienie się pani Władzi. Przed wejściem do hallu, w korytarzu, zdjęła gumiaki, powiesiła płaszcz z wyliniałym kołnierzem, podała torbę z pieczywem i popatrzyła na mnie pytająco, rozcierając zaczerwienione dłonie.

— Ja tu ze dwa razy zaglądałam przez bramę, patrzyłam na dom. Wyglądał jak wymarły. Nawet bałam się, czy coś złego się nie stało. Od czasu, jak ze starszym panem te baranie skóry „Żukiem" zwieźliśmy, to zakazał przychodzić, że niby te konie sprowadza. Przestraszyłam się nawet, że ogród zadepczą, końskim łajnem zabrudzą... — Zerknęła niepewnie w moją stronę. — Pani doktor wie, jak to z wojskiem...

— To skóry już są? — udałam, że wiem o ich istnieniu i zaraz też pomyślałam, że z sypialni należy jak najszybciej usunąć meble i wyłożyć nimi podłogę. Przynajmniej dwa pokoje będą urządzone. Moja sypialenka w bocznym skrzydle i ta przygotowana pod namiot wezyra.

— Już następnego dnia po pani wyjeździe ściągnęliśmy je z Bąblowca koło stadniny. Od dawna podobnież były zamówione, i to w takiej ilości, jak na kożuchy dla wojska... — Zerknęła na mnie z ciekawością, jakby chciała się bliżej czegoś o ich przeznaczeniu dowiedzieć.

— Zaraz je rozłożymy na podłodze — uśmiechnęłam się wprowadzając ją do hallu. Dla większego efektu zapaliłam wszystkie w nim światła.

Stanęła w progu z otwartymi jak do krzyku ustami, z rozbieganym od sceny do sceny wzrokiem, pełnym grozy i zdumienia.

Długą chwilę milczałyśmy.

— I skąd się takie coś w głowie bierze, pani doktor? — odezwała się wreszcie zapatrzona z lękiem w kozackie i tureckie postacie na koniach.

Nie miało sensu tłumaczyć jej funkcji półkul mózgowych, a także tego, że u mężczyzny prawa jest bardziej aktywna i między innymi zawiaduje orientacją wzrokowo-przestrzenną i że mężczyźni przez tę jej aktywność są szczególnie utalentowani w rysunku perspektywicznym, mają dużą zdolność myślenia abstrakcyjnego i że o wiele częściej niż wśród kobiet trafia się między nimi debil albo geniusz. I że ja miałam to szczęście albo nieszczęście, że trafiłam na geniusza.

Popatrzyłam więc na nią z uśmiechem i odpowiedziałam tak, żeby to było dla niej bardziej zrozumiałe.

— Pani Władziu kochana, mężczyźni są pod każdym względem różni od nas, bo takimi ukształtowała ich natura. Nie są ani lepsi, ani gorsi. Są inni. Kochają nawet inaczej, myślą inaczej, a więc ich sztuka też musi być inna, a w tym wypadku malarstwo...

— Inaczej kochają? — podchwyciła z niedowierzaniem interesujący ją temat. Dobiegała czterdziestki i te sprawy były jej szczególnie bliskie.

— Sama pani wie, że jak kobieta kocha, to kocha! Ślepo i z poświęceniem. Daje z siebie wszystko i dogadza na wszelkie sposoby. A tymczasem mężczyzna, chociaż szuka stałej towarzyszki życia, chce pozostać wolny, a do tego jego duch ma „rozbieżnego zeza" i zerka na różne babki — uśmiechnęłam się do niej porozumiewawczo. — A ponieważ jest seksualny, to znaczy dąży jedynie do zaspokojenia popędu, a przy tym nie lubi wszelkiej gadaniny miłosnej i pytań „czy mnie kochasz?" albo „o czym myślisz?" A wszystko dlatego, że myśli zupełnie o czymś innym, niż czyni to w tym samym momencie kobieta. I tak się mijają, gdyż natura tak skonstruowała kobietę i mężczyznę, że się dopełniają, a nie wzajemnie rozumieją.

— Et! — machnęła ręką. — W łóżku każdy jednakowy! Wszystko zależy tylko od karmienia. Nażarty ma chęć na różności i gęba mu się od czułych słówek nie zamyka, a jak głodny to markotny i ruszyć mu się niczym nie chce! — Uśmiechnęła się w przestrzeń do własnych myśli.

Raz jeszcze rozejrzała się dookoła, pokręciła głową i mruknąwszy coś w rodzaju: „ależ ci szkapy", zabrała się wraz ze mną do ciężkiej fizycznej pracy, podczas gdy genialny Busio spał zamknięty w swoim pokoju, który był w jakimś sensie jego wyłącznym terytorium, o które walczy zajadle każdy mężczyzna, mniej lub bardziej świadomie.

*

— Przyjechaliście z jednodniowym opóźnieniem! — przywitałam Ewę niepotrzebnie wymówkami, gdy tylko wyskoczyła z samochodu. — Co się stało? Całą noc się zamartwiałam. Przedwczoraj padał deszcz, a teraz chwycił mróz i drogi oblodowaciałe. Do szpitala wciąż kogoś przywożą nam z wypadku...

— Ach, maa! — wykrzyknęła rzucając mi się na szyję i tuląc do mnie jak mała dziewczynka, która nabroiła i prosi o wybaczenie. — Musieliśmy zatrzymać się w Warszawie. Odwiedzić groby dziadków, przedstawić im Siasia! Przy okazji pokazałam chłopcu dom, w którym mieszkaliśmy i twój dawny szpital i moją Akademię, gdzie poznaliśmy się z Brysiem — paplała jednym tchem połykając ze wzruszenia sylaby. Niby już całkiem dorosła, a wciąż mała dziewczynka wierząca w duchy, w obecność ukochanych dziadków i w wiele różnych rzeczy, w które ja starałam się od dawna nie wierzyć.

— Co za cudowny dom! Jaka wspaniała, prawie pałacowa fasada! — Rozglądała się ze wzruszeniem i zachwytem mrużąc przed blaskiem oczy. — I ten ogród w śnieżnej szadzi! I ty, maa, w tej nowej dla mnie fryzurze! Jesteś jeszcze piękniejsza! — wykrzykiwała przywołując ruchem dłoni Brysia zajętego z Busiem i Siasiem wyciąganiem bagaży z wozu. — Czy widzicie, jakie to wszystko bajkowe!? A więc znów jesteśmy w Polsce! Przywitajcie się wreszcie z maa, a nie ciągajcie teraz waliz! — strofowała, kręcąc się dookoła mnie, w długim, sięgającym ziemi, luźnym futrze z rakunów, w traperskiej, puchatej czapie z ogonem, zsuwającej się na oczy.

— Jestem szczęśliwa, szczęśliwa, szczęśliwa! — powtarzała jak w transie, zarumieniona, z oczami pełnymi złotawych, migotliwych iskierek, z puklami rudych włosów przy policzkach. — I tyle mamy ci do opowiadania!

— Nie chcieliśmy przeszkadzać w twoim własnym witaniu maa! — odkrzyknął z uśmiechem Brysio, biegnąc z Siasiem w naszym kierunku. Zmężniał, rozrósł się i zgolił brodę. Miał uważne, pełne tkliwości spojrzenie, gdy spoglądał na Ewę i syna. Odetchnęłam z ulgą.

— Witaj, babsiu! — podbiegł do mnie Stasio podając z powagą rękę, a później zarzucił ramiona w czerwonoturkusowej kurtce na szyję, zmuszając tym ruchem, abym się pochyliła. Przytulił chłodny, pachnący wiatrem policzek do mojej twarzy, pocierał kształtnym noskiem o mój nos, jak czynią to Eskimosi. Starałam się nie rozpłakać ze wzruszenia. Otwierałam więc szeroko oczy, klepałam go po szczupłych, wąskich plecach, oddawałam pocałunki.

— Wyrosłeś na prawdziwego mężczyznę! — wyszeptałam bez sensu, ale dziecko przyjęło to jak potwierdzenie tego, o czym był widocznie przekonany.

— Mam prawie jedenaście lat! — argumentował bez uśmiechu. — Jestem w szkole ze wszystkiego super, a tato mówi, że prowadzę żaglówkę jak stary, stary... no... — szukał w pamięci trudnego widocznie dla niego słowa i bezradnie patrzył mi w oczy.

— Jak stary wyga! — podpowiedziała ze śmiechem Ewa. — A pływa jak foka! — dodała z dumą, przeciągając dłonią po płowych synowskich włosach o rudawym odcieniu.

Z Brysiem ściskaliśmy się i witali jak nie teściowa z zięciem, a para starych kumpli.

— Wspaniale wyglądasz, Brysiek! — powtarzałam klepiąc go po smagłym policzku. — Naprawdę wspaniale! Dobrze, że zgoliłeś brodę. Przynajmniej mogę wreszcie przekonać się, jaki jesteś przystojny. Fajnie ci w tej białej wiatrówce!

— Ciepła i wygodna. Zwłaszcza w podróży! — Obejmował mnie wciąż ramieniem zaglądając z rozbawieniem w oczy. — A ty, maa, jesteś coraz to młodsza! Czas się dla ciebie zatrzymał, czy jak? — Okręcił mnie wokół siebie. — Stasio nie powinien mówić do ciebie „babcia". Protestuję stanowczo!

— Na razie mówi „babsia"! — zauważyłam ze śmiechem.

— Myli mi się literka „c" z literką „s" — tłumaczył z zabawną powagą spoglądając z uwielbieniem na Brysia. Pomyślałam, że gdyby żył mój ojciec, kochałby swego prawnuczka do szaleństwa.

— Mów więc do mnie „babik", jeśli tak będzie ci łatwiej.

— Babik! — powtórzył z rozbawieniem, chociaż usiłował być poważny. — Mam babsię „babika"!

Raz jeszcze schyliłam się, żeby go ucałować, przytulić.

— Dość tych czułości! — zawyrokował Busio zjawiając się przy nas. — Mnie także się coś należy, ot co! — Chwycił Stasia pod pachy i uniósł lekko ponad głowę, jakby to był nasz Hiob, a nie dobrze wyrośnięty chłopiec. — Dawniej cielaka zarzucałem na kark i mogłem bez zmęczenia nosić godzinami! — przechwalał się, zawsze chętnie demonstrując siłę, z której był, nie wiadomo dlaczego, tak dumny. — Widzisz, jakiego masz mocnego dziadka!

— To pan jest moim dziadkiem? — zdziwił się chłopiec, spoglądając pytająco to na mnie, to na rodziców.

— Najprawdziwszym! — odpowiedział za nich Busio. Było widać, że jest wzruszony. Poruszał wąsami jak mors i mrużył skośne oczy, uciekając nimi na boki. — Jak to się wszystko w człowieku z latami zmienia! — westchnął stawiając chłopca na śniegu. — Dawniej nie lubiłem szczeńców, a teraz żałuję, że nie mam syna takiego jak Brysio. Dobrze, że jest przynajmniej wnuk! — westchnął spazmatycznie i spojrzał na mnie z wyrzutem, jakbym to ja, a nie on, była temu winna, że nie miał własnego dziecka.

— Wejdźmy wreszcie do domu! — ocknęłam się. — Jak długo można witać się na mrozie?! Zabierajcie bagaże i do środka! — komenderowałam czując, że mi palce z chłodu zgrabiały.

— Strasznie jestem go ciekawa od środka! — podjęła skwapliwie Ewa, łapiąc także jakąś brzuchatą torbę.

— Nie dźwigaj! — krzyknął ostrzegawczo Brysio wyrywając jej bagaż z ręki. — Tyle razy prosiłem, żebyś na siebie uważała. — Wyrzut i czułość zabrzmiały w głosie.

— Stać! — wrzasnął nieoczekiwanie Busio wyrzucając dramatycznym gestem ramiona w górę. — Wszyscy stać!

Zatrzymaliśmy się na schodkach jak spłoszone stado, nie wiedząc, co się stało, wpatrując się w niego z lękiem.

— Wchodzimy najpierw bez bagażu! — rozkazał władczym głosem otwierając drzwi do korytarza. — Zdejmijcie ubrania i proszę bez zbędnych rozmów. Przed wejściem na pokoje obowiązuje chwila ciszy i skupienia. Dopiero wtedy można wejść dalej.

W tym jego komenderowaniu było coś tak nieoczekiwanego i sugestywnego, że bez słowa protestu i komentarzy zastosowaliśmy się do w tak kategoryczny sposób wyrażonej prośby.

Brysio z Ewą wymienili spłoszone spojrzenia i przenieśli je na Busia przyodzianego w czarny garnitur ze sztruksu, z fantazyjnie związanym pod kołnierzykiem białej koszuli grubym postronkiem, zakończonym dwoma supłami. Wyglądało to trochę niecodziennie i chociaż wzrok Ewy, Brysia, a nawet Siasia, wędrował uporczywie w stronę jego szyi, nikt o nic nie zapytał. Uśmiechnęłam się do nich uspokajająco. Rozumiałam, o co Busiowi chodzi. Wiedziałam, że nie zwariował z nadmiaru wrażeń, a sznur, jak sznur. Widocznie nic lepszego nie znalazł pod ręką, a może chciał tym drobnym symbolem wyrazić w jakiś sposób swoją więź z końmi chwytanymi ongiś na arkan czy też, współcześnie mówiąc, lasso.

— Ciii... — przytknął znacząco i bez potrzeby palec do wydatnych warg pod sterczącym szczeciniastym wąsem. Powiódł po wszystkich uważnym wzrokiem, chrząknął i szerokim gestem rozwarł drzwi, wpuszczając nas do środka ciepłego wnętrza hallu z płonącym ogniem na kominku. Sam odsunął się skromnie na bok.

— Aaaa! — wydarło się jednoczesne przeciągłe westchnienie z ust Ewy i Brysia. Siasio odruchowo przytulił się do matki. Szeroko rozwarte, szafirowe oczy wpatrywały się w to, co działo się na ścianach pełnych migotliwego blasku. Te oczy dziecka coś mi nieoczekiwanie uprzytomniły, co dotychczas umknęło mojej uwadze. Oboje rodzice mieli je brązowe. Kolor oczu dziedziczy się, a więc po kim? Moje podejrzenia na temat Płodziaka były więc słuszne. Czy Brysio znał prawdę? Pomyślałam, że w naszej rodzinie zawsze podtrzymywano wszelkie tradycje. Nawet tak niepopularne, jak bękarty.

To już drugie pokolenie bęsiów. No, ładnie... — uprzytomniłam sobie z tłumionym śmiechem.

Staliśmy w zupełnej ciszy. Przerwała ją pierwsza Ewa. Rzuciła się z okrzykiem zachwytu w ramiona Busia i usiłowała pocałować go w rękę, przed czym się wcale nie bronił. Przeciwnie. Podsuwał do pocałunku jak biskup pierścień. Wielkie, autentyczne łzy płynęły jej z oczu, zdławionym głosem mamrotała jakieś słowa uwielbienia, przytulała swoją twarz do jego twarzy, obejmowała, całowała raz po raz w rękę.

— Jesteś genialny! Wielki! Wspaniały! — wykrzykiwała między jednym a drugim pocałunkiem.

Patrzyliśmy na tę scenę jak zahipnotyzowani. Odezwały się w niej rodzinne geny.

— Taż to dopiero początek, siusiumajtku! — Nadął się jak żaba i krygował uszczęśliwiony, z oczami pełnymi łez uciekał na sufit. — Stać mnie na więcej! Spieszyłem się, nie dopracowałem, nie zdążyłem ze wszystkim na czas! Głupiego tygodnia zabrakło — usiłował się tłumaczyć.

— Wystarczy! Wystarczy w zupełności, żeby okrzyczeć cię geniuszem! — zaprzeczała gorąco Ewa, a Brysio, przyczajony jak kot, przemykał się na palcach wokół ścian z wyrazem najwyższego podziwu i niedowierzania w wybałuszonych, ciemnych oczach.

— Ile miesięcy tato nad tym pracował? — Zwrócił się per „tato" do Busia, a ten przyjął to jak coś oczywistego.

— Niecały miesiąc! — westchnął skromnie.

— Nieprawdopodobne! Nikt w to nie uwierzy! Niech się nawet tato do tego nie przyznaje...

Ewa zachowywała się w dalszym ciągu jak w euforii, a gdy uklękła przed Busiem, zrozumiałam, że nastąpiło apogeum jej zachwytów i za chwilę będzie można normalnie z nią rozmawiać, oprowadzić po dalszych pokojach.

— Babiku! — wyszeptał Siasio oszołomiony niecodziennym widokiem. W rysach jego twarzy nie znalazłam żadnego podobieństwa do naszej rodziny. Jedynie chyba tylko ten nikły, rudawy odcień włosów i może w przyszłości wzrost. Zapowiadał się na bardzo wysokiego chłopaka, a nie na średniaka, jak profesor Płodziak, o którym mój ojciec mówił z obrzydzeniem, że u małego mężczyzny serce macza się w gównie i dlatego nie są zdolni do miłości, a co najwyżej do bezmyślnego robienia dzieci.

— Babsiu! — powtórzył. — Czy ten pan dziadek sam z głowy i własną ręką to wyrysował?

— Sam i własnoręcznie — uśmiechnęłam się. — I nie pan dziadek, tylko dziadek. Dziadek Busio — dopowiedziałam po chwili namysłu, zniżając głos do szeptu.

— Busiu! — wykrzyknęła Ewa, gdy podnosił ją z klęczek. — Od tej chwili będę nazywała cię... — Roziskrzonym wzrokiem wpatrywała się w jego twarz. — Będę nazywała... Ibrahim! — oznajmiła z tryumfem i radosnym westchnieniem. — Busio pasuje bardziej do pokojowego kundla niż do geniusza, jakim jesteś! — stwierdziła kategorycznie. — A do tego wciąż mylę Brysia z Busiem.

Pomyślałam, że i ona wzięła coś ze mnie. Chociażby potrzebę zmieniania imion. Niewiele to, ale jednak... — pocieszałam się rozbawiona tym odkryciem.

— Piękne, godne imię — przyznał z powagą. — Całkiem pasuje do tak przystojnego bruneta, jakim jestem — stwierdził mimochodem. Odchrząknął z zadowoleniem, ukazując w uśmiechu pełny komplet zębów. Z czasem „spatynowały" się i wyglądały jak jego własne.

Ruszyliśmy zgodnie na dalsze zwiedzanie domu. Busio poczuł się nagle kustoszem. Wczuł się całkowicie w rolę. Tyle tylko, że przed otwarciem drzwi do mojej byłej sypialni zamiast powiedzieć coś w rodzaju:

— A teraz, proszę państwa, wchodzimy do sali takiej to, a takiej — zwrócił się do nas ze słowami: — A teraz w ciszy i z powagą, jaka obowiązuje w obliczu Wielkiej Sztuki, będziemy kontemplowali wczesny poranek na stepie... — Chciał jeszcze coś dodać, ale głos mu się załamał. Przygryzł więc nerwowo wąsa, opuścił głowę i ponownie ruchem dłoni nakazał bezwzględne milczenie.

W tej samej chwili zaterkotał w hallu przenikliwie telefon. Zbiegłam bez słowa na dół. W słuchawce odezwał się Topsi. Zaniemówiłam na dłuższą chwilę.

— Słyszysz mnie? — dopytywał się nerwowo między jednym „halo" a drugim.

— Słyszę — wydukałam. — Zaskoczyłeś mnie.

— Możesz rozmawiać?

— Mogę.

— Nie przyjechałaś do Cieplic. Czekaliśmy na ciebie z Magnusem do ostatniej chwili. — Wyrzut zabrzmiał w głosie Topsiego. — Kilkakrotnie dzwoniłem. Nikt nie podnosił słuchawki, a raz zgłosił się jakiś mężczyzna i dość niegrzecznie odpowiedział, że wyjechałaś na czas nieograniczony.

— Tak się złożyło. Przepraszam... — westchnęłam czując, że gdybym miała Busia pod ręką, tobym go chyba zadusiła.

— Źle się czujesz? — dopytywał się z troską. — Taki masz dziwnie zmieniony głos.

— Dobrze. Tyle tylko, że przed chwilą przyjechała córka z rodziną ze Szwecji i jestem trochę tym wszystkim zaaferowana.

— To może zadzwonię innym razem? Nie chciałbym ci przeszkadzać.

— Nie, nie. Są teraz na górze. Możemy spokojnie rozmawiać.

Serce waliło, tysiące myśli i pytań przebiegało przez głowę, ogarniała złość, że nie pisał, nie dawał tak długo znaku życia, jakbym w ogóle nie istniała, a jak wreszcie to zrobił, to w tak niefortunnym momencie.

— Skąd dzwonisz? — dopytywałam się, jakby to było w tej chwili najważniejsze.

— Z Warszawy. Miałem kilka służbowych spraw do załatwienia, a teraz niecałą godzinę do odejścia pociągu. Chciałem się czegoś o tobie dowiedzieć... — zawiesił głos, jakby czekał na coś, co powinnam powiedzieć.

— Miło, że o mnie pomyślałeś. — Odkaszlnęłam, bo coś mnie w gardle załaskotało. — W moim życiu wciąż się coś dzieje i trudno to wszystko zamknąć w kilku słowach. Niedawno wróciłam z urlopu, skończyłam kurs samochodowy, przyjechała teraz Ewa, w najbliższym czasie pojadę na kilka dni do Sztokholmu na wystawę jej prac... — wyliczałam nie wiedząc nawet, dlaczego kłamię, nie mam odwagi powiedzieć, że na wystawę prac mego męża, względnie mego byłego męża.

— Myślałem o tobie — wtrącił, gdy zamilkłam. — Były chwile, że tylko rozsądek wstrzymywał od tego, żeby rzucić wszystko, wsiąść do pociągu i przyjechać do ciebie — mówił szybko, z determinacją w głosie.

— Szkoda... — wymamrotałam mimo woli.

— Ja też w tej chwili tego żałuję.

Oj, niedobrze... — pomyślałam z przestrachem. — Zaczynam ulegać nastrojowi chwili.

— Jak czuje się żona?

— W bardzo niedobrym stanie. I fizycznym, i psychicznym... — Czułam, że pytanie zaskoczyło go. — Nie sądzę, żeby kiedykolwiek nastąpiło polepszenie. Jest całkowicie załamana — dodał. — Ale mówmy o tobie... Jestem tak wzruszony, że słyszę twój głos.

Milczałam, zastanawiając się, co właściwie czuję i jak należy poprowadzić rozmowę i czego właściwie chcę lub spodziewam się po tym telefonie. W głowie miałam jednak kompletną pustkę i nieokreślony żal do Topsiego, a może nawet do Busia.

— Jesteś tam? — zaniepokoił się.

— Jestem.

— Chciałbym się z tobą zobaczyć, porozmawiać. Weszłaś w moje życie bardziej, niż sądziłem — mówił przyduszonym głosem, jakby mówienie sprawiało mu trudność.

— Nie wracajmy do tego, Topsi — prosiłam. — Mnie też nie było łatwo, ale to już minęło. Zbyt długo kazałeś czekać... — dodałam z nie ukrywanym smutkiem, bo nagle poczułam beznadziejność naszej rozmowy i sytuacji, w jakiej się znalazłam i w jakiej on się wciąż znajdował.

— W drugiej połowie maja będę w Cieplicach. Błagam, przyjedź... Są sprawy, o których powinniśmy porozmawiać raz jeszcze. I chciałbym, żebyś wiedziała, że w moim życiu nie ma żadnej innej kobiety.

— To smutne — pwiedziałam głupio, bez zastanowienia, bo kiedy tak mówił, uświadomiłam sobie ze złością, że moja bardziej aktywna lewa półkula mózgowa i przypisany erotyzm każe mi ze wzruszeniem słuchać słów i zaczynam powoli ulegać nastrojowi chwili, a przecież erotyzm to właśnie atmosfera, nastrój i słowa. Przede wszystkim słowa, na które tak byłam wrażliwa...

— Czy ty mnie słuchasz? — zaniepokoił się.

— Słucham, Topsi.

Z góry dobiegały głosy. Busio wychylony przez poręcz schodów dawał mi ręką znaki, żebym kończyła rozmowę, wyrywając sznur ze ściany.

— Jeszcze chwilka! Zaraz do was przyjdę! — krzyknęłam zasłaniając dłonią mikrofon słuchawki, ale Topsi słyszał, co mówiłam.

— Wobec tego nie będę ci już przeszkadzał. Jeśli pozwolisz, napiszę i podam dokładny termin i chciałbym bardzo... — nie dokończył zaczętej myśli. Coś zgrzytnęło w słuchawce, włączył się przenikliwy, buczący sygnał, przez który przedzierał się słabo głos Topsiego wołający rozpaczliwie: „halo!”

*

Ewa natychmiast zaanektowała moją dawną sypialnię, a właściwie step z tabunami koni. Była całkowicie pusta, chociaż już wysłana skórami. Wciągnęli do niej walizy, pledy i dmuchane materace, jakie z sobą przezornie przywieźli. Lubili oboje nastrój turystyki i, jak się zorientowałam, nie byli zbytnio sybarytami. Ewa zagnieździła się w okamgnieniu. Orzekła, któryś raz z rzędu w tym tygodniu, że czegoś równie pięknego nie spodziewała się zobaczyć, za co Busio całował ją z galanterią w rękę, po czym zamaszyście klepał w tyłek i nazywał „rozkosznym siusiumajtkiem”.

— Maa, gdybym czegokolwiek pragnęła, wracając do kraju, to właśnie zamieszkać w czymś tak niecodziennym jak cały ten dom, jak właśnie ten pokój. — Wodziła zachwyconym wzrokiem po ścianach, które zdawały się być otwartą, pełną słońca i powietrza przestrzenią.

— Jest twój — westchnęłam. — Tylko wróćcie już wreszcie na stałe. Dom od dawna czeka na was.

— Kochana jesteś! — stwierdziła rzeczowo, ukazując w uśmiechu dołeczek w policzku, który tak bardzo lubiłam. Przypominał Andrzeja i nasze pieszczoty na trzecim pięterku wąskiej kamieniczki na Starym Mieście, w skrzypiącym, staroświeckim łóżku żartym przez korniki.

Pomyślałam, że moja mała sypialenka ze stłoczonymi w niej meblami, a także gabinet, którego Busio nie zdążył w całości zamalować, muszą mi wystarczyć. Mój dom zaczynał się zastraszająco kurczyć. Miał rację pan Węchacz walcząc z moimi obiekcjami.

— Wrócimy, jak się tylko dziecko urodzi i na tyle je podchowam, że wyjdzie z pieluch i odżywek. Dzieci muszą i powinny wychowywać się w rodzinnym kraju. Z pewnością żądałby tego dziaduś — dodała. — Myślę, że późną jesienią już tu będziemy. Wiosną chciałabym rozpocząć budowę pawilonu. Wiesz, gdzie? Tuż za starymi drzewami w końcu ogrodu. Nie trzeba będzie chyba wycinać więcej jak dwa, trzy drzewa.

— Nie dam wyciąć żadnego! — oznajmiłam kategorycznie. — Musicie budować tak, żeby można je było zachować — dodałam surowym tonem.

— Maa, ale my chcemy urządzić tam dwie przeszklone pracownie i jeden duży mieszkalny pokój z łazienką, z podręczną kuchenką we wnęce. Musimy mieć dostęp do światła... — Urządzała już swój nowy pawilon, dysponowała moimi drzewami, moimi pokojami, nie dopuszczając nawet myśli, że i ja mogę mieć tu coś do powiedzenia. Starała się nawet urządzać na własną rękę moje życie. Pogodziłam się z tym od pierwszej chwili, gdy weszła pod dach pełna entuzjazmu i zachwytów. Zagnieździła się w okamgnieniu. Snuła projekty, usiłowała podporządkować sobie wszystko i wszystkich zgodnie z własnymi upodobaniami. Duch mego ojca zmaterializował się, był tu wszechobecny.

Mnie i Busia traktowała jak stare małżeńskie stadło, które może być miłym dodatkiem do całości, byle tylko się zbytnio do nich, młodych, nie wtrącało. Pogodziłam się szybko z takim stanem rzeczy. Ostatecznie dom urządzałam przede wszystkim z myślą o niej i jej rodzinie. Okazywała mi wiele czułości. Nie traktowała jednak jak matkę, a starszą, chociaż mniej od siebie doświadczoną, kumpelkę. Tak, a nie inaczej, od pierwszej chwili, ustawiła nasz wzajemny stosunek. Musiałam się z tym pogodzić, jeśli nie chciałam jej stracić. Było to trochę zabawne i nawet miłe.

— Przecież ten ogromny pokój ze wschodnim oświetleniem wspaniale nadaje się na pracownię! — upierałam się bez przekonania, wiedząc, że jestem na przegranej pozycji. — Obok macie dwie sypialnie, jeśli chcecie oddzielne.

Ewa popatrzyła na mnie z namysłem, jakby szukała słów, które mogą mnie przekonać o słuszności tego, co mi za chwilę będzie chciała powiedzieć.

— Maa, nie zapominaj, że Busio musi mieć wreszcie pracownię godną jego talentu, a nie gnieździć się w służbówce! Chyba nie zdajesz sobie sprawy, jakiego to formatu artysta? Nie doceniasz go! I chyba nie interesowałaś się zbytnio tym, co tworzył i tworzy. Ja jednak mogę coś na ten temat powiedzieć. Znam nieomal każdą jego pracę, każdy najskromniejszy rysuneczek, a że jest to nieprzeciętny talent, to chyba najlepiej o tym świadczy fakt, że Muzeum w Sztokholmie chce zakupić kilka jego prac i myśli o urządzeniu wystawy. Inne galerie też są zainteresowane — zapalała się coraz bardziej. Była wielką orędowniczką Busia, co mnie bardzo wzruszyło. — A wizyta przed paroma dniami kogoś ze szwedzkiej ambasady, kto robił zdjęcia tych wspaniałych ściennych malowideł? Z pewnością coś z tego wyniknie! Brysio miał świetny pomysł, że go przywiózł! To też plastyk i zna się na rzeczy. Był kilka razy w naszej pracowni. Napomykał nam o tym, że szukają batalisty do ozdobienia jednej z historycznych sal w zamku królewskim. Czy to wszystko nic ci nie mówi? Nawet jeszcze nie rozmawiałam z Busiem o tym. Wierzy wprawdzie w swój ogromny talent, ale zachowuje się tak, jakby dla niego najważniejszym było samo malowanie, a nie wystawy, popularność i pieniądze... — tłumaczyła z ogniem w oku, pełna zaangażowania, usiłując przekonać mnie o słuszności swoich wywodów. Nie usiłowałam jej przerywać i czegokolwiek tłumaczyć na temat Busia. Robił i tak wszystko to, na co miał ochotę, nie pytając o zdanie. Gdyby chciał, to urządziłby sobie pracownię od dawna. Wolał od niej wszystkie ściany w całym domu. — Nie doceniłaś nawet, maa, niespodzianki z jaką przyjechałam — wyrzut zabrzmiał w głosie. — A przecież to, że będą drukowali album jego miniatur, scenek obyczajowych uchwyconych na gorąco, jest sukcesem, którego ani ja, ani Brysio nie osiągnęliśmy...

— Nie wszystko jest tak, jak myślisz i jak mówisz... — Patrzyłam na nią bezradnie zastanawiając się, jak ująć w słowa to wszystko, co czuję, co mnie nęka i niepokoi. Ogarnęło mnie znużenie. Westchnęłam.

— Pomyśl tylko, Ewa, że całe moje obecne życie zostało wywrócone do góry nogami. — Popatrzyłam na nią z namysłem. Słuchała uważnie ze wzrokiem utkwionym przed siebie. — Nie wszystko do mnie jeszcze dociera, czuję lęki i opory. Nie tylko przecież jego malarstwo, ale on sam stał się dla mnie problemem — tłumaczyłam spokojnie, myśląc jednocześnie o tym, że Busio w czymś nieuchwytnym, z czego zdawałam sobie sprawę, a nie potrafiłam wykryć, przypominał ojca. Chociaż byli zupełnie różni w poglądach i reakcjach, to coś jednak mieli wspólnego. Może kryło się to w lapidarnym języku, w wielkiej podejrzliwości, w zaborczym stosunku do najbliższych? Odnajdywałam w nim także coś z ojcowej fantazji, aktorstwa, zazdrości o to, co powinno do niego należeć łącznie z duszą i ciałem kobiety. — Czy wiesz, jak było mi trudno odnaleźć spokój, pogodzić się z samotnością, z rezygnacją, z brakiem tego wszystkiego, czego pragnęłam, a nie udało mi się osiągnąć, zdobyć? I teraz nagle trach! Wali się stary porządek, Busio znów staje na drodze mego życia, wchodzi w nie nie pytając nawet o zgodę. Uważa mnie za swoją własność, zaczyna popychać przed sobą, ponaglać do biegu, na który już nie mam siły ani nawet ochoty! — wyrzuciłam z siebie jednym tchem to, co leżało mi na sercu, chociaż nie byłam pewna, czy potrafi to zrozumieć. Była na to zbyt młoda, zbyt szczęśliwa.

— Nie rób z siebie staruszki, maa! — krzyknęła. — Bierz życie, jak ono leci, nie dziel włosa na czworo, nie filozofuj, bo to nie w twoim stylu, a ciesz się tym wszystkim, czym się powinnaś cieszyć.

— Potrzeba czasu na przemyślenie, na dojście do ładu z nową sytuacją. Nie mam już twoich lat... — dodałam ze smutkiem. — Kiedyś i ja reagowałam spontanicznie i wszystko wydawało się łatwe, bezproblemowe — uśmiechnęłam się do niej czule, pogłaskałam po zaróżowionym z emocji policzku. Mimo że dorosła, była wciąż moim dzieckiem, małą dziewczynką pełną fantazji, zapału i wiary, że co tylko zechce, to osiągnie.

— Wiesz co, Ewa? Napijmy się herbaty! — zaproponowałam. — Tak jak dawniej, gdy żyli dziadkowie i każdą trudną sytuację „zapijało" się herbatą albo „zajadało" michą rosołu z domowym makaronem. I porozmawiajmy nie o mnie, a o tobie...

— I z włoską kapustką na wierzchu! — dorzuciła z rozmarzeniem w głosie. Oczy jej zwilgotniały, zalśniły łezkami. — Żeby tak oni mogli teraz być tu z nami...

Leżałyśmy pośrodku mojej dawnej sypialni na tych dmuchanych, zarzuconych skórami materacach, obstawione tackami z zastawą do herbaty, pudłami czekoladek, mandarynkami przywiezionymi ze Szwecji. Pachniało nimi w całym domu.

Moja córka w ledwo widocznej ciąży, ukrytej pod luźnym „bubu" z mięciutkiej tkaniny w orientalne wzory, przesunęła dyskretnie wierzchem dłoni po oczach. Udałam, że tego nie widzę.

Wyrosła na fascynującą kobietę o niebanalnych rysach. Odnajdywałam w nich więcej podobieństwa do Andrzeja niż do siebie. W jakiś nieuchwytny dla mnie sposób zmieniła się. W jej rysach coś jakby stężało, zaostrzyło się. Była w nich pewna, obca dawniej, surowość. Jedynie nie zmieniony uśmiech zmazywał z twarzy ten nie znany mi rys zamyślenia czy smutku.

— Jesteś szczęśliwa? — zaryzykowałam pytanie zmieniając temat. Obserwowałam spod oka, jak tym swoim znanym mi z dzieciństwa łakomym ruchem i skupieniem w oczach wybierała teraz co większe i apetycznie wyglądające czekoladki.

— Tak. Bardzo — odpowiedziała bez namysłu i zbyt szybko, co wydało mi się niepokojące. — Zwłaszcza teraz, gdy urodzę Brysiowi dziecko — dodała patrząc na mnie wyzywająco brązowymi, ciepłymi w wyrazie oczami. Kochałam ten ich złotawy błysk, to rozumne spojrzenie spod rzęs, w którym była i kokieteria, i zamyślenie.

— Urodziłaś mu już syna — stwierdziłam beztroskim tonem, żeby jej nie spłoszyć, nie dać poznać po sobie, o czym naprawdę myślę i w czym się powoli utwierdzałam.

— Ale ten będzie jego! — powiedziała szorstko, z naciskiem. — Należy się Brysiowi ode mnie taki prezent.

— Wie o tym?

— Wie — przytaknęła głową, trzymając w palcach czekoladkę z połówką włoskiego orzecha na wierzchu. Przyglądała się jej z uwagą i pozornym zainteresowaniem. — Zawsze o wszystkim wiedział.

— I co?

— I nic. Kocha Stasia jak rodzonego syna — wzruszyła nieznacznie ramionami.

— Nie bałaś się, że przez to może się coś zmienić, popsuć?

— Troszeczkę — przyznała z ociąganiem. — Podjęłam jednak to ryzyko. Nie chciałam budować naszego życia na kłamstwie. Albo, albo! Przyjął mnie jednak taką, jaką jestem, a przecież nie musiał — rzuciła ze zdumieniem w głosie, jakby sama się dziwiła, że właśnie tak postąpił. — Ani on mnie, ani ja jego nigdy nie okłamałam. Uważam to za najistotniejszą, najwartościowszą sprawę w naszym małżeństwie. Czy to nie cudowne, maa, że dwoje ludzi ma do siebie takie bezgraniczne zaufanie, którego nic i nikt nie potrafi zburzyć? — popatrzyła na mnie z powagą i rysy jej twarzy złagodniały.

Nie mogłam oprzeć się wzruszeniu. Walczyłam dzielnie z napływającymi łzami. Moja córka wcześniej ode mnie odkryła prawdę, że między dwojgiem związanych z sobą ludzi nie powinno być miejsca na kłamstwo. Ona wiedziała to od zawsze, a ja zrozumiałam dopiero u schyłku życia.

— To dobrze, że tak właśnie myślisz — zdołałam wydusić ze ściśniętej krtani i zapatrzyłam się w białą klacz ze źrebięciem, które biegło u jej boku z wysoko uniesioną głową, z rozwianą na wietrze grzywą.

— Długo cierpiałaś... — nie musiałam kończyć zaczętej myśli.

— A ty, maa? — przerwała mi pytaniem.

— Od bardzo niedawna przestałam.

— Busio ci w tym pomógł?

— Nie — potrząsnęłam głową. — Nie rozmawialiśmy dotąd o tych sprawach. Jest w trakcie zdobywania mnie, chociaż wątpię, żeby coś z tego wynikło. Jest we mnie pustka i obawiam się, że tak już pozostanie.

— Busio jest wspaniały! Nie doceniasz go, maa! — wykrzyknęła z przekonaniem, znów powracając do ulubionego tematu. — Nie mogę tylko zrozumieć, co to było, że tak się go bałam w dzieciństwie i wydawał się nam wszystkim wariatem. Dziaduś też miał o nim jak najgorsze wyobrażenie, chociaż przypominam sobie, jak po każdej jego wizycie twierdził, że choć wariat, to swój rozum ma i daj Boże każdemu zdrowemu taki!

— Wiele się na to złożyło i nie chcę już więcej tych spraw roztrząsać. Nic to nie da poza irytacją i niepotrzebnymi żalami. — Poruszyłam się niespokojnie na materacu myśląc o naszej wówczas niedojrzałości i tak różnych środowiskach, w jakich się wychowaliśmy. Sięgnęłam po resztkę nie dopitej herbaty. Była chłodna i gorzka.

— Maa... — popatrzyła na mnie z namysłem. — Byłabym naprawdę szczęśliwa, gdybyś się z nim uczuciowo związała. Przecież kochałaś go kiedyś? On teraz ciebie potrzebuje i chyba kocha jak żaden z twoich mężczyzn. No, może tylko z wyjątkiem mego ojca... — zamyśliła się.

— Jesteś pewna, że mnie tak bardzo kochał? — Wzruszyła mnie ta jej dziecięca wiara w ojcowski ideał. — Co ty, dziecko, możesz o nim wiedzieć, jeśli nawet ja nie umiałabym wiele na ten temat powiedzieć? Byliśmy wtedy tacy młodzi, a każda miłość zaczyna się pięknie i tak, jakby miała trwać wiecznie...

— Nie wiem, ale tak czuję! I nie bądź, maa, pesymistką! Nigdy nią przecież nie byłaś! — obruszyła się. — A dla Busia nie bądź także jędzą! To szczęście przebywać na co dzień z takim talentem, z tak ciekawą osobowością. Wciąż czymś nowym zaskakuje. Co za wiedza, oczytanie, poczucie humoru... Z nim nie można się nudzić.

— To prawda! — uśmiechnęłam się sceptycznie. — Ale też i niełatwo znosić na co dzień jego dziwactwa, nastroje, zazdrość... Czuję się czasem tym zmęczona.

— A co w życiu jest łatwe? — wzruszyła ramionami. — Brysio także ma swoje trudne dni, a jednak nie zamieniłabym go na żadnego innego mężczyznę. No, a ja także nie należę do najłatwiejszych. Wzięłam to chyba po tobie?! — zapytała z udaną powagą. — Nas ratuje przyjaźń i obopólne zaufanie, więc jakoś to leci... — zakończyła tak jakoś po młodzieżowemu.

— A miłość? — zapytałam podchwytliwie.

— Jeżeli wszystko to i jeszcze parę innych rzeczy zbierzemy do kupy i podliczymy, to w ogólnym rachunku wypadnie to, co w potocznym języku nazywa się miłością. My nie nadużywamy tego słowa... — popatrzyła na mnie z przekorą i zmrużyła konspiracyjnie, po łobuzersku oko. — Inne czasy, inna epoka! O nas więc możesz być spokojna, maa... — Westchnęła zabawnie pchając do ust trzecią z kolei czekoladkę. — Mam piekielny apetyt na słodycze — stwierdziła. — Obawiam się, że zamiast chłopca urodzę dziewczynkę, a do tego wszystkiego jeszcze się roztyję!

— To ci nie grozi! — machnęłam ręką zmieniając pozycję na bardziej wygodną. Pomyślałam, że co jednak łóżko, to łóżko i będzie ono dla mnie i moich kosteczek bardziej sensowne niż namiot wezyra, o którym wciąż napomykał Busio, a Ewa mu przyklaskiwała zachwycona pomysłem.

Ci dwoje rozumieli się bez słów. Byli nieomal w sobie zakochani. Ewa zwierzyła się, że nie tylko jest dumna z Busia, ale traktuje go nieomal jak ojca i nie chce nawet słyszeć o żadnym innym mężczyźnie w tym domu.

— Słuchaj, Ewa... — zaczęłam z innej beczki, bo coś mi się przypomniało, o co chciałam ją już kilkakrotnie zapytać, ale nie chciałam tego robić przy Busiu. — Pisałaś kiedyś o jakimś testamencie dziadka i o czajniku, który jako cenną pamiątkę trzymacie w pracowni na poczesnym miejscu. Co to za historia?

Ewa wybuchnęła śmiechem. Ukryła twarz w dłoniach i przez chwilę nie mogła wydusić z siebie słowa. — Przepraszam cię, maa, ale ilekroć sobie przypomnę, jak dźwigał go Brysio przytroczywszy sznurkiem do plecaka, a ja dreptałam obok niego z brzuchem jak balia, to ogarnia mnie idiotyczny śmiech. No i te z nim pierwsze próby robienia pieniędzy, a pojęcie o tym mieliśmy zielone... — Nie mogła zapanować nad śmiechem.

— Robienie pieniędzy? — zdumiałam się i chyba tak jak moja matka zaczęłam bezwiednie mrugać rzęsami.

— Maa, czy naprawdę jesteś taka niedomyślna? Już nie pamiętasz, jak opowiadałaś, że dziadek z Wykolejeńcem pędzili w nim bimber u jakiejś Helutki?

— Ach, mój Boże! — wykrzyknęłam i także się roześmiałam. — Zapomniałam już o tym!

— A nam się ten dziadkowy pomysł bardzo przydał. Po prostu zaczęliśmy pędzić w nim bimber i sprzedawać pewnemu facetowi zamieszkałemu przy malutkiej, dość malowniczej, chociaż mało reprezentacyjnej uliczce Sztokholmu.

— Okropność! Jak mogliście?! — Spojrzałam na nią z wyrzutem wyobrażając sobie, co by to było, gdyby wmieszała się w to tamtejsza policja.

— Musieliśmy z czegoś żyć, nim udało się sprzedać nasze grafiki i gwasze. Te nasze początki wcale nie były takie łatwe, jak może ci się to wydawało, gdy czytałaś moje listy. I dzięki czajnikowi przeżyliśmy jakoś pierwszy okres. Nie chcieliśmy się przecież bogacić, maa... — Posmutniała nagle i poszukała mojej dłoni. Zamknęłam jej drobną i mocną w swojej szorstkiej od częstego mycia i znów stałyśmy się sobie bliskie. Najbliższe na świecie.

Przygarnęłam ją do siebie, wzięłam w ramiona, tak jak dawniej w Draniewie, gdy wyrwał ją ze snu gwizd przelatującego nocą pociągu. Budziła się wtedy z cichym kwileniem i tuliła się do mnie ufnie z buzią mokrą od łez.

Ogarnęło uczucie spokoju i głębokiej radości, że oto znów mam prawdziwy rodzinny dom i wreszcie zniknie z mego życia uczuciowa luka, którą dotychczas wypełniałam różnym „barachłem", jakby powiedział Busio.

*

Dni mijały szybko, niepostrzeżenie. Zbliżały się święta Bożego Narodzenia. Myśl o wspólnej z Ewą wigilii, pierwszej od wielu lat w rodzinnym gronie, cieszyła, a jednocześnie radość tę mąciła świadomość, że każdy dzień przybliża bolesne dla mnie rozstanie. Myślałam ze smutkiem, że Nowy Rok, po którym tak wiele sobie obiecywałam, rozpoczną w Szwecji. Dom opustoszeje na długie miesiące. Mimo zapewnień Ewy, że jesienią powrócą na stałe do kraju, ogarniał irracjonalny lęk, że coś się może wydarzyć, co znów odwlecze ich powrót. Może działo się tak dlatego, że bardzo pragnęłam mieć ich wszystkich przy sobie i na zawsze.

Zamilknie radosny śmiech Siasia „próbującego się na rękę z Busiem", nie będzie wieczornego przemykania się Ewy do mojej sypialenki. Przegadałyśmy w jej cieplutkim wnętrzu niejedną noc. Zwierzałyśmy sobie to, co zdarzyło się w naszym życiu, w tych długich okresach, kiedy musiały wystarczyć jedynie listy. Najczęściej i najchętniej wspominałyśmy dawne lata w innych naszych domach. Rozpamiętywałyśmy różne historie i sytuacje, jakie się w nich wydarzyły. Ewa widziała je oczyma dziecka. Teraz musiałam wiele rzeczy dopowiadać, wprowadzić w historie, które często ukrywało się przed nią. I śmiech nas przy tym ogarniał, i wzruszenie, i coraz mocniejsza uczuciowa więź zacieśniała się między nami. Rozkwitała przyjaźń. Byłyśmy sobie znów potrzebne i bliskie.

Odmłodniałam przy niej, czułam wzbierającą radość i chęć życia. Powracał mój dawny optymizm. Wszystko to, co nie dotyczyło Brysiów, stawało się dalekie i mało ważne.

Nad ranem z obopólnych zwierzeń wyrywało nas uczucie straszliwego głodu. Boso i w nocnych koszulach, tłumiąc śmiech, biegłyśmy do kuchni, żeby coś „podjeść". To „coś" było zazwyczaj rosołem z ogromną ilością makaronu. Tłusty i pachnący stał w lodówce, przygotowany przez Busia na niedzielny obiad. Patrzyłyśmy na siebie ze śmiechem, zgadzając się co do jednego, że jest już właściwie niedziela. Wszystko więc jedno, o której godzinie go zjemy.

Rano, przy późnym śniadaniu, które dla reszty rodziny było „małym lunchem", bałyśmy się do tego przyznać, chichocząc, jak małe dziewczynki, gdy Busio prosił, abyśmy się nie „obżerały", ponieważ przygotował na obiad niespodziankę. Nasz rodzinny, tradycyjny rosół z makaronem. Nie mógł zrozumieć, co nas w jego słowach tak rozbawiło, że jak na komendę wybuchnęłyśmy śmiechem. Ewa spuszczając skromnie oczy szepnęła nieśmiało:

— Czy jesteś, Ibrahim, pewny, że ugotowałeś rosół?
— No, jakże?! — żachnął się. — Cały gar z potrójną porcją włoszczyzny.
— Na pewno? — dorzuciłam powątpiewającym tonem.
— Taż ja, dziecko, nie idiota! — rozzłościł się. — Może i trochę przygłup w życiowych sprawach, ale nie idiota i pamięć mnie jeszcze nie zawodzi. — Popatrzył na nas uważnie i coś go widocznie tknęło. Złapał się za głowę, na której zdążył mu się już włos zjeżyć, i pognał do kuchni.

Na wszelki wypadek uciekłyśmy od stołu, przy którym Brysio ze Stasiem kończyli spokojnie swoje mleko, wpatrując się w nas, jak w kolorowy telewizor.

W gabinecie zamknęłyśmy się na klucz. Dopiero gdy Busio przez zamknięte drzwi obiecał nam uroczyście, że nie tylko nas nie udusi, ale ugotuje następny sagan rosołu i jeszcze zrobi do niego makaron cieniutki jak „włosy anielskie", wpuścimy go do środka. Ewa pocałuje go w rękę, a jak się będzie bardzo upierał, to i dwa razy.

— Niby delikatne kobietki, a żrą jak chłopy od kanalizacji! — urągał. — Żeby opchnąć prawie cały gar rosołu przygotowanego na pięć osób, to ja się pytam, kto w tym domu jest nienormalny?! — Wykrzyczał, co miał do powiedzenia, i ze śmiechem przyjął nasze warunki.

Dwa wspaniałe, rozłożyste świerki, zwiezione z Bąblowca przez zaprzyjaźnionego z Busiem leśnika, czekały na ośnieżonym tarasie. Tam też każdego ranka Brysio w towarzystwie Stasia rozwieszali w siateczkach kawałki słoniny i orzeszki ziemne dla sikorek. Zlatywały się z całej okolicy błękitne i żarłoczne. W całym domu, we wszystkich jego oknach, porozwieszała Ewa, ze złocistego i czerwonego tworzywa, mieniące się, promieniste gwiazdy z maleńką żaróweczką ukrytą w ich wnętrzu. Rzucały złocisto-czerwone światło na szyby i ściany. Wtedy nie tylko okna, ale i wnętrza wyglądały baśniowo i uroczyście, jak choinka z płonącymi świeczkami zapamiętana z czasów dzieciństwa. Rozwieszała je tak, jak każdego roku w Szwecji i wtedy, jak mi nieśmiało zwierzyła, ogarniała ją straszliwa tęsknota za krajem, za domem, za wszystkim, co pozostawiła przed laty. W jadalni, kuchni i pokoju „herbacianym" w przyozdobionych wianuszkami lichtarzach paliły się przez cały dzień po cztery białe, adwentowe świece. Wyglądało to nastrojowo i pięknie. Nie byłam jednak przyzwyczajona do tej tradycji, a wianuszki z kolorowych „nieśmiertelników" i ostrokrzewia przypominały cmentarz. Ewa śmiała się z tych moich skojarzeń. Twierdziła, że nikomu w Szwecji coś takiego nie przyszłoby nawet do głowy.

Nucąc kolędy rozstawiała koszyczki pełne czerwonych jabłek, porowatych mandarynek, orzechów. W wazonach układała cięte, krwiste poinsecje przywiezione w ogromnych ilościach przez Brysia z kwiaciarni w Kuczebinie, „bo takie tanie". Nie zdążył jeszcze przyzwyczaić się do czarnorynkowych przeliczeń i wszystko, co kupował, wydawało mu się „za bezcen" w porównaniu z tym, ile musiałby za to samo zapłacić w koronach.

Oboje wciąż coś przemeblowywali, ozdabiali, przygotowywali prezenty pod choinkę. Pakowali je w tajemnicy owijając w kolorowe papiery, wiążąc wstążkami. Chichocąc przy tym, coś szeptali jak dzieci i nawet Siasio wykazywał więcej od nich powagi.

Od dłuższego czasu nie odstępował Busia na krok. Nawet smakowały mu przyrządzone przez niego potrawy, chociaż w domu, jak mówiła Ewa, nie chciał na nie spojrzeć. Zwłaszcza na zupy. Wolał zdecydowanie mleko albo owocowe soki. Patrzył na Busia z zachwytem, gdy na poczekaniu wycinał z papieru jeźdźców na koniach i opowiadał całą do nich legendę. Siasio kolorował je z zapałem kredkami, zapytując z przejęciem, czy się „dziadkowi podobają kolory". Z zapartym tchem słuchał ukraińskich klechd o latających trumnach, wijach, o Homa Brucie, pantofelkach carycy i „Żyrnym Paciuku". O tym wszystkim, czym w narzeczeńskich czasach karmił mnie Busio, wywołując okrzyki grozy.

Był teraz w swoim żywiole. Przy każdej okazji opowiadał nam rosyjskie anegdoty ilustrując odpowiednimi gestami i modulacją głosu. Wspominał dzieciństwo spędzone w Odessie, znał całą historię Kozactwa, czynił barwne wykłady na temat koni, począwszy od konia Przewalskiego, żeby za chwilę przerzucić się ze swadą na długi wykład o białej broni albo mistrzach Renesansu. Oczarował do reszty Ewę i Brysia. Wpatrywali się w niego z uwielbieniem jak duże dzieci słuchające bajek i wciąż prosili o jeszcze.

Busio od kilku dni nikogo poza Stasiem nie wpuszczał do swego pokoju. Natychmiast po wyjściu zamykał drzwi na klucz. Nosił go na szyi chłopak, niezmiernie dumny z okazanego zaufania i dopuszczenia do im tylko wiadomej tajemnicy. Wypytywałyśmy go z Ewą na różne sposoby. Nic jednak nie było w stanie wyciągnąć z niego tajemnicy.

— To ma być „niespodzianek"! — odpowiadał. Ewa poprawiła, że należy mówić: „niespodzianka".

— To ma być niespodzianka — powtórzył.

— Znów niespodzianka! — złapałam się za głowę.

— Zuch chłopak! — pochwalił Busio. Wszedł akurat na tę scenę do „herbacianego" i zabrał z sobą Siasia, uspokajając mnie, że jeśli przeżyłam szczęśliwie „najazd Dzikiej Dywizji", to wszystko inne będzie już tylko „mdłym kompotem".

— Wiem już, co oni tam robią! — wykrzyknęła nagle Ewa, gdy znaleźliśmy się sami. — I to drogą dedukcji! — stuknęła palcem w głowę.

— No, co, co? — dopytywałam się, żeby zrobić jej przyjemność.

— Prezent dla ciebie pod choinkę!

— Domyślam się, że coś z tych rzeczy, ale konkretnie, co? Mam uraz do wszelkich niespodzianek — przyznałam z westchnieniem. Przypomniałam jej też zaraz historię z Wykolejeńcem i ogrodem, opisaną w liście. Zaczęłyśmy chichotać. Samo słowo „Wykolejeniec" budziło w nas wesołość, tak jak dawniej, za ojcowych czasów, przerażenie.

— Wydaje mi się, maa... — Zniżyła głos do konspiracyjnego szeptu, a w oczach błysnęły szelmowskie ogniki — że oni razem z Siasiem malują namiot wezyra! Widziałam, jak któregoś dnia wyciągali z Brysiem gigantyczny pakunek z bagażnika, a z półki zniknął album sztuki tureckiej, który dostałam do przejrzenia.

— To możliwe! — Zobaczyłam siebie w roli branki gwałconej przez Busia z kindżałem w zębach i parsknęłam śmiechem.

— Z czego ryczysz, maa? — zainteresowała się, bo widocznie nie takiej spodziewała się reakcji.

Opowiedziałam jej barwnie naszą rozmowę z Busiem i cały ten mój nieszczęsny powrót do domu.

— No, nie... On jest niezrównany! — wykrzyknęła klaszcząc z uciechy w dłonie. — Co za pomysły?! Co za porywająca i nieprzeciętna fantazja! Czy ciebie to, maa, nie podnieca? — Wlepiła we mnie zaciekawione spojrzenie.

— Jakoś nie bardzo... — przyznałam się. — Raczej śmieszy, ale kto wie?... — mrugnęłam do niej. Wybuchnęłyśmy niepohamowanym śmiechem. Wyobraźnię miałyśmy nie gorszą od Busiowej.

Ibrahim, jak się teraz do niego zwracała Ewa, stał się nieoczekiwanie najważniejszą osobą w domu. Jego duszą przy wspólnych posiłkach i popołudniowych herbatkach przy płonącym kominku, w otoczeniu Kozaków, Tatarów i koni. Wciąż na nowo komentowało się jego malarstwo, rysunki, które powyciągał wreszcie z teczek chowanych zazdrośnie do tej pory w koszu z brudną bielizną. Ewa dopatrywała się w tym mojej wiedzy, a nie Busiowego dziwactwa.

— Twoja maa, a moja ślubna... — tłumaczył przy jakiejś okazji z powagą — nie ma artystycznego polotu, ot co! Serce przyzwoicie zaceruje, kości sumiennie nastawi, flaki z miejsca na miejsce przerzuci, ale „kudy" jej tam do naszego spojrzenia na sztukę! Trafnie powiedział Norwid, że gdyby ludziom dano skrzydła, zamiataliby nimi ulice — zabawiał swoimi wywodami.

— Wystarczy, że dom zaludniają geniusze! — odcięłam się cierpko. — Niech chociaż więc jedna w nim osoba będzie względnie normalna!

Rzucili się do mnie z wrzaskiem i śmiechem, całując i ściskając na przemian. Najbardziej rwał się do całowania Busio.

— Twoja maa to jak ten doktorek, co to chciał obejrzeć moje prace, żeby zorientować się, w jakim stopniu jestem wariatem. Na wszelki więc wypadek, żeby twojej maa nie przyszło do głowy pokazać mu rysunków, ukryłem je tam, gdzie nie będzie szukała. — Zarechotał, zadowolony ze swego sprytu.

— Byłem kiedyś przygłupem! — oskarżał się. — Geniusz, ale życiowy przygłup — dodał dla porządku. — Otoczenie mnie nie rozumiało, do żadnego środowiska nie pasowałem, a i ja „czniałem" na wszystkich. Rodzice mózg bełtali, jak nie przymierzając, gówno kijem, a ta smarkata — wskazał na mnie oskarżycielsko i z rozbawieniem palcem — bała się mnie i popłakiwała jak dzieciuch po kątach. Zaczęło więc wszystko nagle mierzić. Dzieci nie lubiłem, malować rodzice nie pozwolili, zapomnieć o sztuce kazali. Ja ich kochał i nie chciał robić przykrości — westchnął ciężko. — Nu, tak ja postanowiłem świadomie uciec w wariactwo! — Powiódł po nas spojrzeniem. — Tak było łatwiej i zabawniej żyć. Wszyscy nagle stali się pobłażliwi, wyrozumiali i żyło się latami po cygańsku. Przywykłem do roli faceta na „wariackich papierach". Nikt się niczemu nie dziwił, bo czegóż można wymagać od przygłupka?

— Powinieneś stanowczo być aktorem — wtrąciłam z przekąsem przypominając sobie jego przebieranki, dziwne opowieści i sytuacje, jakie stwarzał, ilekroć się u nas pojawił.

— A pamiętasz, smarkata, jak ci stracha napędziłem walizami pełnymi książeczek do nabożeństwa? Udawałem, że chcę zarżnąć waszego kota, że niby to Asmodeusz, a i ciebie nieszkodliwie poddusiłem, bo mnie żałość i złość chwyciła, że i dla ciebie ja tylko przygłup i nic więcej.

— Udawałeś także i wtedy — popatrzyłam na niego w osłupieniu.

— Taż pewnie, że udawałem! — zarechotał z zadowoleniem. — Nie miałem na farby, na płótna. Trzeba było zdobyć parę złotych w uczciwy sposób!

— To po cóż trułeś się lekami przepisanymi przez Józka!? — krzyknęłam z irytacją, nie wiedząc, czy kpi sobie z nas, czy na tyle wynormalniał, że zdaje sobie z pewnych rzeczy sprawę.

— Nie trułem się, Ksantypo ty moja! Słoiki jedynie były oryginalne, a zawartość inna.

Przypomniałam sobie, jak Józek twierdził z uporem, że Busio nie ma jakichś specjalnych odchyleń od normy, że są to wszystko dziwactwa, kompleksy i nerwice, jakie występują często u ludzi wrażliwych i utalentowanych.

Poczułam coś jak żal czy też przykrość, że dałam mu się tak sprytnie wykołować. Usiłowałam nie dać tego poznać po sobie. Zauważył jednak, że zmarkotniałam.

— Co tu dużo gadać! — zmienił nagle ton przygryzając wąsa. — Gdybym nie był malarskim geniuszem, byłbym genialnym aktorem! — zakończył z trochę wymuszonym śmiechem i przybierając godną minę zaczął dostojnie siorbać z filiżanki herbatę zapatrzony w „dzieło swego życia".

— Tato! — wykrzyknął zafascynowany Brysio. — Ty nam codziennie dajesz takie spektakle, że i do teatru nie tęskno.

— Jesteś wspaniały i „na wielki złoty medal", jak to się u nas w Akademii mawiało! — podchwyciła Ewa, a obracając się w moją stronę mrugnęła porozumiewawczo, jak wówczas, gdy rozmawiałyśmy o namiocie wezyra. Od tej chwili stał się dla nas symbolem „małżeńskiej alkowy".

*

Tego marcowego ranka powietrze w Warszawie pachniało wiosną. Dzień był chłodny, bezchmurny. Na betonowej płycie lotniska, w kałużach wody po topniejącym śniegu, przeglądało się niebo.

Siedziałam z Busiem w samolocie. Za kilka minut odlatywał do Sztokholmu. Nad kabiną pilotów ukazał się czerwony świetlny napis z prośbą o niepalenie i zapięcie pasów.

Wystawę jego prac zorganizowano znacznie wcześniej, niż przypuszczaliśmy. Było to niewygodnym dla mnie zaskoczeniem. Miałam w tym czasie trudności z uzyskaniem w szpitalu okolicznościowego urlopu. Busio także denerwował się, że jak Szwedzi coś wymyślą, to musi się to dziać akurat w „chłodnych miesiącach", a on tego bardzo nie lubi i z pewnością „złapie" katar. Jest południowcem i kocha słońce. Liczył na czerwiec.

Natychmiast po otrzymaniu od Brysiów depeszy zaczęłam załawiać wszelkie formalności. Busio orzekł, że nie ma zdrowia i nerwów do takich rzeczy i jeszcze komuś przy okazji może „nasobaczyć" więc lepiej niech ja się tym zajmę. Tak będzie „zdrowiej" dla wszystkich.

Oczekiwanie na paszporty trwało dokładnie tyle, ile trwać powinno. Nie nastąpił żaden poślizg. Otrzymanie ich zbiegło się z nadejściem oficjalnego zaproszenia w formie pocztówki dużego formatu, z barwnym rysunkiem arabskich klaczy na padoku. Po drugiej stronie widniało imię i nazwisko Busia, dzień, miejsce, godzina otwarcia i tradycyjne „Hjärtligt Välkommen". Nadszedł również trzeci z kolei list od Brysiów. W każdym przynaglali do jak najszybszego przyjazdu „w bardzo pilnej, istotnej sprawie dla Ibrahima związanej z malowidłami ściennymi". Dowiedziałam się także, iż po Nowym Roku zaczęły się u Ewy nudności i bardzo dziwaczne apetyty, a Siasio zamówił sobie siostrzyczkę i nie może doczekać się jesieni, co prawdopodobnie oznacza tęsknotę za „dziadkiem", którego na równi z Hiobem codziennie wspomina.

— No i co, smarkata? — roześmiał się Busio szeroko, szczęśliwie, szukając mojej dłoni. Tkwiłam obok niego w wygodnym fotelu. Ssałam owocowego cukierka i zastanawiałam się, czy pani Władzia nie zapomni o pozostawionych zleceniach i codziennym karmieniu Hioba rozpuszczonego do ostatnich granic przez Siasia.

— Widzisz, jak nam dobrze teraz! Ty masz pieniądze, ja talent. Trzymamy się za ręce, jesteśmy razem. I czegóż można chcieć więcej od życia?

— No, właśnie. Czego można chcieć więcej... — powtórzyłam jak echo, z westchnieniem. Otwierałam szeroko oczy, żeby ani on, ani nikt z siedzących wokół nas ludzi nie zauważył napływających do nich łez. Wsunęłam prawą dłoń do kieszeni podróżnego kostiumu ze szkockiej kraty. Znów zaczynały być modne. Tkwił tam nie otwarty jeszcze list od Topsiego. Szeleścił niepokojąco. Budził ciekawość, wywoływał lekkie łaskotki, jak dawniej karteczki z wierszami wsuwane przez Piotrusia do kieszonki kamlotowego, czarnego fartuszka z karbowaną falbanką. Samolot drżał, warkot silników narastał. Powoli odrywaliśmy się od ziemi.

Jeśli już jestem przez los skazana na „kocią łapę" z moim byłym mężem, a wcale się do tego nie palę — pomyślałam rozsądnie — to nie mogę i nie powinnam być tak niewyrozumiała i brutalna w stosunku do Topsiego. Kot ma przecież cztery łapy. Jeśli napisze, że i tym razem będzie na mnie czekał w Cieplicach, to się doczeka. Z drugiej znów strony, jeśli mam zaczynać wspólne życie z Busiem, nie należy zaczynać go od kłamstwa. Powinnam mu także zmienić imię. Jak się zmienia imię, to tak, jakby zmieniało się partnera —

rozmyślałam spozierając na białe, skłębione chmury pod brzuchem samolotu. — Nie muszę przecież od razu iść z Topsim do łóżka — zastrzegłam się w myślach. — Ale przynajmniej będzie można odświeżyć wspomnienia, poczuć się pożądaną kobietą, zatańczyć znów w rytmie tanga. Ale jaki miałoby sens spędzenie kilku godzin w jego ramionach na parkiecie, żeby później spędzić samotną noc w łóżku? Jak się już bawić, to bawić się do końca...

Wielka kocia łapa wysunęła się ze ściany samolotu i pogroziła mi surowo. Otrząsnęłam się z niesmakiem. Moja wyobraźnia była cokolwiek już przesadzona, a może zaczęło mi się udzielać coś z Busiowych wizji?

Czy właśnie w tej sprawie do mnie pisze, czy będzie czekał, jeśli przemilczałam jego poprzedni list? — zatrwożyłam się. Na wszelki jednak wypadek należało działać, przygotowywać powoli grunt. Czasu nie było znów tak wiele.

— Nie uważasz, że powinnam w tym sezonie skorzystać z sanatorium po powrocie ze Szwecji? — zagadnęłam przyjaźnie Busia.

Kręcił się przez chwilę niespokojnie w lotniczym fotelu. Rozluźnił pod szyją zbyt mocno zaciągnięty przeze mnie wąski, czarny krawat.

— Sanatorium? — zdumiał się. — A na cóż ci, smarkata, sanatorium, jak masz taki wspaniały dom, ogród, męża, co na dwóch łapach służy, najlepsze dania serwuje? — Roześmiał się trzymając wciąż moją dłoń w swojej. — Nic ci przecież nie dolega.

— Pobyt w Cieplicach zawsze mi dobrze robił na moje kosteczki. — Pieszczotliwie wymówiłam „kosteczki", żeby rozbroić i wzruszyć nimi Busia.

— Et! Nic ci nie jest. Daj Boże każdemu takie zdrowie i kondycję! Siłę masz, dziecko, jak inflancka kobyła — westchnął machając lekceważąco dłonią. Nie szukaj dziury w całym. — Spojrzał na mnie z ukosa. Wiedziałam już, że uczyni wszystko, abym tam nie pojechała. A jeśli, to razem z nim. Podejrzliwość ożeniona z intuicją i wyobraźnią zaczynała działać i nic dla mnie dobrego nie może z tego wyniknąć.

Zaczęłam gorączkowo i bezskutecznie szukać w myślach innego tematu, żeby odwieść go od podejrzeń, zbagatelizować cały ten wyjazd. List w kieszeni coraz bardziej niepokoił.

A może pisze w innej sprawie? Może jest wolny? Mógł się rozwieść, mógł zostać wdowcem. Może w liście czeka mnie propozycja nie do odrzucenia? Puściłam wodze fantazji. Uświadomiłam sobie jednak, że jeśli byłoby coś z tego, sytuacja stałaby się dla mnie kłopotliwa i skomplikowana. Już nie chciałam się z nikim nowym wiązać, zaczynać wszystkiego od początku z człowiekiem, o którym nic właściwie nie wiem. W naszym wieku byłoby to wielkie ryzyko. Busio jest, jaki jest, ale znam go. Wiem, czego się po nim mogę spodziewać. Nic mnie już nie jest w stanie zaskoczyć, nie będzie żadnych niespodzianek. Nie zadziwi mnie niczym, cokolwiek by zrobił. Był cząstką mnie, moją rodziną. Po swojemu kochał, darzył czułością, jakiej mi całe życie brakowało. Była to czułość szorstka, ale jednak była. Szukałam jej w każdym interesującym się mną mężczyźnie i nie znalazłam. Może czułość w ogóle jest im obca? Busio zmienił się. Ja także się zmieniłam. Tyle że on na lepsze. Pokochał Ewę tkliwie i Brysia jak rodzonego syna, i małego Stasia. Oni także darzyli go sentymentem, byli z niego dumni, wiązali nas razem i byłoby nie do pomyślenia powiedzieć im teraz, że przegnałam Busia, a jego miejsce zajmie inny mężczyzna. Mogłoby to być równoznaczne z utratą Ewy.

Uśmiechnęłam się do niego i poprawiłam troskliwie krawat, który przesunął się na bok. Oswobodziłam wolno dłoń z jego dłoni.

— Idę do toalety... — szepnęłam.

Powędrowałam czerwonym chodnikiem do końca samolotu. Zamknęłam się w malutkim pomieszczeniu. Lustra odbijały moją twarz także i z profilu. Przez chwilę przyglądałam się krytycznie trzem lustrzanym odbiciom. Nie wypadło to najlepiej. Poprawiłam włosy, przeciągnęłam usta szminką. Wyjęłam z ociąganiem kopertę. Obracałam przez chwilę niezdecydowanie w palcach, ważyłam na dłoni. A później zdecydowanym gestem, z trzepoczącym się sercem, przedarłam ją na połowę. I jeszcze na połowę, i jeszcze.

— Żeby nie było żadnych pokus, żadnych nowych głupstw i dodatkowych „kocich łap" — powtarzałam sobie z ledwo uchwytnym żalem i jednoczesną ulgą. Pierwszy raz w życiu byłam w swoim postępowaniu konsekwentna do końca. Była ku temu najwyższa pora. Pięćdziesiątkę miałam już za sobą.

A może przeszłam obok własnego szczęścia? — uświadomiłam sobie nagle i przeraziłam się jak człowiek, który uczynił coś nieodwracalnego. Może Topsi był mężczyzną mi przeznaczonym? Tym właśnie, o którym moja matka twierdziła z wiarą, że kiedyś się znajdzie? Myśli kłębiły się. — I teraz tak lekkomyślnie zniszczyłam coś, co mogło okazać się najważniejsze i to jedyne w moim życiu. Ale czy najważniejsze? Pomyślałam o Ewie, o małym Stasiu i wreszcie o Busiu. Czy miałam prawo ich zawieść, rozbić to, co udało się odbudować, co już trwało? Może zebrać kartki i skleić — zastanawiałam się. — Może jednak należało list przeczytać?

Ktoś zaczął się delikatnie dobijać do toalety. Odetchnęłam głęboko, zacięłam usta i wrzuciłam karteczki do kosza na śmieci. Opuściłam toaletę, pod którą czekały dwie młode dziewczyny.

Busio przepuścił mnie na moje miejsce pod oknem.

— Wiesz, smarkata, tak sobie teraz myślę... — Wsunął rękę pod moje ramię i przysunął się bliżej mnie. — Młodość nasza nie była najlepsza, ale za to starość mamy doskonałą, prawda, dureńku? — Objął ramieniem, cmoknął w policzek nie zważając na sąsiadów. — Zawsze mówiłaś, że ja idiota i wariat — mruknął zadowolony. — A okazało się, że ja geniusz. I wyszło na moje!

Koniec

Redaktor
Alina Lindert

Redaktor techniczny
Ewa Rorbach

Korektor
Krystyna Pisarzewska

Wyd. I
Ark. wyd. 20,75; ark. druk. 16,5
Łódzka Drukarnia Dziełowa
Łódź, ul. Rewolucji 1905 r nr 45
Zam. druk. 176/1100/90